1500 TEST DE ENFERMERIA CLINICA

OLALLA
EDICIONES

OTROS LIBROS PUBLICADOS DE LA SERIE «TEST»

1200 TEST DE ATENCION PRIMARIA DE SALUD
Encuadernación: Rústica
Formato: 210 x 297 mm
Nº Páginas: 348
2ª Edición
I.S.B.N.: 84-88876-01-7

1300 TEST COMENTADOS DE ANALISIS CLINICOS
Encuadernación: Rústica
Formato: 210 x 297 mm
Nº Páginas: 352
1ª Edición
I.S.B.N.: 84-88876-00-9

1100 TEST PARA AUXILIARES DE ENFERMERIA
Encuadernación: Rústica
Formato: 210 x 297 mm
Nº Páginas: 300
1ª Edición
I.S.B.N.: 84-88876-04-1

1100 TEST DE ORGANIZACION Y ADMINISTRACION PUBLICA
Encuadernación: Rústica
Formato: 210 x 297 mm
Nº Páginas: 312
1ª Edición
I.S.B.N.: 84-89490-00-7

1500 TEST DE ENFERMERIA CLINICA

OLALLA EDICIONES

NOTA

Teléfono: 902 110 150
E-mail: olalla@nauta.es

Imprime: MARÍN ÁLVAREZ, HNOS.
C/ Invierno, 17
Polígono Industrial "Las Monjas"
28850 Torrejón de Ardoz

I.S.B.N.: 84-88876-03-3
D.L.: M-35370-1997

INDICE

AUTORES

Isabel del Puerto Fernández.	Enfermería Médico-Quirúrgica.
Carmen Torres Valdivieso.	Anatomofisiología.
Consuelo García Monllor.	Enfermería Fundamental.
Inés C. González Gómez.	Enfermería Médico-Quirúrgica.
Antonia Fca. Pérez Galdeano.	Enfermería Fundamental.
Rosa Píriz Campos.	Enfermería Médico-Quirúrgica.
Yolanda Sánchez Lozano.	Enfermería Médico-Quirúrgica.
Mª Angeles Conejo Olmedilla.	Enfermería Psiquiátrica.
Blanca Escobar Medina.	Enfermería Psicosocial.
Mª Jesús Marta Gago Cabezudo.	Farmacología.
Mª Victoria García López.	Enfermería Geriátrica.
Carmen López Balboa.	Bioquímica.
Teresa Martín Vecino.	Enfermería Psicosocial.
Mª Paz Mompart García.	Administración de Servicios de Enfermería.
Dolores Ruiz González.	Enfermería Infantil.
José López López.	Nutrición y Dietética.
Mª Paz Ruiz González.	Enfermería Maternal.

PRESENTACION

La competitividad cada vez mayor en el campo laboral y profesional hace necesario que los enfermeros se preparen de una forma determinada para acceder al mundo del trabajo.

La idea de este libro surge para intentar paliar una laguna existente en la disciplina de Enfermería, de cara a los profesionales que tienen que enfrentarse a mundo laboral y que necesitan para ello reforzar el aprendizaje de una forma específica, teniendo en cuenta el marco donde van a desarrollar su labor profesional. Este texto quiere ser, fundamentalmente, una ayuda para el estudiante, alumno o profesional, en cuanto a la autoevaluación del aprendizaje básico de la disciplina, en una parcela tan importante como es la de los Cuidados a los pacientes con alteraciones de Salud, y cuya recuperación se lleva a cabo, en gran medida, en el ámbito de la Atención Secundaria y Terciaria, en las cuales, los enfermeros tienen una labor esencial y necesitan unos conocimientos claros y específicos para poder ayudar a los pacientes en su autocuidado.

Los autores son todos profesores universitarios de Enfermería, que imparten las distintas asignaturas en la Escuela Universitaria de Enfermería de Toledo, que, basándose en su experiencia docente, y apoyados por una amplia bibliografía, han elaborado una serie de preguntas con carácter formativo para que el lector pueda extraer conclusiones determinantes para su aprendizaje. Para conseguir este propósito, el libro se ha estructurado teniendo en cuenta, tanto la distribución temporal, como el peso específico que las distintas materias, relacionadas directamente con ese modelo de atención al paciente, tienen en el Currículum de Enfermería, comenzando por las asignaturas básicas (Enfermería Fundamental, Anatomofisiología, Bioquímica y Enfermería Psicosocial), continuando con asignaturas de carácter general (Farmacología Clínica, Nutrición y Dietética y Enfermería Médico-Quirúrgica) y finalizando con asignaturas específicas (Enfermería Infantil, Enfermería Maternal, Enfermería Geriátrica, Enfermería Psiquiátrica y Administración y Servicios de Enfermería).

Esperamos que este libro sirva de ayuda a todos los profesionales y estudiantes que acudan a él en busca de apoyo para afianzar sus conocimientos y reforzar su aprendizaje.

Isabel del Puerto Fernández
Profesora de Enfermería Médico-Quirúrgica.

PREGUNTAS Y COMENTARIOS

1 ENFERMERIA FUNDAMENTAL

1. El cuidar como actividad humana:

a) Surge cuando Enfermería identifica su función en la sociedad.
b) Es asumido por el colectivo enfermero al institucionalizarse la profesión.
c) Es anterior a la aparición de instituciones destinadas a recoger enfermos, pobres, mendigos, locos y niños.
d) Ha sido definido como la profesionalización de la actividad enfermera.
e) Surge en España al acrecentarse el desarrollo científico y tecnológico.

2. El libro de medicina más antiguo del mundo conocido en la actualidad es:

a) Sama-Veda.
b) Charaka-Sambita.
c) Papiro de Smith.
d) Susbruta-Sambita.
e) Papiro de Ebers.

3. El principal sanador de la mitología griega fue:

a) Apolo.
b) Asclepio.
c) Zeus.
d) Homero.
e) Hipócrates.

4. En la antigua China:

a) La medicina se centró en la curación.
b) La salud se consideraba como un estado de armonía o equilibrio interior del individuo y de éste con el universo.
c) Se desconocían las técnicas de disección.
d) Las practicas religiosas eran monoteístas.
e) Se rechazaba que la enfermedad también podía ser causada por los malos espíritus.

5. ¿Qué civilización antigua proporciona una descripción más completa de los principios y práctica de enfermería?:

a) China.
b) Árabe.
c) Palestina.
d) Asiria.
e) India

6. Una de las primeras organizaciones de hombres enfermeros en Roma fue:

a) H. Agustinos.
b) H. Benedictinos.
c) H. Jesuitas.
d) Hermandad de Misericordia.
e) Hermandad de los Parabolani.

7. La única diaconisa que cita el Nuevo Testamento es:

a) Fabiola.
b) Shara.
c) Paula.
d) Meditrina.
e) Febe.

8. Las habitaciones originarias en las casas cristianas utilizadas para la hospitalidad y el cuidado de los enfermos, se llamaban:

a) Xenodocheion.
b) Xenodocheia.
c) Diakonia.
d) Nosocomia.
e) Orphanotrophia.

9. Se reconoce como padre de la medicina a:

a) Hipócrates.
b) Aristóteles.
c) Platón.
d) Galeno.
e) Esculapio.

10. La más famosa de las matronas romanas fue:

a) Paula.
b) Marcela.
c) Fabiola.
d) Brígida.
e) Trotula.

11. En la antigua Roma:

a) El cuidado de los enfermos era asumido por las mujeres de la casa.
b) Hubo una considerable contribución a los avances de la Medicina.
c) Se desarrolló la Salud Pública.
d) Los Valetudinaria hacían de enfermeros.
e) Existía un gran número de hospitales llamados Iatralepta.

1-c

El cuidar, como actividad humana, está presente desde los más remotos orígenes de la humanidad y significa una variedad infinita de actividades encaminadas a mantener la vida, la salud, el bienestar y permitir la reproducción y perpetuidad del grupo.

2-e

El Papiro de Ebers, el mejor papiro médico egipcio que ha llegado hasta nuestros días, puede catalogarse como una enciclopedia de la medicina que conocían y practicaban los egipcios de la XVIII dinastía.

3-b

Hijo de Apolo y de Corónide, una princesa de Tesalia, su fama se extendió por toda Grecia. Se erigieron templos en su honor siendo el más famoso el de Epidauro, a pocos kilómetros de Atenas.

4-b

Tal estado se alcanzaba a través de la reciprocidad de la dualidad básica de la naturaleza: el yang (el principio masculino), que era positivo, cálido, seco, ligero y lleno de vida, y el ying (el principio femenino), que era negativo, pasivo, oscuro, frío, húmedo, débil y sin vida. Un desequilibrio entre estas energías originaba el malestar y la enfermedad.

5-e

En los documentos históricos de la India se hacen referencias frecuentes a los enfermeros. En la mayoría de los casos, éstos eran varones; en situaciones excepcionales eran mujeres ancianas. A ellas también se les exigían tres cualidades principales de carácter: altos principios morales, habilidad y capacidad para inspirar confianza.

6-e

Parece ser que se originó durante el S. III cuando la peste negra asoló toda el área mediterránea.

7-e

Febe (60 d.C.), amiga de San Pablo se hizo diaconisa al abrazar la religión cristiana. Se le reconoce como la primera diaconisa y la primera enfermera visitadora.

8-c

Ya en el S. IV hay testimonios de la existencia de casas para enfermos, forasteros, pobres y ancianos. Las habitaciones que recogían a los enfermos se llamaban Diakonia. Pronto resultaron insuficientes y hubo que añadir nuevas habitaciones, alas y edificios.

9-a

Hipócrates de Cos (460-370 a.C. ?) perteneció a la orden de Esculapio y se creía que era descendiente directo suyo. Fiel al pensamiento racional de su época lo aplicó a sus conocimientos buscando así una causa natural a las enfermedades, prescindiendo de la intervención divina como causa de las mismas.

10-b

Considerada como la líder del grupo de mujeres notables, convirtió su palacio en un monasterio, que sería el prototipo del posterior convento. Esto le valió las designaciones de «Madre de las monjas» y «Fundadora de los conventos».

11-c

Es muy probable que la Salud Pública tuviera su origen en Roma. Fueron muy importantes las colosales obras realizadas: creación de desagües, acueductos, buenas carreteras, un sistema de calefacción central, cementerios adecuados, cloacas, baños públicos y privados.

12. Una de las siguientes afirmaciones sobre el pensamiento cristiano no es cierta:

a) Supuso un progreso para la enfermería.
b) Se convirtió, también, en un obstáculo para el progreso de la enfermería.
c) El criterio individual de la enfermera permaneció ajeno a la enfermería durante mucho tiempo.
d) Quienes se dedicaban a la tarea de enfermeros acabaron por ser adiestrados para la docilidad, pasividad, humildad y un desprecio total de sí mismos.
e) Las actividades de cuidado eran realizadas por las mujeres.

13. La Reforma Protestante:

a) Tuvo un efecto directo sobre los hospitales en los países católicos.
b) Motivó que los monjes y monjas fueran expulsados de las instituciones allí donde el movimiento triunfó.
c) Produjo la supresión de las órdenes religiosas en países como España e Italia.
d) Originó la creación de nuevas órdenes religiosas en el norte de Europa.
e) Impulsó la creación de hospitales.

14. San Juan de Dios fundó el primer hospital en España en la ciudad de:

a) Sevilla.
b) Granada.
c) Toledo.
d) Madrid.
e) Córdoba.

15. San Vicente de Paúl fundó la Orden de:

a) Hermanas Agustinas.
b) Hermanas de la Caridad.
c) Hospitalarias de Lyon.
d) Enfermería de los Ministros de los Enfermos.
e) Hermanas Benedictinas.

16. El Hôtel Dieu de París:

a) Data del año 542 d.C.
b) Fue fundado por el Arzobispo de París.
c) Era atendido por la que se considera la Orden más antigua de hermanas puramente enfermeras.
d) Sus primeras enfermeras fueron mujeres pecadoras y viudas.
e) Probablemente fue el más grande de los hospitales medievales.

17. Las Diaconisas de Kaiserswerth fueron fundadas en Alemania por:

a) Elisabeth Fry.
b) Friederike Münster.
c) Gertrude Reichart.
d) Theodor Fliedner.
e) Caroline Bertheau.

18. En el programa de formación de las diaconisas no se incluía:

a) Conocimientos farmacológicos de nivel superior.
b) Formación por servicios clínicos hospitalarios.
c) Formación en enfermería domiciliaria.
d) Conocimientos de ética y doctrina religiosa.
e) Autonomía en el área de los cuidados.

19. Con las reformas llevadas a cabo por Nightingale en el Hospital Militar de Scurati, el índice de mortalidad bajó a un:

a) 30,2 %
b) 20,2 %
c) 10,2 %
d) 5,2 %
e) 2,2 %

20. Indique qué afirmación no es correcta:

a) Nightingale desarrolló el primer programa organizado de formación para enfermeras en Inglaterra.
b) La Nightingale Training School for Nurses se inauguró en 1860.
c) La Fundación Nightingale se encargó de la financiación de la Escuela.
d) Nightingale se encargó personalmente del programa.
e) La mayoría de los médicos se opusieron al proyecto.

21. Nightingale considera fundamental en la formación de una enfermera su capacidad para:

a) Crear un ambiente terapéutico.
b) Planificar.
c) Observar.
d) Comunicarse con el enfermo.
e) Administrar.

12-e

Las enseñanzas de Cristo tendían a poner al hombre y a la mujer en un plano de igualdad. Las actividades de cuidado eran compartidas por hombres y mujeres.

13-b

Donde prosperó el movimiento se creó un vacío importante en el cuidado de los enfermos; las órdenes religiosas fueron expulsadas y su puesto fue ocupado por personal seglar, no instruido y de un estrato social muy bajo.

14-b

El hospital, fundado en 1539, con la ayuda de limosnas, fue muy importante en su tiempo. Su organización sirvió de base para la creación de otras instituciones similares.

15-b

Fundada en 1633, su intención fue revivir el espíritu de las antiguas diaconisas.

16-c

El Hôtel Dieu de París data del año 650 ó 651 d.C. Fue fundado por el Obispo Landerico. El Papa Inocencio IV organizó el grupo originario de mujeres laicas que atendían a los enfermos como orden religiosa. Se las denominó Hermanas Agustinas.

17-d

Fliedner creó en 1836 el Instituto de Diaconisas de Kaiserswerth, abriendo un pequeño hospital y una escuela de formación para diaconisas.

18-e

En el programa se subraya el principio de que las enfermeras debían cumplir exactamente las órdenes médicas, siendo el médico el único responsable del resultado.

19-e

Cuando Nightingale llegó a Scurati el índice de mortalidad era del 42,7%; seis meses después de su llegada bajó hasta el 2,2%.

20-d

Debido a su estado de salud Nightingale no pudo hacerse cargo del programa pero actuó como principal consejera.

21-c

Aunque en su libro **Notas de Enfermería. Qué es y qué no es**, deja constancia de que una enfermera debe tener todas las capacidades expresadas. En el capítulo observación del enfermo expresa: «La lección práctica más importante que puede darse a las enfermeras es enseñarles a observar... Todo ello debe formar parte, y parte esencial, del entrenamiento de una enfermera».

22. La institucionalización de la profesión en España está ligada a:

a) Ley Orgánica de Sanidad Pública de 1820.
b) Ley Orgánica de Sanidad de 1855.
c) Ley de Instrucción Pública de 1857.
d) Fundación en Barcelona de una Asociación de Practicantes en 1895.
e) Instrucción General de Sanidad Pública de 1904.

23. En 1896 se abre la primera escuela de enfermeras en España, indique cuál:

a) Cruz Roja.
b) Valdecilla.
c) Santa Madrona.
d) Santa Isabel de Hungría.
e) Escola de la Generalitat.

24. En la Real Orden de 26 de Junio de 1860 se determinaron los estudios necesarios para ser practicantes. Indique la opción errónea:

a) Arte de los vendajes y apósitos.
b) Curas por aplicación de varias sustancias blandas, líquidas y gaseosas al cuerpo humano.
c) Sobre el arte de practicar sangrías generales y locales, la vacunación, la perforación de orejas, escarificaciones y ventosas y de aplicar al cutis tópicos irritantes, exutorios y cauterios.
d) Sobre el arte de dentistas y de la pedicura.
e) Sobre el arte de los cuidados al cuerpo y la reconfortación del espíritu.

25. Los programas formativos en España orientados a una *práctica profesional* se aprueban:

a) Ley General de Educación de 1970.
b) Ley General de Educación de 1973.
c) Plan de Estudios de 1952.
d) Plan de Estudios de 1955.
e) Plan de Estudios de 1977.

26. Indique qué afirmación no es correcta sobre el programa de Ayudantes Técnicos Sanitarios:

a) Significó la unificación en una sola carrera de todos los profesionales.
b) Las enseñanzas tenían contenidos teóricos y prácticos.
c) Se estableció la coeducación.
d) Se desarrollaron las especialidades.
e) Se vincularon las Escuelas a las facultades de Medicina.

27. Mrs. Bedford Fendwick fue la fundadora de:

a) National Associaton of Colored Graduate Nursing.
b) American Nurses' Association.
c) Consejo Internacional de Enfermeras.
d) National League of Nursing Education.
e) Association of Collegiate Scchools of Nursing.

28. Que «Las teorías de enfermería surgen de la práctica clínica a través del análisis de lo que es la enfermería y de la forma en que las enfermeras administran cuidados» es argumentado por:

a) Orem y Roy.
b) Parse y Orem.
c) Roy y Rogers.
d) Rogers y King.
e) King y Parse.

29. Que «El desarrollo del marco teórico es anterior a la práctica y de éste surgen las guías para la actuación profesional» ha sido argumentado por:

a) Rogers, Roy y Parse.
b) Roy, Parse y King.
c) King, Rogers y Parse.
d) Parse, Orem y King.
e) Orem, Rogers y King.

30. Los modelos en enfermería:

a) Son un instrumento intelectual.
b) Son un instrumento práctico.
c) Facilitan el trabajo por tareas.
d) Su aplicación no puede sufrir modificaciones.
e) Describen la realidad de forma equívoca.

31. Los *elementos esenciales* de un modelo (Descripción de la persona que recibe los cuidados; establecimiento del objetivo de enfermería; definición de salud; significado específico del entorno y delimitación de las actividades de enfermería) han sido enumerados por:

a) Rogers.
b) Johnson.
c) Roy.
d) King.
e) Adam.

22-c

Esta ley crea el título de practicante, estableciendo esta titulación como profesión auxiliar de medicina

23-d

Fue fundada por el médico Federico Rubio y Galí en el Instituto Rubio de Madrid.

24-e

Como indica Dominguez-Alcón: «La enseñanza de los practicantes se creó, según la ley, dentro de un contexto de actividades bien definidas, como auxiliar de las ciencias médicas; con una orientación técnica, según las terapéuticas al uso, de cuidados de reparación».

25-e

Por primera vez se incluyen en los programas formativos asignaturas y áreas de conocimiento de Enfermería; dentro de esta nueva orientación conviene destacar la asignatura «Enfermería Fundamental» donde se imparten los principios teórico-científicos de la disciplina.

26-c

Hasta 1972 a las mujeres se les obligaba a cursar los estudios en régimen de internado, no permitiéndose en ningún caso la coeducación.

27-c

Mrs. Bedford Fendwick en colaboración con líderes de enfermería de diversos países fundó el CIE en 1899. Un año después se aceptaron los estatutos del Consejo, celebrándose la primera reunión en Nueva York el año 1901. El C.I.E. apoya el desarrollo integral del ser humano y del ciudadano que hay en cada enfermera y la consolidación de unos estándares elevados de educación, ética profesional, utilidad pública y espíritu cívico.

28-a

Congreso *Discovery Internetional's.* Pittsburg 1985.

29-c

Congreso *Discovery International's.* Pittsburg 1985.

30-a

Cualquier modelo es una concepción teórica que guía la actividad profesional.

31-c

Roy.

32. Un modelo conceptual:

a) Es posterior al modelo teórico.
b) Se deriva de observaciones empíricas sistematizadas.
c) Representa la relación de teorías comprobadas empíricamente.
d) Es sinónimo de modelo teórico.
e) Identifica y define los factores que intervienen en una situación de enfermería y describe su relación.

33. Un marco conceptual es igual a:

a) Teoría.
b) Paradigma.
c) Modelo conceptual.
d) Modelo teórico.
e) Metaparadigma.

34. Un modelo teórico:

a) Es sinónimo de modelo conceptual.
b) Se construye a partir de la investigación empírica y de teorías establecidas.
c) Se deriva de la inducción.
d) Se deriva de observaciones empíricas no sistematizadas.
e) Su desarrollo teórico es menos preciso que el modelo conceptual.

35. Los modelos tienen valor en la práctica profesional por diversos motivos. Cuál de los expresados no es correcto:

a) Son representaciones materiales y prácticas.
b) Ayudan a comunicarse de forma más significativa.
c) Pueden servir de guía en la práctica y la docencia.
d) Pueden servir de guía en la investigación y la práctica.
e) Permiten clarificar nuestras ideas sobre los elementos de una situación práctica y relacionarlos entre sí.

36. Para Kershaw y Salvage los modelos se clasifican según su centro de interés en:

a) Naturalistas, evolucionistas, de necesidades humanas, de sistemas.
b) De interacción, de suplencia/ayuda, de necesidades humanas, de sistemas.
c) Evolucionista, de necesidades humanas, de sistemas, de suplencia/ayuda.
d) Naturalistas, de suplencia/ayuda, de interacción, de sistemas.
e) De interacción, evolucionistas, de necesidades humanas, de sistemas.

37. Dickoff et al. describen varios *niveles* de formulación de una teoría, en el primer nivel:

a) Se relacionan factores.
b) Permite predecir.
c) Indica acciones.
d) Conceptualiza una meta.
e) Aísla y da nombre a los factores.

38. El *tercer nivel* de formulación de una teoría según Dikoff et al.:

a) Relaciona factores.
b) Permite predecir.
c) Indica acciones.
d) Conceptualiza una meta.
e) Aísla y da nombre a los factores.

39. Para Dikoff et al. las *teorías prescriptivas* son:

a) De cuarto nivel.
b) De tercer nivel.
c) De relación.
d) De descripción.
e) De conexión.

40. El paradigma de la enfermería está formado por cuatro conceptos:

a) Persona, salud/enfermedad, comunicación, actuación profesional.
b) Persona, salud/enfermedad, relación, actuación profesional.
c) Persona, ambiente, relación, actuación profesional.
d) Persona, salud/enfermedad, entorno, actuación profesional.
e) Necesidades humanas, salud/enfermedad, comunicación, actuación profesional.

41. De las siguientes afirmaciones sobre los modelos conceptuales de enfermería , una es falsa:

a) Nos indica cómo debe ser la práctica profesional.
b) Su utilización debe adaptarse y adecuarse a las necesidades del campo laboral.
c) Describe cómo deben organizarse los modelos.
d) Las asunciones son afirmaciones teóricas sobre los fenómenos significativos de la disciplina.
e) Se aplica por medio del proceso de atención de enfermería.

32-e

Un modelo conceptual es preteórico y se deriva en gran parte de observaciones empíricas no sistematizadas.

33-c

A pesar de que gran parte de la bibliografía es confusa en los intentos por clarificar la terminología se está dando el mismo significado a estos dos términos.

34-b

Modelo conceptual y modelo teórico se relacionan con diferentes niveles de desarrollo conceptual. El modelo teórico es más preciso y representa la relación de teorías que han sido comprobadas empíricamente por la investigación.

35-a

El modelo material se desarrolla a partir del modelo teórico con el fin de verificar la hipótesis.

36-e

Los modelos de interacción se centran en la naturaleza de la interacción enfermera-paciente en la prestación de cuidados; los evolucionistas explican la actuación profesional en base a teorías de desarrollo o cambio; los de necesidades humanas centran el cuidado en la cobertura de éstas; los de sistemas se basan en esta teoría para relacionar los elementos de la actividad profesional.

37-e

En el primer nivel se definen los factores con el fin de hacerlos comunicables.

38-b

En este nivel se explicita una relación causal de los factores significativos.

39-a

Es el más alto nivel de construcción de una teoría. En él se define la meta, se prescriben las acciones y se dirigen hacia aquélla.

40-d

De los conceptos que utiliza la enfermería estos cuatro han sido propuestos por Flaskerud y Halloran y aceptados por los profesionales por su significación.

41-c

El modelo expresa el contenido teórico que será usado en la práctica y que se organiza mediante el proceso de atención de enfermería. Walsh identifica esta diferencia afirmando: «Un modelo nos dice cómo deben ser los cuidados de enfermería, el proceso de enfermería describe cómo deben organizarse».

42. Los modelos conceptuales deben contener según Johnson:

a) Presupuestos, valores y objetivos.
b) Presunciones, elementos fundamentales y consecuencias.
c) Supuestos, objetivos y consecuencias.
d) Presunciones, valores y elementos fundamentales.
e) Presunciones, rol profesional y elementos fundamentales.

43. Las presunciones de un modelo describen:

a) Las bases teóricas del modelo.
b) El objetivo de la profesión.
c) La utilidad social del modelo.
d) El «porqué» del modelo.
e) Las actividades profesionales.

44. Las *opiniones y valores* de un modelo:

a) Están sujetos a criterios de verdad.
b) Deben ser probados empíricamente.
c) Explican cómo es el modelo.
d) Deben ser aceptados por quienes usen el modelo.
e) Es el fin por el que los profesionales se esfuerzan.

45. Los *elementos fundamentales o principios de un modelo*, según describió Johnson, son:

a) Objetivo, cliente, rol profesional, origen del problema, intervención, consecuencias.
b) Presunciones, valores, objetivo, cliente, origen del problema, consecuencias.
c) Presunciones, cliente, objetivo, dificultad del beneficiario, enfoque de la actuación.
d) Objetivo, cliente, rol profesional, origen del problema, foco de atención, modos de intervención.
e) Objetivo, cliente, rol profesional, presunciones, modos de intervención, consecuencias.

46. El *origen de la dificultad* se refiere a:

a) Patología de la persona.
b) Indica el campo de aplicación de la profesión.
c) Factores estresantes en los medios interno y externo.
d) Cualquier interferencia con el autocuidado.
e) Falta de fuerza, voluntad o conocimiento.

47. Una tendencia en enfermería es:

a) Orientación que cada profesional da en la administración de cuidados.
b) Relación de causalidad entre los factores de una teoría.
c) Orientación que cada Institución da a los cuidados de enfermería.
d) Orientación que tiene una representación simbólica y conceptual expresada en términos lógicos.
e) Definición y análisis de los conceptos de un modelo.

48. Marriner clasifica los modelos de enfermería:

a) Enfermería humanística, campos de energía, relaciones interpersonales, sistemas.
b) Naturalista, sistemas, necesidades, evolucionistas.
c) Interacción, enfermería humanística, sistemas, evolucionistas.
d) Interacción, evolucionistas, necesidades, sistemas.
e) Sistemas, relaciones interpersonales, campos de energía, necesidades.

49. Atendiendo al rol profesional los modelos de enfermería se agrupan en las tendencias:

a) Sistemas, necesidades, suplencia o ayuda.
b) Naturalista, suplencia o ayuda, de interrelación.
c) Naturalista, necesidades, sistemas.
d) Naturalista, campos de energía, de interrelación.
e) Sistemas, suplencia o ayuda, de relación.

50. De las afirmaciones siguientes indique cuál no es correcta referida a un modelo conceptual:

a) Puede ser utilizado por los miembros del equipo de salud.
b) Identifica los factores de una situación de enfermería.
c) Identifica los fenómenos de la disciplina
d) Es el precursor de una teoría.
e) Es una imagen mental de una realidad dada.

51. Según Henderson *salud* es igual a:

a) Autocuidado.
b) Adaptación al estrés.
c) Independencia.
d) Autonomía.
e) Adecuación al entorno.

42-d

Las *presunciones* son afirmaciones teóricas que relacionan los distintos conceptos. Los *valores* reflejan las creencias del autor. Los *elementos fundamentales* son el «qué» del modelo y orientan la actividad profesional.

43-a

Son las bases científicas del modelo; provienen de una teoría y/o de una práctica particular.

44-d

Refleja el sistema de valores de la autora del modelo y deben ser asumidos y compartidos por aquellos profesionales que deseen llevarlo a la práctica.

45-a

Los elementos fundamentales son el «qué» del modelo y reflejan claramente la práctica profesional.

46-b

Es la causa de cualquier problema que pueda sufrir la persona susceptible de la intervención de la enfermera.

47-d

Una tendencia agrupa aquellos modelos que ordenan los conceptos según una misma orientación.

48-a

Esta clasificación agrupa a los modelos según una concepción de enfermería como arte y ciencia, conservación de la energía, relaciones interpersonales y sistemas.

49-b

El rol profesional especifica la actuación de las enfermeras en relación con la persona que atienden.

50-a

Un modelo conceptual es útil sólo para una disciplina concreta ya que identifica los fenómenos de particular interés para ésta.

51-c

Henderson no da una definición explícita. De su definición de enfermería y de sus escritos se extrae esta conclusión.

52. Si se aplica el modelo de cuidados de V. Henderson consideraremos alcanzada la meta cuando:

a) La persona alcanza su máximo nivel de adaptación.
b) El individuo consigue su máxima independencia en el autocuidado.
c) La persona logra su máximo desarrollo.
d) La persona alcanza su máximo nivel de crecimiento personal.
e) La persona alcanza la máxima independencia posible.

53. Para Henderson la persona es un todo formado por catorce necesidades que pueden verse modificadas por dos tipos de factores:

a) Permanentes y patológicos.
b) Permanentes y estados de salud.
c) Ciclo vital y estado de salud.
d) Intrínsecos y variables.
e) Intrínsecos y extrínsecos.

54. La situación social y cultural de los individuos es clasificada por Henderson como:

a) Factor extrínseco.
b) Factor intrínseco.
c) Factor de salud.
d) Factor permanente.
e) Factor variable.

55. Cuando Henderson expresa cómo debe organizarse la aplicación práctica de su modelo no incluye:

a) Valoración.
b) Diagnóstico de enfermería.
c) Planificación.
d) Realización.
e) Evaluación.

56. Atendiendo al *rol profesional* el modelo de Henderson estaría dentro de la tendencia:

a) De necesidades.
b) Naturalista.
c) De sistemas.
d) De suplencia o ayuda.
e) De interrelación.

57. Henderson considera que una de las *consecuencias* de las actuaciones de enfermería debe ser:

a) Respuestas adaptativas a los estímulos del interesado.
b) Una conducta por parte del interesado eficaz y eficiente.
c) Consecución de un nivel óptimo de autocuidados.
d) Consecución de un nivel óptimo de cuidados dependientes.
e) Que la persona tenga una muerte tranquila.

58. El modelo de Autocuidado ha sido elaborado por:

a) Henderson.
b) Rogers.
c) Roper.
d) Roy.
e) Orem.

59. Orem clasifica su modelo como una teoría general de enfermería formada por tres teorías:

a) Déficit de autocuidado, autocuidado, sistemas de enfermería.
b) Autocuidado, agencia de autocuidado, sistemas de enfermería.
c) Autocuidado, déficit de autocuidado, agencia de enfermería.
d) Déficit de autocuidado, agencia de autocuidado, agencia de enfermería.
e) Agencia de autocuidado, déficit de autocuidado, sistemas de enfermería.

60. En la *teoría del Autocuidado* Orem establece:

a) La agencia de autocuidados es la persona que realiza el autocuidado.
b) Relación entre capacidades de cuidado y demanda de autocuidado.
c) El núcleo de la teoría general.
d) El marco teórico que legitima la actuación profesional.
e) Los requisitos de autocuidado surgen de los seres humanos y de su entorno.

52-e

En su definición de enfermería Henderson expresa: «Igualmente corresponde a la enfermera cumplir esta misión (atender al individuo enfermo o sano) en forma que ayude al enfermo a independizarse lo más rápidamente posible».

53-a

Las necesidades de cada individuo están determinadas por los factores permanentes (edad, temperamento, situación social o cultural y capacidades físicas e intelectuales) y por estados patológicos (cualquiera que sea la enfermedad específica).

54-d

Henderson considera que la situación social y cultural de un individuo es un factor permanente que influye en los cuidados que requiere un paciente.

55-b

Henderson no incluye el diagnóstico de enfermería en la explicación de su modelo. En escritos posteriores justifica esta ausencia en función del desarrollo de la disciplina en ese momento, indicando expresamente que si lo hubiera concebido en la actualidad hubiera reflejado el diagnóstico de enfermería.

56-d

Henderson considera que la función de la enfermera es suplir lo que al paciente le falta para que se le considere *completo, entero o independiente*.

57-e

Queda especificado en la definición que Henderson da de enfermería.

58-e

El concepto de *autocuidado* comienza a ser identificado por Orem en su definición de enfermería (1951) y desarrollado explícitamente en su modelo (1958).

59-a

En 1958 Orem expuso por primera vez su teoría general de enfermería donde se definen y relacionan las tres estructuras teóricas.

60-e

Es una de las presunciones de esta subteoría. En ella también propone que el autocuidado es un comportamiento aprendido dentro de un contexto sociocultural y una acción deliberada; y que los requisitos universales y las formas de cubrirlos pueden ser modificados por la edad, sexo, etapa del desarrollo y/o estado de salud.

61. Un *sistema de autocuidados* es:

a) Acciones que realiza la enfermera.
b) Series específicas de acciones para cubrir cada requisito.
c) Actividades que se realizan para cubrir los requisitos universales de autocuidado.
d) Capacidades intelectuales y habilidades de quien realiza el autocuidado.
e) Actividades que se realizan para cubrir los requisitos de salud.

62. Orem define *agencia de autocuidados* como:

a) Persona que realiza el autocuidado.
b) Persona que recibe el cuidado.
c) Capacidades de quien recibe cuidados.
d) Capacidad del individuo de participar en el autocuidado.
e) Capacidades especializadas para compensar el déficit de autocuidados.

63. *Agente de cuidados dependientes* dentro del modelo de Orem es:

a) El receptor del cuidado.
b) El proveedor de cuidado de los miembros dependientes.
c) La enfermera que realiza el cuidado.
d) La persona que realiza el autocuidado.
e) El receptor del autocuidado.

64. El *déficit de autocuidados* está delimitado por:

a) Requisitos de autocuidados y agencia de autocuidados.
b) Requisitos de autocuidados y agente de cuidados.
c) Requisitos de autocuidados y agencia de enfermería.
d) Requisitos universales y agente de autocuidados.
e) Necesidades de autocuidado y agente de autocuidados.

65. Los *requisitos de autocuidados* son de tres tipos:

a) Básicos, de desarrollo, de alteración de salud.
b) De inicio, de desarrollo, de compensación de salud.
c) Universales, de desarrollo, de alteración de salud.
d) Básicos, de desarrollo, de compensación de salud.
e) Universales, de desarrollo, de compensación de salud.

66. Orem establece que los *requisitos universales de autocuidado* son:

a) Ocho.
b) Diez.
c) Catorce.
d) Quince
e) Veintiuno.

67. Qué afirmación no se corresponde con la *agencia de enfermería*:

a) Está influida por los mismos condicionantes básicos que la agencia de autocuidado.
b) Conjunto de conocimientos, habilidades y motivación de la enfermera.
c) Se adquiere a través de la educación formal y la experiencia.
d) Característica que cualifica a los profesionales.
e) Es igual a la agencia de autocuidado dependiente.

68. Para producir *sistemas* eficaces de asistencia de enfermería Orem precisa la necesidad de dos cualidades:

a) Arte y ciencia.
b) Arte y prudencia.
c) Conocimientos y habilidades.
d) Capacidad y entendimiento.
e) Actitud y aptitud.

69. La siguiente definición: «la persona es un ser bio-psico-social en interacción constante con un entorno cambiante» ha sido elaborada por:

a) Orem.
b) Rogers.
c) Lavin.
d) King.
e) Roy.

70. Roy, en su modelo de adaptación, propone cuatro *modos de adaptación* de la persona:

a) Fisiológico, concepto de sí mismo, dominio del rol, interdependencia.
b) Fisiológico, psicológico, social, cultural.
c) Fisiológico, psicológico, dominio del rol, cultural.
d) Fisiológico, concepto de sí mismo, dominio del rol, cultural.
e) Fisiológico, psicológico, dominio del rol, cultural.

61-b

Comprende el conjunto de actividades secuenciadas cuyo objetivo específico es cubrir un *requisito*.

62-d

Incluye tanto las capacidades intelectuales como prácticas y la motivación de las personas para realizar los autocuidados, es por tanto una construcción teórica.

63-b

Orem identifica *agente* como la persona que realiza la acción. Diferencia *agente de autocuidados* y *agente de cuidados dependientes* en función de que la acción recaiga sobre el propio agente o sobre los miembros dependientes del grupo social del agente.

64-a

El *déficit de autocuidados* aparece cuando la demanda de acción es mayor que las capacidades del agente.

65-c

Orem se apoya en tres suposiciones: La naturaleza del ser humano tiene necesidades comunes; el desarrollo humano requiere la formación y mantenimiento de condiciones que promuevan los procesos conocidos de desarrollo; los defectos y alteraciones genéticas y constitucionales de la integridad normal estructural y funcional y de bienestar.

66-a

Los *requisitos universales*, comunes a todos los seres humanos son: Ingesta suficiente de aire; agua; comida; cuidados asociados con procesos de evacuación y excrementos; equilibrio entre actividad y descanso, soledad y comunicación; prevención de peligros en la vida, funcionamiento y bienestar; promoción del funcionamiento y desarrollo humano.

67-e

Orem distingue tres tipos de *agencia*: de autocuidados, cuidados dependientes y de enfermería.

68-b

El arte de enfermería permite llevar a cabo investigaciones, análisis y síntesis de variables y factores condicionantes dentro de la situación de enfermería. La prudencia permite buscar y aceptar consejos en situaciones nuevas o difíciles, hacer juicios correctos, tomar decisiones y actuar.

69-e

Roy conceptualiza a la persona como un complejo sistema vivo de adaptación con procesos internos (cognitivo y regulador).

70-a

Roy identifica estos cuatro modos: Fisiológico, se relaciona con necesidades físicas. Concepto de sí mismo, conjunto de sentimientos y creencias que se tienen en un momento dado. Dominio del rol, cumplimiento de deberes en base a la posición que se ocupa en la sociedad. Interdependencia, relaciones con otros interlocutores relevantes para la persona y con los sistemas de apoyo.

71. Cuando se aplica el *modelo de adaptación* de Roy, y según su autora, la enfermera debe:

a) Aplicar el proceso de enfermería estableciendo dos niveles de valoración.
b) Valorar los modos adaptativos (fisiológico, autoconcepto, interdependencia).
c) Definir los problemas de adaptación o diagnóstico de enfermería.
d) Valorar los estímulos focales y residuales.
e) Las actividades de enfermería se dirigen a modificar el estímulo local.

72. Peplau advirtió que la salud puede empeorar por varias razones. Indique cuál es incorrecta.

a) Falta de conocimiento del paciente, los profesionales y/o la sociedad.
b) Cuando la persona por haber estado enferma durante un período prolongado es incapaz de pensar en términos de salud.
c) Limitación de los recursos.
d) Incapacidad de los profesionales de la salud para organizarse adecuadamente.
e) Relación de trabajo eficiente entre la enfermera y el paciente.

73. Peplau describe cuatro fases en la relación enfermera/paciente:

a) Valoración, identificación, aprovechamiento, evaluación.
b) Orientación, identificación, aprovechamiento, resolución.
c) Valoración, orientación, aprovechamiento, evaluación.
d) Orientación, identificación, aprovechamiento, evaluación.
e) Valoración, identificación, aprovechamiento, resolución.

74. Cuando una enfermera actúa para promover la *interacción armoniosa* entre el cliente y su entorno, está aplicando el modelo de:

a) Roy.
b) King.
c) Neuman.
d) Johnson.
e) Rogers.

75. Cuando al hacer la valoración de un paciente, la enfermera analiza la capacidad de aquel para llevar a cabo las *actividades de la vida*, estará aplicando el modelo propuesto por:

a) Roy.
b) Rogers.
c) Roper et al.
d) Peplau.
e) Pearson.

76. Los factores que influyen en las *actividades de la vida* son de carácter:

a) Físicos, psicológicos, socioculturales.
b) Físicos, psicológicos, ambientales y político-económicos.
c) Salud/enfermedad, ambientales, socioculturales y politicoeconómicos.
d) salud/enfermedad, personalidad, cultura y ambiente.
e) Físicos, psicológicos, socioculturales, ambientales y politicoeconómicos.

77. El modelo para el desarrollo de los cuidados que responsabiliza a una enfermera del cuidado de un número determinado de clientes desde su ingreso hasta el alta se denomina:

a) Método funcional.
b) Método según el caso.
c) Enfermería primaria.
d) Sistema de dirección por casos.
e) Enfermería adjunta.

78. La distribución de los cuidados según el *método funcional* se hace en base a:

a) Necesidades del cliente.
b) Ubicación geográfica del cliente.
c) Diagnóstico médico.
d) Enfermera/paciente.
e) Tareas.

79. La siguiente definición: «la enfermería es el diagnóstico y tratamiento de las respuestas humanas a los problemas actuales o potenciales de salud», ha sido elaborada por:

a) American Nurses' Association (ANA).
b) Canadian Nurses'Association (CNA).
c) Consejo Internacional de Enfermeras (CIE)
d) American Academy of Nursing (AAN).
e) National League for Nursing (NLN).

71-a

Para Roy el proceso de enfermería tiene seis pasos. El primer nivel de valoración incluye cada modo de adaptación, el segundo los estímulos focales, contextuales y residuales. El diagnóstico se formula en conductas de adaptación siendo un concepto distinto los problemas de adaptación. Formulación de objetivos. Actuación. Evaluación.

72-e

Peplau centra su modelo en la importancia de las relaciones interpersonales enfermera/paciente, siendo la capacidad de éstos para establecer relaciones interpersonales, aprender y desarrollarse la dinámica que hace progresar la actividad.

73-b

Estas fases, aunque son separadas, se superponen y se producen a lo largo de la relación. Peplau las relaciona con las fases del proceso de enfermería.

74-e

Rogers conceptualiza hombre y entorno como *campos energéticos*. A cada campo humano le corresponde un campo de energía específico. El hombre es un todo irreductible en interacción continua, mutua y simultánea con el entorno.

75-c

Para Roper, Logan y Tierney la enfermería se contempla como «la ayuda a las personas a prevenir, solucionar o afrontar los problemas relacionados con las actividades de su vida diaria».

76-e

Roper et al. indican que aunque todas las personas realizan las *actividades vitales*, cada una lo hace de forma distinta en función de los cinco factores mencionados. Éstos, podrían circunscribirse al individuo como entidad global pero por resultar demasiado abstracto se circunscriben a las *actividades vitales*.

77-c

Manthey (1980) define *enfermería primaria*: «El cuidado de enfermería de un paciente concreto queda bajo la dirección continuada de una sola enfermera. Durante las 24 horas del día, el cuidado de un paciente está coordinado por una misma enfermera, designada como «primaria».

78-e

Este sistema de asignación se basa en los trabajos que deben ser realizados. Su mayor desventaja es la fragmentación de la asistencia, con el consiguiente riesgo de que necesidades menos cuantificables como las emocionales sean desatendidas, además de imposibilitar el desarrollo profesional.

79-a

En 1980 la ANA modificó su definición de enfermería con el fin de diferenciar claramente la práctica profesional de una actividad técnica, aprobando la definición anteriormente expuesta.

80. La investigación sobre la práctica de la enfermería comienza:

a) Con Nightingale.
b) Años 20.
c) Años 30.
d) Años 40.
e) Años 50.

81. Una de las siguientes afirmaciones es falsa sobre el proceso de investigación:

a) Comienza con la formulación y delimitación del problema.
b) La hipótesis es el enunciado de las expectativas de la investigación acerca de las relaciones entre las variables.
c) La compilación de datos debe efectuarse según un plan establecido.
d) La interpretación de los datos es la última fase del proceso.
e) Los resultados de una investigación permiten desarrollar investigaciones posteriores.

82. De las siguientes afirmaciones sobre las necesidades, indique cuál está incompleta:

a) Las personas satisfacen sus necesidades en función de sus prioridades.
b) Una necesidad surge de estímulos internos.
c) Las personas disponen de diferentes respuestas para satisfacer una necesidad.
d) Las necesidades se interrelacionan.
e) La no satisfacción de una necesidad puede provocar la enfermedad.

83. Selye definió el estrés como:

a) Respuesta inespecífica del organismo a cualquier demanda que surja.
b) Respuesta específica del organismo a cualquier demanda que surja.
c) Respuesta específica del organismo a situaciones de exceso.
d) Estímulos que originan una respuesta organizada.
e) Estímulos que originan una respuesta desorganizada.

84. El Síndrome de Adaptación General (SAG) tiene tres estadíos:

a) Alarma, resistencia, agotamiento.
b) Alarma, estancamiento, agotamiento.
c) Alarma, estancamiento, resolución.
d) Inicio, resistencia, agotamiento.
e) Inicio, resistencia, resolución.

85. En el Síndrome de Adaptación Local (SAL) durante la reacción de alarma:

a) El organismo intenta limitar al factor estresante.
b) Hay una contracción de la corteza suprarrenal.
c) Tiene lugar la adaptación.
d) El factor estresante se puede percibir consciente o inconscientemente.
e) Encontramos tres fases.

86. El término PAE (Proceso de Atención de Enfermería), fue creado por:

a) La American Nurse's Association (ANA)
b) La North American Nursing Diagnosis Association (NANDA)
c) Gebbie y Lavin.
d) Hall, L.
e) Wiedenbach, E.

87. ¿En qué momento comienzan los profesionales españoles a interesarse por el PAE?:

a) En la década de 1960.
b) A finales de los años 50.
c) En 1952, al unificarse los planes de estudios de practicantes, enfermeras y matronas.
d) En la segunda mitad de los años setenta.
e) Al establecerse las especialidades de ATS.

88. Actualmente se entiende el Proceso de Atención de Enfermería como:

a) Método sistemático que la enfermera utiliza para realizar sus tareas delegadas.
b) Aplicación de los conocimientos en la práctica diaria.
c) Información obtenida del paciente durante el proceso de cuidar.
d) Aplicación del método científico en el trabajo profesional de los miembros del equipo de salud.
e) Aplicación del método científico en el trabajo profesional de la enfermera.

89. ¿Qué autor definió el Proceso de Enfermería, tras combinar los conceptos de Proceso y de Enfermería?:

a) Carlson, S.
b) Monken, S.S.
c) Griffith, E.
d) Deininger, J.
e) King, I.M.

80-e

Aunque se acepta que la investigación en enfermería comienza con Nightingale. En años posteriores la investigación decae. Durante la primera mitad de este siglo comienzan a publicarse en los EUA diversos estudios centrados en la formación de las enfermeras. Será en la década de los 50 cuando se priorice la investigación sobre la práctica profesional.

81-d

El último paso de toda investigación es la comunicación de los resultados a la comunidad científica; si esto no se hace la investigación tiene poca utilidad. Comprende la descripción escrita de lo que se hizo, por qué se hizo, a quién o con quién se efectuó, qué se descubrió y cuáles son las posibles deducciones.

82-b

Una necesidad surge tanto de estímulos internos como externos.

83-a

Selye identifica el estrés como una respuesta distinguiendo ésta de cualquier circunstancia que altere el equilibrio del organismo y que denominó *factor estresante*.

84-a

Tanto el síndrome de adaptación general como el síndrome de adaptación local tienen los mismos estadíos, en ellos se producen cambios en la estructura y composición química del organismo.

85-d

Tanto en el SAG como en el SAL el organismo reacciona como un todo, mediante un conjunto de reacciones fisiológicas, a los factores estresantes, independientemente de como sean percibidos por la persona.

86-d

El término PAE, es relativamente nuevo. Fue creado por L. Hall en el año 1955. Desde entonces varias enfermeras han descrito el proceso de diferentes modos.

87-d

El interés de los profesionales españoles por el proceso comienza en la década de los años setenta, mayoritariamente, a partir del cambio de estudios cuando se integra la enseñanza de la Enfermería en la Universidad en 1977.

88-e

La mayor parte de los autores coinciden en denominar así al proceso de enfermería.

89-d

En 1975, Deininger define los términos proceso y enfermería como paso previo para conceptualizar el Proceso de Enfermería, al que describe como «una forma ordenada y sistemática de determinar los problemas de un individuo, formular los planes para resolvérselos, llevar a cabo esos planes y evaluar hasta qué punto los planes resultaron eficaces para reducir los problemas identificados».

90. Si consideramos el proceso de cinco etapas ¿a cuál de ellas correspondería la decisión de las intervenciones de enfermería?:

a) Valoración.
b) Ejecución.
c) Diagnóstico.
d) Planificación.
e) Evaluación.

91. La NANDA:

a) En 1979 definió y estableció el campo que abarca el ejercicio de la enfermería.
b) Se constituye en 1973 cuando un grupo de enfermeras se reúne por primera vez constituyendo la National Conference On Classification of Nursing Diagnosis.
c) Es la Asociación profesional de las enfermeras norteamericanas.
d) A partir de 1978 decide establecer reuniones periódicas cada tres años.
e) Se origina al ampliarse, en 1982, el grupo de trabajo impulsor del Sistema de Conferencias Nacionales.

92. Las etapas del proceso de atención de enfermería:

a) Constituyen un ciclo dinámico en el que no existe división entre ellas.
b) Tienen una secuencia diacrónica en el tiempo.
c) Dependen, cada una de ellas, de la precisión de la etapa posterior.
d) Reciben la misma denominación que las de otros procesos de la metodología científica.
e) Se han venido diferenciando por el colectivo enfermero desde la segunda mitad del S.XIX.

93. Una característica del proceso de enfermería es la de ser dinámico porque :

a) Responde a un cambio continuo.
b) Ha sido concebido a partir de numerosos conocimientos que incluyen ciencias y humanidades.
c) Está basado en las relaciones recíprocas que se establecen entre la enfermera y el paciente.
d) Se puede adaptar al ejercicio de la enfermería en cualquier lugar.
e) Implica partir de un planteamiento organizado para alcanzar su objetivo.

94. Según Helen Yura y Mary Walsh, la aplicación del proceso de enfermería:

a) Responde beneficiosamente sobre la profesión pues muestra, de manera concreta, las órdenes delegadas por otros profesionales.
b) Requiere de la enfermera aptitudes intelectuales, interpersonales y técnicas.
c) Surge en los países anglosajones y se extiende a Canadá y Norteamérica.
d) Requiere de la enfermera actitudes cognitivas, afectivo-volitivas y psicomotoras.
e) Se ha visto incentivado por otros profesionales.

95. El proceso de enfermería parte de un planteamiento organizado para alcanzar el objetivo, esto significa que es:

a) Dinámico.
b) Interactivo.
c) Sistemático.
d) Flexible.
e) Estable.

96. Las fuentes de datos indirectas se refieren, entre otras, a:

a) Información que suministran las personas cercanas al paciente.
b) Consultas con otros miembros del equipo de salud.
c) Información proporcionada por el propio paciente.
d) Observaciones que hace la enfermera.
e) Información facilitada por la familia.

97. Los datos objetivos y subjetivos obtenidos en la valoración:

a) Son indicadores que conducen a una inferencia.
b) Se denominan también síntomas y signos respectivamente.
c) Son mensurables.
d) Se obtienen, fundamentalmente, a través del examen físico.
e) Se obtienen, fundamentalmente, a través de la entrevista.

90-d

A dicha etapa corresponden, además, la disposición de los problemas del paciente por orden de prioridad, la determinación de objetivos y la anotación del plan de cuidados de enfermería.

91-e

En 1973 un grupo de enfermeras americanas se reúne por primera vez con la finalidad de establecer una clasificación de los diagnósticos de enfermería, constituyendo la National Conference on Classification of Nursing Diagnosis. Desde entonces vienen trabajando con este propósito. En 1982, este grupo decide ampliarse convirtiéndose en la North American Nursing Diagnosis Association (NANDA) o Asociación Norteamericana de Diagnósticos de Enfermería.

92-a

Su división tiene un fin analítico para facilitar su comprensión.

93-a

Es un proceso evolutivo orientado según las respuestas del paciente que cambian a lo largo de la relación enfermera-paciente.

94-b

Para Yura y Walsh, las aptitudes que la enfermera precisa para llevar a cabo el Proceso, se agrupan en tres tipos:

- Intelectuales: derivadas del conocimiento y la experiencia.
- Interpersonales: que favorecen las relaciones con el paciente / familia / comunidad / miembros del equipo.
- Técnicas: que ayudan a llevar a cabo con competencia las actividades de enfermería.

95-c

Básicamente el proceso de enfermería es un método sistemático y organizado de administrar cuidados de enfermería individualizados.

96-b

Las fuentes indirectas se refieren a consultas con otros miembros del equipo de salud; registros anteriores del paciente; libros, revistas y todo aquello a lo que el profesional puede acudir, si necesita aumentar sus conocimientos o informaciones.

97-a

Los datos obtenidos, objetivos y subjetivos, actúan como claves que nos permiten emitir un juicio o inferencia. Ésta puede hacerse a partir de una sola clave o de un grupo de ellas, pero cuantas más se tengan, más probabilidad habrá de que el diagnóstico sea correcto.

98. La entrevista en enfermería:

a) Constituye un excelente método para establecer los objetivos de enfermería.
b) Complementa las observaciones realizadas por la enfermera.
c) Consta de dos partes: cuerpo y cierre.
d) Proporciona los datos objetivos.
e) Se denomina formal cuando se refiere a la conversación cotidiana con el enfermo.

99. El registro de los datos en la historia de enfermería:

a) Debe hacerse incluyendo los términos habituales como «bien», «regular», etc.
b) Se llevará a cabo en un modelo impreso común a todas las Instituciones del INSALUD.
c) Contiene, exclusivamente, las observaciones de la enfermera.
d) Permite la utilización de abreviaturas aunque no sean de uso común.
e) Puede ser utilizado por el equipo de salud.

100. Rosalind Alfaro recomienda sobre la entrevista:

a) No empezar formulando preguntas sobre el problema que aqueja al paciente.
b) Empezar con preguntas personales.
c) Resumir y reformular lo que se ha dicho.
d) Aplazar las preguntas pertinentes.
e) Usar preguntas cerradas.

101. ¿En qué momento comienzan las enfermeras a interesarse más por la metodología científica aplicada a su trabajo?:

a) Al final de la década de 1850, cuando Florence Nightingale escribe su libro «Notas de Enfermería. Qué es y qué no es».
b) En 1979, cuando la American Nurse's Association (ANA) definió la Enfermería.
c) En 1970, cuando Martha Rogers describe la enfermería conjuntamente como arte y ciencia.
d) En la década de 1960, aunque su mayor difusión tuvo lugar en los años 70.
e) En 1973, cuando se forma la North American Nursing Diagnosis (NANDA).

102. Según Rosalind Alfaro, la enfermera organiza el examen físico del paciente:

a) Según sus preferencias.
b) Dependiendo de sus propias preferencias y del estado del paciente.
c) Usando el método de «cabeza a pies».
d) Por los patrones funcionales de salud.
e) Por sistemas.

103. Para Rosalind Alfaro, los datos objetivos:

a) Se refieren a sensaciones y percepciones del paciente.
b) Se complementan con los datos subjetivos obtenidos mediante la exploración física.
c) Se obtienen a través de la entrevista.
d) Conforman la visión personal del paciente sobre lo que le acontece.
e) Constituyen información observable por la enfermera.

104. Uno de los siguientes verbos no es mensurable:

a) Identificar.
b) Coger.
c) Ejercitar.
d) Compartir.
e) Comprender.

105. Tras haber reunido y validado los datos del paciente:

a) Se emite un juicio de enfermería.
b) Se organizan de acuerdo con los patrones funcionales de salud.
c) Se planifican las actividades a realizar.
d) Se establecen prioridades.
e) Se estructuran en categorías de información.

106. La primera autora que utilizó el término diagnóstico de enfermería fue:

a) Carpenito.
b) Fry.
c) Moritz.
d) Bircher.
e) Marriner.

98-b

La entrevista constituye, junto a la observación, un método básico para obtener información, poder enunciar al diagnóstico enfermero y determinar el plan de cuidados.

99-e

La historia de enfermería tiene carácter confidencial pero puede ser utilizada por todos los miembros del equipo con el fin de contribuir a la resolución del problema de salud del paciente.

100-c

Con el propósito de clasificar la enfermera debe resumir y reformular lo que se ha dicho. Esto reduce los malos entendidos.

101-d

En los años 60, enfermeras norteamericanas y canadienses se preocupan por la necesidad de utilizar en su trabajo la metodología científica. Este interés se difundirá a Europa, más concretamente al Reino Unido, en los años 70.

102-b

El examen físico puede abordarse de varias formas, dependiendo de las preferencias del profesional y del estado del paciente. Una vez elegido el método, debe ser utilizado coherentemente.

103-e

Los datos objetivos se obtienen a través del examen físico. Son percibidos por el observador. Se pueden obtener a través de la vista (inspección), tacto (palpación/percusión), oído (auscultación), gusto y olfato.

104-e

Los verbos mensurables describen el comportamiento exacto que esperamos ver u oír. Por ejemplo, ante el objetivo «el paciente comprenderá cómo usar la técnica estéril». ¿Cómo sabemos que lo comprende? La única forma de estar seguro de que lo ha comprendido es que el paciente verbalice o demuestre cómo usar la técnica estéril.

105-e

La valoración es el primer paso del proceso de enfermería en el que se reúne, valida y organiza la información que ayudará a identificar las capacidades del paciente y sus problemas de salud reales y potenciales. La forma en que se organicen los datos dependerá del modelo de cuidados que se lleve a cabo.

106-b

Muchos autores se han ocupado del diagnóstico de enfermería y, por lo tanto, muchas son las definiciones sobre el mismo. La primera en utilizar este término fue Vera Fry (1953) para referirse a un paso necesario en el desarrollo del plan de cuidados.

107. En 1984 se establecen los rasgos que son característicos de los diagnósticos de enfermería. ¿Quién lo lleva a cabo?:

a) ANA.
b) Carpenito, L.
c) Luis, M. T.
d) NANDA.
e) Iyer, P.

108. ¿Con qué etapa del método científico se identifica el diagnóstico de enfermería?:

a) Verificación de hipótesis.
b) Observación de los hechos y su posterior análisis.
c) Formulación de hipótesis.
d) Búsqueda, revisión y estudio de la información existente sobre el tema.
e) Descripción del diseño de estudio.

109. Un diagnóstico de enfermería:

a) Trata aspectos físicos y espirituales del paciente.
b) Se expone con una frase lo más extensa posible que permita clarificar el problema.
c) Consta de dos partes.
d) Trata aquellas situaciones que la enfermera puede atender de forma independiente.
e) No es privativo del colectivo enfermero.

110. El diagnóstico de enfermería:

a) No es privativo de un grupo profesional.
b) Forma parte de un proceso desligado del cual carece de sentido.
c) Constituye el nexo entre el plan de cuidados y la evaluación.
d) Posee un carácter estable.
e) Se aplica únicamente a enfermedades de individuos.

111. Un diagnóstico de enfermería puede definirse como:

a) La determinación de la clase de enfermedad que sufre el paciente.
b) El juicio o conclusión que se produce como resultado de la valoración de enfermería.
c) Los problemas de salud potenciales que el equipo de salud está capacitado y autorizado para tratar.
d) El tratamiento que la enfermera determina para solucionar los problemas del paciente.
e) Las alteraciones fisiopatológicas del paciente que la enfermera puede tratar de forma independiente.

112. La primera taxonomía del diagnóstico de enfermería fue realizada en:

a) 1982.
b) 1984.
c) 1975.
d) 1973.
e) 1987.

113. Una de las siguientes afirmaciones sobre el diagnóstico de enfermería no es correcta:

a) La evolución de las categorías de los Diagnósticos de Enfermería está en sus primeras etapas de desarrollo.
b) La lista de Diagnósticos no se puede considerar una guía completa para la Enfermería práctica.
c) Uno de los fallos de la actual taxonomía diagnóstica de enfermería es que no aborda la promoción ni la educación sanitaria.
d) La taxonomía diagnóstica necesita ser validada.
e) La relación entre la taxonomía diagnóstica de enfermería y los marcos teóricos para la enfermería está demostrada.

114. El diagnóstico de enfermería como «juicio o conclusión que emite una enfermera después de hacer una valoración» es argumentado por:

a) Gebbie y Abdellah.
b) Gordon.
c) Alfaro.
d) Gebbie y Lavin.
e) NANDA.

115. ¿Qué autora define el diagnóstico de enfermería como «Explicación que describe un estado de salud o una alteración real o potencial en los procesos vitales de una persona (fisiológico, psicológico, sociológico, de desarrollo y espiritual)»?:

a) Gebbie.
b) Bircher.
c) Gordon.
d) Carpenito.
e) Moritz.

116. La etapa del diagnóstico se incluyó en el PAE:

a) En la fase de iniciación.
b) Intercalada como paso lógico entre la planificación y la ejecución.
c) Conformando un proceso de cuatro etapas.
d) A principios de la década de los 50.
e) Formando parte de la valoración, criterio aceptado por todo el colectivo enfermero.

107-d

En la Conferencia Nacional sobre Diagnósticos de Enfermería celebrada en 1984.

108-c

El diagnóstico de enfermería se entiende como una hipótesis que debe ser confirmada en una etapa posterior (tratamiento de enfermería).

109-d

Para que un diagnóstico de enfermería pueda ser considerado como tal, ha de entrar dentro del campo de la Enfermería y ser tratado independientemente. El diagnóstico de enfermería describe y clasifica el contenido de la práctica de la enfermería, ya que especifica los problemas de salud reales y/o potenciales que las enfermeras pueden tratar independientemente porque están capacitadas y autorizadas para ello.

110-b

El diagnóstico de enfermería forma parte de un proceso por cuanto requiere una previa recogida de datos y carecería de valor si, una vez formulado, no se fijaran unos objetivos a alcanzar, unas acciones para lograrlo y una evaluación de los resultados.

111-b

Esta definición fue dada por Gebbie.

112-d

El primer sistema de clasificación de los diagnósticos de enfermería fue hecho en 1973 en la First National Conference sobre la clasificación de los Diagnósticos de Enfermería.

113-e

El foco diagnóstico de los marcos conceptuales propuestos para la enfermería depende de los conceptos extraídos de la teoría de la enfermería. Por esta razón, tales marcos no coinciden necesariamente con la taxonomía de los diagnósticos de enfermería.

114-d

La First National Conference On The Classification Of Nursing Diagnosis aceptó la definición de Gebbie y Lavin sobre el diagnóstico de enfermería.

115-d

El diagnóstico de enfermería ha sido definido por diversos autores y de forma diferente: juicio o conclusión, función independiente de la enfermería, problemas de salud reales o potenciales, respuestas a los problemas de salud reales o potenciales, explicación que describe un tipo específico de problema, etc.

116-d

Cuando el término diagnóstico de enfermería apareció por primera vez en la bibliografía anglosajona, a principios de la década de los 50, se añadió una quinta etapa al proceso, la del diagnóstico, intercalada entre la valoración y la planificación.

117. En el proceso de elaboración del diagnóstico de enfermería intervienen:

a) Conocimientos científicos de la enfermera y datos del paciente.
b) Marco Conceptual de la enfermera y datos del paciente.
c) Diagnóstico médico, datos del paciente y conocimientos científicos de la enfermera.
d) Datos del paciente y conocimientos científicos, experiencia profesional y marco conceptual de la enfermera.
e) Práctica profesional y datos del paciente.

118. ¿Cuál de los siguientes enunciados no constituye un objetivo del paciente dentro del plan de cuidados?:

a) El paciente caminará la distancia del pasillo sin ayuda para el día 3 de junio.
b) El paciente miccionará 300 ml. a las 6 de la tarde.
c) La temperatura del paciente se mantendrá a 36,5° C durante la hospitalización.
d) La incisión cicatrizará en dos días.
e) Estimular el aumento de peso.

119. Una de las siguientes afirmaciones no es una característica del diagnóstico de enfermería:

a) Describe la respuesta del paciente como una necesidad.
b) Está basado en la valoración de los datos relevantes y la veracidad de los mismos.
c) Tiene relación con un problema del paciente.
d) Está orientado hacia el individuo.
e) Es claro y conciso.

120. El formato PES fue desarrollado por:

a) Alfaro.
b) Abdellah.
c) Gordon.
d) Carpenito.
e) Roy.

121. El diagnóstico de enfermería es diferente al diagnóstico médico porque:

a) Identifica una enfermedad concreta.
b) Describe los problemas que conciernen al estado físico del paciente.
c) Puede ser identificado y tratado en colaboración con otros profesionales.
d) Permanece invariable mientras dura la enfermedad.
e) Es dinámico.

122. Una vez realizado el diagnóstico de enfermería:

a) Se deciden las actividades de enfermería que ayuden al paciente a solucionar su problema.
b) Se evalúa al paciente.
c) Se ejecutan las acciones planificadas.
d) Se valora al paciente y se compara su estado con su situación previa.
e) Se llevan a cabo las prescripciones ordenadas por otros profesionales.

123. El problema del paciente:

a) Sirve de referencia para identificar el diagnóstico de enfermería.
b) Requiere que las actividades sean prescritas por otros profesionales.
c) Describe la patología del paciente.
d) Se expresa con calificativos que reflejan cambios en el estado de la persona.
e) Puede o no estar presente en la categoría diagnóstica.

124. El problema real del paciente:

a) A diferencia del problema potencial está validado por los factores etiológicos y concurrentes.
b) Siempre se relaciona con un factor etiológico.
c) Se enuncia añadiendo un calificativo que indica la gravedad de la enfermedad padecida por el paciente.
d) Deriva de un conjunto de signos y síntomas que la enfermera observa durante la valoración del paciente.
e) Puede ser, además, potencial y posible.

125. ¿Qué autora ha descrito los problemas interdependientes?:

a) Gordon.
b) Moritz.
c) Carpenito.
d) Alfaro.
e) Henderson.

117-d

Los datos del paciente actúan como claves para identificar sus necesidades y problemas. Los conocimientos permiten habilidad para diagnosticar correctamente y lo mismo sucede con la experiencia profesional que refuerza los conocimientos. Finalmente, los grupos profesionales pueden tener una visión diferente en la aplicación de los cuidados, lo que repercutirá no sólo en el diagnóstico sino en el resto de las etapas.

118-e

El objetivo del paciente debe expresarse en términos observables y medibles. El ejemplo citado es un objetivo de enfermería.

119-a

Uno de los errores diagnósticos más comunes lo constituye el escribir la respuesta del paciente como una necesidad en vez de como un problema.

120-c

Según Gordon (1976) se deben considerar tres elementos esenciales al describir un problema:

1. El problema (P).
2. La causa o etiología (E).
3. Los signos y síntomas (características definitorias) que son evidentes en el paciente (S).

121-e

Puede cambiar según se modifique la situación del paciente, porque se centra en la respuesta única y personal a las necesidades y problemas que presenta el individuo y en la consecución o no de las metas planteadas.

122-a

Esto se lleva a cabo mediante el Plan de Cuidados.

123-d

Estos calificativos que se añaden en la propia frase indican el nivel en que se encuentra el problema. Ej.: «Alteración de», se refiere al cambio de aspecto del estado normalmente óptimo del paciente y «Riesgo de», se refiere al peligro que existe de que al paciente le ocurra algún problema.

124-d

El problema real se deduce de la presencia de un conjunto de manifestaciones que validan la presencia de este diagnóstico.

125-c

Para esta autora no todos los problemas que la enfermera identifica son diagnósticos de enfermería; existen además, los problemas interdependientes o colaborativos, que son complicaciones fisiológicas que las enfermeras controlan para detectar su inicio o su evolución y colaboran con los médicos para un tratamiento conjunto definitivo.

126. Un diagnóstico de enfermería potencial:

a) No está confirmado por la presencia de los factores etiológicos y concurrentes.
b) Describe un problema que ha sido confirmado mediante características definitorias.
c) Identifica un problema que puede presentarse, pero se requiere obtener más datos para confirmarlo o descartarlo.
d) No incluye entre sus componentes los factores etiológicos y concurrentes.
e) Describe un problema que puede presentarse si no se ordenan y realizan las medidas de enfermería adecuadas.

127. Uno de los siguientes diagnósticos de enfermería está formulado erróneamente:

a) Alteración potencial del autoconcepto relacionado con mastectomía.
b) Limpieza ineficaz de las vías aéreas relacionada con poco esfuerzo para toser.
c) Temor y dolor relacionados con los procedimientos diagnósticos.
d) Potencial deterioro de la integridad cutánea relacionada con inmovilidad prolongada.
e) Déficit de autocuidados relacionado con la incapacidad para mover los brazos.

128. Un diagnóstico de enfermería real:

a) Explica una alteración que puede presentarse si no se ordena y realizan determinadas actuaciones de enfermería.
b) Describe un problema que ha sido confirmado mediante características definitorias identificables.
c) Se confirma por la presencia de los factores etiológicos y concurrentes.
d) No incluye en sus componentes las características definitorias.
e) Describe un problema que no tiene una clara definición, siendo necesaria mayor información para precisarlos o desecharlos.

129. Una de las siguientes afirmaciones sobre el diagnóstico de enfermería es falsa:

a) El diagnóstico de enfermería real describe un problema confirmado por la presencia de las características definitorias.
b) Se centra en la respuesta única y personal del individuo.
c) Un diagnóstico de enfermería real debería formularse en tres partes.
d) La presencia del factor etiológico confirma que el diagnóstico es real.
e) El diagnóstico de enfermería potencial se confirma por la presencia de los factores etiológicos.

130. El plan de cuidados:

a) Comprende las actividades independientes de la enfermera.
b) Está elaborado por el equipo de salud.
c) Se realiza tras evaluar el estado del paciente.
d) Se inicia por indicación de otros profesionales.
e) Es la determinación de las actuaciones específicas que la enfermera debe llevar a cabo para resolver los problemas identificados.

131. Los objetivos del paciente:

a) Se derivan de la segunda parte del diagnóstico de enfermería.
b) Se establecen en términos de actividades de la enfermería.
c) Es apropiado para enunciarlos comenzar con verbos como permitir o capacitar o similares seguidos por la palabra paciente.
d) Se derivan de la primera parte del diagnóstico de enfermería.
e) Para algunos autores es sinónimo de objetivos de enfermería.

132. En las siguientes afirmaciones sobre los criterios de resultado hay una falsa:

a) Para diversos autores es sinónimo de objetivos del paciente.
b) Según Kozier et al. son específicos y mensurables.
c) Son necesarios para especificar el objetivo.
d) Para Kozier et al. son diferentes de los objetivos del paciente.
e) Indican lo que la enfermera espera hacer.

133. Una de las siguientes afirmaciones no se refiere al plan de cuidados:

a) Proporciona cuidados individualizados.
b) Su finalidad es la de constatar si se han alcanzado o no los objetivos establecidos.
c) Proporciona información.
d) Da continuidad a los cuidados.
e) Asegura la calidad del cuidado.

126-e

Un diagnóstico de enfermería potencial consiste en la presencia de factores de riesgo que predisponen a que las personas tengan alteraciones en su salud, si no se toman las medidas preventivas oportunas.

127-c

No se deben formular dos problemas al mismo tiempo.

128-b

El diagnóstico de enfermería real describe un problema que está presente, que existe en el momento en que la persona recibe el cuidado. Las características definitorias validan la presencia del mismo.

129-d

La presencia del factor etiológico confirma que el diagnóstico es potencial.

130-e

En el plan de cuidados se diseñan las intervenciones de enfermería necesarias para prevenir, reducir o eliminar aquellos problemas de salud del paciente, que se han identificado durante el diagnóstico.

131-d

Los objetivos del paciente son afirmaciones generales sobre los cambios esperados o deseados en su nivel de salud después de la intervención de enfermería. El logro de los mismos refleja la resolución del problema especificado en el diagnóstico de enfermería.

132-e

Los criterios de resultado indican lo que el paciente debe hacer;describen de forma específica y cuantificable las respuestas del paciente y ayudan a la enfermera a evaluar la eficacia de su intervención.

133-b

El plan de cuidados proporciona una directriz y un significado al cuidado de enfermería. Verificar la consecución de los objetivos corresponde a la etapa de evaluación.

134. Uno de los siguientes objetivos del paciente no está enunciado correctamente:

a) El paciente caminará con una muleta hasta el final del pasillo durante la mañana.
b) La piel que rodea la incisión permanecerá limpia y seca en todo momento.
c) El paciente se administrará la insulina antes de ser dado de alta.
d) Juan conocerá los cuatro grupos básicos de alimentos.
e) La familia de Antonio enumerará el equipo necesario para cambiar el apósito estéril.

135. El paso previo a la etapa de planificación lo constituye:

a) Establecimiento de los objetivos del paciente.
b) Evaluación de la calidad profesional.
c) Valoración de los objetivos de enfermería.
d) Identificación de los diagnósticos de enfermería.
e) Determinación de prioridades.

136. El objetivo del paciente / resultado esperado:

a) Se formula mentalmente.
b) Deriva del diagnóstico médico.
c) Guía las actividades del equipo de salud.
d) Tiene tres componentes.
e) Puede clasificarse en tres áreas: cognitiva, afectivo-volitiva y psicomotora.

137. La etapa de ejecución:

a) Comienza una vez identificados los problemas del paciente.
b) Constituye la etapa previa a la evaluación.
c) Debe ser llevada a cabo por la enfermera realizando actividades propias.
d) La realiza la enfermera de dos maneras: efectuando actividades propias y delegando actividades.
e) No está relacionada con la etapa precedente.

138. El objetivo del paciente:

a) Lo determina el profesional de enfermería.
b) Debe describirse de forma muy amplia.
c) Debe ser comprobable y medible.
d) Suele formularse mentalmente.
e) Indica lo que la enfermera debe realizar a fin de ayudar al paciente.

139. La ejecución incluye las siguientes fases:

a) Obtención y selección de datos.
b) Ejecución y post-ejecución.
c) Identificación de problemas y establecimiento de prioridades.
d) Análisis de los datos y establecimiento de objetivos.
e) Preparación, ejecución y post-ejecución.

140. La evaluación:

a) Constituye un proceso continuo y terminal.
b) Se realiza antes de ser dado de alta el paciente.
c) Implica comparar las actividades de enfermería con la consecución de los objetivos de enfermería.
d) Consta de varias fases siendo una de ellas el establecimiento de prioridades,
e) Es algo nuevo en el trabajo profesional de la enfermera.

141. La evaluación no incluye la actividad de:

a) Comparar los criterios de resultados con los datos observables del paciente.
b) Modificar el plan de cuidados si es necesario.
c) Discutir la necesidad de proporcionar unos cuidados de calidad.
d) Valorar las variables que afectan al logro de los objetivos.
e) Tener en cuenta los objetivos marcados en la valoración.

142. Los patrones funcionales de salud fueron desarrollados por:

a) Gordon.
b) North American Nursing Diagnosis Association (NANDA).
c) Abdellah.
d) American Nurse's Association (ANA).
e) Rogers.

134-d

El verbo utilizado en el objetivo debe describir una conducta del paciente. Es importante usar verbos claros, específicos y mensurables, características que no reúne el verbo conocer.

135-d

Dentro del proceso de enfermería, la identificación del diagnóstico de enfermería constituye el punto de referencia para establecer el plan de acción. Si faltan los diagnósticos, falta el punto de partida para determinar qué hacer y qué podemos esperar obtener.

136-e

Los objetivos del paciente o resultados esperados pueden clasificarse en:

- Cognitivos : resultados asociados a la adquisición de conocimientos.
- Afectivo-volitivos: resultados asociados con cambios en las actitudes, sentimientos o valores.
- Psicomotores: resultados asociados al desarrollo de capacidades motoras.

137-b

Constituye el momento concreto de administrar los cuidados de enfermería, es decir, la puesta en práctica del plan de cuidados.

138-c

El objetivo del paciente debe indicar qué es lo que el paciente ha de realizar, cuándo lo va a llevar a cabo y en qué medida. Para que esta conducta-cognoscitiva, afectivo-volitiva o psicomotora, pueda ser evaluada, ha de ser observada y medida a través del uso de verbos mensurables.

139-e

Autores como Griffith y Christensen, entre otros, consideran tres fases en la ejecución: En la 1ª o preparación se comprueban todos los aspectos relacionados con su actuación; en la 2ª o ejecución propiamente dicha, hay que tener en cuenta el bienestar y la seguridad del paciente y en la 3ª o post-ejecución se asegura que el paciente quede cómodo, que el material reciba su tratamiento adecuado y que el lugar quede en perfectas condiciones para una ulterior utilización. Finalmente se registra lo realizado.

140-a

La evaluación es un proceso continuo que se utiliza para juzgar cada parte del proceso y constituye un proceso terminal porque después de que la enfermera completa su plan de cuidados, evalúa si se han cubierto o no los objetivos del paciente.

141-e

Los objetivos se establecen en la fase de planificación.

142-a

Existen muchos modelos y marcos de enfermería que guían la recopilación de los datos. Gordon (1987) estableció un marco de 11 patrones funcionales de salud. Gordon utiliza la palabra patrón para significar una secuencia de conducta.

143. Uno de los siguientes factores disminuye la frecuencia respiratoria:

a) Estrés.
b) Aumento de la temperatura.
c) Disminución de la concentración de oxígeno.
d) Ciertos medicamentos como los narcóticos.
e) Fiebre.

144. Al tomar la tensión arterial:

a) Asegurarse de que el paciente no ha fumado al menos 10 minutos antes de la medición.
b) Asegurarse de que el manguito se envolvió holgadamente.
c) El manguito se desinflará lentamente para evitar congestión venosa.
d) Asegurarse de que la bolsa de goma del manguito es un 20% más ancha que el perímetro del brazo donde se efectúa la medición.
e) Léase la columna de mercurio situada por debajo de la altura de los ojos del examinador.

145. La frecuencia del pulso:

a) Se incrementa con la edad.
b) Disminuye en respuesta a un proceso febril.
c) Por lo general aumenta ante una pérdida pequeña de sangre, por ejemplo de 500 ml.
d) Después de la pubertad, es un poco más baja en el hombre que en la mujer.
e) Aumenta con la administración de fármacos digitálicos.

146. Una de estas afirmaciones respecto a la temperatura corporal es falsa:

a) La temperatura rectal respecto a la bucal aumenta aproximadamente 1° C.
b) La temperatura rectal respecto a la bucal aumenta aproximadamente 0,5° C.
c) La temperatura rectal respecto a la axilar aumenta aproximadamente 1° C.
d) La temperatura axilar respecto a la rectal disminuye aproximadamente 1° C.
e) La temperatura rectal respecto a la inguinal es de aproximadamente 1° C.

147. La presión diastólica:

a) Es la presión que ejerce la sangre como resultado de la contracción ventricular.
b) Es la presión máxima ejercida por la sangre a su paso por las arterias.
c) Coincide con la relajación auricular.
d) Aumenta con la edad.
e) Se eleva al repetir la valoración demasiado rápido.

148. La presión sistólica:

a) Es sinónimo de presión del pulso.
b) Se mide en mg de mercurio.
c) Corresponde al punto donde se escucha el primer latido.
d) Coincide con la relajación ventricular.
e) Coincide con la contracción auricular.

149. La presión diastólica:

a) Indica el punto en el cual cesan los sonidos y las fluctuaciones de la aguja del manómetro.
b) Es la presión diferencial.
c) Se escucha al abrir la válvula de presión.
d) Es el punto donde se escucha el primer latido.
e) Es el punto donde la sangre, dentro de la arteria, logra igualar y sobrepasar la presión ejercida por el brazal hinchado.

150. Una de las siguientes afirmaciones sobre el estreñimiento es falsa:

a) El abuso de laxantes tiene el mismo efecto que hacer caso omiso de la necesidad de defecar.
b) Las emociones intensas pueden causar estreñimiento al inhibir el peristaltismo intestinal.
c) La hipertonía de esfínteres en ancianos contribuye al estreñimiento.
d) En personas con inmovilidad prolongada, la debilidad muscular generalizada abarca abdomen, diafragma y piso de la pelvis.
e) El reflejo de defecación normal cesa cuando se ignora de modo habitual.

143-d

Los narcóticos, como la morfina, disminuyen la frecuencia y la profundidad de las respiraciones por depresión del centro respiratorio.

144-d

Para evitar lecturas erróneas de la tensión arterial, el manguito debe cubrir 2/3 partes del brazo o muslo, lo que equivale a decir un 20% más del diámetro del miembro utilizado. Si el manguito es demasiado estrecho se alteran los valores de la presión sistólica; si el manguito es demasiado ancho , se alteran los valores de la presión diastólica.

145-c

Una pérdida pequeña –500 ml– de sangre conduce a un ajuste temporal de la frecuencia cardíaca, mientras el cuerpo compensa la pérdida del volumen sanguíneo.

146-a

La temperatura corporal puede tomarse en varias zonas del cuerpo. Los valores termométricos difieren según esto. La temperatura rectal se considera muy exacta y supone 1° C y 0,5° C más alta que la axilar y la bucal respectivamente.

147-d

En las personas ancianas, la elasticidad de las arterias disminuye, son más rígidas y ceden menos a la presión de la sangre.

148-c

La presión sistólica es el punto donde la sangre, dentro de la arteria, logra igualar y sobrepasar la presión ejercida por el brazal inflado, permitiendo que se inicie la escucha de los sonidos.

149-a

La presión diastólica indica el punto en el cual la sangre vuelve a correr libremente dentro de la arteria y es equivalente a la presión ejercida normalmente por la sangre sobre la pared de la arteria, cuando el corazón se encuentra en descanso.

150-c

Los ancianos experimentan cambios que pueden afectar a la evacuación de heces, tales como la atonía del músculo liso del colon, que produce peristaltismo más lento con heces endurecidas; la hipotonía de los músculos abdominales que también disminuye la presión que se ejerce durante la defecación y, por último, la disminución del control de los esfínteres anales, que origina urgencia para defecar.

151. Para recoger una muestra de esputo:

a) La torunda debe estar esterilizada.
b) El paciente debe toser enérgicamente y escupir las secreciones salivares.
c) Hay que solicitar conjuntamente un antibiograma.
d) Evitar tocar la mucosa con el hisopo.
e) Pedir al paciente que tosa y que expulse las secreciones traqueo-bronquiales.

152. La causa principal que promueve la aparición de las úlceras por decúbito es:

a) Malnutrición.
b) Presión prolongada sobre una región que da como resultado el edema de ésta.
c) Obesidad.
d) Inmovilidad.
e) Presión prolongada sobre una zona que restringe el flujo de sangre a la misma.

153. En posición de decúbito lateral las áreas de presión incluyen entre otras:

a) Isquion, omóplatos.
b) Acromion, maléolo interno, tuberosidades del Isquion.
c) Sienes, sacro, codos.
d) Acromion, mamas, apófisis espinosas.
e) Hombro (acromion), isquion.

154. Las medidas antropométricas:

a) Se utilizan para valorar el estado nutricional del paciente.
b) Indican el peso y la talla.
c) Reflejan el equilibrio entre el gasto calórico, la masa muscular y las reservas de grasas.
d) Incluyen los perímetros cefálico y abdominal.
e) son obtenidas por el médico.

155. Uno de los siguientes signos clínicos no es característico de muerte inminente:

a) Bradicardia.
b) Hipotensión.
c) Contracción de los músculos faciales.
d) Disfagia.
e) Posible incontinencia urinaria y fecal.

156. Una de las siguientes medidas de precaución durante la oxigenoterapia no es cierta:

a) Evitar el uso de sustancias volátiles.
b) Guardar los equipos eléctricos.
c) Evitar los materiales que generan electricidad estática como las mantas de algodón.
d) Se advertirá al personal que no use tejidos sintéticos.
e) Evitar los materiales como las mantas de lana.

157. Eupnea significa:

a) Respiración anormalmente lenta.
b) Frecuencia cardíaca dentro de los limites normales.
c) Dificultad para respirar en posición horizontal.
d) Respiración normal.
e) Cese de las pulsaciones cardíacas.

158. En un ambiente frío:

a) El corazón aumenta su gasto para mantener la presión sanguínea.
b) Se requiere oxígeno adicional.
c) Se reduce la necesidad de oxígeno.
d) Aumenta la frecuencia respiratoria.
e) Aumenta la profundidad de la respiración.

159. El pulso central se localiza en el paciente adulto:

a) Parte lateral del cuello.
b) Cerca del quinto espacio intercostal izquierdo a nivel o por dentro de la línea clavicular media izquierda.
c) Cuarto espacio intercostal izquierdo en la línea axilar anterior izquierda.
d) Línea clavicular media, debajo del quinto espacio intercostal izquierdo.
e) Línea esternal media, debajo del quinto espacio intercostal izquierdo.

160. El sitio idóneo para administrar una inyección intramuscular en una persona inmovilizada es:

a) Dorsoglúteo.
b) Deltoides.
c) Glúteo lateral superior.
d) Vasto externo.
e) Recto anterior.

151-e

El esputo es una secreción traqueo-bronquial característica de ciertos procesos respiratorios; si el producto expulsado es secreción salival se invalida la prueba.

152-e

Las úlceras por decúbito, llamadas también de presión, son trastornos de la integridad de la piel; son zonas localizadas de necrosis isquémicas en tejidos que cubren prominencias óseas en zonas de apoyo prolongado.

153-e

Las áreas de presión en posición de decúbito lateral son sienes, oreja, hombro (acromion), ísquion, trocánter mayor, rodilla (condilos internos y externos) y maléolo externo.

154-a

Las medidas antropométricas son las medidas del tamaño y composición del cuerpo: el peso, talla, índice de masa corporal, pliegues cutáneos (pliegues de grasa) y perímetro del brazo. Se utilizan para valorar el estado nutricional junto a los datos de los análisis bioquímicos, los signos químicos indicativos del estado nutricional y la historia dietética.

155-c

Cuando la muerte está cercana se produce una pérdida del tono muscular por lo que se relajan los músculos faciales.

156-c

Las precauciones de seguridad durante la oxigenoterapia son fundamentales. Una de ellas es la de no usar materiales que generen electricidad estática, como las mantas de lana o tejidos sintéticos. Las mantas de algodón no la generan.

157-d

La palabra eupnea está compuesta por los términos procedentes del griego, «eu-», que significa bien y «-pnea» que significa respirar. Se trata de la respiración normal caracterizada por ser silenciosa, rítmica y sin esfuerzo.

158-c

El ambiente es un factor que afecta a la oxigenación. En un ambiente frío, los vasos sanguíneos periféricos se contraen aumentando la presión sanguínea, que disminuye la acción cardíaca y así se reduce la necesidad de oxígeno.

159-b

El pulso central se toma en el ápice del corazón. Su localización varía con la edad. En el adulto se encuentra en el lado izquierdo del pecho a no más de 8 cm. a la izquierda del esternón y debajo del cuarto, quinto o sexto espacios intercostales.

160-c

La inmovilidad puede producir atrofia en músculos de la parte posterior de los glúteos. El sitio glúteo lateral superior, también llamado de Von Hochstetter, corresponde al músculo glúteo mediano y es el preferido en lactantes, niños y adultos, siendo el idóneo en personas inmovilizadas.

161. La causa más frecuente de infección urinaria en el paciente la constituye:

a) La higiene perineal deficiente.
b) La limpieza de atrás hacia adelante después de defecar.
c) El sondaje vesical.
d) El lavado de manos deficiente.
e) La retención urinaria.

162. En el aislamiento protector:

a) No es necesario que la puerta de la habitación del paciente quede cerrada.
b) Se evita la transmisión de microorganismos patógenos por parte del paciente.
c) No es necesario llevar guantes.
d) Se pretende proteger al personal sanitario.
e) Se busca la protección del paciente con bajas defensas.

163. Para evitar la aparición de las úlceras por decúbito no es conveniente:

a) Administrar una dieta rica en proteínas y Vit. C.
b) Realizar cambios posturales.
c) Frotar las prominencias óseas con jabón.
d) Emplear muletones debajo de las áreas de presión.
e) Lubricar las zonas cutáneas secas.

164. Los movimientos del masaje dorsal:

a) Son variables según el efecto que se desee obtener.
b) Comienzan en la base de los omóplatos.
c) Finalizan en la base del raquis.
d) Son lentos y largos para incluir toda la espalda.
e) Se realizan con poca presión en personas obesas para influir en la capa superficial de la piel.

165. Una de las siguientes cuestiones sobre los vendajes es falsa:

a) Cuando sea posible deje una pequeña zona descubierta al final de la extremidad vendada.
b) Al aplicar el vendaje asegúrese de ir aumentando gradualmente la presión.
c) El vendaje recurrente se utiliza para fijar un apósito sobre la cabeza, un muñón o un dedo.
d) El vendaje en espiral se utiliza para vendar una porción corporal de forma cónica.
e) Aplicar los vendajes desde las partes distales a las proximales.

166. Uno de los siguientes factores aumenta la temperatura corporal:

a) Hora del día : entre las 4 y las 6 de la mañana.
b) Ausencia de afecto.
c) Inactividad muscular.
d) Ambiente.
e) Ovulación.

167. Una de las siguientes afirmaciones sobre los objetivos del lavado corporal es incompleta:

a) Proporcionar comodidad y relajación a un paciente cansado e inquieto.
b) Mejorar la autoestima y autoimagen del paciente por medio de la mejoría en el aspecto y sensaciones.
c) Estimular la circulación sanguínea.
d) Lavar la piel para eliminar microorganismos.
e) Evitar la congestión pulmonar al estimular la expulsión de secreciones con los cambios de posición.

168. Al administrar gotas óticas al paciente adulto, se deberá:

a) Tirar suavemente de la oreja hacia abajo y hacia atrás.
b) Asegurarse de que el fármaco esté caliente.
c) Lavar previamente y con precaución el oído medio.
d) Tirar suavemente de la oreja hacia arriba y hacia atrás.
e) Evitar que el fármaco esté tibio.

169. En la extracción aséptica de la orina, se deberá:

a) Limpiar la vulva de la paciente de arriba a abajo: clítoris, vagina y orificio uretral.
b) Sondar al paciente.
c) Pedir al paciente que miccione y deseche las últimas gotas de la micción.
d) Limpiar el orificio uretral del paciente varón desde fuera hacia adentro con movimientos circulares.
e) En la mujer, limpiar la vulva de delante hacia atrás.

161-c

Los procedimientos invasivos constituyen las causas más frecuentes de infecciones urinarias. Conforman una puerta directa para el ascenso de microorganismos desde la uretra a vejiga y, más allá de ésta, a uréteres y riñones. Además, la sonda vesical irrita los tejidos de uretra y vejiga, con lo que predispone todavía más a la invasión bacteriana.

162-e

El aislamiento protector o de barrera inversa tiene como finalidad separar a pacientes que tienen disminuidas sus defensas, para protegerles contra la eventualidad de adquirir una enfermedad transmisible.

163-c

La investigación ha indicado que los álcalis del jabón producen hinchazón, resecamiento y pérdida de los aceites naturales de la piel por lo que facilitan las lesiones. Además, la exposición prolongada a esta sustancia altera el pH cutáneo, una de sus barreras de defensa naturales.

164-a

Los movimientos de frotación lentos y largos producen relajación, mientras que los movimientos breves y firmes son estimulantes.

165-b

La presión irregular puede obstaculizar la circulación sanguínea y la nutrición celular y retardar la curación.

166-e

El aumento de progesterona durante la ovulación incrementa la temperatura corporal de una mujer aproximadamente de 0'3 a 0'5° C.

167-d

Uno de los fundamentos de la higiene corporal es el de lavar la piel para eliminar, además de los microorganismos, el sudor acumulado, las secreciones y los desechos con el fin de evitar infecciones y mantener íntegra la piel.

168-d

Ejerciendo tracción en sentido posterosuperior se endereza el conducto auditivo para que la solución fluya por toda la longitud de aquél.

169-e

La limpieza en la dirección señalada va del área de menos contaminación a la región en que ésta es mayor. Se considera que el orificio uretral está menos contaminado que la vagina y el ano.

170. El algor mortis:

a) Es la disminución gradual de la temperatura del cuerpo después de la muerte.
b) Se produce de dos a cuatro horas después del fallecimiento.
c) Comienza en los músculos involuntarios de la persona fallecida.
d) Abandona al cuerpo unas 96 horas después de la muerte.
e) Se debe a la falta de adenosín trifosfato (ATP).

171. Uno de los siguientes factores incrementa el tiempo total del sueño:

a) La reducción de peso.
b) El aumento de peso.
c) La ansiedad.
d) La falta de ejercicio diurno.
e) La enuresis.

172. Tras el fallecimiento del paciente:

a) Se deja colocada la almohada bajo la cabeza para evitar el livor mortis en la cara.
b) Aparece a las 72 horas el endurecimiento del cuerpo.
c) Se produce el rigor mortis que comienza en la cabeza, cuello y tronco.
d) Certificamos su muerte.
e) Aparece en los músculos involuntarios el algor mortis.

173. Según la Dra. Kurbler Ross, los enfermos terminales pasan por diferentes etapas:

a) Negación, ira, depresión.
b) Depresión, negación, ira.
c) Aceptación, depresión, regateo, negación.
d) Negación, depresión, aceptación.
e) Choque y negación, ira, regateo, depresión, aceptación.

174. Cualquier persona que deba hacer reposo total en cama durante una semana sufrirá una pérdida de fuerza muscular igual a:

a) 5%
b) 10%
c) 15%
d) 20%
e) 25%

175. La inmovilización en cama provoca diversas modificaciones. Indique cual de las afirmaciones siguientes es falsa:

a) La desmineralización ósea comienza al segundo o tercer día de inmovilización.
b) El nivel de calcio en sangre está ligeramente elevado.
c) El ritmo cardíaco disminuye.
d) Una secuela habitual es la hipotensión ortostática.
e) La motilidad gastrointestinal es menor.

176. El plan de cuidados de un enfermo inmovilizado o en reposo que no pueda participar en la realización de ejercicios debe contemplar:

a) Ejercicios isométricos.
b) Ejercicios mecánicos.
c) Ejercicios isotónicos.
d) Ejercicios de movilización articular pasiva.
e) Ejercicios de movilidad articular activa.

177. Qué afirmación es errónea referida a los ejercicios isotónicos:

a) Se potencia la fuerza muscular.
b) Pueden mejorar la función cardiorespiratoria.
c) Tienen movimiento articular.
d) El músculo mantiene su longitud.
e) Hay acortamiento muscular.

178. Qué afirmación es falsa referida a los ejercicios isométricos se:

a) Evitan la anquilosis.
b) Mantienen y/o potencian la fuerza muscular.
c) Aumenta moderadamente el ritmo cardíaco.
d) Elevan la tensión arterial.
e) Producen cambios en la tensión muscular.

179. Qué afirmación es errónea referida a la alimentación de un enfermo inmovilizado:

a) Rica en fibra.
b) Una ingesta de líquidos de al menos 2 litros/día.
c) Rica en calcio.
d) Rica en proteínas.
e) Afín a sus gustos alimentarios.

170-a

Tras la muerte, el cuerpo de la persona fallecida sufre cambios. Uno de ellos es el algor mortis. Cuando cesa la circulación sanguínea y el hipotálamo deja de funcionar, la temperatura del cuerpo desciende 1° C por hora hasta que alcanza la temperatura de la habitación (18°-20° C.)

171-b

Se ha demostrado que el aumento y la pérdida de peso afectan al sueño. Crisp y Stonehill (1976) hallaron que la pérdida de peso lleva asociada una reducción del tiempo total de sueño y por el contrario, el aumento de peso aparece asociado a un incremento en el tiempo total de sueño.

172-a

Cuando ocurre la muerte y cesa la circulación sanguínea la piel se decolora debido a que los hematíes se rompen y liberan hemoglobina. Esto aparece en las zonas inferiores o declives del cuerpo.

173-e

Son conocidos los trabajos realizados por la Dra. Ross sobre las diversas etapas que atraviesan los enfermos terminales. En la primera etapa, los pacientes reaccionan con choque y negación; la segunda respuesta en importancia y frecuencia es la ira; después sigue la etapa de regateo; posteriormente se deprimen para terminar aceptando la muerte como algo inevitable.

174-d

Los estudios realizados por Hettinger y Mueller demuestran una pérdida de un 20% y un 20% más en cada semana sucesiva. Kottke et al. indican que consecuentemente hay una disminución de la resistencia física que sigue el mismo ritmo.

175-c

Los estudios de Kottke y colaboradores indican un aumento de 0,5 pulsaciones/minuto por cada día de inmovilización debido a que se crea un desequilibrio en el sistema nervioso autónomo.

176-d

En estos ejercicios la enfermera movilizará las articulaciones del enfermo, esto favorece el bienestar del persona y evita la anquilosis articular.

177-d

En estos ejercicios la tensión muscular es constante y el músculo se acorta para producir una contracción muscular y por tanto movimiento.

178-a

En estos ejercicios no se produce movimiento articular por tanto su realización no evita que se llegue a producir una rigidez articular.

179-c

La inmovilización produce una desmineralización ósea eliminándose el calcio por orina con el consiguiente riesgo de formación de cálculos, un mayor aporte de calcio aumentará este problema.

180. La mecánica corporal implica tres elementos básicos:

a) Alineamiento corporal, equilibrio y movimiento coordinado del cuerpo.
b) Fuerza, equilibrio y movimiento coordinado del cuerpo.
c) Alineamiento corporal, fuerza y equilibrio.
d) Centro de gravedad, línea de gravedad y base de apoyo.
e) Fuerza, equilibrio y base de apoyo.

181. Los *actos humanos* son:

a) Actos del hombre.
b) Actos morales.
c) Actos conscientes, voluntarios y libres.
d) Actos conscientes y/o inconscientes.
e) Actos voluntarios y/o involuntarios.

182. De las afirmaciones siguientes indique cuál es falsa referida a los *actos morales*:

a) Son acciones humanas.
b) Respetan normas de valor ético.
c) Es una unidad formada por motivo, fin, medios, resultados y consecuencias objetivas.
d) Son actos del hombre en cuanto individuo social.
e) Son susceptibles de juicios de valor.

183. Los juicios de hecho se expresan en un lenguaje:

a) Descriptivo.
b) Normativo.
c) Imperativo.
d) Valorativo.
e) Prescriptivo.

184. La siguiente proposición: «Es necesario respetar el secreto profesional», es un juicio:

a) De hecho.
b) De valor.
c) Fáctico.
d) Valorativo.
e) Normativo.

185. Los *juicios morales* pueden ser:

a) Fácticos y de hecho.
b) Imperativos, normativos y valorativos.
c) Fácticos, analíticos y valorativos.
d) Fácticos, normativos y descriptivos.
e) Imperativos, descriptivos y valorativos.

186. Las normas morales y legales:

a) Están positivadas.
b) Se cumplen mediante el convencimiento interno.
c) Responden a una misma necesidad social.
d) Han de cumplirse obligatoriamente.
e) Tienen un carácter estable e imperativo.

187. La siguiente definición: «Deuda u obligación que se crea como consecuencia de la realización de determinados actos, o bien, por la omisión de algún deber», se refiere a:

a) Responsabilidad.
b) Culpabilidad.
c) Punibilidad.
d) Tipicidad.
e) Antijuridicidad.

188. Una de las siguientes características no corresponde a los derechos humanos o derechos fundamentales. Indique cuál:

a) Son imprescriptibles.
b) Son inalienables.
c) Son irrenunciables.
d) Son universales.
e) Son absolutos.

189. Las fuentes materiales del Derecho son:

a) Las Leyes.
b) Las costumbres.
c) La jurisprudencia.
d) Los principios generales del derecho.
e) El Estado y el pueblo español.

190. Las fuentes formales del Derecho español son:

a) Ley y jurisprudencia.
b) Los principios generales del Derecho.
c) Ley y costumbre.
d) Ley, costumbre y principios generales del Derecho.
e) Ley, jurisprudencia y principios generales del Derecho.

180-a

Una buena mecánica corporal es el uso eficaz, coordinado y seguro del cuerpo para producir el movimiento y mantener el equilibrio durante la actividad.

181-c

Tradicionalmente la ética distingue los actos del ser humano en dos tipos; *actos del hombre*, realizados de forma instintiva, y *actos humanos*, realizados de forma consciente, voluntaria y libre.

182-a

Se consideran *actos morales* aquellos actos humanos que respetan o infringen normas con valor ético.

183-a

Los juicios de hecho expresan lo que *es*; describen el hecho y pueden ser verdaderos o falsos según concuerden o no con la realidad.

184-e

Dentro de los *juicios morales*, los normativos son aquéllos que expresan un precepto o prohibición de forma genérica.

185-b

Según como se expresen, los *juicios morales* son: imperativos, recuerdan a una persona o grupo un deber u obligación; normativos, expresan el precepto o prohibición de forma genérica; valorativo, enjuician a una persona o comportamiento en función de la bondad o maldad del acto.

186-c

Ambos tipos de normas regulan la conducta de los hombres como individuos sociales con el fin de ordenar y asegurar una coherencia y armonía social.

187-a

El concepto de responsabilidad nace del grado de obligatoriedad que tienen tanto la norma moral como la legal y del carácter consciente, voluntario y libre de los actos humanos.

188-e

Esta característica implica que pueden ejercitarse de modo ilimitado, fue aceptada en la Declaración de los Derechos del Hombre y del Ciudadano y proclamada por la revolución francesa (1789); en la actualidad se acepta que están sometidos a ciertos límites como el orden público, el bien común y los derechos de los otros.

189-e

Fuente material se refiere a quien ostenta el poder de establecer las leyes.

190-d

El Código Civil expresa en su artículo 1,1: «Las fuentes del ordenamiento jurídico español son la Ley, la costumbre y los principios generales del Derecho».

191. Una de las siguientes afirmaciones sobre las Leyes Orgánicas es falsa:

a) Son las relativas a los derechos fundamentales y libertades públicas.
b) Su aprobación exige mayoría absoluta del Congreso en una votación final sobre el conjunto del proyecto.
c) Una Ley Ordinaria no puede modificar o vulnerar lo establecido en una Ley Orgánica.
d) Tiene mayor rango que una Ley Ordinaria.
e) Tienen igual rango que una Ley Ordinaria.

192. Entendemos por Derecho el conjunto de normas que regulan la conducta. Atendiendo al tipo de relación distinguimos:

a) Derecho público y derecho privado.
b) Derecho público y derecho objetivo
c) Derecho objetivo y derecho subjetivo.
d) Derecho privado y derecho objetivo.
e) Derecho público y derecho subjetivo.

193. El principio de presunción de conocimiento:

a) Está positivado.
b) Implica la vigencia de la norma.
c) Se refiere a la vigencia social de la norma.
d) Se refiere a la vigencia técnica de la norma.
e) Permite la alegación del desconocimiento de la norma.

194. En el Derecho español se es *persona de derecho*:

a) Desde el nacimiento.
b) A partir de las 12 horas de nacer.
c) A partir de las 24 horas de nacer.
d) A partir de los 16 años.
e) A partir de los 18 años.

195. La pena de reclusión menor en España comprende:

a) de 12 años y un día a 20 años.
b) De 12 años y un día a 14 años y 8 meses.
c) De 20 años y un día a 23 años y 4 meses.
d) De 6 años y un día a 12 años.
e) de 10 años y un día a 12 años.

196. Una persona actúa dolosamente cuando:

a) Comete un delito.
b) Comete una falta.
c) Omite un deber queriendo y sabiendo.
d) Actúa sin intención de lesionar un derecho.
e) Viola una norma jurídica.

197. Para que se dé responsabilidad por culpa es necesario que concurran varios requisitos. Indique cuál de los mencionados no es correcto:

a) La conducta debe ser voluntaria.
b) El acto inicial debe ser ilícito.
c) Debe haber producción de daño.
d) Existe una falta de cuidado en el actuar del sujeto.
e) El resultado debe ser previsible y prevenible.

198. Se entiende por impericia:

a) La negligencia profesional.
b) Falta de interés o diligencia en la actuación.
c) La imprudencia simple con infracción de reglamentos.
d) La imprudencia temeraria.
e) La ineptitud o ignorancia del saber profesional.

199. Cuando una enfermera teniendo los conocimientos omite las precauciones necesarias y como consecuencia un cliente sufre alguna lesión, incurre en:

a) Negligencia profesional.
b) Impericia propia.
c) Impericia profesional.
d) Negligencia simple.
e) Negligencia técnica.

200. La responsabilidad civil:

a) Tiene como único fin reparar el daño causado por el delito.
b) No es transmisible.
c) Se determina en razón de la culpabilidad.
d) Protege los intereses generales de la colectividad.
e) Tiene carácter subjetivo y personal.

191-d

Ambas tienen el mismo rango, sin embargo, una Ley Ordinaria no puede modificar una Ley Orgánica según expresa la Constitución en su artículo 82,1.

192-a

Se considera que la relación es de Derecho público cuando el Estado interviene en ella en cuanto tal, como supremo ente ordenador en virtud de su soberanía. El Derecho privado regula la relación de los particulares entre sí, si interviene el Estado o cualquier ente público lo hace en calidad de particular.

193-a

«La ignorancia de las leyes no excusa de su cumplimiento» (artículo 6,1 del Código Civil).

194-c

En el ámbito de lo jurídico *persona* significa *sujeto del derecho*. Es *persona* todo feto que tenga figura humana y viva 24 horas enteramente desprendido del seno materno.

195-a

De 12 años y un día a 20 años.

196-c

Los elementos del dolo son dos: intelectual y volitivo. Esto significa que la persona sabe que el hecho que pretende realizar está prohibido por la Ley y a pesar de ello quiere hacerlo.

197-b

El acto inicial debe ser lícito. Existe culpa porque, como consecuencia del acto, se viola un bien jurídico.

198-e

Implica la falta de conocimientos elementales y básicos de cualquier rama de la técnica, del saber o de la profesión u oficio, pudiendo ser de origen, o bien adquirida merced al olvido, o a la falta de ejercicio, de práctica o de formación o perfeccionamiento posterior a la graduación o profesionalización del sujeto.

199-a

Según sentencia del Tribunal Supremo (21-VI-74), la negligencia profesional «implica estar en posesión de los conocimientos necesarios suficientes, pero obrar con abandono, descuido, apatía, abulia, falta de estudio del caso concreto, falta de interés o de diligencia, de tal modo que, siendo docto y capaz, se incurre, sin embargo, en la desdichada y perjudicial actuación merced a falta de aplicación y esmero en la tarea».

200-d

Protege los intereses generales de la colectividad.

201. De las siguientes afirmaciones sobre la antijuridicidad indique cuál es falsa:

a) Conducta contraria a Derecho.
b) Puede ser en sentido formal y en sentido material.
c) Es de naturaleza eminentemente objetiva.
d) Analiza las circunstancias personales del sujeto.
e) Implica la confrontación entre el acto realizado y lo que la Ley penal pretendía que se realizase.

202. La Ley General de Sanidad fue publicada en:

a) 1980.
b) 1982.
c) 1984.
d) 1986.
e) 1988.

203. En España, una persona es menor de edad penal hasta los:

a) 18 años.
b) 17 años.
c) 16 años.
d) 15 años.
e) 14 años.

204. Los Derechos del niño han sido promulgados por:

a) ONU.
b) UNICEF.
c) UNESCO.
d) OMS.
e) OPS.

205. De las siguientes afirmaciones sobre el código deontológico indique cuál es falsa:

a) Es el ideal ético que postula una profesión.
b) Prevé mecanismos para asegurar el correcto comportamiento de los profesionales.
c) Es uno de los requisitos de una profesión.
d) Responde a todas las situaciones concretas que se dan en la práctica.
e) Ofrece principios éticos generales para la práctica.

206. Los principios bioéticos son:

a) Beneficencia, autonomía, justicia.
b) Libertad, autonomía, justicia.
c) Autonomía, deber, derecho.
d) Beneficencia, libertad, justicia.
e) Beneficencia, derecho, justicia.

207. Una de las características de toda profesión es la promulgación de un código ético al que se ajusta la conducta profesional. El primer código deontológico publicado por el Consejo Internacional de Enfermeras fue:

a) 1946.
b) 1953.
c) 1965.
d) 1973.
e) 1988.

208. Hasta qué fecha la enfermería española se ha regido por el código ético del Consejo Internacional de Enfermeras.

a) 1963.
b) 1973.
c) 1983.
d) 1989.
e) 1992.

209. Se habla de eutanasia activa indirecta cuando existe:

a) Acción positiva para acortar la vida.
b) Acción positiva que acorta la vida.
c) Omisión de una terapia disponible que alarga la vida.
d) Omisión de una terapia disponible para acortar la vida.
e) Omisión de una terapia disponible que acorta la vida.

210. Se entiende por distanasia:

a) Eutanasia voluntaria.
b) Eutanasia involuntaria.
c) Encarnizamiento terapéutico.
d) Omisión de acciones positivas que alarguen la vida del enfermo terminal.
e) Supresión de los medios ordinarios.

201-d

Para calificar una conducta de antijurídica es indiferente el móvil que perseguía el sujeto, así como sus fines y condiciones personales.

202-d

Ley General de Sanidad (Ley 14/1986 del 25 de abril) da cumplimiento al requerimiento constitucional, recogiendo el derecho a obtener las prestaciones del sistema sanitario a todos los ciudadanos y a los extranjeros residentes en España con la creación de un sistema nacional de salud.

203-c

La mayoría de edad penal se alcanza a los 16 años. El proyecto de reforma del Código Penal contempla que sea elevada a los 18 años, equiparándola así a la mayoría de edad civil.

204-a

Fueron adoptados por la Asamblea General de las Naciones Unidas el 20 de noviembre de 1959. La primera declaración de los Derechos del niño fue aprobada por la V Asamblea de la Sociedad de Naciones el 24 de septiembre de 1924.

205-d

Un código ético es un instrumento que establece las líneas fundamentales que deben seguirse ante los problemas éticos.

206-a

El principio de beneficencia implica la ayuda a los demás en sus necesidades siempre que ésta sea voluntariamente pedida y aceptada. El de autonomía supone la capacidad de la persona a la hora de hacer elecciones libres. El de justicia es racionalizar la atención en función de la persona a la que se dirige.

207-b

Los aspectos jurídicos y éticos de la profesión han tenido un peso importante dentro de las actividades del C.I.E. desde sus comienzos, pero no será hasta 1953 que se redacte y apruebe en el Congreso de San Pablo (Brasil) el primer código ético. El código ético vigente se aprobó en el Congreso de México en 1973.

208-d

Por resolución núm. 32/89 del Consejo General de la Organización Colegial se aprueban las normas deontológicas de la profesión de Enfermería en España con carácter obligatorio.

209-b

Toda eutanasia activa implica una acción positiva. Se entiende por eutanasia activa indirecta cuando el efecto buscado por la acción es el alivio del enfermo terminal aunque como efecto indirecto puede sobrevenir la muerte.

210-c

Se refiere al conjunto de prácticas cuyo objetivo es prolongar la vida del paciente terminal y que pueden llevar a perder de vista la exigencia de humanizar el acto de morir.

2 ANATOMOFISIOLOGIA

1. Uno de los siguientes términos define mejor la posición del codo respecto al hombro:

a) Medial.
b) Lateral.
c) Proximal.
d) Distal.
e) Posterior.

2. Para estudiar mejor las relaciones entre los diferentes órganos situados a en el mediastino, utilizaríamos un plano:

a) Medio sagital.
b) Parasagital.
c) Frontal.
d) Transverso.
e) Horizontal.

3. Con respecto al núcleo celular, señale la respuesta que considere correcta:

a) Regula la entrada y salida de moléculas a través de la célula.
b) Es el centro de control que dirige toda la actividad celular.
c) Gracias a su integridad protege a la célula.
d) Realiza la síntesis de proteínas que va a utilizar la célula.
e) Realiza la síntesis de proteínas para ser usadas fuera de la célula.

4. Con respecto al DNA, indicar cuál es la base nitrogenada que no está presente en su estructura :

a) Citosina.
b) Timina.
c) Guanina.
d) Adenina.
e) Uracilo.

5. La presencia de una célula en uno de los siguientes medios, provocará fácilmente su deshidratación:

a) Hipertónico.
b) Hipotónico.
c) Isotónico.
d) Agua destilada.
e) Dextrosa.

6. Con respecto a la bomba de Na-K, señale la respuesta que considera falsa:

a) Lleva a cabo su funcionamiento gracias a la energía obtenida de reacciones químicas celulares.
b) Realiza transporte activo de elementos, sólo hacia el interior de la célula.
c) En su funcionamiento interviene la enzima Na-K ATPasa.
d) Por medio de ella se facilita la entrada de iones K^+ al interior de la célula.
e) Por medio de ella se facilita la salida de iones Na^+ fuera de la célula.

7. Con respecto al fascículo espinotalámico lateral, señale la respuesta que considera falsa:

a) Por ser vía sensitiva, su información antes de llegar a la corteza cerebral hace relevo en el tálamo óptico.
b) En la corteza cerebral termina a nivel de la circunvolución poscentral del lóbulo parietal.
c) A nivel medular, se localiza en el cordón anterolateral.
d) Conduce sensaciones de dolor y temperatura.
e) Tiene carácter directo.

8. En el SNC del adulto, las estructuras que corresponden a protuberancia y cerebelo en el período embrionario, corresponden a:

a) Telencéfalo.
b) Diencéfalo.
c) Mielencéfalo.
d) Metencéfalo.
e) Mesencéfalo.

9. ¿Cuál de los siguientes fascículos no pertenecen a las vías sensitivas medulares?:

a) F. espinotalámico anterior.
b) F. espinotalámico lateral.
c) F. de Goll y Burdach.
d) F. vestibuloespinal.
e) F. espinocerebeloso anterior.

1-d

Al estar situado el codo en la extremidad superior la descripción anatómica se hace con referencia al eje central del cuerpo. En cambio, el hombro tendría una posición medial con respecto al codo.

2-c

El mediastino, es la porción de la cavidad torácica comprendida entre los pulmones. Las relaciones que existen entre los diferentes órganos situados en esta cavidad se pueden estudiar al realizar un plano frontal o coronal, que es el que divide al cuerpo en una porción anterior y otra posterior.

3-b

El núcleo controla la actividad celular gracias a que almacena, transcribe y transmite la información genética contenida en las moléculas de DNA.

4-e

En el ácido desoxirribonucleico, la base uracilo es sustituida por la timina . Las bases presentes en el DNA pueden ser púricas (guanina y adenina) y pirimidínicas (citosina y timina). En la molécula de DNA formada por dos cadenas de polinucleótidos (grupo fosfato, pentosa y base nitrogenada), las bases de una cadena se unen con las de la otra, según el esquema A-T o T-A (adenina-timina, o timina-adenina), G-C (guanina-citosina) o C-G (citosina-guanina).

5-a

La ósmosis es la difusión de agua dependiendo de un gradiente de concetración. En el medio hipertonico es donde hay mayor concentración con respecto a la célula y por tanto, tendrá lugar la salida de agua fuera de ella para igualar concentraciones. En las demás respuestas tienen igual o menor concentración y por tanto, lo que facilitan es la hiperhidratación celular.

6-b

La bomba de Na-K, es un fenómeno de transporte activo en dos direcciones: transporte de iones Na^+ desde el interior de la célula a través de la membrana celular al líquido extracelular e iones K^+ desde el líquido extracelular al interior de la célula, con la finalidad de mantener una diferencia de concentraciones a través de la membrana celular a favor de iones Na^+ fuera de la célula y de iones K^+ en el interior.

7-c

El fascículo espino-talámico lateral tiene carácter cruzado. Las sensaciones para el dolor y la temperatura entran en la médula espinal a través de la raíz posterior de los nervios raquídeos, continúan hacia el asta posterior y cruzan la línea media, continuando su camino hacia el tálamo óptico y corteza cerebral; es decir, cada lado del cerebro registra sensaciones de dolor y temperatura del lado opuesto del cuerpo.

8-d

Embriológicamente, el SNC deriva del ectodermo. A partir de la 3ª semana, sufre una serie de cambios que van a dar lugar al tubo neural y de él en la 5ª semana del desarrollo embrionario, se originan 5 vesículas que van a dar lugar a las diferentes estructuras del SNC: Del telencéfalo, se forman los hemisferios cerebrales; del diencéfalo: el tálamo, hipotálamo, epitálamo y subtálamo; del mesencéfalo: los pedúnculos cerebrales y la lámina cuadrigémina; del metencéfalo: la protuberancia y el cerebelo y del mielencéfalo: el bulbo raquídeo.

9-d

El fascículo vestibuloespinal, pertenece a las vías motoras extrapiramidales. Tiene su origen en los núcleos vestibulares del tronco cerebral. El oído interno y el cerebelo, por medio del haz, facilita la actividad sobre los músculos extensores y flexores para mantener la postura.

10. Ante una hemianopsia bitemporal (falta de visión en los dos campos visuales temporales) debemos pensar que la lesión se localiza a nivel de:

a) Nervio óptico derecho.
b) Nervio óptico izquierdo.
c) En el centro del quiasma óptico.
d) En la cintilla óptica derecha.
e) En la cintilla óptica izquierda.

11. Las arterias bronquiales izquierdas nacen de:

a) Las arterias intercostales.
b) Las arterias pulmonares.
c) La arteria mamaria interna.
d) La aorta torácica.
e) El cayado aórtico.

12. Con respecto a la vena ácigos menor, indicar cuál de las siguientes respuestas, es falsa:

a) Nace en el abdomen, siendo continuación de la vena lumbar ascendente del lado izquierdo.
b) Penetra en el tórax por el orificio diafragmático.
c) Desemboca en la vena cava superior.
d) En el trayecto, recibe las últimas cinco o seis venas intercostales izquierdas.
e) En su trayecto, puede recibir el tronco común de las intercostales superiores izquierdas.

13. En una vista frontal de la silueta cardíaca, la mayor parte del borde en contacto con el pulmón derecho corresponde a:

a) El borde externo del ventrículo derecho.
b) La aurícula derecha.
c) El surco aurículo ventricular.
d) El borde superior del ventrículo derecho.
e) La base del ventrículo derecho.

14. Las venas coronarias drenan:

a) En la vena ácigos mayor.
b) En la vena cava superior.
c) En la aurícula derecha.
d) En las venas pulmonares.
e) En la ácigos menor.

15. Entre la aorta torácica descendente y la arteria pulmonar, hay una franja de tejido conectivo, resto de lo que en la vida embrionaria fue:

a) Ostium primum.
b) Ostium secundum.
c) Agujero oval.
d) Conducto arterioso.
e) Cono pulmonar.

16. No es cierto, con respecto a la circulación pulmonar que:

a) Su misión fundamental es proveer de oxígeno a la sangre y liberar el anhídrido carbónico.
b) Las paredes vasculares del sistema arterial pulmonar son más gruesas que las del sistema arterial periférico.
c) En el adulto, la presión arterial pulmonar es 1/6 de la sistémica.
d) La hipoxia arterial y la hipercapnia ocasionan vasoconstricción en la circulación pulmonar.
e) La arteria pulmonar sale del ventrículo derecho.

17. Di cuál de estas arterias, no es rama de la carótida externa:

a) Facial.
b) Temporal.
c) Oftálmica.
d) Occipital.
e) Maxilar interna.

18. En la segunda semana de desarrollo, cuál de las siguientes estructuras aún no se ha formado :

a) Trofoblasto.
b) Cavidad amniótica.
c) Citotrofoblasto.
d) Saco vitelino.
e) Pedículo de fijación.

19. No encontramos senos paranasales en el hueso :

a) Frontal.
b) Occipital.
c) Esfenoides.
d) Etmoides.
e) Maxilar.

10-c

Los impulsos visuales desde la retina, llegan a la corteza de los lóbulos occipitales por medio de los nervios ópticos, quiasma óptico, cintillas ópticas y radiaciones ópticas. A la altura del quiasma óptico, pasan las fibras temporales de ambas retinas.

11-d

La porción torácica de la aorta da 4 ramas: arterias bronquiales, art. esofágicas medias, art. mediastínicas posteriores y art. intercostales aórticas. Las arterias bronquiales, se dirigen hacia el hilio del pulmón siguiendo la cara posterior de los bronquios correspondientes. Son tres para el pulmón derecho y dos para el izquierdo y están destinadas a la nutrición del parénquima pulmonar.

12-c

La vena ácigos menor, que nace en el abdomen a partir de la vena lumbar ascendente del lado izquierdo, penetra en el tórax y sigue a lo largo del lado izquierdo de la columna vertebral. A la altura de la séptima vértebra dorsal, se curva hacia adentro desembocando en la vena ácigos mayor.

13-b

En la visión frontal de la silueta cardíaca, el borde cardíaco derecho en contacto con el pulmón derecho, corresponde a la aurícula derecha; el borde cardíaco izquierdo al ventrículo izquierdo. El ventrículo derecho es anterior y la aurícula izquierda es posterior.

14-c

Las venas coronarias derecha e izquierda llevan un recorrido parecido a las arterias coronarias. Las venas coronarias derecha e izquierda, desembocan en el seno coronario, cavidad venosa situada en el surco auriculoventricular posterior izquierdo y a través de él, en la aurícula derecha.

15-d

La circulación antes del nacimiento difiere necesariamente antes de la circulación postnatal, ya que la sangre fetal obtiene el oxígeno y los alimentos de la sangre materna y no de los pulmones y los órganos digestivos fetales, respectivamente. En estas circunstancias, es necesario la existencia de estructuras como el agujero oval (agujero en el tabique que separa la aurícula derecha de la izquierda) y el conducto arterioso (pequeño vaso que comunica la arteria pulmonar con la aorta) que brindan atajos por los cuales la sangre excluye los pulmones.

16-b

Las paredes vasculares del sistema arterial pulmonar, son más delgadas que las del sistema arterial periférico. Esta diferencia de grosor se desarrolla después del nacimiento, con la fragmentación de las fibras elásticas de las paredes arteriales pulmonares, lo cual obedece probablemente, a la disminución de la presión arterial pulmonar.

17-c

La arteria oftálmica es rama colateral de la arteria carótida interna, está destinada al globo ocular y se desprende de la carótida interna a nivel de la apófisis clinoides anterior, penetrando en la órbita por el agujero óptico.

18-e

Para el decimonoveno o el vigésimo día, el embrión está unido a la envoltura trofoblástica, únicamente por el pedículo de fijación. Posteriormente, el pedículo de fijación se convierte en cordón umbilical que comunica la placenta con el embrión.

19-b

Los senos paranasales, son espacios o cavidades dentro de los huesos del cráneo, que comunican con las fosas nasales.

20. La pleura parietal está irrigada por:

a) Arterias pulmonares.
b) Venas pulmonares.
c) Arteria mamaria interna.
d) Arteria músculo frénica.
e) Arteria pleural.

21. Con respecto a la pared alveolar, indicar la respuesta falsa:

a) Está compuesta por un epitelio alveolar continuo y una membrana basal.
b) Las células alveolares tienen capacidad de fagocitosis.
c) Los alvéolos están separados por un tabique interalveolar por el que circulan capilares sanguíneos.
d) La sustancia surfactante que tapiza la superficie alveolar es necesaria para el intercambio de sustancias a través de los capilares.
e) La sustancia surfactante que tapiza la superficie alveolar es necesaria para disminuir la tensión superficial alveolar.

22. Las arterias laríngeas superiores son ramas colaterales de:

a) Arterias tiroideas superiores.
b) Arterias tiroideas inferiores.
c) Arterias mamarias internas.
d) Arterias mamarias externas.
e) Tronco arterial braquiocefálico.

23. La porción de duodeno que se extiende desde la parte más declive de la cabeza del páncreas hasta la presencia de vasos mesentéricos corresponde a:

a) Primera porción del duodeno.
b) Segunda porción.
c) Tercera porción.
d) Cuarta porción.
e) Quinta porción del duodeno.

24. Indicar cuál de los siguientes ligamentos del adulto, se corresponde con la vena umbilical de la vida fetal:

a) Ligamento suspensorio o falciforme.
b) Ligamento redondo.
c) Ligamento coronario.
d) Ligamento dentado.
e) Ligamento gastrohepático.

25. Uno de los siguientes elementos no forma parte del parénquima hepático :

a) Hepatocitos.
b) Canalículos biliares.
c) Capilares sinusoides.
d) Células de Kupffer.
e) Conductillo biliar.

26. El útero encuentra su posición con respecto a las regiones inguinal y pubiana gracias a:

a) Mesosalpinx.
b) Ligamento útero-ovárico.
c) Ligamento tubo-ovárico.
d) Ligamento lumbo-ovárico.
e) Ligamento redondo.

27. En el corpúsculo de Malpighio esplénico (pulpa blanca), los elementos celulares que encontramos alrededor de la arteria central, son:

a) Glóbulos rojos.
b) Células linfoides.
c) Plaquetas.
d) Eosinófilos.
e) Condrocitos.

28. Durante la primera dentición hay ausencia de:

a) Incisivos centrales.
b) Incisivos laterales.
c) Caninos.
d) Premolares.
e) Segundos molares.

20-c

Las pleuras son 2 sacos serosos independientes (uno derecho y otro izquierdo) que están en relación con los pulmones. Cada pleura se compone de dos hojas, una visceral y otra parietal, entre las cuales se halla comprendido un espacio virtual: la cavidad pleural. La pleura visceral cubre toda la superficie del pulmón prolongándose en las cisuras interlobulillares. La hoja parietal corresponde a la pared de la caja torácica. Las arterias que la vascularizan corresponden a las arterias: diafragmáticas, mediastínicas, bronquiales, mamarias internas e intercostales.

21-e

Entre las células alveolares hay algunas células septales, encargadas de elaborar la película mucoide que tapiza toda la superficie alveolar y que está dotada de propiedades sobre la tensión superficial del alveolo. Esta capa se conoce como «sustancia surfactante». Gracias a ella, la tensión superficial alveolar disminuye cuando la superficie disminuye (espiración) y aumenta cuando la superficie aumenta (inspiración), con lo cual, se facilita la mecánica ventilatoria. La falta aún de desarrollo de surfactante en los prematuros, provoca el cuadro respiratorio conocido como enfermedad de membrana hialina.

22-a

La arteria tiroidea superior nace por encima de la bifurcación de la carótida primitiva, sigue el asta mayor del hioides y luego, alcanza el lóbulo lateral del cuerpo del tiroides. Da como ramas colaterales art. esternomastoidea, laríngea superior y laríngea inferior. Sus ramas terminales son : la arteria tiroidea externa, interna y posterior que se anastomosan con las ramas de la tiroidea inferior.

23-c

Al duodeno, porción fija del intestino delgado, se le puede considerar dividido en cuatro porciones: primera porción, va desde el píloro hasta la vesícula biliar (dirección oblicua hacia arriba y atrás); segunda porción, va del cuello de la vesícula a la parte más declive de la cabeza del páncreas (dirección descendente); tercera porción, va desde el punto precedente hasta los vasos mesentéricos (dirección horizontal); cuarta porción, que se extiende desde los vasos mesentéricos hasta el ángulo duodenoyeyunal (dirección ascendente). En su totalidad, la curva duodenal toma formas variables según los individuos : tipo V, en Y, en anillo. Su longitud es por término medio de 0, 25 metros.

24-b

El ligamento redondo, es un cordón fibroso que se extiende desde el ombligo hasta la cara visceral del hígado, aprovechando el borde inferior del ligamento falciforme (pliegue peritoneal que fija el hígado a la pared anterior del abdomen). Este cordón fibroso, se corresponde con la vena umbilical fetal, que tras el nacimiento se oblitera y se transforma en un elemento de sujeción del hígado.

25-e

El conductillo biliar, formado por la confluencia de los canalículos biliares, se encuentra situado en el espacio porta: espacio de tejido conjuntivo localizado en cada uno de los vértices del lobulillo hepático. En este espacio, se hallan una rama de la arteria hepática, una rama de la vena porta y un conductillo biliar.

26-e

El útero está situado entre la vejiga y el recto, debajo de las asas intestinales y encima de la vagina. Presenta un estrechamiento o istmo uterino que lo divide en dos partes: hacia arriba el cuerpo y hacia abajo el cuello. El borde superior del útero es el fondo y a ambos lados están los ángulos uterinos de los que parten las trompas. También, en estos ángulos, se insertan a cada lado los ligamentos uteroováricos y redondo. Este último fija el útero a las regiones inguinal y pubiana, llegando hasta la piel de la vulva. En el conducto inguinal, ocupa el lugar correspondiente al cordón espermático del varón.

27-b

Los corpúsculos de Malpighio, son dilataciones del mango linfoide que se sitúa alrededor de la arteria central. Por fuera de la pulpa blanca, se encuentra la pulpa roja.

28-d

Los dientes temporales o «de leche» aparecen entre los 6 meses y los 2 1/2 años, en el siguiente orden: incisivos mediales, incisivos laterales, primeros molares caducos, caninos y segundos molares caducos.

29. Las estructuras contenidas en la vulva incluyen:

a) El ano, los labios menores y el clítoris.
b) Los labios mayores, el ano y el himen.
c) Los labios mayores, los labios menores, el ano y el vestíbulo.
d) Los labios mayores, los labios menores, el clítoris, el himen y el vestíbulo.
e) Solamente clítoris y uretra.

30. El vestíbulo vaginal es atravesado por :

a) La uretra, la vagina y el ano.
b) La uretra, la vagina y los conductos de las glándulas de Bartholino.
c) Exclusivamente por la vagina.
d) Exclusivamente por la uretra y la vagina.
e) Solamente los conductos de las glándulas de Bartholino y Skene.

31. Las glándulas bulbouretrales o de Cowper, vierten sus productos de secreción a:

a) Próstata.
b) Uretra prostática.
c) Uretra membranosa.
d) Uretra peneana.
e) Vesículas seminales.

32. La neurohipofisis recibe vascularización de :

a) Arteria carótida externa.
b) Vena yugular interna.
c) Arteria hipofisaria superior.
d) Arteria tiroidea inferior.
e) Arteria carótida interna.

33. Se llama endometrio:

a) La capa mucosa interna del útero.
b) La membrana mucosa que recubre la vagina.
c) La capa muscular del útero.
d) La capa fibrosa que recubre la capa cortical del ovario.
e) La capa externa conjuntiva del útero.

34. La presencia de tres capas celulares (glomerular, fascicular y reticular) la encontramos en

a) Corteza suprarrenal.
b) Médula suprarrenal.
c) Lóbulos tiroideos.
d) Istmo tiroideo.
e) Glándulas paratiroides.

35. La mortaja del tobillo está formada por :

a) Maleólo transverso, maleólo tibial y epífisis del peroné.
b) Maleólos tibial, peroneo y epífisis tibial.
c) Diáfisis tibial, maleólo lateral, maleólo medial.
d) Metáfisis tibial y peroneal con los maleólos.
e) Epífisis distales de la tibia y el peroné y la superficie troclear del astrágalo.

36. El canal de Hunter o conducto de los aductores está ocupado por :

a) Nervio ciático poplíteo externo.
b) Nervio ciático mayor, arteria y vena femoral.
c) Arteria y vena femoral.
d) Arteria, vena femoral y conducto linfático mayor.
e) Músculo tensor de la fascia lata.

29-d

Se denomina vulva al conjunto de órganos genitales externos de la mujer. Está formada por 2 pliegues mucosos o labios mayores que confluyen: por detrás en la comisura posterior y por delante en el monte de Venus (tejido adiposo por delante de la sínfisis pubiana). Por dentro de los labios mayores, hay otros 2 pliegues denominados labios menores que, en la parte anterior, se unen por delante y por detrás del clítoris. Los labios menores delimitan el vestíbulo vaginal.

30-b

El vestíbulo vaginal está delimitado por los labios menores. En él se abren la vagina en la parte más posterior y la uretra por delante. En el vestíbulo desembocan las glándulas de Bartholino, que se abren en un surco formado entre el himen y la cara interna de los labios menores.

31-c

En la uretra masculina se distinguen 3 partes: Uretra prostática, que atraviesa la próstata desde su base hasta su vértice; la uretra membranosa, que atraviesa el músculo transverso profundo del perineo (en este tramo, está rodeada por fibras musculares del esfínter estriado y por detrás están situadas las glándulas de Cowper o bulbouretrales) y la uretra peneana o esponjosa, que sigue el trayecto del cuerpo esponjoso hasta el glande, donde se abre al exterior.

32-e

La hipófisis o glándula pituitaria, es una pequeña masa elipsoidea, suspendida de la extremidad inferior del tallo pituitario. Está constituída por dos lóbulos : uno anterior más voluminoso y rojizo y otro posterior, de color gris amarillento y más pequeño. El tallo pituitario se implanta exclusivamente en el lóbulo posterior. El lóbulo anterior deriva de la faringe embrionaria que envía una prolongación ascendente al interior del cráneo. El lóbulo posterior deriva de un esbozo cerebral que proviene del cerebro intermedio. Las arterias que vascularizan la hipófisis proceden de la arteria carótida interna, las venas vierten en el seno cavernoso.

33-a

El útero tiene 3 capas que, de dentro a fuera, son: mucosa, muscular y serosa o adventicia. La capa mucosa o endometrio, está formada por un epitelio cilíndrico simple con células ciliadas y secretoras. La capa muscular o miometrio es la más gruesa y está constituída por 3 capas de fibras musculares lisas : capa interna de fibras longitudinales; capa media, más gruesa con fibras dispuestas en espiral, lo que permite en caso de embarazo el crecimiento uterino; capa externa, de fibras longitudinales. La capa externa, está representada por el peritoneo en el fondo y parte de las caras anterior y posterior. El resto, desnudo de peritoneo, presenta una adventicia de tejido conjuntivo.

34-a

Las glándulas suprarrenales, son órganos formados por una corteza externa y una médula interna, diferentes en estructura, función y origen embrionario. La corteza se encuentra organizada en tres capas según la forma de distribución de las células secretoras: la capa glomerular externa, una zona fasciculada media y un estrato reticular interno. Estas células van a secretar hormonas: glucocorticoides (cortisol y costicosterona) y mineralcorticoides (aldosterona). También se sintetiza el andrógeno dehidroepiandrosterona y pequeñas cantidades de estrógenos. La aldosterona es producida en la capa glomerular, mientras que los glucocorticoides y andrógenos, son sintetizados en los estratos fasciculado y reticular.

35-e

El tobillo está formado por la articulación tibioperoneoastragalina. Es una polea que permite movimientos de flexoextensión. Como medios de unión, existe la cápsula fibrosa y los ligamentos laterales: el ligamento lateral externo une el peroné con el astrágalo y el calcáneo; el ligamento lateral interno une el maleólo tibial con el calcáneo, el astrágalo y el escafoides.

36-d

El canal de Hunter, está situado en la región antero-interna del muslo. Es un canal de sección triangular, oblicuo hacia abajo y atrás, por donde pasan los vasos femorales.

37. El hueso cuboides se articula con :

a) El astrágalo y el calcáneo.
b) La tibia, el peroné y la rótula.
c) El astrágalo, el calcáneo y el escafoides.
d) El calcáneo, el escafoides, la cuña lateral y el cuarto y quinto metatarsiano.
e) El astrágalo, las cuñas y los metas cuarto y quinto.

38. Es músculo de la cara dorsal del pie :

a) El pectineo.
b) El pedio.
c) El músculo carnoso de Silvio.
d) El extensor corto propio del dedo gordo.
e) El flexor corto propio del dedo gordo.

39. Las vainas sinoviales digitales de la mano se encuentran recubriendo :

a) Los tendones externos.
b) Los tendones flexores.
c) Los músculos interóseos.
d) Las articulaciones interfalángicas.
e) Los metacarpianos.

40. El músculo masetero, se origina y termina en :

a) Maxilar inferior, apófisis mastoides.
b) Maxilar superior, apófisis mastoides.
c) Temporal, maxilar superior.
d) Arco zigomático, maxilar inferior.
e) Maxilar superior, maxilar inferior.

41. El ligamento deltoideo se localiza en :

a) El hombro.
b) El codo.
c) La cadera.
d) La rodilla.
e) El tobillo.

42. El ligamento redondo forma parte de la articulación :

a) Coxofemoral.
b) Glenohumeral.
c) Radiocarpiana.
d) Tibioperoneoastragalina.
e) Esternoclavicular.

43. El escafoides del tarso se encuentra inmediatamente:

a) Por fuera del cuboides.
b) Por delante del astrágalo.
c) Por delante del calcáneo.
d) Por delante de las cuñas.
e) Por encima del primer metatarsiano.

44. Uno de los siguientes músculos, es flexor del codo:

a) Braquial anterior.
b) Tríceps.
c) Pectoral mayor.
d) Coracobraquial.
e) Ancóneo.

45. La epífisis distal de la tibia forma:

a) El maléolo interno.
b) El maléolo externo.
c) El cóndilo interno.
d) El cóndilo externo.
e) Parte de la articulación femorotibial.

46. Uno de estos músculos realiza la rotación externa del hombro:

a) Redondo mayor.
b) Redondo menor.
c) Deltoides.
d) Pectoral mayor.
e) Pectoral menor.

37-d

El cuboides pertenece a los huesos del tarso. En él hay 7 huesos dispuestos en 2 hileras irregulares.La hilera proximal está formada sólo por 2 huesos: el astrágalo y el calcáneo; y la hilera distal por los huesos: cuboides, escafoides y delante de éste, tres huesos cuneiformes (cuñas medial, intermedia y lateral).

38-b

El plano dorsal del pie, está formado por el músculo pedio que se inserta en la parte anterior de la cara superior del calcáneo y termina en 4 tendones: el primer tendón termina en la cara dorsal de la 1ª falange del dedo gordo y los otros tres tendones se unen al tendón correspondiente del extensor común de los dedos. Su acción es extender los 4 primeros dedos y desplazarlos hacia afuera.

39-b

Las vainas sinoviales, son cuatro largas vainas que se extienden en la superficie anterior de los cuatro últimos dedos alrededor de los tendones flexores correspondientes, desde la cabeza de los metacarpianos hasta las terceras falanges. La vaina del 5° dedo comunica generalmente, en el individuo adulto, con la vaina tendinosa del músculo flexor común.

40-d

El músculo masetero, se origina en el arco cigomático donde sus fuertes fibras se apoyan para insertarse en la cara externa de la rama y ángulo de la mandíbula. Por su acción, pertenece al grupo de los músculos masticadores que elevan la mandíbula junto con el temporal y el pterigoideo interno.

41-e

El ligamento lateral interno del tobillo se denomina también «deltoideo»,por su forma, es un ligamento fuerte y se compone de fascículos que unen el maléolo tibial con el calcáneo, el astrágalo y el escafoides.

42-a

El ligamento redondo o ligamento de la cabeza femoral, une el transfondo del acetábulo con la fosita de la cabeza femoral. Se trata de un refuerzo intrarticular que sirve como medio para que pequeños vasos rieguen una parte de la cabeza del fémur (arteria del ligamento redondo).

43-b

El escafoides tiene la forma de una barca, cuya concavidad encaja en la cabeza astragalina y de cuya convexidad parten tres huesos cuneiformes. Por fuera, se articula con el cuboides.

44-a

El braquial anterior está situado en la cara anterior del brazo, cubierto por el bíceps. Se origina en la cara anterior de la diáfisis del húmero y termina en la apófisis coracoides del cúbito. Su proximidad a la articulación del codo confiere a éste un elemento de refuerzo. Intervienen junto con el braquial anterior en la flexión del codo: el bíceps braquial, braquioradial (supinador largo) y los músculos epitrocleares (pronador redondo y palmar).

45-a

La epífisis inferior tibial presenta un gran saliente distal, el maléolo interno que en su cara inferior presenta una carilla articular para el astrágalo del tarso (articulación del tobillo). En el lado más externo de la epífisis, otra superficie articular recibe el extremo inferior del peroné (articulación tibioperonea inferior).

46-b

La rotación externa del hombro en condiciones normales tiene un valor aproximado de 80°. Los músculos que ejecutan este movimiento han de llegar desde el dorso hasta la parte más externa del húmero para conseguir rotarlo hacia afuera. Ejecutan este movimiento los músculos redondo menor e infraespinoso que se extienden desde la fosa infraespinosa de la escápula hasta el troquíter del húmero; y el músculo deltoides, la contracción de las fibras posteriores del deltoides contribuye a la rotación externa, a pesar de ser un músculo fundamentalmente abductor.

47. Uno de los siguientes músculos se localiza en la cara anterior del muslo :

a) Bíceps.
b) Tríceps.
c) Recto anterior.
d) Aductor mayor.
e) Semitendinoso.

48. En el movimiento de extensión de la rodilla, interviene el músculo :

a) Sartorio.
b) Recto interno.
c) Poplíteo.
d) Gemelos.
e) Cuádriceps.

49. Es un músculo abductor del hombro:

a) Deltoides.
b) Pectoral mayor.
c) Dorsal ancho.
d) Tríceps braquial.
e) Redondo mayor.

50. El movimiento de las cejas hacia la linea media, es acción del músculo:

a) Frontal.
b) Occipital.
c) Superciliar.
d) Orbicular de los párpados.
e) Transverso de la nariz.

51. El techo de la órbita está formado por el hueso:

a) Vómer.
b) Etmoides.
c) Lagrimal.
d) Frontal.
e) Cigomático.

52. La escoliosis corresponde a :

a) Incurvación convexa de la columna hacia adelante, en el plano sagital.
b) Incurvación lateral de la columna en el plano frontal.
c) Incurvación convexa de la columna hacia atrás.
d) Las incurvaciones fisiológicas de la columna, en cualquier plano.
e) Incurvación de la columna en los últimos meses de la gestación.

53. Podemos diferenciar a una vértebra dorsal del resto de las vértebras por :

a) Presentar un orificio en la base de las apófisis transversas.
b) Presentar una apófisis espinosa en la parte medial del arco vertebral.
c) Presentar carillas costales articulares en los cuerpos vertebrales.
d) Presentar un disco fibrocartilaginoso entre los cuerpos vertebrales.
e) El agujero vertebral tiene forma de triángulo isósceles.

54. Cuando durante el fin de semana un estudiante extiende la mano para recibir dinero de su padre, se puede describir el movimiento como :

a) Flexión-pronación.
b) Extensión-supinación.
c) Abducción-rotación.
d) Retracción-depresión.
e) Extensión-pronación.

47-c

En la cara anterior del muslo se encuentran el músculo sartorio y el cuádriceps que está constituído por 4 cabezas : recto anterior, vasto interno, vasto externo y crural. Las 4 cabezas terminan en un tendón común, el tendón cuadricipital, en el borde superior de la rótula. El bíceps femoral y el semitendinoso junto con el semimembranoso forman parte de los músculos posteriores del muslo. El aductor mayor junto con el pectíneo, aductor menor y recto interno, pertenecen al grupo muscular interno del muslo. El tríceps sural pertenece a los músculos posteriores de la pierna más superficiales, que a su vez está formado por 3 cabezas : soleo y los gemelos externo e interno.

48-e

El músculo extensor de la rodilla es el cuádriceps. Desde la posición anatómica el movimiento está muy limitado por la tensión de los ligamentos posteriores laterales y el cruzado anterior, así que la enorme fuerza del cuádriceps se emplea para deshacer la flexión o para evitarla. El músculo sartorio, recto interno, poplíteo y gemelos son músculos flexores accesorios.

49-a

El deltoides es el principal y más potente músculo separador, también realiza la abducción del hombro el músculo supraespinoso. El pectoral mayor interviene en la flexión del brazo. El dorsal ancho, el tríceps braquial y el redondo mayor son músculos extensores del brazo.

50-c

El músculo superciliar es un músculo corto, extendido sobre la parte interna del arco superciliar. Está inervado por el nervio facial, al contraerse atrae hacia adentro y abajo la piel de la cara. Otro músculo parpebral es el orbicular de los párpados, situado alrededor de la abertura parpebral, su contracción determina el cierre de esta hendidura. Los músculos frontal y occipital son músculos cutáneos del cráneo que tensan la aponeurosis epicraneal. El músculo transverso de la nariz, estrecha las aberturas nasales.

51-d

Las órbitas son cavidades excavadas entre la cara y el cráneo a derecha e izquierda de la línea media. Tienen la forma de una pirámide cuadrangular de base anterior. La base de forma cuadrilátera presenta en su contorno o reborde orbitario : la escotadura supraorbitaria, por arriba; el conducto y agujero suborbitario, por abajo; la fosita troclear para la polea del oblicuo mayor, por arriba y adentro. El vértice corresponde a la porción más interna y ancha de la hendidura esfenoidal. En cuanto a las paredes, la pared superior o bóveda está formada por el frontal y el ala menor del esfenoides. La pared inferior o suelo está formado por el maxilar superior, la apófisis orbitaria del malar y en su parte más posterior por la carilla orbitaria del palatino. La pared externa está formada por el ala mayor del esfenoides, la apófisis orbitaria del malar y la parte más externa del frontal. La pared interna está formada por la apófisis ascendente del maxilar, el unguis, etmoides y cuerpo del esfenoides.

52-b

En muchos sujetos y de forma fisiológica se desarrollan curvas en el plano frontal o escoliosis fisiológica, con la concavidad dirigida hacia la izquierda o la derecha, indistintamente. Por lo común ocurre entre D3 y D5. Para obtener la estabilidad del raquis, se forman por arriba y por abajo de la escoliosis otras dos curvas compensadoras, cuya concavidad mira hacia el lado opuesto de la curva principal.

53-c

El cuerpo de las vértebras dorsales posee una importante característica diferencial : la presencia de carillas articulares para las costillas. Cada cuerpo vertebral dorsal dispone a cada lado de dos hemicarillas, una superior y otra inferior. Tiene forma de media taza, que se completa con las medias tazas de las vértebras precedente y siguiente. En cada taza formada de esta manera se recibe la cabeza de la correspondiente costilla.

54-b

En el movimiento de extensión intervienen los músculos tríceps braquial y ancóneo. Como músculos supinadores intervienen el bíceps braquial por su inserción en la tuberosidad bicipital y el músculo supinador corto.

55. En la mitad derecha del centro frénico diafragmático, se encuentra un orificio para el paso de:

a) Aorta.
b) Conducto torácico.
c) Cava superior.
d) Cava inferior.
e) Esófago.

56. Al flujo de agua a través de una membrana selectivamente permeable, le llamamos :

a) Difusión.
b) Difusión facilitada.
c) Ósmosis.
d) Filtración.
e) Permeabilización.

57. La barrera que separa el líquido intersticial del intracelular es :

a) La membrana celular.
b) La pared capilar.
c) El diafragma.
d) El mesenterio.
e) La pleura.

58. El potasio es el principal catión de:

a) Plasma.
b) Líquido intersticial.
c) Líquido pleural.
d) Líquido intracelular.
e) Líquido pericárdico.

59. Indicar cuál de las siguientes afirmaciones es cierta:

a) La tibia y el peroné se articulan con el fémur en la articulación de la rodilla.
b) A los extremos proximal y distal de un hueso se les llama diáfisis.
c) Los meniscos sólo se encuentran en algunas diartrosis.
d) La supinación y pronación son tipos específicos del movimiento de circunducción.
e) La médula ósea amarilla de algunos huesos largos del adulto producen glóbulos rojos y blancos, así como plaquetas.

60. La glabela se localiza a nivel del hueso:

a) Frontal.
b) Parietal.
c) Temporal.
d) Maxilar superior.
e) Vómer.

61. Por su cara externa o exocraneal, el agujero occipital se encuentra rodeado por:

a) Cóndilos occipitales.
b) Línea curva occipital inferior.
c) Línea curva occipital superior.
d) Protuberancia occipital externa.
e) Protuberancia occipital interna.

55-d

El centro frénico corresponde a un tendón formado por fibras colágenas con forma de trébol, en él se distinguen tres hojas o foliolos: anterior, derecho e izquierdo. En la unión del foliolo anterior con el derecho hay un orificio para la vena cava inferior, que asciende desde la cavidad abdominal a la torácica en busca del corazón.

56-c

La ósmosis es el paso de agua a través de una membrana semipermeable o selectivamente permeable desde un compartimento donde la concentración de soluto es menor hacia otro donde la concentración es mayor. Una membrana selectivamente permeable es aquélla que permite el paso de agua pero no de solutos. La ósmosis se produce porque ante una membrana que permite su paso al agua, se mueve desde donde está en mayor cantidad (solución menos cencentrada) hacia donde es más escasa (solución más concentrada).

57-a

El componente líquido de nuestro organismo puede dividirse en dos compartimentos fundamentales : el líquido intracelular que está en el interior de las células y el líquido extracelular que está fuera de ellas. La membrana celular separa estos dos compartimentos y a través de ella, se realiza el transporte selectivo de sustancias. A su vez, dentro del LEC se distinguen dos compartimentos: el plasma, es la parte líquida de la sangre que circula por los vasos y el líquido intersticial que está fuera del sistema vascular y en contacto directo con las células de los tejidos.

58-d

Los líquidos intracelular y extracelular separados por las membranas celulares contienen sustancias como aminoácidos, ácidos grasos, colesterol, fosfolípidos, triglicéridos, oxígeno... pero sus composiciones iónicas son muy distintas: el líquido extracelular contiene mayor concentración de sodio (140-150 mEq/l) y el líquido intracelular mayor concentración de potasio (140-150 mEq/l). Estas diferencias de concentración se mantienen por la bomba de Na-K y es imprescindible para la realización de muchas funciones celulares.

59-c

En algunas diartrosis no existe una perfecta armonía entre las superficies articulares que han de contactar y es necesaria la presencia de algún tipo de estructura que mejore la dinámica como es el caso de los meniscos, fibrocartílagos de forma triangular, más gruesos en la periferia que en el centro. Otras estructuras que mejoran la dinámica articular son los rodetes y discos.

60-a

El frontal es el hueso de la frente, impar y simétrico. En su descripción se distingue una porción superior o escama, cóncava hacia atrás y una porción horizontal. La escama se articula por sus bordes con los huesos parietales y las alas mayores del esfenoides formando con ellos, la sutura coronal. La porción horizontal se une también al esfenoides, al etmoides y al unguis. En medio de la escama se encuentra una eminencia media que corresponde a la glabela, en ella es muy frecuente encontrar restos de la sutura metópica o interfrontal que es la evidencia de que en realidad el frontal está formado por la sinóstosis temprana de dos huesos hemifrontales.

61-a

Los cóndilos occipitales situados a cada lado del agujero occipital o agujero magno son salientes articulares con forma de zapato que se articulan con la 1ª vértebra cervical o atlas. Delante de cada cóndilo se encuentra el conducto hipogloso por donde pasa el nervio del mismo nombre. Por detrás, se encuentran los agujeros condíleos posteriores para el paso de pequeños vasos.

62. ¿Qué sutura se extiende de la fontanela anterior a la anterolateral?

a) Coronal.
b) Lambdoidea.
c) Sagital.
d) Escamosa.
e) Parietal.

63. El epitelio especializado en fenómenos de absorción, presenta en su polo apical:

a) Cilios.
b) Melanina.
c) Polo mucoso abierto.
d) Microvellosidades.
e) Invaginaciones.

64. Un epitelio prismático estratificado lo encontramos en:

a) Paredes capilares.
b) Sacos aéreos pulmonares.
c) Tubo digestivo.
d) Epidermis.
e) Aparato urinario.

65. Una glándula exocrina en la que se expulsa una porción de la célula secretora junto con la secreción, se llama:

a) Apocrina.
b) Merocrina.
c) Endocrina.
d) Holocrina.
e) Medio holocrina.

66. La presencia de una membrana basal es característica de:

a) Epitelios.
b) Tejido óseo.
c) Tejido nervioso.
d) Tejido muscular.
e) Tejido cartilaginoso.

67. Los cartílagos costales están formados por:

a) Cartílago hialino.
b) Cartílago elástico.
c) Tejido conectivo reticular.
d) Fibrocartílago.
e) Tejido conectivo fibroso.

68. Los discos intercalares se encuentran en :

a) Tejido muscular estriado.
b) Tejido muscular cardíaco.
c) Tejido conjuntivo.
d) Tejido nervioso central.
e) Tejido óseo.

69. Indicar cuál de las siguientes afirmaciones es falsa, con respecto al hueso:

a) Anatómicamente en un hueso largo se distinguen tres regiones: diáfisis, epífisis y metáfisis.
b) En la diáfisis encontramos tejido óseo compacto en la periferia.
c) La epífisis está constituída por tejido óseo esponjoso recubierta por una fina capa de cartílago fibroso.
d) La metáfisis de un hueso en desarrollo está constituída por cartílago hialino.
e) El sistema de Havers es la unidad estructural del hueso.

62-a

Con excepción de la unión temporomaxilar y la sincondrósis entre el occipital y el esfenoides, todos los huesos del cráneo aparecen unidos por suturas. La sutura coronal corresponde a la articulación entre el frontal y el parietal. La sutura lambdoidea corresponde a la parietooccipital; la sagital o la interparietal y escamosa a la temporoparietal. Estas suturas de tejido conjuntivo fibroso permiten el crecimiento armónico de los huesos del cráneo. Cuando cesa el crecimiento, el tejido conjuntivo se sustituye por tejido óseo, lo que no suele comenzar antes de los 30 años. Los lugares donde confluyen varias suturas forman las verdaderas «lagunas» de tejido conjuntivo que en el momento del crecimiento permite que se acabalguen los huesos y así facilitar el tránsito de la cabeza fetal por el canal del parto.

63-d

Las microvellosidades que participan en fenómenos de absorción son largas, regulares y rectilíneas con perfecta ordenación paralela y con la misma longitud. Se localizan a nivel de intestino delgado y túbulos renales.

64-e

Un epitelio prismático estratificado se halla formado por varias hileras de forma variable, siendo las de los estratos más profundos irregularmente cúbicas y las más superficiales, prismáticas o cilíndricas. Es muy poco frecuente. Se encuentra en la porción esponjosa de la uretra y en los conductos excretores de algunas glándulas. En este tipo de epitelio, se puede incluir el epitelio germinativo de los tubos seminíferos del testículo.

65-a

Las glándulas apocrinas eliminan la porción superior de la célula que contiene el producto, produciéndose un descabezamiento; es el caso de las glándulas mamarias. Las glándulas merocrinas vierten el producto por exocitosis, mediante la unión de la membrana del gránulo con la membrana citoplásmica; es el mecanismo más frecuente. Las glándulas holocrinas eliminan junto con el producto de secreción, la totalidad de sus células; es el caso de las glándulas sebáceas cutáneas.

66-a

El tejido epitelial tiene dos características generales: la intensa cohesión entre sus células y la polaridad que se manifiesta por la existencia de un polo apical libre, en relación con la superficie externa del organismo o con la luz de una cavidad abierta o cerrada, y de un polo basal, por el que se continúa con el resto de las estructuras del organismo, que suele ser tejido conjuntivo del que las células epiteliales se separan por una capa continua y delgada de estructura filamentosa que se denomina lámina basal y es elaborada por las propias células epiteliales.

67-a

El cartílago hialino es un tejido semitransparente en el cual los componentes estructurales aparecen bastante equilibrados, con fibras únicamente colágenas de pequeño calibre. El cartílago elástico es muy flexible, contiene numerosas fibras en las que predominan las elásticas sobre las colágenas. El fibrocartílago o cartílago fibroso se caracteriza por la abundancia de fibras colágenas dispuestas en haces con escasa sustancia fundamental, es la modalidad de mayor resistencia mecánica.

68-b

La célula muscular cardíaca es alargada y con forma de cilindro bifurcado. A través de dichas bifurcaciones se establecen conexiones intercelulares termino-terminales entre las células vecinas formándose una compleja red tridimensional. Con el microscopio óptico a nivel de las uniones término-terminales se observa un sistema especial de unión: los discos intercalares con una disposición escaleriforme que incluye segmentos transversales y longitudinales. Estos dispositivos de unión permiten la transmisión de una célula a otra de la tensión desarrollada por la contracción de las miofibrillas y la rápida difusión de la excitación, puesto que en estas uniones hay áreas de baja resistencia eléctrica.

69-c

En los huesos largos existe una zona media que es la de mayor longitud y menor diámetro que se denomina diáfisis, es un cilindro hueco, centrado por la cavidad medular y su pared está formada por tejido óseo compacto. Los dos extremos abultados son las epífisis, constituídas por tejido esponjoso y cubiertas periféricamente en su polo articular por una lámina de cartílago hialino. Las zonas de unión entre la diáfisis y ambas epífisis son las metáfisis.

70. La unidad estructural del hueso corresponde a:

a) Osteonas.
b) Sistema intersticial.
c) Sistema circunferencial interno.
d) Conducto de Volkmann.
e) Conducto de Havers.

71. En una fibra muscular, la contracción que produce movimiento corresponde a:

a) Contracción tónica.
b) Contracción isotónica.
c) Contracción isométrica.
d) Contracción espasmódica.
e) Contracción tetánica.

72. Las convulsiones corresponden a:

a) Contracciones tetánicas no coordinadas de diversos grupos musculares.
b) Contracción asincrónica de fibras individuales.
c) Contracción muy rápida y sostenida.
d) Contracción tónica.
e) Contracturas.

73. Desde el punto de vista histológico el tendón corresponde a:

a) Fibras musculares.
b) Fibras elásticas.
c) Fibras colágenas.
d) Fibras reticulares.
e) Fibras adiposas.

74. La troponina es una proteína que:

a) Se une a la miosina para formar un complejo que normalmente está inhibido por la fibra muscular en reposo.
b) Forma puentes transversales entre miosina y actina.
c) Tiene gran afinidad por los iones calcio.
d) Contiene numerosas moléculas de ADP.
e) Permite desdoblar el ATP contenido en el retículo sarcoplásmico.

75. La llegada a una neurona de una serie de impulsos procedentes de varias neuronas que producen un potencial de acción es un ejemplo de:

a) Sumación temporal.
b) Divergencia.
c) Potencial de generación.
d) Sumación espacial.
e) Potencial de membrana.

76. Las interrupciones que se presentan a intervalos regulares a lo largo de un axón cubierto de mielina corresponde a:

a) Nódulos de Ranvier.
b) Sinapsis.
c) Hendiduras sinápticas.
d) Uniones comunicantes.
e) Vaina de mielina.

77. Las células de neuroglía que tienen funciones semejantes a las de los leucocitos son:

a) Oligodendrocitos.
b) Astrocitos.
c) Células de microglía.
d) Células ependimarias.
e) Linfocitos.

70-a

La unidad estructural que se repite en el tejido óseo compacto es la osteona o sistema de Havers que son laminillas que se sitúan concéntricamente alrededor de conductos vasculares longitudinales con su eje principal paralelo al del hueso. Estos conductos vasculares son los conductos de Havers. Los espacios que deja la agrupación de estas estructuras cilíndricas son osteonas antiguas parcialmente reabsorbidas, a las que se denomina brechas o sistemas intersticiales. Revistiendo las circunferencias externa e interna de la cortical diafisaria, hay una serie de laminillas concéntricas de tejido óseo compacto que constituyen el sistema circunferencial externo e interno. Los conductos de Volkmann son conductos oblícuos o perpendiculares a los de Havers por donde discurren vasos sanguíneos y nervios y ponen en relación la cavidad medular con el periostio.

71-b

En la contracción isotónica la tensión dentro del músculo se conserva igual, pero la longitud cambia, se acorta y produce movimiento.

72-a

Fibrilación es una contracción de fibras individuales de manera asincrónica produciendo aleteo del músculo sin movimientos eficaces. Contracción tetánica es la contracción espasmódica o rápida pero de manera sostenida, se produce por una serie de estímulos que bombardean el músculo en una sucesión rápida. Contracción tónica es la contracción continua de un número pequeño del total de fibras de un músculo, es lo que produce el tono o tensión muscular. Contractura es un estado anormal de contracción prolongada.

73-c

El tendón está constituído por haces de fibras colágenas densamente agrupadas y regularmente paralelas. El tendón se adhiere íntimamente a la célula muscular estriada por medio de las indentaciones que las fibras colágenas hacen sobre el sarcolema de dicha célula.

74-c

Las miofibrillas musculares están constituídas por 2 tipos de miofilamentos : gruesos, compuestos principalmente por miosina y finos, constituídos por actina; y otras 2 proteínas: tropomiosina y troponina. La miosina contiene la enzima ATPasa que rompe las moléculas de adenosintrifosfato (ATP), liberando la energía necesaria para la contracción muscular. Esta reacción es activada por los iones de calcio que se liberan desde las cámaras del retículo sarcoplásmico y se fijan a la troponina.

75-d

La sinapsis son zonas especializadas de contacto que permiten la transmisión del influjo nervioso en sentido único de una neurona a otra. En la sinapsis se distinguen 3 elementos: elemento presináptico, elemento postsináptico y entre ambos, la hendidura sináptica, donde se libera el neurotransmisor en las sinapsis químicas. Cuando varias sinapsis convergen en un mismo elemento postsináptico se acarrean fenómenos de facilitación o sumación espacial.

76-a

Las fibras nerviosas mielínicas están constituídas por un solo axón asociado a una secuencia de células de Schwann y rodeado por una vaina de mielina. La capa de mielina se halla interrrumpida periódicamente en toda su extensión por puntos de discontinuidad denominado nódulos o nodos de Ranvier. Cada segmento comprendido entre dos nodos de Ranvier corresponde a un internodo o segmento internodal.

77-c

Las células microgliales forman parte del sistema de los fagocitos mononucleares. Las células precursoras son los monocitos sanguíneos que penetran en el parénquima del SNC y que, en caso de lesiones proliferan y se hacen fagocíticas.

78. El movimiento de oposición del pulgar se consigue por medio de la articulación carpometacarpiana que corresponde a una articulación:

a) Esférica.
b) Elipsoidea.
c) En silla de montar.
d) En pivote.
e) En bisagra.

79. Un músculo que se relaja al contraerse un músculo motor primario para producir movimiento, se llama:

a) Motor.
b) Antagonista.
c) Relajante.
d) Sinergista.
e) Flexor.

80. La incapacidad de un paciente para percibir el dolor podría deberse a tumor o traumatismo de:

a) Ínsula.
b) Hipotálamo.
c) Núcleo rojo.
d) Tálamo.
e) Cuerpo estriado.

81. Una producción anormal de hormona antidiurética (ADH) podría producirse por disfunción de:

a) Hipotálamo.
b) Plexos coroideos.
c) Hipófisis.
d) Sistema activador reticular.
e) Epífisis.

82. El acueducto cerebral o de Silvio comunica:

a) Los ventrículos cerebrales.
b) Ventrículos laterales y tercer ventrículo.
c) Tercer ventrículo y cuarto ventrículo.
d) Ventrículos laterales y cuarto ventrículo.
e) Primer y segundo ventrículo.

83. Dos componentes de los ganglios basales son:

a) Núcleo caudado y núcleo lenticular.
b) Globo pálido e infundíbulo.
c) Núcleo hipotalámico y núcleo rojo.
d) Ínsula y putamen.
e) Lóbulo frontal y parietal.

84. En los siguientes estados se necesita un aumento del gasto cardíaco, excepto en:

a) Ejercicio físico.
b) Levantar peso.
c) Fiebre.
d) Digestión.
e) Pasar de decúbito supino a posición erecta.

85. La inmunidad activa:

a) Se obtiene inmediatamente después de recibir gammaglobulina.
b) Se desarrolla por el organismo en respuesta directa a un agente patógeno.
c) Es el producto de anticuerpos que se toman prestados.
d) Es una inmunidad pasiva que se ha activado.
e) Estimula los antígenos.

78-c

La articulación en silla de montar o por encaje recíproco pertenece a las articulaciones sinoviales o diartrósicas. En ella, cada uno de los dos huesos que se articulan presentan una superficie cóncavo-convexa. Sólo existen un par de articulaciones en silla de montar: una en cada mano, entre el metacarpiano del pulgar y el carpiano llamado trapecio. Gracias a esta articulación se pueden realizar movimientos de flexión, extensión, abducción, aducción y circunducción, pero el movimiento más importante es mover el pulgar para tocar la punta de cualquiera de los otros cuatro dedos.

79-b

Los músculos esqueléticos casi invariablemente actúan en grupos y no aisladamente, de esta forma la mayor parte de los movimientos son producidos por la acción combinada de varios músculos. Los músculos antagonistas tienen acciones opuestas y sitios opuestos a los músculos motores primarios. El antagonista de un músculo flexor es un músculo extensor; el de un abductor, un aductor.

80-d

El tálamo está formado por grupos de células nerviosas que se ubican centralmente en el cerebro y están interconectados. Toda la información sensitiva (excepto la olfatoria) converge en el tálamo y es integrada a través de las conexiones entre los núcleos. El patrón de información resultante es distribuído hacia la corteza cerebral.

81-a

La hormona antidiurética o vasopresina es sintetizada en las células nerviosas de los núcleos supraópticos hipotalámicos. Las hormonas pasan por los axones junto con proteínas transportadoras denominadas neurofisinas y son liberadas en las terminaciones axonales. Aquí las hormonas son absorbidas hacia el torrente sanguíneo en los capilares del lóbulo posterior de la hipófisis. La función de la hormona antidiurética o vasopresina es la vasoconstricción.

82-c

El acueducto mesencefálico o de Silvio es un estrecho conducto de aproximadamente 1, 8 cm de largo, que conecta el tercer ventrículo con el cuarto. Está revestido con epéndimo y está rodeado de una capa de sustancia gris denominada sustancia gris central. La dirección del flujo del líquido cefalorraquídeo es desde el tercer ventrículo hacia el cuarto. No hay plexo coroideo en el acueducto de Silvio.

83-a

Los ganglios o núcleos basales corresponden a un conjunto de masas de sustancia gris situado dentro de cada hemisferio cerebral. Forman parte de ellos: el cuerpo estriado, situado por fuera del tálamo y dividido por la cápsula interna (banda de fibras nerviosas) en el núcleo caudado y el núcleo lenticular; el cuerpo amigdalino situado en el lóbulo temporal y el antemuro, delgada hoja de sustancia gris que está separada de la cara externa del núcleo lenticular por la cápsula externa.

84-e

El gasto cardíaco es el volumen de sangre bombeado cada minuto por el ventrículo izquierdo hacia la aorta. Cualquier situación que produzca mayor actividad en los músculos y otros órganos eleva el gasto cardíaco, así como la edad, de modo que hasta los 10 años el gasto cardíaco es máximo, después disminuye a medida que aumenta la edad. El gasto cardíaco disminuye cuando una persona está acostada y se pone de pie, debido a que gran parte de la sangre se remansa en las venas inferiores de su cuerpo, al andar o realizar cualquier otra actividad muscular el gasto cardíaco aumenta por incrementarse el retorno venoso.

85-b

En la inmunización activa, la produción de anticuerpos es estimulada por la administración de antígenos o por la exposición a antígenos que existen de modo natural, como por ejemplo bacterias, virus u hongos. En la inmunidad pasiva, anticuerpos preformados producidos activamente en otra persona o animal, son dados al receptor en forma de suero o gammaglobulina.

86. Los vasos pulmonares, los nervios y el bronquio principal entran al pulmón o salen de él, por:

a) La escotadura cardíaca.
b) El vértice.
c) La cápsula.
d) El hilio.
e) La base.

87. Las amígdalas faríngeas se localizan en :

a) Nasofaringe.
b) Cavidad bucal.
c) Cavidad nasal.
d) Bucofaringe.
e) Laringofaringe.

88. Al volumen de aire eliminado durante una respiración normal se le llama, volumen:

a) De ventilación pulmonar.
b) Inspiratorio de reserva.
c) Espiratorio de reserva.
d) Residual.
e) Capacidad vital.

89. Un paciente que ha sufrido una gastrectomía puede padecer como consecuencia directa:

a) Enfermedad hepática.
b) Anemia.
c) Úlcera gástrica.
d) Incapacidad para digerir las grasas.
e) Incapacidad para digerir las proteínas.

90. ¿Cuál de los siguientes estados no se observa en la diástole ventricular?:

a) Las aurículas y los ventrículos están relajados.
b) Las válvulas auriculoventriculares están abiertas.
c) La válvula aórtica está abierta.
d) Los ventrículos reciben sangre de las aurículas.
e) Aparece el tercer ruido cardíaco, por el llenado ventricular.

91. En el feto, la sangre oxigenada es conducida por :

a) El conducto arterioso.
b) La arteria umbilical derecha.
c) La vena placentaria.
d) La vena umbilical.
e) La arteria umbilical izquierda.

92. El nodo sinoauricular está situado en la pared de:

a) La aurícula derecha.
b) El tabique interventricular.
c) El tronco pulmonar.
d) La vena cava superior.
e) La aurícula izquierda.

86-d

Los pulmones situados en la cavidad torácica presentan una cara externa o costal, convexa, que se adapta a la cara interna de las costillas y una cara interna o mediastínica, más o menos plana, sobre la que dejan huella los órganos del mediastino; en esta cara se encuentra el hilio pulmonar, zona deprimida por donde llegan al pulmón el bronquio y un arteria pulmonar y salen dos venas pulmonares. También entran nervios y vasos linfáticos. Al conjunto de todas estas estructuras que entran o salen del pulmón por el hilio se denomina pedículo pulmonar.

87-a

La amígdala faríngea se localiza en la nasofaringe, división anatómica de la faringe localizada por detrás de la nariz y que se extiende desde las coanas hasta el nivel del paladar blando. Otras dos divisiones anatómicas son la bucofaringe y la laringofaringe. La bucofaringe está localizada por detrás de la boca, se extiende desde el paladar blando hasta el nivel del hueso hioides. En esta parte, se localizan las amígdalas palatinas por detrás y debajo de los pilares del paladar y las amígdalas linguales, en la base de la lengua. La otra división anatómica es la laringofaringe que se extiende desde el hueso hioides hasta el esófago.

88-a

El volumen de aire inspirado y espirado en cada respiración normal es el volumen corriente o de ventilación pulmonar (VC). El volumen inspiratorio de reserva (VRI) es el volumen que puede entrar en los pulmones mediante una inspiración profunda después de una inspiración normal. Volumen de reserva espiratoria (VRE) es el aire que puede ser expulsado mediante una espiración forzada después de una espiración normal. Volumen residual (VR) es el volumen que permanece en los pulmones después de una espiración forzada. Capacidad vital (CV) es la máxima cantidad de aire que pueden movilizar los pulmones en cada respiración y corresponde a la suma del VC, VRI y VRE.

89-b

En la mucosa del estómago se localizan 3 tipos de glándulas. Las glándulas gástricas situadas en el cuerpo y fondo del estómago están formadas por células parietales que secretan ácido clorhídrico y factor intrínseco necesario para la absorción de la vitamina B_{12}. También forman parte de las glándulas gástricas: las células principales secretoras de pepsinógeno, células mucosas y algunas células endocrinas. Las glándulas pilóricas abundantes en el antro, son glándulas mucosas que contienen además numerosas glándulas endocrinas, productoras de gastrina.

90-c

En el inicio de la sístole ventricular (sístole isométrica o isovolumétrica) las válvulas auriculoventriculares y sigmoideas están cerradas y esto es lo que determina, junto con el volumen, que hay en los vetrículos un aumento de presión que abre las válvulas sigmoideas, comenzando así la sístole isotónica en la que la presión permanece constante y la sangre pasa de los ventrículos a las arterias pulmonares y aorta.

91-d

La vena umbilical recibe sangre oxigenada de la placenta, entra en el cuerpo del feto por el ombligo, llega a la cara inferior del hígado donde emite dos o tres ramas para este órgano y continúa con el nombre de conducto venoso que termina desembocando en la vena cava inferior.

92-a

El nódulo sinusal, sinoauricular o de Keith-Flack está situado en la aurícula derecha junto a la desembocadura de la vena cava superior, bajo el epicardio. Formado por un acúmulo de células cardionectoras, capaces de despolarizarse con una frecuencia de 60-100 veces por minuto. Al ser el nódulo de automatismo más rápido impone el ritmo de su descarga al resto de las células cardíacas actuando como un verdadero «marcapasos fisiológico».

93. La capa más interna de una arteria está formada por:

a) Epitelio plano estratificado.
b) Epitelio cúbico simple.
c) Epitelio cilíndrico simple.
d) Epitelio prismático simple.
e) Endotelio.

94. Por medio de la palpación es difícil localizar el pulso:

a) Temporal.
b) Facial.
c) Radial.
d) Femoral.
e) Aórtico.

95. Rama directa de la arteria iliaca externa es la arteria:

a) Tibial posterior.
b) Tibial anterior.
c) Peroneal.
d) Poplítea.
e) Femoral.

96. Un neurotransmisor inhibidor a nivel del SNC es:

a) Ácido gammaaminobutírico.
b) Glutamato.
c) Noradrenalina.
d) Calcio.
e) Acetilcolina.

97. Indicar qué par de relaciones entre nervio e inervación es incorrecta:

a) Cubital: piel interna de la mano, quinto dedo y mitad interna del cuarto dedo.
b) Radial: piel de la cara posterior del antebrazo y de la mano.
c) Circunflejo: piel de la superficie palmar de la mano.
d) Frénico: diafragma.
e) Ciático: piel de la cara posterior del muslo.

98. Indicar qué par de relaciones entre hormona y órgano diana es falsa:

a) Hormona folicular - testículo.
b) Aldosterona - corteza suprarrenal.
c) Hormona del crecimiento - huesos y tejidos blandos.
d) Hormona antidiurética - riñón.
e) Oxitocina - glándula mamaria.

99. ¿Cuál de los siguientes es órgano diana de la parathormona?:

a) Riñón e intestino delgado.
b) Músculo estriado.
c) Páncreas y tiroides.
d) Testículos.
e) Barrera placentaria.

100. El leucocito que no participa en la fagocitosis, pero que secreta el anticoagulante heparina es el:

a) Basófilo.
b) Monocito.
c) Eosinófilo.
d) Linfocito.
e) Eritrocito.

93-e

Se llama endotelio al epitelio plano simple (formado por una sola capa de células de mínima altura) que tapiza los sistemas cardiovasculares y linfático. Se llama mesotelio al epitelio plano simple que reviste la membrana serosa de la pleura, el pericardio y el peritoneo.

94-e

Todas, salvo la aorta, son arterias relativamente superficiales cuyo latido es fácil de palpar. El pulso que habitualmente se palpa para valorar la frecuencia cardíaca es el pulso radial, que se palpa a nivel de la cara interna del hueso radial, a uno o dos centímetros de la apófisis estiloides del radio.

95-e

La arteria iliaca externa, rama de la arteria iliaca primitiva se extiende desde la sínfisis sacroiliaca hasta el anillo crural, en donde se continúa con el nombre de arteria femoral. Pasa por detrás del peritoneo, sobre la parte interna del músculo psoas. La cruzan el uréter, el nervio genitocrural y la vena circunfleja iliaca. En el lado derecho, la cubre el segmento terminal del íleon y a la izquierda, el colon iliopélvico. Emite dos colaterales: la epigástrica y la circunfleja iliaca.

96-a

El ácido gammaaminobutírico (GABA) es un neurotransmisor de acción rápida, secretado por las terminaciones nerviosas de la médula espinal, el cerebelo, los ganglios basales y amplias zonas de la corteza cerebral. Actúa casi siempre como inhibidor, al igual que la serotonina, la dopamina y la glicina. La acetilcolina, noradrenalina y glutamato es probable que siempre produzcan excitación.

97-c

El nervio circunflejo es rama terminal del plexo braquial, nace de un tronco común con el radial. El circunflejo se dirige oblícuamente hacia abajo y afuera, sale del hueco axilar y pasa entre el deltoides y el húmero, describiendo una curva alrededor del cuello quirúrgico de este hueso, en compañía con la arteria circunfleja posterior. El circunflejo emite dos ramas colaterales: una motora, para el redondo menor y otra sensitiva, para la piel del hombro. Termina en el deltoides.

98-b

La aldosterona incrementa la reabsorción de sodio en orina, sudor, saliva y jugo gástrico y por lo tanto, provoca su retención en el líquido extracelular. En el riñón, actúa a nivel de los túbulos distales reabsorbiendo sodio que es intercambiado por iones potasio, que es secretado. Es una hormona que se sintetiza en la corteza suprarrenal pero no es su órgano diana. El principal mecanismo regulador de su secreción es el sistema renina-angiotensina que es sensible a los cambios de presión sanguínea y a la concentración de sodio y potasio en el plasma. Se puede decir que el efecto de la ACTH sobre la secreción de aldosterona es de escasa relevancia.

99-a

Cuando los niveles de calcio son bajos, la parathormona incrementa la reabsorción renal de calcio en los túbulos e inhibe la de los iones fosfato. Además, incrementa la formación de 1.25 dihidroxicolecalciferol que es el metabolito activo de la vitamina D y cuya acción favorece la absorción intestinal del calcio y su movilización desde el hueso.

100-a

El basófilo constituye el tipo de leucocito menos abundante en la sangre periférica (0-1%). Se caracteriza por poseer gruesas granulaciones basófilas (se tiñen con azul de metileno)en el citoplasma e incluso cubriendo el núcleo, cuyo contenido principalmente es histamina y heparina. Se sabe poco sobre su función, pero al parecer interviene en las reacciones de hipersensibilidad retardada. Un aumento en el número de basófilos en el curso de un síndrome mieloproliferativo crónico (leucemia mieloide crónica o policitemia vera) se considera un signo de agudización de la enfermedad.

101. Ante una lesión vascular, el primer hecho que acontece para reparar la lesión es :

a) El mecanismo intrínseco de la coagulación.
b) La fase fosfolipídica.
c) El mecanismo extrínseco de la coagulación.
d) La formación de un tapón plaquetario.
e) Un aumento del bazo.

102. El tiempo que tarda en cohibirse una hemorragia provocada por una pequeña incisión en la piel,corresponde al tiempo de:

a) Coagulación.
b) Hemorragia.
c) Protrombina.
d) Trombina.
e) Tromboplastina.

103. ¿Qué par de estructuras es incorrecto?:

a) Cuerdas tendinosas - válvulas semilunares.
b) Ventrículo izquierdo - músculo papilar.
c) Ventrículo derecho - arteria pulmonar.
d) Aurícula derecha - seno coronario.
e) Aurícula izquierda - venas pulmonares.

104. El corazón está envuelto por:

a) Pericardio.
b) Epicardio.
c) Supracardio.
d) Endocardio.
e) Exocardio.

105. El primer ruido del corazón es producido por:

a) Cierre de las válvulas aurículo-ventriculares.
b) Cierre de las válvulas aórtica y pulmonar.
c) La sangre que sale con fuerza de los ventrículos.
d) El llenado de los ventrículos.
e) El vaciado brusco de las aurículas.

106. El agente que por sí mismo es más importante para inhibir la secreción de ADH u hormona antidiurética es:

a) Agua.
b) Alcohol.
c) Vitamina B_{12}.
d) Sodio.
e) Potasio.

107. El reflejo de micción aparece cuando la capacidad vesical oscila entre :

a) 50 - 100 ml de orina.
b) 300 - 350 ml de orina.
c) 500 ml de orina.
d) 1000 ml de orina.
e) 1500 ml de orina.

108. En el sistema genital masculino la secreción de glándulas bulbouretrales tiene como función:

a) Favorecer la eliminación de orina.
b) Impedir que la orina vuelva atrás.
c) Servir de vehículo a los espermatozoides.
d) Favorecer la maduración de los espermatozoides.
e) Determinar el comienzo de la meiosis en el espermatozoide maduro.

109. ¿Qué estructuras o estructura secreta progesterona?:

a) Lóbulo anterior de la hipófisis.
b) Cuerpo amarillo.
c) Cuerpo amarillo y folículo ovárico.
d) Hipotálamo.
e) Lóbulo posterior de la hipófisis.

101-d

Después de la rotura de un vaso, las plaquetas al entrar en contacto con las fibras colágenas del vaso se hinchan y se vuelven adherentes. Esta adhesión requiere la presencia de un componente de la coagulación denominado factor Von Willebrand que es una molécula del factor VIII. Las plaquetas liberan diversas sustancias que determinan el tapón plaquetario, el cual, a no ser que se estabilice, se deshace espontáneamente.

102-b

El tiempo de hemorragia sirve para la exploración tanto del número de plaquetas como de su eficacia y la contractibilidad capilar. Los valores normales con la técnica de Duke se encuentran entre 2-5 min. El tiempo de coagulación es el tiempo que tarda en coagular la sangre in vitro. Se considera normal entre 5-10 min. Indica el estado de los factores plasmáticos que intervienen en el mecanismo de la coagulación. El tiempo de protrombina, además de medir la protrombina (factor II) mide otros factores elaborados en el hígado que requieren en su mayoría vitamina K para su fabricación: factores V, VII y X. El tiempo de trombina explora el paso de fibrinógeno a fibrina, los valores normales son de 20±2 s. El tiempo de tromboplastina parcial, resulta de gran utilidad para detectar la presencia de trastornos hemorrágicos provocados por defecto de los factores circulantes que componen el sistema intrínseco.

103-a

Las cuerdas tendinosas son estructuras a manera de cordón que unen los músculos papilares de las cavidades ventriculares con las válvulas auriculoventriculares (mitral y tricúspide). Las válvulas semilunares o sigmoideas (aórtica y pulmonar) carecen de cuerdas tendinosas, consisten en hojuelas en forma de media luna que salen del revestimiento de la arteria pulmonar y de la aorta.

104-a

El corazón tiene una envoltura especial que se llama pericardio. Esta consiste en dos partes: pericardio fibroso y pericardio seroso. El pericardio fibroso es el saco que envuelve de manera algo laxa al corazón. El pericardio seroso consiste en dos hojas: hoja parietal que reviste la superficie interna del pericardio fibroso y la hoja visceral (epicardio) que forma la capa externa o adventicia del corazón. Entre las hojas visceral y parietal hay un espacio virtual que es la cavidad pericárdica.

105-a

El primer ruido cardíaco se produce al inicio de la sístole ventricular, es el más fuerte y prolongado, se debe al cierre de las válvulas aurículo-ventriculares.

106-a

La ingesta de agua en cantidad suficiente produce una dilución del líquido extracelular y esto hace que disminuya la secreción de ADH a nivel del núcleo supraóptico hipotalámico.

107-b

El vaciamiento de la vejiga de la orina se produce por una serie de reflejos que se ponen en marcha cuando el contenido de orina supera una cantidad aproximada de 300 ml. Al llenarse la vejiga, aumenta la presión intravesical y sus paredes se distienden progresivamente, lo que desencadena el «reflejo de micción» y el deseo consciente de orinar.

108-c

El esperma está formado por espermatozoides producidos en los testículos, la secreción de vías espermáticas, la secreción de vesículas seminales por medio de los conductos eyaculadores, la secreción prostática y la secreción mucosa procedente de las glándulas de Cowper o bulbouretrales.

109-b

Al romperse el folículo de Graaf, el óvulo queda libre y las células de la granulosa y de la teca interna y externa comienzan a reemplazarse por células llenas de lípidos que forman el cuerpo lúteo o amarillo, que van a segregar estrógenos y progesterona después de la ovulación.

110. La vena cefálica del brazo desemboca en la vena:

a) Mediana.
b) Mediana cefálica.
c) Mediana basílica.
d) Axilar.
e) Colateral del meñique.

111. No forma parte de las venas del cuello la vena:

a) Lingual.
b) Yugular externa.
c) Yugular interna.
d) Vertebral.
e) Tiroidea.

112. Un músculo flexor del brazo es el:

a) Supraespinoso.
b) Trapecio.
c) Dorsal ancho.
d) Pectoral mayor.
e) Redondo mayor.

113. Con respecto a las funciones del hepatocito, una de las siguientes afirmaciones es falsa:

a) Después de una comida, el hepatocito puede captar grandes cantidades de glucosa y convertirla en glucógeno.
b) La transformación de glucosa en glucógeno es estimulada por el glucagón.
c) En situación de ayuno puede liberar glucosa hacia la sangre por degradación del glucógeno almacenado.
d) A partir de las 12 horas de ayuno puede convertir los aminoácidos, el lactato y el glicerol en glucosa.
e) Puede transformar la fructosa en glucosa y liberarla al torrente sanguíneo.

114. Con respecto a los receptores muscarínicos del SNA, es correcta:

a) Son receptores para la acetilcolina a nivel de células efectoras.
b) Son receptores para la acetilcolina en los ganglios simpáticos y parasimpáticos.
c) Son receptores para la acetilcolina a nivel de la placa motora.
d) Son receptores exclusivamente para la adrenalina.
e) Son receptores para noradrenalina en las glándulas sudoríparas.

115. El potencial de membrana de una célula en reposo es:

a) Positivo, porque en el líquido intracelular hay mayor concentración de cationes que en el líquido extracelular.
b) Negativo, porque en el líquido intracelular hay mayor concentración de aniones que en el líquido extracelular.
c) Negativo, porque en el líquido extracelular hay mayor concentración de cationes que en el líquido intracelular.
d) Positivo, porque en el líquido extracelular hay mayor concentración de aniones que en el líquido intracelular.
e) No depende del desequilibrio entre aniones y cationes de los líquidos intra y extracelular.

116. El principal neurotransmisor ganglionar en el sistema nervioso parasimpático es:

a) Dopamina.
b) Acetilcolina.
c) Adrenalina.
d) Noradrenalina.
e) Serotonina.

117. Uno de los siguientes factores no es importante en el rendimiento ventricular:

a) Postcarga.
b) Precarga.
c) Drenaje venoso coronario.
d) Frecuencia cardíaca.
e) Fuerza de contracción cardíaca.

118. La acción de la secretina es:

a) Estimular la secreción del jugo gástrico.
b) Inhibir la secreción y la motilidad del estómago.
c) Estimular la secreción del jugo pancreático pobre en enzimas y rico en bicarbonato.
d) Estimular la secreción de la bilis por el hígado.
e) Estimular la expulsión de bilis desde la vesícula biliar y secreción del jugo pancreático rico en enzimas.

119. La estructura que permite el drenaje del humor acuoso es:

a) Cuerpo ciliar.
b) Pupila.
c) Cristalino.
d) Conducto lagrimal.
e) Conducto de Schlemm.

110-d

La vena cefálica resulta de la unión de la radial superficial y la mediana cefálica, sigue primeramente el borde externo del bíceps, después el del pectoral para ir a desembocar en la parte superior de la vena axilar.

111-a

Las venas linguales son venas profundas de la cava junto con las venas oftálmicas y vena maxilar interna. Forman 3 grupos de venas: venas linguales profundas, linguales dorsales y raninas que convergen hacia el borde posterior del músculo hiogloso y forman la vena lingual propiamente dicha, terminando en un tronco común junto con la vena tiroidea superior y la facial (tronco tirolinguofacial) y éste desemboca en la yugular interna.

112-d

El músculo pectoral mayor pertenece a los músculos del hombro ocupando una posición anterior. Tiene su origen en la clavícula, esternón y cartílagos costales de la 2ª a la 6ª costilla. Se inserta en el troquíter humeral y sus acciones son: flexiona, aduce y rota el brazo hacia adentro.

113-b

La glucogénesis, conversión de glucosa en glucógeno, es estimulada por la insulina. La glucogenólisis, degradación del glucógeno almacenado en glucosa y la gluconeogénesis, conversión de aminoácidos, lactato y glicerol en glucosa, están bajo el control del glucagón. Gracias a la acción de estas dos hormonas sobre el hígado, la glucemia se mantiene dentro de los límites normales.

114-a

Los neurotransmisores que se liberan en los órganos efectores del SNA son acetilcolina, adrenalina y noradrenalina. Los receptores para la acetilcolina reciben el nombre de colinérgicos muscarínicos. Los receptores para la adrenalina y noradrenalina se llaman adrenérgicos.

115-b

La causa directa del potencial en reposo es un exceso de iones negativos (aniones) dentro de la célula. En este desequilibrio iónico interviene la permeabilidad de la membrana celular que es impermeable o relativamente impermeable a los iones negativos que hay dentro de la célula y la bomba sodio-potasio que favorece la presencia de iones positivos fuera de la célula.

116-b

En el sistema nervioso parasimpático y simpático, el neurotransmisor ganglionar es la acetilcolina. El neurotransmisor del órgano efector es para el parasimpático la acetilcolina y para el simpático puede ser: acetilcolina, adrenalina o noradrenalina.

117-c

El drenaje venoso coronario es de escasa importancia en el rendimiento del músculo ventricular, todos los demás factores sí influyen en dicho rendimiento.

118-c

La secretina es la hormona formada por la mucosa intestinal en presencia de ácido, proteínas parcialmente digeridas y grasa, y estimula la secreción de jugo pancreático bajo en contenido enzimático y rico en bicarbonato, de este modo se neutraliza el quimo ácido que entra en el duodeno.

119-e

El humor acuoso se forma a partir de los capilares situados en el cuerpo ciliar y pasa a la cámara posterior, de aquí a través de la pupila pasa a la cámara anterior y desde aquí, drena por el conducto de Schlemm para pasar a las venas de pequeño calibre. De esta forma, el volumen del humor acuoso permanece relativamente constante y por ello se conserva constante la presión intraocular.

120. Indicar cuál de las siguientes afirmaciones es falsa:

a) Los conos, son los receptores de los cuales depende la visión diurna y de los colores.
b) Los bastones son los receptores de la visión nocturna.
c) La fóvea posee la concentración máxima de bastones.
d) Los bastones contienen púrpura visual, rodopsina.
e) Los conos contienen la púrpura visual, yodopsina.

121. La función de igualar presiones a uno y otro lado del tímpano la realiza el/la:

a) Conducto auditivo externo.
b) Trompa de Eustaquio.
c) Utrículo.
d) Ventana oval.
e) Ventana redonda.

122. La transmisión de ondas sonoras a través de la perilinfa tiene lugar cuando se mueve:

a) El martillo y el yunque.
b) El estribo sobre la ventana oval.
c) La membrana de Reissner.
d) El órgano de Corti.
e) El tímpano.

123. No es función de los vasos linfáticos:

a) Controlar la concentración de proteínas de los líquidos intersticiales.
b) Regular el volumen del líquido intersticial.
c) Controlar la presión del líquido intersticial.
d) Realizar la absorción de grasas.
e) Formación de linfocitos.

124. Es función del hígado:

a) Sintetizar tripsina.
b) Formar monocitos y linfocitos antes del nacimiento.
c) Destruir eritrocitos y plaquetas.
d) Almacenar hierro y vitaminas.
e) Almacenar sangre.

125. El principal estimulador de la respiración es el:

a) Aumento en la concentración sanguínea del bióxido de carbono.
b) Disminución de la concentración sanguínea del bióxido de carbono.
c) Disminución de la concentración sanguínea de oxígeno.
d) Aumento de la concentración sanguínea de oxígeno.
e) Variaciones del pH sanguíneo.

126. En las reacciones de hipersensibilidad mediadas por inmunocomplejos, el anticuerpo específico es:

a) IgG.
b) IgM.
c) IgA.
d) IgD.
e) IgE.

127. La inmunoglobulina que se sintetiza más precozmente es:

a) IgG.
b) IgM.
c) IgD.
d) IgA.
e) IgE.

120-c

La fóvea posee la máxima concentración de conos y en consecuencia, es el sitio de visión más claro cuando la iluminación es adecuada. Por eso, cuando se desea ver un objeto con claridad durante el día, se mira directamente para enfocar la imagen en la fóvea. Sin embargo, en la penumbra o en la oscuridad se ve mejor si se mira a un lado, lo cual coloca la imagen más en la periferia de la retina, donde los bastones son más abundantes.

121-b

La trompa de Eustaquio se extiende desde la caja del tímpano hasta la nasofaringe. Al tragar o bostezar la trompa de Eustaquio permite que se igualen las presiones entre la superficie interna y externa del tímpano e impide que se rompa el tímpano y que se produzcan molestias derivadas de las diferencias de presión.

122-b

Las ondas sonoras penetran a través del conducto auditivo externo, chocan contra el tímpano y se produce movimiento en la cadena de huesecillos: martillo, yunque y estribo, así se mueve la ventana oval y comienza la conducción de las ondas sonoras por la perilinfa de la rampa vestibular.

123-e

Los vasos linfáticos se originan como microscópicos vasos ciegos terminales denominados capilares linfáticos. Se encuentran al lado de los capilares sanguíneos pero son siempre independientes y tienen funciones sobre los mecanismos homeostáticos. La formación de linfocitos se lleva a cabo por los ganglios linfáticos donde se forman linfocitos, monocitos, leucocitos no granulares y células plasmáticas.

124-d

La vitamina que se almacena en máxima proporción en el hígado es la vitamina A; también, conserva grandes cantidades de vitaminas D y B_{12}. Las células hepáticas contienen grandes cantidades de una proteína denominada apoferritina, capaz de combinarse con el hierro. Cuando en los líquidos corporales se dispone de una cantidad suficiente de hierro, éste se combina con la apoferritina para formar ferritina y de esta forma es almacenado el hierro hasta que el cuerpo lo necesita.

125-a

Los límites normales de pCO_2 en sangre están entre 38-40 mmHg. Cuando se aumenta ligeramente por encima de estas cifras, tiene efecto estimulante sobre los quimiorreceptores centrales situados en el bulbo raquídeo. Los aumentos grandes pero tolerables de la pCO_2 estimulan a los quimiorreceptores periféricos que se sitúan en los cuerpos carotídeos y aórticos.

126-a

La interacción de un antígeno soluble con su anticuerpo específico IgG, origina la formación de inmunocomplejos que se depositan en los vasos sanguíneos y las membranas basales. Esto induce la activación del complemento y produce la liberación de péptidos con actividad citotóxica y anafilotóxica, atrayendo leucocitos polimorfonucleares y originando inflamación y daño hístico.

127-b

Se sintetiza precozmente tanto en el curso de la evolución ontogénica, como tras el primer contacto con el antígeno (respuesta primaria). Constituye el 5% de las inmunoglobulinas séricas totales.

128. La secreción ácida del estómago se inhibe por:

a) Gastrina.
b) Secretina.
c) Distensión gástrica.
d) Histamina.
e) Estimulación parasimpática.

129. Los centros nerviosos del SN simpático se localizan en:

a) Asta anterior de la médula espinal desde D1 hasta S1.
b) Asta lateral de la médula espinal desde el nivel D1 hasta L2.
c) Asta lateral de la médula en los niveles sacros S2 a S4.
d) Asta posterior y anterior de la médula en los nivele metaméricos C4 y C5.
e) Tronco cerebral.

130. La cantidad total de agua del cuerpo es relativamente mayor en:

a) Un recién nacido.
b) Una adolescente.
c) Un varón de edad media.
d) Una mujer de 35 años.
e) Una mujer de 80 años.

131. Dentro de las funciones del riñón no se incluye:

a) Control de la entrega de oxígeno a los tejidos.
b) Producción de aldosterona.
c) Formación de amoníaco.
d) Regulación de la excreción de potasio.
e) Control de la presión arterial sistémica.

132. El factor más importante en la determinación del volumen urinario es:

a) La filtración glomerular.
b) La reabsorción del filtrado glomerular hacia la sangre.
c) La acción de los mineralcorticoides.
d) La acción de la hormona antidiurética.
e) La secreción de iones hidrógenos.

133. El equilibrio del sodio es controlado por:

a) Reabsorción de sodio.
b) Filtración de sodio.
c) Producción de renina.
d) Reabsorción de sodio y secreción de potasio.
e) Filtración de agua.

134. El índice de filtración glomerular es el:

a) Volumen filtrado por todas las nefronas de ambos riñones en un minuto.
b) Volumen filtrado por todas las nefronas de un riñón en 24 horas.
c) Parte del flujo plasmático renal que se convierte en filtrado glomerular.
d) Flujo plasmático que circula por los capilares peritubulares.
e) Flujo plasmático que circula por los capilares glomerulares.

135. El reticulocito:

a) Es una célula hemática perteneciente a la serie blanca.
b) Es una célula hemática que pertenece al sistema reticuloendotelial.
c) No es una célula sino una estructura fibrosa con forma de red.
d) Es un eritrocito inmaduro, que podemos encontrar circulando en sangre.
e) Es un eritrocito envejecido.

136. En la nefrona renal, la presencia de un epitelio cúbico con ribete en cepillo se encuentra en:

a) Cápsula de Bowman.
b) Capilares glomerulares.
c) Tubo contorneado proximal.
d) Asa de Henle.
e) Tubo contorneado distal.

137. En la nefrona, la reabsorción de la glucosa se produce en:

a) Tubo contorneado proximal.
b) Rama ascendente del asa de Henle.
c) Rama descendente del asa de Henle.
d) Tubo contorneado distal.
e) Tubo colector.

128-b

La presencia de soluciones ácidas en el duodeno provocan la liberación de secretina, que inhibe la secreción de ácido del estómago al actuar sobre las células G y las células parietales.

129-b

Los centros nerviosos del sistema nervioso vegetativo tienen una localización diferente para cada una de sus divisiones: Los núcleos simpáticos están situados en segmentos dorsales y los 2 ó 3 primeros segmentos lumbares de la médula espinal, concretamente en el asta lateral; los núcleos parasimpáticos se distribuyen en dos regiones: el tronco del encéfalo (parasimpático craneal) en los núcleos vegetativos de los pares craneales III-VII-IX y X y en el asta lateral de los segmentos sacros S2 - S4 de la médula espinal (parasimpático sacro).

130-a

El agua total corporal constituye hasta el 75-80% del peso total corporal en el lactante y niño pequeño. Este porcentaje disminuye con la edad y en los ancianos, el agua total puede ser sólo del 40-50% del peso corporal total. Otros factores que influyen en la cantidad de agua corporal son el sexo: las mujeres suelen tener menos agua porque tienen mayor proporción de tejido adiposo.

131-b

La aldosterona es sintetizada en la capa glomerular de la corteza suprarrenal. El control de la adecuada oxigenación de los tejidos la realiza el riñón, sintetizando eritropoyetina en respuesta a la hipoxia.

132-b

El volumen de orina no es regulado por los cambios en la cantidad de agua que se filtra desde los glomérulos, sino por los cambios en la cantidad de agua que se reabsorbe en los túbulos distal y colector.

133-a

Aproximadamente un 65% del sodio, se reabsorbe en el túbulo proximal, en la porción ascendente del asa de Henle se reabsorbe aproximadamente otro 27%, dejando tan sólo un 8% de este catión sin reabsorberse en el momento de su entrada en los túbulos distales. Las reabsorción en los túbulos distales y colectores está controlada principalmente por la concentración sanguínea de aldosterona.

134-a

En una persona normal es aproximadamente 125 ml/min; es decir, la cantidad de filtrado glomerular que se forma cada día es del orden de 180 litros, lo que representa una de dos veces el peso total del organismo. Más del 95% de este filtrado se reabsorbe en los túbulos, siendo eliminado el resto, en forma de orina.

135-d

En la sangre periférica de un individuo sano y normal se encuentran hematíes y unos pocos reticulocitos (alrededor del 0,5-2,5% del recuento total de los hematíes). El número de reticulocitos en sangre periférica es un indicador del grado de actividad eritropoyética medular.

136-c

El tubo contorneado proximal está formado por un epitelio cúbico con ribete en cepillo, para poder llevar a cabo la reabsorción de las distintas sustancias que de él pasan a los capilares sanguíneos.

137-a

En el tubo contorneado proximal ocurre la reabsorción del 100% de la glucosa, aminoácidos y proteínas; el 65-70% del sodio filtrado; 50% de la urea filtrada.

138. La reabsorción tubular de potasio en el túbulo proximal y en el asa de Henle:

a) Es activa.
b) Es pasiva.
c) Depende de la ingesta de potasio.
d) Depende de la secreción de sodio.
e) Depende de la vasopresina.

139. ¿Cuál de las siguientes afirmaciones define mejor el papel fisiológico del riñón?:

a) Elimina urea y creatinina.
b) Mantiene constantes las características físico-químicas del líquido extracelulr.
c) Retiene potasio.
d) Elimina exceso de sodio.
e) Mantiene la presión arterial.

140. No es función de los estrógenos :

a) Facilitar el crecimiento de los folículos ováricos.
b) Aumentar la motilidad tubárica.
c) Incrementar la líbido.
d) Favorecer el crecimiento de los conductos mamarios.
e) Evitar la involución del cuerpo lúteo en el embarazo.

141. Con respecto a la insulina, no es cierto que:

a) Almacena glucosa en forma de glucógeno.
b) Almacena aminoácidos en forma de proteínas.
c) Almacena ácidos grasos en forma de triglicéridos.
d) Se libera en ayunas.
e) El hígado es uno de sus órganos primarios de acción.

142. La parte del aparato reproductor femenino homóloga al glande del varón es:

a) Labios mayores.
b) Clítoris.
c) Ovario.
d) Vagina.
e) Labios menores.

143. Entre las funciones de la testosterona no se incluye:

a) Disminución de la actividad secretora de la próstata y vesículas seminales.
b) Pigmentación del escroto.
c) Vuelve más grave la voz.
d) Aumento de la musculatura.
e) Aumento de la secreción de las glándulas sebáceas.

144. La testosterona es sintetizada por:

a) Lóbulo anterior de la hipófisis.
b) Células de la médula suprarrenal.
c) Células intersticiales de Leydig.
d) Células de Sertoli.
e) Células hipotalámicas.

145. Un órgano situado en el epigastrio y parte del hipocondrio izquierdo que se relaciona por delante con el lóbulo izquierdo del hígado y el reborde costal; por detrás con el páncreas, riñón y cápsula suprarrenal izquierda ; por encima, con el diafragma y por debajo con el colon transverso corresponde a:

a) Esófago.
b) Estómago.
c) Bazo.
d) Duodeno.
e) Ciego.

146. El aumento brusco de la LH que se produce en la mitad del ciclo ovárico es responsable de:

a) Maduración precoz de los folículos ováricos.
b) Maduración final de los folículos ováricos.
c) Ovulación y formación inicial del cuerpo lúteo.
d) Inicio de un nuevo ciclo ovárico.
e) Formación del cuerpo albicans.

138-a

La reabsorción tubular de postasio en el túbulo proximal y en el asa de Henle no parece estar influida por el aumento de la ingesta, ni por la deprivación de potasio y se realiza a través de un mecanismo de transporte activo.

139-b

La función principal del riñón es estabilizar el volumen y las características físicas y químicas del líquido extracelular, e indirectamente del compartimento intracelular, mediante la formación de orina. Para ello, el riñón conserva el agua y los electrolitos presentes en el organsimo y elimina su exceso, así como los productos metabólicos de desecho y productos tóxicos.

140-e

La placenta secreta una hormona glucoproteica, la gonadotropina coriónica, que evita la involución del cuerpo lúteo en el embarazo y favorece su desarrollo. Tras la 6ª semana del embarazo, la placenta produce importantes cantidades de estrógenos y progesterona que sustituyen la actividad del cuerpo lúteo. La función del cuerpo lúteo comienza a reducirse a partir de la 8ª semana.

141-d

La insulina es liberada por el páncreas tras la ingestión de alimentos. En períodos de ayuno está disminuida la producción total de insulina y aumentada la liberación del glucagón.

142-b

En la tercera semana del desarrollo embrionario, en dirección caudal a la membrana cloacal se forma el tubérculo genital. Posteriormente, en el varón se produce un alargamiento de dicho tubérculo y da lugar al falo y la porción más distal, al glande. En la mujer, el tubérculo genital se alarga poco y forma el clítoris.

143-a

Por acción de la testosterona, la próstata y las vesículas seminales se agrandan y comienzan su actividad secretora con producción de fructosa, principal nutriente para los espermatozoides.

144-c

Las células intersticiales de Leydig se localizan en los túbulos seminíferos de los testículos. Las células de Sertoli son células testiculares que producen espermatozoides y sustancias nutritivas que los ayudan a desarrollarse.

145-b

Al hablar de las vísceras abdominales solemos referirnos a ellas en función de su proyección en la pared abdominal anterior. Para ello, se divide artificialmente el abdomen en varias regiones, delimitadas por cuatro líneas: dos líneas horizontales (una que pasa bajo los rebordes costales y otra, sobre las crestas iliacas) y dos líneas verticales que pasan cada una de ellas por el punto medio del pliegue inguinal o de la clavícula. El ombligo está situado en la región umbilical. Por encima y por debajo, respectivamente están el epigastrio y el hipogastrio. A ambos lados de la región umbilical, los vacíos o fosas lumbares izquierda y derecha. A ambos lados del epigastrio, están los hipocondrios y a ambos lados del hipogastrio, las fosas iliacas.

146-c

La LH produce en la mitad del ciclo ovárico, la ovulación y formación del cuerpo lúteo; así como la secreción de estrógenos y progesterona por el cuerpo amarillo. La maduración precoz de los folículos ováricos se debe a la acción de la FSH. La acción conjunta de FSH y LH, produce la maduración final del folículo ovárico.

147. En el aparato genital femenino, la estructura que sufre cambios con el ciclo menstrual es:

a) La vagina.
b) El miometrio.
c) El endometrio.
d) La vulva.
e) La trompa.

148. El mantenimiento de la secreción láctea durante la lactancia se debe a:

a) Prolactina.
b) Oxitocina.
c) Estrógenos.
d) Progesterona.
e) Lactógeno-placentaria.

149. Los melanocitos que dan color a la piel se localizan en una de las siguientes capas:

a) Estrato germinativo epidérmico.
b) Estrato córneo de la epidermis.
c) Dermis papilar.
d) Dermis reticular.
e) Hipodermis.

150. Con respecto a las funciones de la piel, no es cierto que:

a) Sirve de medio de comunicación entre el individuo y el medio externo.
b) Interviene en la regulación del equilibrio ácido-base.
c) Regula la temperatura corporal.
d) Interviene en el metabolismo de las grasas.
e) Asegura la síntesis de la vitamina D.

147-c

El endometrio es la capa mucosa del útero que en cada ciclo menstrual sufre necrosis isquémicas localizadas que da lugar a hemorragias. Estos fenómenos no afectan a la zona profunda del corion, lo que permite la reconstrucción del epitelio de superficie.

148-a

La secreción láctea se mantiene por la secreción de la prolactina, la cual se produce gracias a un reflejo neurohormonal cuyo punto de partida es la succión del pezón. Además, para que la secreción láctea cuente con aminoácidos, ácidos grasos y calcio adecuados es necesaria la presencia de otras hormonas como : la hormona de crecimiento, cortisol y la parathormona.

149-a

Los melanocitos están situados en el estrato germinativo de la epidermis entre los queratinocitos en una proporción de 1 por cada 4 - 12 queratinocitos del estrato germinativo.

150-b

La regulación del equilibrio ácido- base es la regulación de la concentración de hidrogeniones en los líquidos orgánicos. Cambios en la concentración de iones hidrógeno ocasiona situaciones de acidosis y alcalosis y los sistemas que lo controlan son los sistemas tampón presentes en los líquidos orgánicos, el aparato respiratorio y los riñones, la piel no interviene en la regulación del equilibrio ácidobase.

3 BIOQUIMICA

1. ¿Cuál es el hidrato de carbono de reserva de las células vegetales?:

a) Glucosa.
b) Lactosa.
c) Glucógeno.
d) Almidón.
e) Sacarosa.

2. El polisacárido que no puede ser digerido por el hombre es:

a) Almidón.
b) Celulosa.
c) Sacarosa.
d) Lactosa.
e) Glucógeno.

3. La hidrólisis del disacárido sacarosa nos proporciona:

a) Glucosa y fructosa.
b) Galactosa y glucosa.
c) Glucosa y glucosa.
d) Galactosa y fructosa.
e) Galactosa y galactosa.

4. Cuando quemamos un gramo de glucosa hasta CO_2 y H_2O nos proporciona:

a) 9 Kcal.
b) 7 Kcal.
c) 4 Kcal.
d) 9,3 Kcal.
e) 5 Kcal.

5. ¿Cuál es el monosacárido que tiene una gran importancia biológica por estar presente en los ácidos ribonucleicos?:

a) La ribulosa.
b) La eritrosa.
c) La fructosa.
d) La ribosa.
e) La desoxirribosa.

6. Los carbohidratos de la dieta se absorben en forma de:

a) Glucosa.
b) Monosacáridos.
c) Disacáridos.
d) Monosacáridos y disacáridos.
e) Galactosa.

7. La principal fuente endógena de glucosa en nuestro organismo es:

a) La albúmina.
b) El glucógeno hepático.
c) El almidón.
d) El glucógeno muscular.
e) El glucagón.

8. Entre las numerosas acciones de la insulina están:

a) Estimular el paso de glucosa a las células y la glucolisis.
b) Estimular la síntesis de hexoquinasa.
c) Estimular el paso de glucosa a las células e inducir la síntesis de glucoquinasa.
d) Estimular la glucogenólisis.
e) Estimular la gluconeogénesis.

9. La glucólisis tiene lugar en:

a) El citoplasma en anaerobiosis.
b) El citoplasma en aerobiosis.
c) La mitocondria en aerobiosis.
d) La mitocondria en anaerobiosis.
e) Indistintamente en mitocondria y citoplasma.

10. En ausencia de oxígeno, el piruvato, producto de la glucolisis:

a) Entra en la mitocondria.
b) Se reduce a lactato en el citoplasma.
c) Se reduce a lactato en la mitocondria.
d) Se incorpora al ciclo del acido cítrico.
e) Se oxida hasta CO_2 y H_2O.

11. Entre las funciones metabólicas de la vía de las pentosas se encuentran:

a) La obtención de sustratos para la biosíntesis de proteínas.
b) La obtención de un gran poder reductor en la mitocondria.
c) La obtención de NADPH citoplasmático y la síntesis de ribosa y desoxirribosa.
d) La obtención de ADN y ARN.
e) La obtención de las bases nitrogenadas necesarias para sintetizar los nucleótidos.

1-d

El almidón es el polisacárido de reserva de las células vegetales. Es abundante en cereales, legumbres, patatas, etc. El polisacárido de reserva en las células animales es el glucógeno.

2-b

Es un polímero lineal de glucosa con enlaces beta-1,4 y es el componente que se encuentra en mayor proporción en las paredes celulares de las plantas superiores. No se conoce ningún vertebrado que produzca enzimas capaces de hidrolizar los enlaces β de la celulosa. En el intestino grueso puede darse una pequeña degradación de celulosa por acción de microorganismos que sí contienen celulasas. En los rumiantes, una parte de su aparato digestivo, el rumen, es un lugar de cultivo continuo donde los microorganismos degradan la celulosa a glucosa.

3-a

La sacarosa es un disacárido que está compuesto por una molécula de alfa-D-glucosa y una molécula de beta-D-fructosa, unidas por un enlace glucosídico α (1—>2).

4-c

La función principal de los glúcidos en el organismo es energética, producen 4 kcal/g.

5-d

La D-ribosa casi siempre en forma de beta-D-ribofuranosa, está presente en nucleósidos, nucleótidos, ácidos ribonucleicos y numerosas coenzimas.

6-b

Los carbohidratos se absorben en forma de monosacáridos que son el producto de su digestión.

7-b

El polisacárido de reserva de las células animales es el glucógeno, pero el glucógeno muscular no se puede liberar en forma de glucosa a la circulación, únicamente sirve como fuente de energía «in situ». Cuantitativamente la mayor parte del glucógeno del organismo se encuentra en el hígado y en los músculos, aunque existe en todos los tejidos.

8-c

La insulina estimula el paso de glucosa en muchos tejidos y también induce la síntesis de varios enzimas

9-a

La glucólisis es el conjunto de reacciones bioquímicas a través de las cuales la glucosa se metaboliza hasta producir compuestos de tres átomos de carbono, tales como piruvato o lactato, rindiendo energía metabólica. Tiene lugar en el citoplasma de las células y en ausencia de oxígeno.

10-b

En ausencia de oxígeno, el piruvato generado a partir de la glucosa es transformado en lactato, en el proceso llamado fermentación láctica. En presencia de oxígeno, es oxidado completamente en la mitocondria hasta CO_2 y H_2O a través del ciclo del ácido cítrico.

11-c

La vía de las pentosas, es una ruta metabólica que no tiene una estructura determinada. Es una vía alternativa de degradación de la glucosa que es la fuente principal de NADPH citoplasmático, que es necesario para la biosíntesis de ácidos grasos, esteroides, etc. Es la vía de síntesis de ribosa y desoxirribosa necesarias para la biosíntesis de ácidos nucleicos y nucleotidos en general.

12. La gluconeogénesis es un proceso metabólico consistente en:

a) La degradación de glucógeno a glucosa.
b) La biosíntesis de glucógeno.
c) La biosíntesis de glucosa.
d) Oxidación de glucosa.
e) Oxidación total del glucógeno.

13. ¿Cuáles son los sustratos principales de la gluconeogénesis?:

a) Lactato, piruvato, glicerol y alanina en el hígado y lactato, piruvato, glicerol y glutamina en la corteza renal.
b) Ácidos grasos.
c) Acetil-Co A.
d) Glucógeno.
e) Glicerol procedente de los triglicéridos.

14. Entre los efectos de la insulina y el glucagón en el metabolismo hepático de los carbohidratos destacaríamos:

a) La insulina incrementa las velocidades de la glucogenólisis y de la gluconeogénesis, el glucagón incrementa las velocidades de la glucogénesis y de la glucólisis.
b) La insulina incrementa la velocidad de la glucogénesis y de la glucólisis y el glucagón incrementa las velocidades de la glucogenólisis y de la gluconeogénesis.
c) La insulina incremeta las velocidades de la glucogenólisis y de la glucólisis y el glucagón incrementa las velocidades de la gluconeogénesis y de la glucogénesis.
d) La insulina inhibe la glucogénesis y la glucólisis y el glucagón inhibe la glucogenólisis y la gluconeogénesis.
e) La insulina inhibe la glucogénesis y la gluconeogénesis y el glucagón incrementa la velocidad de la glucólisis y la glucogenólisis.

15. Hay niños que presentan intolerancia a la leche, esto puede ser debido a:

a) Una deficiencia en α-amilasa.
b) Una deficiencia de insulina.
c) Una deficiencia de lactasa.
d) Una deficiencia de sacarasa.
e) Una deficiencia de fructoquinasa.

16. La función primaria de los glucocorticoides afecta al metabolismo de los carbohidratos:

a) Estimulando la gluconeogénesis, inhibiendo la glucólisis, estimulado la glucogénesis y provocando hiperglucemia.
b) Estimulando la gluconeogénesis y la glucólisis, inhibiendo la glucogénesis y provocando hiperglucemia.
c) Inhibiendo la gluconeogénesis y la glucólisis, activando la glucogenólisis y provocando hipoglucemia.
d) Inhibiendo la gluconeogénesis y la glucogenólisis, activando la glucólisis y provocando hipoglucemia.
e) Estimulando la gluconeogénesis, inhibiendo la glucólisis y la glucogenólisis y provocando hiperglucemia.

17. En una dieta equilibrada los carbohidratos deben aportar:

a) Aproximadamente el 20% de la energía.
b) Aproximadamente el 40% de la energía.
c) Aproximadamente el 55% de la energía.
d) Aproximadamente el 10% de la energía.
e) Aproximadamente el 5% de la energía.

18. Si un ácido graso no puede ser sintetizado por nuestro organismo decimos que es:

a) Poco frecuente.
b) Saturado.
c) Insaturado.
d) Esencial.
e) Saponificable.

19. Los acilglicéridos son:

a) Esteres de la glicerina con ácidos grasos.
b) Esteres de la glicerina, ácidos grasos y ácido fosfórico.
c) Esteres del colesterol.
d) Esteres de la esfingosina con ácidos grasos.
e) Esteres de la glicerina con el ácido fosfórico.

20. La fosfatidilcolina también llamada lecitina es:

a) Un triacilglicérido.
b) Un fosfoglicérido.
c) Un esfingolípido.
d) Un esteroide.
e) Un gangliósido.

12-c

En mamíferos esta vía metabólica tiene lugar en el hígado y en la corteza renal. En condiciones normales la aportación de la corteza renal es pequeña, pero en situaciones como ayuno, acidosis o daño hepático, el papel de la corteza renal aumenta.

13-a

Las concentraciones fisiológicas de estos sustratos nunca son suficientemente altas como para saturar esta vía metabólica.

14-b

La insulina estimula el almacenamiento de glucosa en forma de glucógeno, glucogénesis, activando la glucógeno-sintasa; también aumenta indirectamente la glucólisis, estimulando otros procesos que necesitan formación rápida de ATP. El glucagón aumenta las velocidades de la glucogenólisis, metabolismo del glucógeno a glucosa, y de la gluconeogénesis, biosíntesis de glucosa, aumentando de esta forma la velocidad de salida de glucosa del hígado.

15-c

Esta deficiencia puede ser congénita, o producirse como consecuencia de infecciones gastroenterales u otras enfermedades. La falta de alfa-amilasa, impide digerir el almidón durante los primeros meses de vida, la deficiencia de sacarasa les impide digerir la sacarosa, la deficiencia de insulina produce diabetes y por último la deficiencia de fructoquinasa produce fructosemia esencial (una intolerancia a la fructosa).

16-a

Su acción sobre la gluconeogénesis está mediada por un aumento del catabolismo de las proteínas musculares, liberando por tanto aminoácidos del músculo. Estas hormonas esteroideas favorecen el paso de los aminoácidos al interior del hepatocito e induce la síntesis de las enzimas de la gluconeogénesis. Provocan hiperglucemia por una disminución en la utilización de los carbohidratos.

17-c

Las proteínas deben proporcionar entre el 10% y el 15% de las calorías totales. Las grasas deben dar entre el 25% al 30% de las calorías diarias y los hidratos de carbono complementarán el resto, que viene a ser entre el 55% y el 60% de las calorías totales.

18-d

Estos ácidos grasos tienen que ser ingeridos como tales en la dieta, no podemos sintetizarlos y son imprescindibles para un buen funcionamiento de nuestro organismo.

19-a

Son los lípidos más abundantes de la naturaleza y constituyen la forma de almacenaje de los ácidos grasos para fines energéticos. La glicerina permite establecer tres enlaces éster. Según el número de ácidos grasos que contenga, el compuesto se denomina monoacilglicérido, cuando lleva un ácido graso, diacilglicérido, si lleva esterificados dos ácidos grasos; y triacilglicérido si lleva tres ácidos grasos esterificados.

20-b

Que está constituido por una glicerina, dos ácidos grasos, un ácido fosfórico y el alcohol colina.

21. Un lípido que se encuentra en grandes cantidades en el encéfalo y en el tejido nervioso es:

a) El ácido araquidónico.
b) La cardiolipina.
c) La esfingomielina.
d) El ergosterol.
e) El β caroteno.

22. El tetraterpeno precursor de la vitamina A es:

a) Ácido retinoico.
b) El α tocoferol.
c) El fitol.
d) El β caroteno.
e) El retinal.

23. Todas las prostaglandinas naturales derivan biológicamente de:

a) La oxidación ácido graso monoinsaturado oleico.
b) La insaturación de ácidos grasos de origen vegetal.
c) La unión de varias moléculas de ácido graso poliinsaturado.
d) La esterificación del colesterol con ácidos grasos.
e) La ciclación de ácidos grasos insaturados de 20 carbonos, como el araquidónico.

24. La hormona que se sintetiza en la corteza suprarrenal es:

a) Somatotropina.
b) Aldosterona.
c) Prolactina.
d) Corticotropina.
e) Estradiol.

25. Los mineralocorticoides:

a) Favorecen la reabsorción renal de Na^+ y la eliminación de K^+.
b) Favorecen la pérdida de agua, Na^+ y Cl^- y la retención de K^+.
c) Favorecen la eliminación de todo tipo de iones.
d) Favorecen la retención de Na^+ y K^+.
e) Favorece la eliminación de Na^+ y K^+.

26. Las sales biliares:

a) Hidrolizan los triacilglicéridos a glicerina y ácidos grasos.
b) Emulsionan la grasa para facilitar su acción a la lipasa.
c) Hidrolizan los fosfoglicéridos.
d) Transportan el colesterol.
e) Rompen los enlaces éster de los ácidos grasos de los ésteres del colesterol.

27. Las moléculas de triglicéridos sintetizadas en los enterocitos a partir de los lípidos de la dieta se transportan en su mayoría:

a) Desdoblándose a ácidos grasos y glicerina.
b) Asociados a la albúmina.
c) Transformándose en otras moléculas hidrosolubles.
d) Formando parte de los quilomicrones.
e) Ionizándose fuertemente.

28. La síntesis de los ácidos grasos saturados de cadena larga se realiza a partir de moléculas de:

a) Acetil-CoA.
b) Carnitina.
c) Ácidos grasos de cadena corta.
d) Ácidos grasos esenciales.
e) Colesterol.

29. ¿Cuál es el enzima que regula la biosíntesis de ácidos grasos?:

a) Ácido graso sintetasa.
b) APC-acil-transferasa.
c) Malonil-ACP-transferasa.
d) Enoil-ACVP-hidratasa.
e) Acetil-CoA Carboxilasa.

30. La beta-oxidación de un ácido graso de 16 átomos de carbono conduce a la obtención de:

a) 16 móleculas de Acetil-CoA.
b) 8 moléculas de Acetil-CoA.
c) 10 moléculas de Acetil-CoA.
d) 8 moléculas de malonil-CoA.
e) 16 moléculas de malonil-CoA.

21-c

Está formada por un ácido graso, ácido fosfórico, colina y un aminoalcohol: la esfingosina.

22-d

Los terpenos son derivados del isopreno. Por condensación de varias unidades de isopreno activo, se sintetizan los diferentes terpenos. Se distinguen los monoterpenos, sesquiterpenos, diterpenos, triterpenos, etc., según contengan respectivamente dos , tres, cuatro, seis, etc., isoprenos. Entre los tetraterpenos se encuentran los carotenoides. Un carotenoide importante es el β caroteno, hidrocarburo precursor de la vitamina A.

23-e

Las prostaglandinas constituyen una familia de derivados de los ácidos grasos que tienen una gran variedad de actividades biológicas de naturaleza hormonal o reguladora. Las prostaglandinas tienen diferencias respecto a su actividad biológica, aunque todas tienen alguna actividad depresora de la presión sanguínea, e inductora de la contracción de los músculos lisos.

24-b

Es una hormona esteroidea que se sintetiza en la glomerular de la corteza suprarrenal. Es un mineralocorticoide. Hay otras hormonas esteroideas que se sintetizan en la corteza suprarrenal como progesterona, cortisol, corticosterona, etc.

25-a

Los mineralocorticoides regulan fundamentalmente el equilibrio hidroelectrolítico del organismo; favorecen la reabsorción renal de Na^+ de modo que se retiene este ión a la vez que se elimina K^+ por la orina y actúan también en la mucosa intestinal y en las glándulas salivares y sudoríparas. Los mineralocorticoides son hormonas esteroideas (aldosterona).

26-b

Actúan como detergentes, produciendo la emulsión de los triacilglicéridos, formando partículas de 1µm de diámetro aproximadamente e incrementando enormemente la superficie de la interfase lípido-agua, sobre la que actúa la lipasa pancreática.

27-d

Los quilomicrones son lipoproteínas que están compuestos por triacilglicéridos (86-92 por 100), ésteres del colesterol (0.8-1.4 por 100), colesterol libre (0.8- 1.6 por 100), fosfolípidos (6-8 por 100) y proteína (1-2 por 100), otros componentes minoritarios son vitaminas liposolubles y algunos carbohidratos asociados a las proteínas.

28-a

Esta síntesis tiene lugar en el citoplasma y la fuente principal de todos los átomos de carbono de los ácidos grasos es el acetil-CoA, formado en las mitocondrias por descarboxilación oxidativa del piruvato, por degradación oxidativa de algunos aminoácidos o por beta-oxidación de los ácidos grasos de cadena larga. La única molécula de Acetil-CoA que actúa como tal en el proceso sirve como cebador o iniciador; los dos átomos de carbono de su grupo acetilo se convierten en los átomos de carbono terminales (15 y 16) del ácido palmítico formado. Antes de que el resto de los grupos acetilos del acetil-CoA puedan ser utilizados por el complejo de la ácido graso-sintetasa, el acetil-CoA debe convertirse en Malonil-CoA que es el precursor inmediato de 14 de los 16 átomos de carbono del ácido palmítico.

29-e

Constituye el enzima limitante del proceso, ya que su actividad es inferior a la de la ácido graso sintetasa, además es más regulable a corto plazo por catalizar la primera reacción de todo el proceso.

30-b

Un ácido graso saturado de cadena larga es completamente degradado de dos en dos átomos de carbono, correspondientes a acetil-CoA. Cuando el ácido graso es de un número impar de átomos de carbono, el último residuo que se forma es el propionil-Co A.

31. El Acetoacetato es:

a) Un ácido graso insaturado.
b) Un derivado del colesterol.
c) Un cuerpo cetónico.
d) Un ácido biliar.
e) Un fosfolípido.

32. La síntesis de colesterol se realiza a partir de moléculas de:

a) Escualeno.
b) Ac. mevalónico.
c) Cuerpos cetónicos.
d) Acetil-CoA.
e) Glicerina.

33. El ácido cólico es:

a) Un ácido graso insaturado.
b) Un ácido graso saturado.
c) Un terpeno.
d) Una vitamina del grupo B.
e) Un ácido biliar.

34. Hay un menor riesgo de padecer coronariopatía cuando hay un incremento de los niveles plasmáticos de colesterol asociado a:

a) Lipoproteínas de alta densidad (HDL).
b) Lipoproteínas de baja densidad (LDL).
c) Lipoproteínas de muy baja densidad (VLDL).
d) Lipoproteínas de densidad intermedia (IDL).
e) Quilomicrones (QM).

35. Los fosfoglicéridos son degradados por la acción de enzimas hidrolíticas denominadas fosfolipasas. La fosfolipasa C:

a) Separa la base nitrogenada del resto de la molécula de fosfoglicérido.
b) Separa el ácido graso de la posición sn-1 del resto de la molécula de fosfoglicérido.
c) Separa el ácido graso de la posición sn-2, del resto de la molécula de fosfoglicérido.
d) Rompe el enlace éster formado por el glicerol y el fosfato.
e) Rompe los enlaces éster de las posiciones sn-1 y sn-2.

36. Los cerebrósidos estan presentes en las vainas de mielina de las células nerviosas y en el cerebro, pero también son importantes porque:

a) Son determinantes de reacciones inmunológicas.
b) Anomalías en su degradación pueden originar diversas enfermedades.
c) Regulan la permeabilidad celular.
d) Actúan como tensioactivos.
e) Actúan como relajantes del músculo liso.

37. El principal tampón extracelular en la sangre y fluidos intersticiales es:

a) El sistema fosfato ($H_2PO_4^-/HPO_4^=$).
b) El sistema bicarbonato (H_2CO_3 /HCO_3^-).
c) El sistema ácido carbónico/oxígeno.
d) El sistema ácido carbónico/hemoglobina.
e) El sistema ácido fosfórico/hemoglobina.

38. Una proteína es:

a) Un compuesto orgánico formado por aminoácidos.
b) Un polímero de aminoácidos dispuestos al azar.
c) Un polímero de 20 aminoácidos diferentes.
d) Un polímero de aminoácidos con composición química, peso molecular, y secuencia ordenada de aminoácidos específica.
e) Un compuesto de composición constante.

39. El enlace peptídico:

a) Es un puente de hidrógeno que une bases nitrogenadas.
b) Es un tipo de enlace iónico.
c) Es un tipo de enlace amida, que une entre sí los aminoácidos que forman una proteína.
d) Une el aminoácido N-terminal con el aminoácido C-terminal.
e) Es un puente disulfuro que mantiene la estructura terciaria de las proteínas.

40. En una cadena polipeptídica con cofiguración en hélice, ¿cuántos residuos de aminoácido hay por vuelta?:

a) 1.32.
b) 1.51.
c) 2.6.
d) 3.6.
e) 2.24.

31-c

En determinadas circunstancias el acetil-CoA formado en la beta-oxidación de los ácidos grasos se utiliza para la síntesis de acetoacetato que, por reducción enzimática se transforma en 3-hidroxibutirato, y por descarboxilación espontánea en acetona. Normalmente la concentración de cuerpos cetónicos (acetoacetato, 3-hidroxibutirato y acetona) en la sangre es muy baja, pero en el ayuno o en la diabetes mellitus, puede alcanzar niveles sumamente elevados. Este estado es conocido como cetosis, aparece cuando la velocidad de formación de los cuerpos cetónicos en el hígado, es superior a la capacidad de los tejidos periféricos para utilizarlos, provocando su acumulación en sangre.

32-d

Prácticamente todos los tejidos con células nucleadas tienen capacidad para sintetizar colesterol, es un proceso que tiene lugar fuera de las mitocondrias. Sin embargo, el sustrato es el acetil-CoA, que procede en su mayor parte del interior de las mitocondrias. La síntesis del colesterol se puede considerar dividida en tres partes:

1° Formación de ac. mevalónico a partir de acetil-CoA.
2° Transformación del mevalónico en escualeno
3° Transformación del escualeno en colesterol.

33-e

Los ácidos biliares más abundantes en el hombre son los derivados del ácido colánico, entre ellos los más comunes son el ácido cólico y el ácido quenodeoxicólico.

34-a

Un incremento de los niveles plasmáticos de colesterol, asociado a las LDL, significa un mayor riesgo de padecer coronariopatía, mientras que un incremento del colesterol plasmático asociado HDL supone una disminución de dicho riesgo.

35-d

La fosfolipasas A_1 y A_2 hidrolizan de forma selectiva el enlace éster de las posiciones sn-1 y sn-2 respectivamente. La fosfolipasa D separa la base nitrogenada del resto de la molécula de fosfoglicérido.

36-a

Los cerebrósidos son importantes no sólo como componentes de las membranas celulares, sino también como determinantes de reacciones inmunológicas, como la especificidad de los grupos sanguíneos, al ser componentes de los aglutinógenos A y B.

37-b

Los tampones fisiológicos son la primera defensa frente a los cambios de pH de los líquidos corporales. El tampón intracelular más importante es el sistema fosfato. El principal tampón en la sangre y fluidos intersticiales es el sistema bicarbonato. En el interior del eritrocito, además del tampón bicarbonato, el que más importancia tiene es el de la hemoglobina.

38-d

Es muy importante el orden de los aminoácidos en la proteína. Este orden está determinado genéticamente.

39-c

Es un tipo de enlace amida, entre el grupo alfa-amino de un aminoácido y el alfa-carboxilo de otro, con liberación de una molécula de agua.

40-d

La hélice α es un tipo de estructura secundaria, presenta aproximadamente 3.6 restos de aminoácido por vuelta. Los grupos R de los aminoácidos se proyectan hacia el exterior de la hélice. Este tipo de hélice permite la formación de puentes de hidrógeno intracatenarios entre vueltas consecutivas de la hélice. Estos puentes de hidrógeno estabilizan la hélice.

41. Si alteramos la secuencia de los aminoácidos de una proteína, ésta:

a) No modifica su conformación.
b) Se desnaturaliza.
c) Modifica su estructura primaria.
d) Se rompe.
e) No modifica su función, ni sus propiedades.

42. El nivel estructural superior que presenta la hemoglobina corresponde a su:

a) Estructura primaria.
b) Estructura secundaria en hélice alfa.
c) Estructura secundaria en lámina beta.
d) Estructura terciaria.
e) Estructura cuaternaria.

43. La proteína cuya función es transportar algún nutriente por todo el organismo es la

a) Miosina.
b) Elastina.
c) Hemoglobina.
d) Pepsina.
e) Queratina.

44. Señalar la proteína contráctil:

a) Elastina.
b) Colágeno.
c) Fibrina.
d) Queratina.
e) Miosina.

45. Un holoenzima está formado por:

a) Un apoenzima y un cofactor.
b) Un cofactor y un grupo prostético.
c) Un cofactor y un coenzima.
d) Un coenzima y un grupo prostético.
e) Un coenzima y un ión.

46. Los enzimas aceleran las reacciones químicas:

a) Disminuyendo la energía de activación.
b) Produciendo un estado estacionario.
c) Modificando la K_m.
d) Actuando como un cofactor.
e) Modificando el producto.

47. La constante de Michaelis-Menten K_m es igual a:

a) La concentración de enzima necesaria para alcanzar la velocidad máxima.
b) La concentración de sustrato en la que la velocidad inicial de la reacción es la mitad de la velocidad máxima.
c) La concentración de enzima necesaria para que la velocidad final de la reacción sea la mitad de la velocidad máxima.
d) La concentración de sustrato necesario para alcanzar la velocidad máxima.
e) La concentración de enzima necesaria para que se produzca la reacción.

48. En la inhibición competitiva, el inhibidor:

a) Se une al enzima libre por el centro activo.
b) Se une al complejo ES (enzima-sustrato).
c) Se une al enzima libre por un lugar diferente al centro activo.
d) Modifica la conformación del enzima.
e) Altera la estructura primaria del enzima.

49. Las sulfamidas, la penicilina y otros antibióticos actúan:

a) Acelerando alguna reacción catalizada por un enzima.
b) Como inhibidores competitivos.
c) Destruyendo algún enzima.
d) Retardando la acción enzimática.
e) Modificando la conformación de algún enzima.

50. En los enzimas alostéricos su capacidad catalítica es modulada por:

a) La unión no covalente de un metabolito específico al centro activo de la enzima.
b) La unión covalente de un metabolito específico al centro activo de la enzima.
c) La unión covalente de un metabolito específico a un centro de la enzima distinto del centro activo.
d) La unión no covalente de un metabolito específico a un centro de la enzima distinto del centro activo.
e) La unión covalente de otra enzima a un centro distinto del centro activo.

41-c

La estructura primaria de una proteína se refiere exclusivamente a la secuencia de aminoácidos que componen la proteína.

42-e

La hemoglobina es una proteína oligomérica. Contiene cuatro cadenas polipeptídicas dos cadenas α y dos cadenas β cada una de ellas unida a un resto hemo mediante un enlace no covalente. La estructura cuaternaria designa el modo característico mediante el cual cada una de las cadenas polipeptídicas plegadas se acoplan entre sí en la configuración nativa de una proteína oligomérica.

43-c

La hemoglobina es una proteína que contiene hierro y que se encuentra en los glóbulos rojos (eritrocitos). La función principal de la hemoglobina es transportar oxígeno de los pulmones a los tejidos respiratorios. En los pulmones, las moléculas de oxígeno entran en el eritrocito y se unen a los átomos de hierro de la hemoglobina. Un máximo de cuatro O_2 pueden unirse a una hemoglobina.

44-e

La miosina y la actina son las dos proteínas principales del tejido muscular. Hay otras dos la troponina y la tropomiósina que son también esenciales para la actividad contráctil ya que regulan la interacción de la actina y la miosina y la hidrólisis acoplada del ATP.

45-a

La actividad de algunos enzimas depende únicamente de su estructura como proteínas, mientras que otros necesitan además, uno o más componentes no proteícos, llamados cofactores. Un cofactor puede ser un ión metálico, o bien una molécula orgánica llamada coenzima, algunos enzimas necesitan ambos. El complejo enzima-cofactor catalíticamente activo recibe el nombre de holoenzima. Cuando se separa el cofactor, la proteína restante, que catalíticamente es inactiva, se llama apoenzima.

46-a

Una reacción química tiene lugar porque cierto número de moléculas del reaccionante tienen la suficiente energía como para alcanzar un estado activado, llamado estado de transición, en el que es muy elevada la probabilidad de que se establezca o se rompa un enlace químico para formar el producto. La energía libre de activación es la energía necesaria para llevar todas las moléculas de un mol de sustancia a una temperatura determinada al estado de transición. Los enzimas se combinan con los reaccionantes de modo transitorio y se produce un estado de transición de menor energía de activación que el correspondiente a la reacción no catalizada.

47-b

Si en la ecuación de Michaelis-Menten:
$V_0 = V_{max}\ (S)/K_m+(S)$. Si hacemos $V_0 = 1/2\ V_{max}$, obtenemos $V_{max}/2 = V_{max}\cdot(S)\ /\ K_m+(S)$. Si dividimos entre V_{max} $1/2=(S)/\ K_m+(S)$ reordenamos $K_m+\ (S)= 2(S)$; $K_m = (S)$

48-a

En la inhibición competitiva el inhibidor puede combinarse con el enzima libre de tal modo que compite con el sustrato normal para unirse al centro activo.

49-b

Compiten con el sustrato normal del enzima bacteriano, que cataliza una reacción imprescindible para la vida de esa bacteria.

50-d

Los enzimas alostéricos poseen, además del centro catalítico, otro centro, el centro alostérico, al que se enlaza, de forma reversible y no covalente, el modulador. Este centro es muy específico para la unión del modulador.

51. Decimos que una proteína tiene un alto valor biológico cuando:

a) Tiene un alto contenido en todos los aminoácidos esenciales.
b) Es muy rica en aminoácidos poco frecuentes.
c) Es rica en hierro.
d) Es rica en aminoácidos con carga positiva.
e) Es rica en aminoácidos con azufre.

52. Señalar el enzima que interviene en la digestión de las proteínas en el estómago:

a) Tripsina.
b) Elastasa.
c) Pepsina.
d) Quimotripsina.
e) Carboxipeptidasa.

53. Entre los enzimas pancreáticos están:

a) Pepsina y amilasa.
b) Tripsina y quimotripsina.
c) Sacarasa y amilasa.
d) Enteroquinasa y lipasa.
e) Pepsina y carboxipeptidasa.

54. Las transaminasas tienen un grupo prostético que es:

a) El grupo hemo.
b) TPP (pirofosfato de tiamina).
c) Fosfato de piridoxal.
d) Nicotinamida.
e) Coenzima A.

55. Las cadenas hidrocarbonadas de los aminoácidos se catabolizan en:

a) El ciclo de la urea.
b) El ciclo de Krebs.
c) La glucólisis.
d) La descarboxilación del piruvico.
e) La ruta del fosfogluconato.

56. La fenilcetonuria (PKU) es una enfermedad metabólica congénita debida a un defecto en:

a) La síntesis del ácido acético.
b) La degradación de las purinas.
c) El catabolismo de la fenilalanina
d) La degradación de la acetona.
e) En el catabolismo de los aminoácidos esenciales.

57. ¿Cuál es el principal compuesto nitrogenado de la orina?

a) Amoniaco.
b) Ácido úrico.
c) Alanina.
d) Urea.
e) Arginina.

58. En el ciclo de Krebs:

a) Se producen CO_2 e hidrógenos, pasando estos últimos a la cadena de transporte electrónico.
b) El Acetil CoA reacciona con el ácido oxalacético para formar aspártico.
c) Se produce Acetil CoA para la biosíntesis de ácidos grasos.
d) Se quema la glucosa hasta H_2O.
e) Se produce urea.

51-a

El valor biológico de una proteína viene determinado por dos factores: el número de aminoácidos esenciales que contiene y la cantidad de cada uno de ellos. Aminoácidos esenciales son aquéllos que el organismo no puede sintetizar o no puede hacerlo a la velocidad que sería necesaria para satisfacer las demandas metabólicas.

52-c

La pepsina se sintetiza en forma de pepsinógeno (proenzima) que se transforma en pepsina en presencia del ClH gástrico por la ruptura de un enlace peptídico, separando un peptido de 42 aminoácidos. Es una endopeptidasa, hidroliza enlaces internos de los polipéptidos.

53-b

En el páncreas encontramos, los acini, que tienen una función exocrina y segregan al duodeno enzimas hidrolíticas e iones, que participan en los procesos de digestión y los islotes de Langerhans que producen hormonas. Entre las enzimas hidrolíticas destacan amilasa, lipasa, tripsina, quimotripsina, carboxipeptidasa, ribonucleasa, desoxirribonucleasa y colesterolesterasa. Las enzimas proteolíticas son sintetizadas en forma de proenzimas o zimógenos.

54-c

Las transaminasas se encargan de la recolección de grupos amino de diversos aminoácidos en forma generalmente de ácido glutámico. Este glutámico actúa entonces como dador de grupo amino, que se convierte en productos de excreción nitrogenada.

55-b

Los aminoácidos actúan como precursores de las proteínas y de otras importantes moléculas como hormonas, purinas, pirimidinas, etc. Sin embargo, pueden ser también una fuente de energía. Cuando se emplean como combustible, los aminoácidos pierden sus grupos amino; las cadenas hidrocarbonadas restantes pueden utilizarse para obtener glucosa en el proceso de gluconeogénesis o para oxidarse a CO_2 en el ciclo de Krebs.

56-c

Está ausente una enzima, la fenilalanina-4-monooxigenasa. En ausencia de esta enzima entra en funcionamiento una ruta secundaria del metabolismo de la fenilalanina. Esta ruta secundaria da ácido fenilpirúvico que se acumula en sangre. Este exceso de fenilpirúvico en la infancia puede provocar retraso mental severo. La restricción de fenilalanina en la dieta puede evitar este retraso. Hay otras enfermedades relacionadas con el catabolismo de los aminoácidos, como la alcaptonuria, todas ellas debidas a la falta de algúna enzima.

57-d

El grupo amino de los aminoácidos queda integrado en el glutámico mediante las diversas reacciones de transaminación. Este glutámico es oxidado con liberación de NH_4^+ en una reacción de desaminación oxidativa catalizada por la glutámico deshidrogenasa. El amonio liberado debe ser eliminado debido a su gran toxicidad celular, en particular para las células del sistema nervioso central. Esta eliminación se lleva a cabo de diferentes formas según de qué ser vivo se trate. Los mamíferos utilizamos urea para eliminar el nitrógeno.

58-a

El ciclo de Krebs o ciclo de los ácidos tricarboxílicos es una secuencia de reacciones, catalizada por un sistema multienzimático que acepta el grupo acetilo del acetil CoA como combustible y lo degrada hasta CO_2 y átomos de hidrógeno. Estos últimos son conducidos a través de proteínas transportadoras de electrones hasta el oxígeno molecular, que se reduce para formar agua. Tiene lugar en la mitocondria.

59. En el transporte electrónico desde los sustratos órganicos al oxígeno molecular participan:

a) ATP.
b) Citocromos.
c) Fosfatasas.
d) Isomerasas.
e) Epimerasas.

60. En el transporte electrónico se libera una gran cantidad de energía libre, la mayor parte de esta energía:

a) Se utiliza en el ciclo de Krebs.
b) Se utiliza en el mismo proceso de transporte electrónico.
c) Se pierde, ya que no hay posibilidad de almacenarla.
d) Se conserva en forma de energía del enlace fosfato del ATP.
e) Se utiliza en la activación de los citocromos.

61. Las macromoléculas que actúan en el almacenamiento y en la transferencia de la información genética son:

a) Los aminoácidos.
b) Las proteínas.
c) Los ácidos nucleicos.
d) Los nucleótidos.
e) Los polipéptidos.

62. El DNA está constituido por desoxirribonucleótidos. En la composición química de estos desoxirribonucleótidos encontramos:

a) Ribosa, una base púrica y ácido fosfórico.
b) Ribosa, una base pirimidínica y ácido fosfórico.
c) Desoxirribosa, una base pirimidínica y ácido fosfórico.
d) Ribosa, una base púrica o pirimidínica y ácido fosfórico.
e) Desoxirribosa, una base púrica o pirimidínica y ácido fosfórico.

63. El emparejamiento de bases nitrogenadas en el DNA se produce:

a) Adenina con citosina y guanina con timina.
b) Uracilo con timina y guanina con citosina.
c) Adenina con timina y guanina con citosina.
d) Adenina con guanina y citosina con timina.
e) Adenina con guanina y citosina con uracilo.

64. En la replicación de una molécula de DNA bicatenario, cada una de sus hebras hace de molde para sintetizar su complementaria. Señalar la complementaria de ACGGAATT:

a) TUUGCTTG.
b) TTCCGGGC.
c) TGCCTTAA.
d) TCGGTTAA.
e) TGCCAATT.

65. La información genética se transmite desde el núcleo hasta el citoplasma de la célula por la molécula de:

a) tRNA.
b) mRNA.
c) DNA.
d) rRNA.
e) Una hebra de DNA.

66. Las etapas de la síntesis proteíca (traducción) son:

a) Iniciación, elongación y terminación.
b) Replicación, transcripción y traducción.
c) Activación y traducción.
d) Activación y fosforilación.
e) Traducción y maduración.

59-b

En el transporte electrónico hasta el oxígeno molecular participan: deshidrogenasas dependientes de la piridina, necesitan NAD o NADP como coenzima; deshidrogenasas dependientes de la flavina, contienen FAD o FMN como grupo prostético, ferro-sulfo-proteínas, citocromos y ubiquinona o coenzima Q.

60-d

Este proceso se llama fosforilación oxidativa. Por este proceso la disminución de energía libre que acompaña a la transferencia de electrones a lo largo de la cadena respiratoria (transporte electronico), se acopla a la formación de ATP. La fosforilación oxidativa es fundamental para la vida celular de los organismos aeróbicos, ya que es su principal fuente de energía útil.

61-c

El ácido desoxirribonucleico (DNA) y el ácido ribonucleico (RNA) son macromoléculas que actúan en el almacenamiento y en la trasferencia de la información genética.

62-e

Los componentes principales del DNA son cuatro desoxirribonucleótidos diferentes; difieren entre sí únicamente en las bases nitrogenadas. De estas cuatro bases, dos son derivadas de la purina, adenina y guanina, y dos derivadas de la pirimidina citosina, timina y ácido fosfórico. De modo semejante, el RNA está constituido por ribonucleótidos formados por ribosa, una base nitrogenada que puede ser deribada de la purina, adenina o guanina, o derivada de la pirimidina, citosina o uracilo, y un ácido fosfórico.

63-c

Se conocen como pares de bases complementarias. Fueron Watson y Crick quienes describieron por primera vez la estructura tridimensional del DNA, que consiste en dos cadenas de polinucleótidos con una estructura helicoidal orientada hacia la derecha. Esta estructura de doble hélice se estabiliza por enlaces de hidrógeno intracadena entre pares de bases nitrogenadas especificas, las cuales están proyectadas hacia el centro de la hélice y en forma perpendicular a su eje.

64-c

No debemos olvidar la complementariedad de bases A-T y G-C. Donde hay una adenina se inserta su base complementaria timina, donde hay timina adenina, donde guanina citosina y donde citosina guanina. Si fuese una transcripción las complementariedad seria A-U, T-A, C-G, G-C.

65-b

La expresión génica tiene lugar mediante la transferencia secuencial de información desde el DNA al RNA y, posteriormente, desde el RNA a las proteínas. Las moléculas de RNA se sintetizan en unas reacciones en las que una de las hebras del DNA actúa como molde. El proceso global de la síntesis de RNA se llama transcripción. Cada célula contiene tres tipos principales de RNA: RNA mensajero, RNA ribosómico, RNA transferente. Son los mRNA (mensajeros) los que actúan como molde en la síntesis de proteínas y transmiten la información genética del núcleo al citoplasma.

66-a

En el proceso de iniciación se ensamblan los ribosomas y se prepara el conjunto para reconocer las señales de iniciación. En el proceso de elongación se unen dos aminoácidos y el ribosoma se mueve respecto al mRNA, lo que permite leer los tripletes sucesivos. En el proceso de terminación se libera la proteína nativa, se desensamblan las subunidades del ribosoma liberándose el RNA. Los RNA de transferencia tienen un importante papel en la biosíntesis de proteínas, al actuar como moléculas adaptadoras durante la traducción de cada triplete de nucleótidoos del mRNA a su aminoácido.

67. La vitamina que controla la homeostasis del Ca^{2+} es:

a) E.
b) A.
c) B_6.
d) C.
e) D.

68. Uno de los factores determinantes de la pelagra es la carencia de vitamina:

a) B_1.
b) B_3.
c) B_6.
d) C.
e) B_{12}.

69. Cuando en un proceso de difusión, las partículas de soluto se han distribuido homogéneamente:

a) Cesa su movimiento.
b) Siguen moviéndose al azar, pero el flujo neto de partículas no es apreciable.
c) Comienzan a moverse en contra de gradiente de concentración.
d) El flujo neto de soluto es a favor de gradiente de concentración.
e) Se incrementa mucho el gradiente de concentración.

70. La molalidad de una disolución se expresa en:

a) Equivalentes gramo de soluto/litro de disolución.
b) Moles de soluto/litro de disolución.
c) Moles de soluto/kilogramo de disolvente.
d) Equivalentes gramo de soluto/kilogramo de disolvente.
e) Moles de soluto/gramo de disolvente.

71. La forma de expresión de la concentración de una solución en moles de soluto/litros de solución, se denomina:

a) Normalidad.
b) Molalidad.
c) Molaridad.
d) Densidad.
e) Osmolalidad.

72. Si introducimos glóbulos rojos en un medio hipotónico:

a) Conservan sus características normales.
b) Experimentan plasmólisis.
c) Experimentan hemólisis.
d) Experimentan aglutinación.
e) Incrementan su porosidad.

73. En los procesos de difusión:

a) Las partículas de soluto atraviesan las membranas a favor del gradiente de concentración.
b) El soluto no puede atravesar la membrana y lo hace el solvente a favor de su gradiente de concentración.
c) Las partículas de soluto atraviesan la membrana por medio de un transportador.
d) Es un transporte que se realiza a través de la membrana celular en contra de un gradiente de concentración.
e) Es un transporte que necesita un aporte continuo de energía, que es proporcionada por el ATP.

74. Para que la célula pueda realizar un proceso de transporte activo es necesario:

a) Na^+.
b) K^+.
c) Glucosa.
d) Energía.
e) ADP.

75. Cuando en la difusión facilitada, se produce la saturación del transportador:

a) Cesa el transporte de sustancias.
b) Disminuye la velocidad de transporte.
c) La velocidad de transporte no aumenta aunque aumente la concentración de sustrato.
d) La velocidad máxima se reduce a la mitad.
e) Para alcanzar la velocidad máxima necesita un aporte energético extra.

67-e

La vitamina D abarca entre sus funciones el control de la homeostasis del Ca^{2+}, la regulación del crecimiento y el desarrollo del hueso, y la regulación del metabolismo del fósforo. La hipocalcemia e hipofosfatemia causadas por la avitaminosis D se traducen en enfermedades carenciales como el raquitismo en los niños y la osteomalacia en los adultos.

68-b

Es el ácido nicotínico (niacina). La mayor parte de los animales pueden sintetizar ácido nicotínico a partir de otros precursores, sobre todo el aminoácido triptofano. La amida del ácido nicotínico, la nicotinamida, es un componente esencial de dos coenzimas de transporte electrónico, el dinucleótido de nicotinamida y adenina (NAD) y el fosfato del dinucleótido de nicotinamida y adenina (NADP). Estos coenzimas se llaman también coenzimas de piridina, porque la nicotinamida es un derivado de la piridina.

69-b

Cuando llegan al equilibrio, las partículas de soluto y de disolvente se siguen moviendo, pero no existe un movimiento neto en un sentido determinado, es un movimiento al azar, de esta forma el flujo neto que es la cantidad neta de sustancia que se mueve de un lado a otro del recipiente, en la unidad de tiempo no experimentará variaciones apreciables.

70-c

Se denomina disolución molal la que contiene un mol de soluto por cada kilogramo de disolvente. m = número de moles de soluto/kilogramo de disolvente.

71-c

Se denomina molaridad de una disolución al número de moles de soluto que contiene un litro de disolución= M = nº de moles de soluto/l de disolución.

72-c

Al situar los hematíes en un medio hipotónico, por ejemplo agua destilada, entra el agua al interior de la célula aumentando su volumen llegando a romperse la membrana celular.

73-a

La difusión es el movimiento de las partículas de soluto, de una disolución, que tiende a alcanzar una distribución homogénea de aquéllas en todo el espacio disponible y que se produce por el movimiento constante de las partículas de la disolución.

74-d

El transporte activo se realiza a través de la membrana celular en contra de un gradiente de concentración. Necesita un aporte continuo de energía en forma de ATP.

75-c

El número de transportadores de un sustrato es limitado, de forma que la velocidad de transporte aumenta hasta que están todos ocupados por sustrato. En este momento se habrá alcanzado la velocidad máxima y el sistema estará saturado.

4 ENFERMERIA PSICOSOCIAL

1. La Psicología puede definirse como:

a) La ciencia que estudia los procesos humanos.
b) La ciencia que estudia la actividad de los organismos.
c) La ciencia que estudia la conducta humana.
d) La ciencia que estudia la actividad de un organismo en interacción recíproca con su ambiente.
e) La ciencia que estudia la conducta humana observable y no observable.

2. ¿Por qué decimos que la Psicología es una ciencia?:

a) Porque utiliza métodos científicos para investigar su objeto de estudio.
b) Porque los psicólogos realizan experimentos.
c) Porque toda ciencia es un camino para conocer.
d) Porque describe y explica cómo actúan las personas.
e) Porque no es un saber especulativo.

3. Identifique los objetivos del método científico:

a) Observar y registrar conductas y procesos.
b) Formular y verificar hipótesis.
c) Formular leyes y teorías.
d) Describir y predecir conductas y relaciones.
e) Describir, explicar, predecir y controlar.

4. Se considera que el nacimiento de la Psicología científica se produjo en Leipzig (Alemania), cuando Wundt creó el primer laboratorio experimental. El año fue:

a) 1789.
b) 1978.
c) 1879.
d) 1897.
e) 1987.

5. El principal representante de la Escuela de Reflexología rusa fue:

a) Freud.
b) Paulov.
c) Watson.
d) Maslow.
e) Skinner.

6. Para poder realizar cualquier actividad (afectiva, cognitiva o motora) necesitamos un adecuado nivel de activación o conciencia. Seleccione la definición más adecuada para dicho concepto:

a) La energía física.
b) La energía psicofisiológica que permite realizar conductas eficaces.
c) El nivel de activación psicofisiológica que permite a la persona darse cuenta de lo que hace, siente y piensa.
d) El conocimiento de la propia existencia, sus estados, actos y cosas.
e) c y d.

7. El continuo sueño-vigilia se refiere a:

a) Diferentes niveles de activación del organismo.
b) Cómo se encuentra una persona a lo largo del día.
c) Las diferentes fases del sueño y sus características.
d) Enfermos con problemas para despertarse o dormirse.
e) Personas con alteraciones del sueño.

8. Una de las siguientes características no es propia del sueño de los seres humanos:

a) Es una necesidad biológica.
b) Tiene un ciclo estacional.
c) Sirve para recuperar las energías gastadas.
d) Presenta un patrón electroencefalográfico específico en las diferentes fases.
e) Transcurre con relativa inmovilidad.

9. Lo fundamental en el sueño REM es:

a) Que empieza a los 5-10 minutos de iniciar el sueño.
b) Que sólo se produce una vez durante la noche.
c) Los movimientos rápidos de los ojos.
d) Que produce ondas δ de gran amplitud.
e) Que supone un 5% del sueño total.

1-d

El concepto actividad alude a un proceso cuyo producto, en los seres humanos, es una conducta motora, una respuesta cognitiva o una emocional. Por otra parte, aunque el objeto de estudio de la Psicología habitualmente son los seres humanos, también pueden serlo animales de laboratorio o determinadas máquinas. Además cualquier actividad se da en un determinado ambiente o contexto con el que interactúa de múltiples maneras influyéndose recíprocamente.

2-a

Los principales métodos que utiliza son: el científico-experimental, el correlacional y el observacional. Los conocimientos obtenidos por estos métodos, una vez ordenados y sistematizados, dan lugar a leyes y teorías psicológicas.

3-e

Los objetivos responden al para qué investigar. En Psicología se aplican a las conductas o procesos un grado de regularidad en sus parámetros, posibilitando la predicción y el control. No todas las conductas y procesos humanos cumplen estos requisitos.

4-c

Wundt, junto con sus colaboradores, realiza auténticos experimentos psicológicos centrados en el estudio de la percepción y sus leyes y las diferencias individuales en la reacción a estímulos. Se le considera el padre de la Psicología moderna.

5-b

Este famoso científico estudió las bases fisiológicas de los procesos psicológicos utilizando métodos objetivos y experimentales derivados de la fisiología, que le permitieron definir las leyes del reflejo condicionado.

6-e

Una definición de conciencia es la que se ofrece en la alternativa d, pero para que se produzca dicho conocimiento se requiere un nivel de activación psicofisiológica determinado que se caracteriza por unas ondas cerebrales concretas.

7-a

El estado de activación del organismo es un continuo que va desde la máxima excitación psicofisiológica hasta la mínima. Los diferentes niveles del continuo se caracterizan por el tipo de ondas cerebrales que producen y que podemos medir mediante el electroencefalograma.

8-b

En el ser humano, el ciclo vigilia-sueño es circadiano, es decir, dura aproximadamente 24 horas. En algunos animales, como las marmotas, es estacional, dura mientras se mantiene baja la temperatura ambiente.

9-c

Precisamente recibe su denominación de dicha característica. Otras importantes características son: umbral máximo para despertar, pérdida de tono muscular, aún existiendo contracciones rápida en cara y manos, comienzo una hora después de alcanzarse el sueño, ciclos de sueño REM cada 90 minutos. El sueño REM respresenta el 25% del total del tiempo del sueño.

10. El sueño no REM altera los siguientes parámetros respecto a la vigilia:

a) Tasa cardíaca incrementada.
b) Frecuencia respiratoria irregular.
c) Bruxismo.
d) Presión arterial y flujo sanguíneo inferior a vigilia.
e) Incremento en motilidad gástrica.

11. ¿Qué significa que una conducta está determinada filogenéticamente?:

a) Que se ha aprendido al margen de la genética.
b) Que es hija de la genética.
c) Que la herencia impone sus limitaciones.
d) Que está programada para aprenderse.
e) Que está determinada por la evolución de la especie.

12. Una de las siguientes características no corresponde al reflejo:

a) Proceso innato no modificable por la experiencia.
b) Es difícil provocarlo ante estímulos repetidos.
c) Respuesta elemental y directa de un efector a la estimulación de un receptor.
d) Tiene carácter supervivencial.
e) Es un proceso adaptativo.

13. ¿Qué es el reflejo de orientación?:

a) Un reflejo de segundo orden.
b) Un reflejo aprendido por condicionamiento clásico.
c) La respuesta de un organismo a estímulos neutros.
d) Un conjunto de reacciones sensoriales, musculares y autonómicas.
e) c y d.

14. El instinto es una conducta no aprendida que se diferencia del reflejo en:

a) Que es modificable por la experiencia.
b) Que es menos estereotipado.
c) Que es conminatorio y complejo
d) Que no se desencadena ante estímulos específicos.
e) Todas son falsas.

15. Dentro de las experiencias tempranas, el apego es:

a) Una conducta innata en mamíferos.
b) Una experiencia de afecto.
c) Un vínculo exclusivo de las relaciones madre-hijo.
d) Un vínculo afectivo establecido en un período óptimo.
e) Una experiencia que necesita un momento crítico.

16. Señale la definición más completa del concepto «aprendizaje»:

a) Es la adquisición de conocimientos y habilidades.
b) Es la habilidad del organismo para procesar información continuamente.
c) Es un cambio potencial mas o menos permanente que ocurre como resultado de la práctica.
d) Es el proceso de reacción a situaciones ambientales.
e) Es todo lo innato.

17. Uno de los siguientes no es un tipo de aprendizaje humano. Señálelo:

a) Preasociativo.
b) Innato.
c) Asociativo.
d) Observacional.
e) Complejo.

18. Un cambio del medio que actúa sobre un organismo produciendo una respuesta, es:

a) Una conducta.
b) Aprendizaje.
c) Un cambio madurativo.
d) Un resultado observable.
e) Un estímulo.

19. A la modificación que experimenta una respuesta innata como consecuencia de algún tipo de estimulación, la denominamos:

a) Aprendizaje preasociativo.
b) Respuesta refleja.
c) Respuesta respondiente.
d) Cambios adaptativos.
e) Respuesta instrumental.

10-d

Durante las diferentes fases del sueño se producen interesantes cambios fisiológicos y conductuales en el sistema vegetativo, neuromuscular y endocrino, si bien la mayoría de ellos ocurren durante la fase REM. La fase no REM se caracteriza por un ligero decremento de los diferentes parámetros respecto a la vigilia.

11-e

En el ser humano predominan las conductas determinadas «ontogenéticamente», es decir, aprendidas por las potencialidades (habilidades y recursos) del propio sujeto. Pero también tenemos algunas determinadas filogenéticamente, es decir, innatas y no aprendidas.

12-b

Ocurre justo lo contrario que indica la alternativa b. El reflejo no es saciable y por lo tanto se produce siempre que aparece el estímulo desencadenador.

13-e

El reflejo de orientación es un importante mecanismo adaptativo del ser humano que permite reaccionar, con un patrón específico, ante cualquier estímulo nuevo para un individuo y que se debilita con la repetición del mismo (familiaridad).

14-c

Lo que significa que continúa, una vez desencadenado hasta el fin, que es saciar una necesidad básica (cortejo, nidificación, reproducción, supervivencia) aunque ya no exista el estímulo desencadenante. La complejidad se refiere al nivel neurofisiológico, ya que implica muchas más estructuras que el «arco reflejo».

15-d

Hay un período óptimo para la formación del vínculo afectivo entre un bebé y la persona que habitualmente le cuida que no es tan corto ni determinante como se decía. Sabremos que se ha producido apego si el bebé manifiesta una «reacción de alarma» al separarlo de la persona con quien ha establecido el vínculo y una «reacción de reconocimiento» y tranquilidad al aparecer de nuevo.

16-c

Analizando la definición vemos que es necesario que se produzca un cambio o modificación relativamente permanente. El cambio puede ser potencial, es decir, no manifiesto, por ejemplo, en aprendizajes sociales o cognitivos, una persona no necesita realizar todos sus aprendizajes sociales o cognitivos para demostrar que los tiene. Además la modificación o cambio debe ser resultado de la experiencia y no de la maduración del individuo.

17-b

Lo aprendido es lo contrario de lo innato. Los principales tipos de aprendizaje humano son: preasociativos, asociativos, observacional y complejos.

18-e

En todo proceso de aprendizaje se estudian las relaciones entre un cambio o modificación ambiental y una modificación conductual o respuesta.

19-a

El aprendizaje preasociativo es el más simple que puede darse. Al no haber tenido el organismo experiencia previa con el estímulo, no existe asociación. También se denomina aprendizaje por una sola experiencia.

20. Señale las características del proceso de habituación:

a) Modificación temporal de respuestas innatas a estímulos superfluos.
b) Adaptación positiva del organismo.
c) A mayor intensidad y frecuencia de la estimulación, más rápida e intensa es.
d) a y c.
e) b y c.

21. El incremento, más o menos permanente, que experimenta una respuesta innata por efecto de la estimulación reiterada, se denomina:

a) Habituación.
b) Aprendizaje Asociativo.
c) Sensibilización.
d) Aprendizaje Vicario u Observacional.
e) Reflejo.

22. En el proceso de condicionamiento clásico, el EI (estímulo incondicionado) y la RI (respuesta incondicionada) son siempre:

a) Condicionamiento de 2º de orden.
b) Biológicos e Innatos.
c) Innatos y Aprendidos.
d) Una adaptación positiva.
e) Todo lo anterior.

23. ¿Qué es Condicionamiento Clásico (CC)?:

a) Una conducta.
b) Un proceso preasociativo.
c) Un proceso complejo.
d) Un proceso asociativo.
e) Una respuesta.

24. Si queremos mantener una conducta que hemos aprendido mediante CC deberemos:

a) Asociar EC y EI.
b) Seguir asociando EC-EI tras la adquisición.
c) Seguir asociando RC-RI.
d) Asociar EC-RC.
e) Seguir asociando EI-RI.

25. En el paradigma de CC, la extinción está garantizada al dejar de asociar EC-EI:

a) Siempre.
b) Nunca.
c) Salvo en estímulos negativos intensos.
d) De manera automática.
e) Temporalmente.

26. He observado en mi trabajo en el hospital que los pacientes preguntan mucho por la enfermera X, e incluso que esperan pacientemente hasta que puede atenderles. Aunque yo no he descubierto por qué, no cabe duda de que hay algún tipo de:

a) Castigo.
b) Programa condicionado.
c) Programa intermitente.
d) Refuerzo.
e) Generalización.

27. Un animal doméstico ha aprendido, mediante CO, a cerrar la puerta de casa. ¿Cómo denominamos al hecho de que empiece a cerrar también las puertas de los cajones, comercios, cafeterías, etc.?:

a) Adquisición.
b) Mantenimiento.
c) Discriminación.
d) Extinción.
e) Generalización.

28. Por discriminación, en un paradigma de CO, entendemos:

a) Responder igualmente ante estímulos similares.
b) Responder igualmente a estímulos diferentes.
c) Responder a veces igual y a veces diferente a un estímulo.
d) Responder diferentemente a estímulos similares.
e) No responder.

29. La técnica en la que: 1º describimos una conducta nueva, 2º nos cercioramos que el sujeto puede aprenderla y 3º poco a poco, mediante refuerzo positivo, nos aproximamos a la conducta nueva, se denomina:

a) Moldeamiento.
b) Programa de refuerzo fijo.
c) Programa de intervalo fijo.
d) Condicionamiento de huella.
e) Método simultáneo.

30. Cuando una conducta que se aprendió por CO y que se ha mantenido durante mucho tiempo, deja de ser útil, qué debemos hacer para extinguirla:

a) No proporcionar refuerzo en alguna ocasión.
b) Dejar de proporcionar refuerzo definitivamente.
c) Proporcionar refuerzo intermitente.
d) Proporcionar refuerzo similar pero no idéntico.
e) Proporcionar refuerzo negativo.

20-d

Además de las descritas, otras características son:
- La respuesta de habituación a un estímulo se generaliza a otros.
- Si dejamos de presentar el estímulo que produce la habituación, la respuesta se recupera.
- En humanos el proceso se produce sobre reflejos.

21-c

Supone para el organismo un incremento de sus posibilidades de respuesta adaptativa pues perfecciona positivamente los mecanismo reactivos innatos. Se manifiesta: incrementando la magnitud de la respuesta innata y disminuyendo la latencia y el umbral.

22-b

En el condicionamiento clásico se parte siempre de respuestas innatas desencadenadas de forma, también innata, por un EI. Al asociar un estimulo neutro (EN) al EI varias veces, se convierte en EC (estímulo condicionado) y termina dando una respuesta condicionada (RC) similar a RI, pero no idéntica. Una vez establecida la asociación el EC dará RC incluso en ausencia del EI.

23-d

Se asocia el EN al EI para producir la RC. Conforme vamos consiguiendo la asociación, el EN se transforma en EC

24-b

La adquisición de conductas mediante CC no es una tarea difícil, dependerá del método elegido, del EC y del tiempo transcurrido entre la aparición del EC y el EI. Lo que habitualmente ocurre es que tras conseguir la adquisición se presupone que el organismo va a mantenerla de manera indefinida, por lo que suele interrumpirse la asociación EC-EI con lo que poco a poco se extingue.

25-c

La extinción total de una RC es difícil, suelen aparecer recondicionamientos y recuperaciones espontáneas. Algunas RC disminuyen lentamente y otras pueden permanecer toda la vida. Son especialmente difíciles de extinguir las RC asociadas a estímulos negativos intensos (ej.: fobias).

26-d

Llamamos refuerzo, dentro del Condicionamiento Operante (CO), a la probabilidad de que se incremente la conducta o respuesta debido a sus consecuencias positivas. Puede ser positivo, si con su presencia aumenta la probabilidad de la respuesta a la que va asociado, o negativo, si con su retirada aumenta dicha probabilidad.

27-e

Recibe esta denominación tanto el hecho de que un estímulo extienda su control sobre una respuesta a otras semejantes a ella, como el hecho de poder responder con varias respuestas a un mismo estímulo.

28-d

Se logra mediante reforzamiento diferencial que puede ser: Simultáneo: si presentan dos estímulos y se responde a uno sí y a otro no. Sucesivo: si presenta un estímulo después de otro y se responde a uno sí y a otro no.

29-a

Es una modalidad del CO muy adecuada para enseñar conductas nuevas, basada en aproximaciones sucesivas y reforzamiento diferencial positivo de respuestas cada vez más parecidas a la respuesta meta u objetivo.

30-b

Hemos de contar con que la extinción sigue un proceso: 1° se produce un incremento en el número e intensidad de la respuesta. 2° se pasa a una gradual disminución de la frecuencia de la respuesta, apareciendo factores emocionales. 3° el proceso poco a poco se enlentece hasta llegar al nivel de adquisición, aunque pueden aparecer recuperaciones espontáneas.

31. La reducción de la probabilidad de emisión de una respuesta por la presencia de un estímulo aversivo, o la retirada de un estímulo positivo, se llama:

a) Superstición.
b) Programa de refuerzo negativo.
c) Castigo.
d) Programa de intervalo variable.
e) Programa de intervalo temporal.

32. ¿Qué tipo de proceso dedujo Bandura al observar que los niños de cualquier cultura no aprenden lo que sus mayores les dicen sino lo que hacen?:

a) Condicionamiento vicario.
b) Condicionamiento clásico.
c) Aprendizaje por refuerzo.
d) Moldeamiento.
e) Refuerzo por generalización.

33. Dentro del paradigma del Condicionamiento Vicario (CV), una enfermera observa que la compañera a la que considera mejor profesional del servicio no fuma; ella fuma en la actualidad pero dejará de hacerlo más probablemente si:

a) Observa que su compañera no fuma.
b) Observa que no fuma y goza de buena salud.
c) Observa que no fuma y le comenta que fue fumadora.
d) Si la ayuda en su deshabituación colaborando con ella.
e) Observa que no fuma pero se constipa a menudo.

34. Cuando queremos extinguir una conducta que hemos aprendido por CV, en primer lugar debemos:

a) Eliminar el refuerzo que obtenía el modelo.
b) Aprender una conducta alternativa.
c) Olvidarnos de ella.
d) Responder de modo indiferente a los refuerzos.
e) Eliminar el refuerzo que obtiene el ejecutor.

35. ¿Cómo piensa que un alumno aprenderá mejor de su maestro?:

a) Cuando está centrado en sus problemas.
b) Cuando está despistado por estímulos distractivos.
c) Cuando le interesa el tema, observa y lo reproduce.
d) Cuando está interesado por el tema.
e) Cuando le interesa y observa.

36. Un concepto muy de moda es el de «competencia social», ¿en qué consiste?:

a) En aprender conductas sociales.
b) En practicar conductas sociales adaptativas.
c) En generalizar y discriminar adecuadamente en el medio social.
d) En conseguir una buena adaptación social.
e) Todas son correctas.

37. El escalón superior en el aprendizaje humano lo conforman los aprendizajes de conductas complejas, ¿a qué se refieren?:

a) A conductas motrices que requieren mucha destreza.
b) A las conductas producto del procesamiento de la información humana.
c) A conductas como pilotar aviones o navegar.
d) A buscar pareja, tener hijos, etc.
e) A realizar una obra de teatro, una película, etc.

38. Uno de los siguientes procesos no está relacionado con el procesamiento de la información:

a) Memoria.
b) Atención.
c) Percepción.
d) Contexto medioambiental.
e) Toma de Decisiones.

39. Los procesos cognitivos tienen en común una serie de aspectos, señálelos:

a) Operan sobre códigos o símbolos extraídos de la realidad.
b) No son instantáneos, transcurren en el tiempo.
c) a y b son correctas.
d) Implican pasividad por parte del sujeto.
e) Son plenamente conscientes.

40. El paso previo e insustituible para que se produzca cualquier proceso cognitivo, es que exista un determinado nivel de:

a) Activación.
b) Atención.
c) Funcionamiento.
d) Organización.
e) Selección.

31-c

La utilización del castigo no se considera aconsejable porque el organismo aprende a «no hacer» algo o a reducir su frecuencia pero no extingue ni aprende conductas alternativas a las que se pretende extinguir. Por otra parte, produce efectos secundarios: frustración, agresión hacia el que lo dispensa, etc.

32-a

Es el proceso por el cual la conducta de un individuo o grupo (el modelo) actúa como estímulo para pensamientos, actitudes y/o conductas de otro individuo (el observador). Consta de 2 fases: adquisición (el observador aprende la conducta y las consecuencias del modelo) y ejecución (el observador realiza la conducta que aprendió del modelo).

33-d

Sabemos que hay unos factores que mejoran el modelado, o aprendizaje vicario, entre ellos determinadas características del modelo (semejanza de sexo, edad y actitudes con el observador, prestigio, competencia profesional), de la situación (modelado participativo en el que participan el observador y el modelo) y del propio observador.

34-e

Fácilmente ocurre que, aún cuando aprendemos por imitación determinadas conductas y en ello influyen las consecuencias que obtiene el modelo por realizarlas, cuando las realizamos nosotros las consecuencias que obtenemos son diferentes. En estas circunstancias lo que facilita la extinción son, lógicamente, nuestras propias consecuencias.

35-c

En el CV hay diversos procesos implicados: atencionales, de retención, de reproducción motora y motivacionales.

36-e

Del aprendizaje por imitación de modelos, vicario u observacional se derivan importantes aspectos prácticos, uno de ellos es el del entrenamiento en habilidades sociales que capacita para aprender y desarrollar numerosas estrategias que adecuadamente utilizadas conforman la «competencia social».

37-b

Son aprendizajes en los que juegan un papel determinante procesos cognitivos como: atención, percepción, memoria, toma de decisiones, resolución de problemas, pensamiento, lenguaje, etc.

38-d

Según la Teoría de la Información, el ser humano es un procesador de información, tanto externa como interna (la que se refiere a sus propios procesos internos). Este enfoque defiende que diversas máquinas «inteligentes» pueden simular dicho proceso.

39-c

Además de los citados, otros aspectos relevantes son: que están relacionados entre sí, son inconscientes en su mayoría, implican clara actividad por parte del sujeto y son de capacidad limitada pero flexible, dependiendo de su codificación.

40-a

El nivel de activación o conciencia determina el grado de atención de un sujeto, por lo que las variaciones que se producen en el mismo se acompañan de variaciones en el nivel de atención.

41. Un proceso activo directamente relacionado con la entrada y procesamiento de la información, se denomina:

a) Codificación.
b) Resolución de problemas.
c) Almacén de memoria.
d) Atención.
e) Memoria.

42. Se considera que la amplitud de atención humana es de aproximadamente:

a) 8 unidades de información.
b) 7 bits.
c) 5 unidades de información.
d) 9 bits.
e) 7 bits.

43. Para saber qué tipo de atención es más apropiado para realizar una tarea determinada hay que tener en cuenta 2 parámetros:

a) Preatentivos y constructivos.
b) Intensidad y focalización.
c) Intensidad y duración.
d) Frecuencia y duración.
e) Focalización interna y externa.

44. Si hablamos de un proceso complejo que consiste en interpretar, organizar y reconstruir la información que llega a las zonas corticales de asociación, nos estamos refiriendo a:

a) Memoria episódica.
b) Memoria semántica.
c) Percepción.
d) Atención selectiva.
e) Atención reducida Interna.

45. ¿Cómo denomina Neisser a la etapa perceptiva en la que el sujeto detecta los rasgos más relevantes de un estímulo o situación?:

a) Etapa constructiva.
b) Etapa original.
c) Etapa preatentiva.
d) Percepción primaria.
e) Percepción cognitiva.

46. Uno de los siguientes métodos no es habitualmente utilizado para estudiar la percepción humana. Identifíquelo:

a) Autorregistros.
b) Simulación en ordenador.
c) Introspección.
d) Métodos psicofísicos.
e) Escalas subjetivas.

47. Las leyes de la organización perceptiva, basadas en la percepción visual, fueron formuladas por:

a) Neisser.
b) La Escuela de la Gestalt.
c) Hubel y Wiesel.
d) La Escuela de Piaget.
e) Brunner y Bower.

48. Hoy día pensamos que el logro más destacado en la evolución mental del ser humano es:

a) Planificar conductas.
b) La percepción.
c) El olvido.
d) La memoria.
e) La retención.

49. La memoria es un sistema que implica 3 procesos básicos:

a) Atención-registro Sensorial-evocación.
b) Registro sensorial-codificación-olvido.
c) Evocación-planificación-reconstrucción.
d) Reconocimiento-retención-fijación.
e) Codificación-almacenamiento-recuperación.

50. El modelo de memoria episódica de Atkinson y Shiffrin comprende 3 almacenes diferentes estructuralmente. Señale dichas diferencias:

a) Guardar la información en diferentes formatos.
b) Poseer bases anatómicas diferentes.
c) Guardar durante períodos de tiempo diferentes.
d) La información que contienen se pierde de diferente forma.
e) Todas son correctas.

41-d

La atención permite abrir el paso a la información exterior e interior y seleccionarla para captar sólo una parte de la misma que será la que se procese adecuadamente. Es una forma de adaptarse a un entorno complejo repartiendo los recursos de que dispone el sujeto.

42-e

Un bit es una unidad de información que, según la codificación que realice el sujeto, tendrá una mayor o menor amplitud o capacidad.

43-b

La Intensidad puede subdividirse en dos categorías: amplia y reducida; y la Focalización en: externa o interna. De las combinaciones entre dichas categorías surgen cuatro tipos de atención diferentes que, según cada tarea concreta, garantizan el éxito en su ejecución.

44-c

La percepción nos permite conocer el mundo, darle un significado a las sensaciones que impresionan nuestros órganos sensoriales. Es más que una sensación. El sujeto construye, de diferentes formas, lo que ve, añade información. Suele ser multisensorial.

45-c

Para Neisser la percepción consiste en un procesamiento activo de la información que consta de 2 etapas: preatentiva y constructiva; en ésta última el organismo realiza una elaboración completa del estímulo, añadiendo incluso información.

46-a

Los métodos utilizados para estudiar la percepción humana han evolucionado al mismo ritmo que la propia Psicología, por lo que observamos la utilización de métodos tan arcaicos como los psicofísicos o la introspección analítica, al lado de otros como los cibernéticos, que incorporan los últimos conocimientos de la Psicología cognitiva.

47-b

Esta escuela, a principios de siglo, formuló las leyes que utiliza habitualmente la percepción visual humana para organizar la información del medio. Las principales son: la de la relación figura/fondo, las del agrupamiento, constancia perceptiva, percepción del movimiento, profundidad, distancia y tiempo.

48-d

Es una herramienta imprescindible a nivel adaptativo. La posibilidad de retener aprendizajes y experiencias para en un momento dado poderlos utilizar supone unas posibilidades extraordinarias. Es el proceso cognitivo que mejor conocemos en la actualidad

49-e

El primer proceso implica el análisis, organización y transformación de la información en un determinado código simbólico. El segundo es la retención de la información en engramas. El tercero supone evocar el material almacenado para usarlo adecuadamente.

50-e

Este modelo ha sufrido críticas como el reprocharle que simplifica demasiado el procesamiento humano de la información, pero todavía no tenemos pruebas experimentales ni empíricas que permitan rechazarlo definitivamente.

51. Existe una teoría sobre el olvido que explica el fenómeno como el efecto del paso del tiempo sin que se produzca reaprendizaje. ¿Podría dar el nombre de dicha teoría?:

a) Represión temporal.
b) Olvido retroactivo.
c) Desuso.
d) Olvido proactivo.
e) Interferencia.

52. La mayoría de las estrategias nemotécnicas basan su efectividad en:

a) Transferir, lo antes posible, la información al Almacén a Largo Plazo (ALP).
b) Transferir la información al Almacén a Corto Plazo (ACP).
c) Transferir del Registro Sensorial (RS) al ALP.
d) Transferir del RS al ACP.
e) c y d son correctas.

53. La actividad que surge ante una situación problema y que busca una solución mediante la aplicación de unas reglas, es a lo que Mayor denomina:

a) Lenguaje.
b) Aprendizaje.
c) Memoria.
d) Pensamiento.
e) Creatividad.

54. Una de las actividades principales del pensamiento humano consiste en elaborar representaciones mentales de la realidad. Identifique alguna entre las siguientes:

a) Abstracciones.
b) Imágenes y conceptos.
c) Creatividad.
d) Lenguaje.
e) Comunicación verbal y no verbal.

55. La segunda actividad fundamental del pensamiento son las expresiones cognitivas. Una de las siguientes no lo es:

a) Resolución de problemas.
b) Razonamiento deductivo e inductivo.
c) Desarrollo reflejo.
d) Inteligencia.
e) Creatividad.

56. Cuando tenemos un tipo de comunicación compleja en la que un emisor emite un determinado mensaje en código específico y en un contexto concreto y, al mismo tiempo, tenemos un receptor que capta y comprende el mensaje, estamos en presencia de un proceso denominado:

a) Lenguaje.
b) Aprendizaje.
c) Emoción.
d) Pensamiento.
e) Motivación.

57. El lenguaje es una actividad:

a) Determinada biológica y culturalmente.
b) Compartida con otras especies superiores.
c) Debida a factores madurativos y de aprendizaje.
d) Carente de aspectos simbólicos.
e) a y c.

58. Alguna de las siguientes características corresponde a un proceso diferente a la inteligencia humana:

a) Equivale a aptitudes fisiomotrices.
b) Tiene componentes genéticos y aprendidos.
c) Experimenta cambios cualitativos con la edad.
d) Se orienta hacia una meta.
e) Hay correlatos fisiológicos medibles por EEG, TAC, etc.

59. Cuando decimos que «es una medida objetiva y tipificada de una muestra de conducta», nos estamos refiriendo a:

a) Un cuestionario.
b) Un autorregistro.
c) Un test.
d) Un experimento.
e) Una grabación.

60. Si mencionamos que las fases de un determinado proceso cognitivo son: análisis del problema, incubación, iluminación y verificación ¿podría decir a qué proceso nos referimos?:

a) Inteligencia.
b) Creatividad.
c) Resolución de problemas.
d) Toma de Decisiones.
e) Razonamiento.

51-c

El olvido, desde la Psicología cognitiva, se explica como una adaptación del sistema cognitivo para evitar una sobrecarga de la información. Podría definirse como la diferencia entre lo que se aprende y lo que se recuerda. Por el momento, ninguna teoría explica completamente el proceso del olvido.

52-a

Las leyes cualitativas de la memoria coinciden, en gran parte, con las del aprendizaje verbal, por lo que recordaremos mejor: si el material está organizado de forma significativa, si la práctica no es masiva sino distribuida en períodos, si el contexto es similar al de aprendizaje, etc.

53-d

Es un proceso cognitivo complejo que controla y regula la conducta mediante una serie de actividades cognitivas que suelen terminar con un producto (un resultado, una obra, una conducta, etc.).

54-b

La representación mental del entorno que utiliza imágenes basadas en los rasgos perceptivos de un objeto o situación, se denomina analógica. La que utiliza conceptos, símbolos o relaciones se denomina proposicional.

55-c

Podríamos decir que las representaciones mentales son códigos de la realidad y las expresiones cognitivas el resultado observable de la utilización de dichos códigos.

56-a

Es un tipo de comunicación muy elaborado, formado por símbolos que expresan significados muy concretos y que se producen en un contexto determinado. Está íntimamente relacionado con otros procesos cognitivos como el pensamiento y la memoria.

57-e

En las relaciones entre lenguaje y pensamiento existen diversas posturas: para algunos autores el lenguaje determina el pensamiento, para otros, ambos son el mismo proceso, y para los terceros, el lenguaje es la expresión del pensamiento.

58-a

Papalia y Olds definen la inteligencia como la constante interacción entre capacidades heredadas y experiencias ambientales cuyo resultado capacita para adquirir, recordar y utilizar conocimientos, entender conceptos concretos y abstractos (eventualmente), comprender relaciones entre objetos, hechos e ideas y aplicar todo ello a resolver problemas cotidianos.

59-c

Completando la definición de Anastasi, por tipificación se entiende la uniformidad de procedimientos (material, tiempo, instrucciones), de aplicación y corrección. La forma en que pueden clasificarse son diversas: según lo que miden, número de sujetos, material, contenido, etc.

60-b

Es la aptitud del pensamiento que permite al sujeto producir ideas originales y válidas, no solo respecto al producto final sino respecto al proceso.

61. Señale las características principales del pensamiento creativo:

a) Originalidad y adaptación.
b) Adecuación y coherencia.
c) No convencionalidad.
d) a, b y c.
e) Equivale a inteligencia académica.

62. Una de las siguientes es una técnica creativa muy utilizada:

a) Razonamiento lógico.
b) Role playing.
c) Tormenta de Ideas.
d) Percepción espacial.
e) Contar cuentos.

63. ¿Qué proceso cognitivo cree que explica el por qué de las acciones humanas?:

a) Pensamiento.
b) Motivación.
c) Inteligencia.
d) Atención.
e) Memoria.

64. Alguno de los siguientes son motivos primarios:

a) Hambre y sed.
b) Regulación térmica.
c) Ciclo vigilia-sueño.
d) Respiración.
e) Todos los anteriores.

65. Maslow, partiendo de deducciones extraídas de la clínica, elabora una pirámide de necesidades básicas del ser humano. Identifique la que no pertenece a ellas:

a) Dominio.
b) Autoestima propia.
c) Autoestima de otros.
d) Seguridad.
e) Autorrealización.

66. La emoción es:

a) Un afecto subjetivo positivo o negativo.
b) Una intensificación de la activación.
c) Unas manifestaciones externas y experiencias internas.
d) a, b y c.
e) Un sentimiento.

67. La teoría que defiende que «la emoción depende de la forma en que el individuo construye la situación a partir de sus valores, creencias, compromisos y objetivos» pertenece a:

a) Maslow.
b) Festinger.
c) Lazarus.
d) James-Lange.
e) Schachter.

68. La Teoría Neuro-cultural de Ekman defiende que:

a) Nacemos con programas de expresiones faciales para cada emoción.
b) Las normas sociales de cada cultura mediatizan las expresiones emocionales.
c) a y b.
d) La socialización no puede modificar las emociones.
e) La cultura respeta escrupulosamente las diversas expresiones emocionales.

69. Si dentro del contexto de las emociones humanas, hablamos de reacción de alarma, etapa de resistencia y etapa de agotamiento, nos estamos refiriendo a:

a) Emociones secundarias.
b) Síndrome general de adaptación.
c) Emociones primarias.
d) Frustración.
e) Ansiedad.

70. Mischel, especialista en el tema, nos dice que es «un constructo hipotético que no se puede ver ni observar, pero que si existe debe tener estabilidad y generalidad». ¿A qué se refiere?:

a) Percepción.
b) Memoria.
c) Pensamiento.
d) Emoción.
e) Personalidad.

71. Una de las características básicas de la personalidad es:

a) Se construye a lo largo del desarrollo.
b) No es estática.
c) Sus transformaciones son graduales.
d) a, b y c.
e) Son normales los cambios definitivos.

61-d

El pensamiento creativo consiste en estrategias especiales de solución de problemas y no siempre correlaciona con inteligencia. La persona creativa utiliza eficazmente la inteligencia pero de forma original.

62-c

La tormenta de ideas (brainstorming) se utiliza en diversos campos (pedagogía, empresa, publicidad, etc.), consiste en producir ideas en grupo, anotarlas, evaluarlas concienzudamente y ponerlas a prueba analizando sus resultados.

63-b

La motivación es el motor que da energía para poder iniciar, mantener y orientar hacia un fin cualquier conducta. La motivación es una variable hipotética que no puede observarse ni medirse directamente, pero que se infiere a partir de la conducta observable.

64-e

Los motivos primarios o biológicos satisfacen necesidades fisiológicas de supervivencia. No son aprendidos, pero sí son comunes a todos los miembros de la especie.

65-a

Maslow piensa que no se puede satisfacer una necesidad dada, si no están satisfechas las inferiores. El fin que persigue el autor es el desarrollo de la persona y el camino que propone es su teoría jerárquica.

66-d

En toda emoción se da una evaluación cognitiva (se identifica un sentimiento o una expresión emocional), unas manifestaciones externas (lágrimas, risas, expresiones faciales) y unos cambios psicofisiológicos (activación emocional con diversos correlatos), y se le adjudica una cualidad de agrado-desagrado, rechazo-atracción, etc.

67-c

Es una teoría cognitiva en la que lo importante, según el autor, es la evaluación que el sujeto hace del entorno.

68-c

Los procesos culturales mediatizan las expresiones emocionales: intensificándolas, disminuyéndolas, neutralizándolas o encubriéndolas. Igualmente propuso 4 niveles para analizar las diferentes emociones humanas: la expresión facial, las reacciones motoras, la expresión verbal y las reacciones psicofisiológicas.

69-b

Lo definió por primera vez Selye como «una respuesta estereotipada y generalizada que damos todos ante determinados sucesos o situaciones del ambiente». Hoy en día este modelo ha sido superado por formulaciones teóricas que enfatizan los aspectos cognitivos personales como determinantes de la adaptación al ambiente.

70-e

Es el proceso psicológico que más tarde comenzó a estudiarse científicamente, es decir, su descripción, explicación y predicción. El concepto sugiere formas de comportamiento características de cada individuo, que la conducta es temporalmente estable y que pueden establecerse relaciones entre la conducta de una persona en diferentes situaciones.

71-d

Es una organización interna de múltiples características que se construye con interacciones entre el organismo y el medio social a lo largo del desarrollo; no es estática, pero sus transformaciones son progresivas y salvo excepciones, nunca radicales.

72. La Psicología del ciclo vital se diferencia de la Psicología evolutiva clásica en:

a) Estudia todos los períodos de la vida humana.
b) En cada etapa estudia sus déficits y sus competencias.
c) No considera que el ser humano ha completado su desarrollo en ningún momento o edad específica.
d) a, b y c.
e) En que una es evolutiva y otra cíclica.

73. Una de las siguientes corrientes psicológicas no reconoce estadios evolutivos en el desarrollo infantil. Señálela.

a) El Psicoanálisis.
b) Piaget y los neopiagetianos.
c) El Conductismo.
d) Las teorías del procesamiento de la información.
e) Las derivadas de los trabajos de Gesell.

74. En el concepto de «período crítico» fundamental en el desarrollo infantil, profundizaron principalmente:

a) Los psicólogos del aprendizaje.
b) Los etólogos y algunos psicoanalistas.
c) El movimiento guestáltico.
d) Las teorías cognitivistas.
e) La Escuela de Ginebra.

75. De las investigaciones sobre el «apego» y su influencia en el desarrollo infantil, las enfermeras han aprendido:

a) La importancia del contacto madre-hijo en los primeros momentos de la vida.
b) Los beneficios de la estimulación temprana.
c) Los efectos de la deprivación afectiva.
d) Que la conducta maternal es aprendida.
e) Todo lo anterior.

76. Por lo que conocemos hoy de la relación madre-hijo, el maternaje es:

a) Una conducta determinada genéticamente.
b) Una conducta instintiva.
c) Un comportamiento que requiere feedback.
d) Equiparable al apego.
e) La emoción que suscita en la madre el nacimiento del niño.

77. Se encuentra Vd. en la unidad de pediatría a la hora de la merienda. Un niño de 4 años llora porque le han cambiado la leche, de un vaso alto a otro más bajo y ancho tratando de enfriarla, el niño sostiene que ahora hay menos leche. ¿Cuál sería la actuación correcta?:

a) Tratar de convencerle mediante razonamientos que no es así.
b) Considerar que lo que el niño quiere es más leche porque es un glotón y dársela.
c) Pensar que está muy mal criado y echarle una reprimenda.
d) Conocer que es una característica del pensamiento infantil a esa edad y buscar soluciones alternativas.
e) Pensar que el razonamiento del niño es deficiente y anotarlo en la historia.

78. Según Piaget, la capacidad para considerar los objetos constantes o permanentes, es un indicador del desarrollo-inteligencia infantil que se adquiere:

a) En el período preoperacional.
b) A los dos años.
c) De los nueve a los doce meses.
d) En el período de las operaciones concretas.
e) En la etapa del pensamiento formal.

79. En el contexto del desarrollo de la inteligencia del niño, algunas funciones de representación son:

a) La imitación.
b) El lenguaje.
c) El juego.
d) Imitación lenguaje y juego de ejercicio.
e) Imitación, lenguaje y juego simbólico.

80. En el contexto de la Psicología del ciclo vital, la edad escolar abarca de los 7 a los 11 años y posee unas características muy concretas. Identifique entre las siguientes la que pertenece a otra etapa:

a) Acceso a las operaciones formales.
b) Socialización por iguales (pandillas).
c) Acceso a la inteligencia lógico-concreta.
d) Importantes progresos psicomotores.
e) La escolaridad.

72-d

La Psicología del ciclo vital se ha desarrollado a partir de los años 80, al constatar la escasez de investigaciones y conocimientos psicológicos existentes sobre personas mayores de 18-20 años. Las aportaciones de la Psicología cognitiva en el conocimiento de los procesos y productos cognitivos, de la Psicología de la salud en el de las conductas protectoras y de riesgo y el desarrollo a medio y largo plazo de trastornos psicofisiológicos, son pilares teóricos básicos para dicha disciplina.

73-c

La idea de estadio o etapa evolutiva supone estructuras propias del sujeto que se construyen de forma progresiva y en las que intervienen por igual maduración y aprendizaje. El conductismo pone todo el énfasis en el aprendizaje, considerando el desarrollo como una suma de aprendizajes sucesivos.

74-b

Se conoce como «período crítico», a un tiempo de especial sensibilidad para establecer un vínculo con otros (apego) en etapas tempranas de la vida y de gran importancia para el desarrollo social y afectivo. Fue una aportación de la Etología (psicología animal) y confirmada su existencia en los humanos por psicoanalistas como Spitz y Bowlby.

75-e

Los trabajos de Harlow y otros etólogos han demostrado la importancia de los primeros contactos para la relación madre-hijo, que si no se establece adecuadamente puede alterar la salud del bebé no sólo mental sino física (retardo del crecimiento) por deprivación. Esto concuerda con los trabajos de Spitz y Bowlby sobre deprivación y hospitalismo, así como los de Klaus y Kennell con bebés críticamente enfermos.

76-c

El maternaje o repertorio de conductas que realiza una madre con su bebé (hablar, jugar, etc.), se considera la primera exposición social del niño. Se ha demostrado que dichas conductas disminuyen o no se realizan cuando el niño no responde por hipoactividad o enfermedad.

77-d

Una característica del pensamiento infantil en el período preoperatorio (3-5 años) es la centración o imposibilidad del niño para considerar dos dimensiones a la vez, por ejemplo, alto y ancho (respecto a la conservación de la cantidad).

78-c

Hasta la segunda mitad del período sensoriomotor (9-12 meses), el mundo del niño está formado de objetos que existen si son visibles, pero si no se ven (tapar un juguete con un pañuelo) se comportan como si no existieran. A partir de esa edad sabe que permanecen aunque no los vea (levanta el pañuelo buscándolo).

79-e

Las funciones de representación o posibilidad de representar las vivencias, son en los niños, la imitación, el lenguaje y el juego simbólico (hacer como si...). El juego de ejercicio corresponde a la necesidad de acción automática, se refiere al propio cuerpo (dar palmas, cogerse un pie) y se lleva a cabo sobre todo en el período sensoriomotor.

80-a

Hacia los 7 años el niño accede a las operaciones (transformaciones reversibles que tienen lugar en un objeto o conjunto de objetos). El pensamiento operacional implica: descentración (considerar las transformaciones de un objeto prescindiendo del propio punto de vista) conservación (la cantidad o volumen se mantienen aunque varíe la forma de presentación) reversibilidad, operación contraria a la conservación.

81. La etapa del ciclo vital en la que se produce un importante incremento en la toma de conciencia e interés por el propio cuerpo es:

a) La edad adulta.
b) La infancia.
c) La adolescencia.
d) La edad escolar.
e) La ancianidad.

82. En la adolescencia se suele acceder, dentro del desarrollo cognitivo de los individuos, a las operaciones formales. Defínalas:

a) Aquéllas que utilizan de una forma adecuada las operaciones mentales.
b) Aquéllas capaces de actuar sobre proposiciones y no sobre objetos reales.
c) Aquéllas capaces de exigir responsabilidades.
d) Aquéllas que capacitan el estudio.
e) Aquéllas que posibilitan la manipulación del medio.

83. Un fenómeno biológico previsto en el código genético, que sólo cuando alcanza un nivel crítico afecta al funcionamiento psicológico y que en su vertiente social depende de la consideración que le otorgue cada sociedad concreta, se denomina:

a) Infancia.
b) Adolescencia.
c) Etapa Adulta.
d) Ancianidad.
e) Etapa Escolar.

84. La Enfermería psicosocial como disciplina hace referencia a:

a) Una nueva especialidad.
b) La salud mental.
c) La intervención enfermera con marginados.
d) El conocimiento de los aspectos psicológicos de los cuidados y su sistematización.
e) El papel del colectivo enfermero en la sociedad.

85. Es sobradamente conocida la influencia del comportamiento (estilo de vida) en la salud, de tal manera que algunos autores le han dado el nombre de inmunógeno y/o patógeno conductual. El estudio empírico más conocido sobre esto se debe a:

a) Matarazzo (80).
b) Lazarus y Folkman (84).
c) Belloc y Breslow (72).
d) Friedman y Rosenman (74).
e) Kobasa (79).

86. La evaluación cognitiva o ambiente percibido es una variable considerada por Moos (en su modelo socioecológico de salud) como:

a) Variable independiente.
b) Variable dependiente.
c) Una variable organísmica independiente.
d) De las variables incluidas en el sistema ambiental como medio físico.
e) Una variable de respuesta o resultado.

87. El modelo conceptual de enfermería que mejor recoge la perspectiva psicosocial del hombre, como un sistema en interacción con otros se debe a:

a) I. King.
b) V. Henderson.
c) D. Orem.
d) H. Peplau.
e) C. Roy.

88. El conocimiento por parte de las enfermeras/os del proceso de socialización de los individuos es importante:

a) Sobre todo al programar el alta de un paciente y el impacto en la familia.
b) Porque ayuda a comprender el comportamiento de las personas en relación con el autocuidado, la salud y la enfermedad.
c) Principalmente cuando hay que hacer una encuesta en una investigación.
d) A la hora de valorar las redes de apoyo.
e) Porque informa de la estructura social en que se encuentra inmerso.

81-c

Una de las características fundamentales de la etapa es el impacto de las transformaciones físicas que ocurren en su transcurso, lo que unido al excesivo «culto a la imagen» de nuestra cultura contribuye a que el interés por la apariencia física sea mayor en esta etapa que en ninguna otra.

82-b

Suponen el estado más avanzado del desarrollo intelectual: el pensamiento abstracto. Se basa en proposiciones lógico-matemáticas y en la resolución de problemas.

83-d

Conforme se ha definido es un fenómeno biopsicosocial, durante el cual se producen determinados cambios físicos que, salvo en caso de enfermedad, no afectan al nivel psicológico debido a la enorme plasticidad del cerebro humano, a la experiencia acumulada y a la existencia de un medio estimulante.

84-d

Los aspectos psicológicos de los cuidados siempre se han tenido en cuenta pero de forma desorganizada e intuitiva. Se pretende con los conocimientos que aporta esta disciplina, ayudar a su sistematización e inclusión en el plan de cuidados, como cualquier otra actividad.

85-c

La investigación llevada a cabo por Belloc y Breslow en la población de Alabama (California) que relacionaba sueño, ejercicio, alimentación y tóxicos con supervivencia.

86-c

De las distintas variables de que según el modelo de Moos (79) depende la salud (ambientales, organismo, etc.), ésta hace referencia a la importancia que tiene la percepción individual del ambiente y que predomina sobre la realidad física del mismo.

87-a

Esta autora considera la persona como un sistema (personal) en interacción dinámica con otros (sistema interpersonal y social).

88-b

Se llama socialización al proceso mediante el cual el individuo adquiere valores, creencias, actitudes , etc., de su núcleo cultural básico. De ahí su importancia para comprender conductas tales como las de alimentación, higiene, preventivas (vacunaciones, revisiones), de enfermedad (búsqueda o no de ayuda, adhesión al tratamiento).

89. Los agentes de socialización más importantes son:

a) La familia.
b) La escuela.
c) La pandilla.
d) Los medios de comunicación.
e) Todos los agentes citados son importantes.

90. ¿Cuál de los siguientes agentes se considera más eficaz en su empeño de socializar al individuo?:

a) La pandilla.
b) La escuela.
c) La comunidad.
d) La familia.
e) Los medios de comunicación.

91. Los valores, que se consideran fundamentales para la integración social del individuo, son frecuentemente fuente de conflictos por:

a) La dificultad de su transmisión o aprendizaje.
b) Su carga etnocéntrica.
c) Su carácter universal.
d) Las diferencias generacionales.
e) Su variedad, tantos como culturas.

92. Mediante las normas la sociedad pretende lograr en el sujeto actitudes favorables hacia los valores predominantes (la salud, la vida, etc.). En este contexto la anomia es:

a) La ausencia de normas.
b) Los obstáculos para que se cumplan.
c) La extensión de la norma o a quien abarca.
d) La pérdida de valor/vigencia para el sujeto o su grupo.
e) Su carácter de uso o costumbre.

93. La anomia ha sido relacionada con:

a) El suicidio.
b) La marginación.
c) El suicidio, la inadaptación social y el malestar psicológico.
d) El terrorismo.
e) La forma más frecuente de adaptación social.

94. Las actitudes de un paciente frente a un problema de salud son:

a) Equiparables a comportamiento.
b) Fácilmente medibles.
c) Difíciles de cambiar.
d) Producto del ajuste de las creencias a la realidad.
e) Fáciles de modificar si se proporcionan los conocimientos necesarios mediante la información.

95. Cuando hablamos de que un comportamiento etnocéntrico puede dificultar la relación enfermera/paciente, nos estamos refiriendo a:

a) El no seguimiento del tratamiento por falta de conocimientos.
b) Falta de cooperación y motivación del paciente.
c) Una tendencia de los seres humanos, respecto a la cultura propia, que dificulta el entendimiento entre unos y otros.
d) Los efectos de la información deficiente.
e) Una forma autoritaria de expresar las instrucciones sobre el tratamiento.

96. Las creencias que según el modelo de Rosenstock (66) influyen en el comportamiento frente a la salud-enfermedad, se basan en:

a) La ideología y filosofía de la vida.
b) Fundamentalmente en la percepción de la amenaza contra la salud y la posibilidad de reducirla.
c) La religión.
d) La seguridad de que la enfermedad tiene un origen multicausal.
e) La importancia de los estilos de vida en la salud.

97. Uno de los conceptos siguientes no forma parte de los que se consideran conceptos relevantes para entender el sistema personal según I. King. Señálelo:

a) Imagen corporal.
b) Percepción.
c) Rol.
d) Espacio.
e) Tiempo.

89-e

Agentes de socialización son aquellos individuos o grupos que intervienen en la conformación social del sujeto ayudándole a interiorizar el sistema de pautas culturales, los citados se consideran los más importantes y hay que tenerlos en cuenta porque dentro de las pautas que transmiten se encuentran las de la salud y su cuidado.

90-d

La eficacia de los agentes de socialización se evalúa conforme a tres criterios: más personal y afectiva sea su acción, se ejerza en edad más temprana y mayor sea su exclusividad o menos competidores tenga. La familia es la que mejor reúne todos los criterios.

91-b

El carácter etnocéntrico de los valores hace que cada individuo defienda los suyos como más importantes, olvidando que son relativos a un tiempo y espacio determinados y que además poseen una carga afectiva que priva de objetividad a tal juicio.

92-d

Se llama anomia no a la ausencia de normas, sino a la pérdida de vigencia de las mismas. Una persona puede encontrarse con que debido al cambio social, las normas que interiorizó ahora carecen de importancia.

93-c

La falta de valor o vigencia de las normas produce una desorientación social y extrañamiento en el individuo, relacionada en diferentes trabajos psicosociológicos con el suicidio, la inadaptación social (marginación, terrorismo), alienación y malestar psicológico (Durkheim, 1982).

94-c

Las actitudes no son comportamiento, se definen (entre otras cosas) como predisposición para la acción; de ahí la dificultad de su medición (generalmente el autoinforme) influida por la deseabilidad social. Sí son sin embargo muy difíciles de cambiar por su componente afectivo que no repara en la realidad o no del conocimiento.

95-c

El etnocentrismo es la tendencia de los seres humanos a considerar su cultura como la mejor. Esto puede dar lugar a que en los cuidados no se tengan en cuenta los valores culturales del paciente y se entre en conflicto con él.

96-b

El modelo de creencias de Rosenstock, parte de la idea del autor de que nuestras percepciones son más importantes que la realidad misma y en el caso de la salud-enfermedad el comportamiento va a depender, de la percepción de la amenaza (gravedad, vulnerabilidad propia, valores, etc.) y la posibilidad de reducirla (eficacia del tratamiento, coste-beneficio personal).

97-c

El concepto de rol forma parte de lo que dicha autora considera el sistema interpersonal, fundamental para entender la interacción.

98. El rol de enfermera/o tiene como característica:

a) Ser complementario.
b) Ser excluyente.
c) Poseer identidad clara.
d) Estar bien definido.
e) Ser nula la distancia de rol respecto de las expectativas.

99. Continuamente las enfermeras/os se quejan de no ocupar el lugar o status que les corresponde. Sociológicamente sabemos que el status está relacionado con:

a) El prestigio.
b) El rol.
c) El dinero.
d) La cultura.
e) La familia.

100. A la diferencia entre las expectativas de las enfermeras/os que consideran su papel cuidar, y las de aquéllos que la consideran ayudantes de otros, se llama:

a) Rol percibido.
b) Rol desempeñado.
c) Rol ideal.
d) Rol social.
e) Distancia de rol.

101. Cuando una supervisora al tener que criticar determinada actuación de una enfermera, se estresa y no sabe cómo hacerlo porque es su amiga, está ante:

a) Un conflicto de rol institucional.
b) Un conflicto de rol sociocultural.
c) Conflicto de rol derivado de un grupo.
d) Conflicto de rol individual.
e) Conflicto de rol por no definición.

102. Los individuos ocupan distintos status (lugares) en función de determinadas variables. ¿Cuál de las siguientes hace referencia al concepto de status adquirido?:

a) Edad.
b) Sexo.
c) Esfuerzo personal.
d) Herencia.
e) Estado civil.

103. La no definición de las funciones de enfermería, tanto individual como colectivamente, está facilitando:

a) El intrusismo.
b) Que dejen de realizar actividades propias.
c) Que no se puedan exigir responsabilidades.
d) Que realicen actividades de otros.
e) El conflicto de rol.

104. Una de estas afirmaciones es falsa respecto a lo que entendemos por sistema abierto. Señálela:

a) Permite intercambios con el entorno.
b) Alcanza el final propuesto independientemente de las condiciones iniciales.
c) Se da entropía en su seno.
d) No disminuye la calidad de su energía.
e) Presenta cierta voluntad propia.

105. Las consideraciones sobre los grupos humanos y procesos que en ellos se producen interesan a las enfermeras/os por:

a) La evidencia de que todos los individuos (ellas mismas) se desarrollan y comportan en los grupos.
b) La influencia del grupo en el comportamiento.
c) La necesidad de contar con ellos a la hora de intervenir (familia, redes de apoyo).
d) La importancia del conocimiento de los procesos grupales para el trabajo en equipo.
e) Todo lo anterior.

106. De las siguientes afirmaciones, ¿cuál es la principal para definir un grupo psicológico y distinguirlo de otros colectivos?:

a) Compartir motivaciones y metas.
b) Definirse a sí mismos como miembros de un grupo y ser definidos así por otros.
c) Mantener interacciones cara a cara.
d) Compartir normas establecidas.
e) Sostener relaciones de trabajo.

107. De los distintos grupos en los que el individuo se desenvuelve. ¿Cuál o cuáles tienen más influencia en su comportamiento?:

a) Los grupos de referencia.
b) De pertenencia.
c) Educativos.
d) Religiosos.
e) De trabajo.

98-a

Se llama rol complementario al que exige una relación de rol simétrica, es decir, no puede darse sin otro (profesor-alumno) y esto condiciona la ejecución.

99-b

Se considera que la dinamización del status se hace a través del rol o papel que el individuo desempeña, a cada status le corresponde un rol y de éste depende igualmente la valoración social.

100-e

Cuando entre la ejecución de rol de una persona y las expectativas de aquéllos con los que se relaciona respecto al mismo (rol) hay divergencias o diferencias se da la distancia de rol, lo ideal para evitar conflictos es que sea nula.

101-d

Un conflicto de rol individual ya que no hay ninguna razón, fuera de la persona, que determine la incompatibilidad entre supervisión y amistad, salvo el no elegir claramente el rol principal.

102-c

El status puede ser adscrito y adquirido, este último es el que se ocupa en función del esfuerzo personal no porque se haya heredado o recibido.

103-e

El conflicto de rol por no definición del mismo, que abarca todo lo demás (que hagan cosas de otros y dejen las propias, que tengan problemas con otros por ello, e incluso con uno mismo).

104-c

La entropía consiste precisamente en el deterioro que aparece en los sistemas cerrados al no llevar a cabo intercambios con el entorno.

105-e

La enfermera/o por su profesión debe conocer las distintas formas de relación y éstas se dan en los grupos, a los que todos pertenecemos y cuya influencia va conformando los valores, creencias, etc. que orientan la conducta. Además cuidar es prácticamente imposible en solitario.

106-b

Lo que fundamentalmente define a un grupo es la creencia compartida por sus miembros de serlo y se expresa en la palabra nosotros. Las otras condiciones pueden darse en muchas situaciones, basta compartir un espacio y la misma cultura.

107-a

El grupo de referencia es aquél que el individuo elige por compartir sus valores y normas, el que señala el patrón de comportamiento con el que se compara. Los otros citados pueden ser de referencia o pertenencia (grupos en los que la adscripción es involuntaria y cuya influencia es menor e incluso contraproducente).

108. Por lo que sabemos del liderazgo hasta hoy, el mejor líder es el que lo ejerce:

a) Centrado en el trabajo.
b) Centrado en las relaciones y los sentimientos.
c) Dejando hacer.
d) Adoptando una forma u otra según las situaciones.
e) De forma autoritaria.

109. La necesidad del liderazgo se ha demostrado:

a) Siempre.
b) En situaciones de crisis.
c) No, si cada uno sabe lo que ha de hacer.
d) En tareas complejas.
e) Son ciertas b y d.

110. La teoría de la Dinámica de Grupo, se ha mostrado de gran eficacia en el trabajo con la comunidad y los recursos de apoyo (redes). ¿Quién fue su autor?:

a) K. Lewin.
b) J.L. Moreno.
c) W. Reich.
d) S. Freud.
e) M. Berne.

111. El análisis de la estructura de un grupo se hará en base a:

a) El número de miembros.
b) Tipo de interacciones.
c) Generalmente, la posición de los miembros y roles que desempeñan.
d) La cohesión.
e) Los conflictos entre sus miembros.

112. Diversos trabajos han demostrado que los grupos socialmente deprimidos, tienen una orientación médica que se caracteriza por:

a) La acumulación de medicamentos.
b) Desconfiar de los equipos de salud.
c) Preocuparse por las causas de la enfermedad.
d) Acudir tarde en busca de ayuda.
e) Lo que se afirma en b y d.

113. Para que una red social sea considerada como un recurso de apoyo a las personas que se enfrentan a un situación de estrés, es preciso que:

a) Esté organizada.
b) Sea percibida como tal por el sujeto.
c) Tenga experiencia en situaciones semejantes.
d) Entre sus objetivos esté ayudar.
e) Tenga entre sus miembros algún experto.

114. ¿Quién cree que cumple mejor el criterio de grupo de autoayuda en lo que se refiere a una mastectomía?:

a) La Asociación Española contra el Cáncer.
b) La Asociación de Mujeres con Cáncer de Mama.
c) El grupo de mujeres de la asociación de vecinos.
d) El grupo de amigas.
e) La familia.

115. Cuando la familia cumple su función como red de apoyo natural en la enfermedad, lo hace fundamentalmente:

a) Amortiguando los efectos del estrés.
b) Compartiendo los sentimientos del paciente.
c) Ayudando al personal sanitario.
d) Reforzando la autoestima del paciente.
e) Lo que se afirma en a y d.

116. Para la familia una crisis de tipo situacional puede ser:

a) La escolarización de los hijos.
b) La jubilación del padre o madre.
c) La entrada en la etapa adolescente de uno de sus miembros.
d) La hospitalización de la madre.
e) La emancipación de los hijos.

117. Las paradojas y el doble vínculo referidos al proceso de comunicación en el sistema familiar, hacen referencia a:

a) Una forma de comunicación interna.
b) Una forma de comunicación abierta.
c) Tipos de comunicación alterada.
d) Un modelo de comunicación autoritaria.
e) Mensajes claros y definidos.

108-d

Se ha polemizado mucho sobre los estilos de liderazgo y su eficacia, las investigaciones al respecto han sido contradictorias (menos en el caso de dejar hacer que claramente es ineficaz). Hoy se habla de liderazgo situacional o líder capaz de utilizar un estilo u otro según las situaciones (normalidad, emergencia, etc.).

109-e

El liderazgo no es necesario en tareas sencillas, que cualquiera puede hacer. Sí lo es en el caso de tareas complejas donde aparece la tendencia a elegir un líder que conduzca al grupo, distribuya roles, etc. Así mismo, los momentos de crisis favorecen la aparición de subgrupos (camarillas) que dificultan la consecución del objetivo y precisan un líder fuerte que devuelva la estabilidad.

110-a

Este autor considera el grupo como un campo de fuerzas que actúan en relación a un todo e influyen sobre los distintos elementos (miembros) que operan dentro de dicho campo. La terminología clave (extrapolada de la Física) es locomoción, cohesión, vector, valencia, etc. Los demás autores citados han investigado sobre el grupo desde otras orientaciones.

111-c

La mayoría de los autores coinciden en que el análisis de la estructura de un grupo se hará en base a los aspectos de: status, roles, liderazgo, normas, comunicación y poder (liderazgo, comunicación y poder se subsumen en los dos primeros).

112-e

De las investigaciones sobre clase social y comportamiento de salud-enfermedad se deduce que los grupos socialmente deprimidos: desconfían de los equipos de salud por lo que buscan ayuda no profesional y llegan al sistema demasiado tarde, se automedican y se preocupan más por el alivio de los síntomas que las causas de la enfermedad.

113-b

El modelo transaccional de estrés deja clara la importancia de la percepción del sujeto frente a una situación estresante (analiza las demandas de la situación y los recursos de que dispone para hacerla frente). Luego es fundamental que la red sea percibida como apoyo por el sujeto. Esta percepción es por otra parte la diferencia más clara entre red social y red de apoyo.

114-b

Los grupos de autoayuda están constituidos por individuos (amigos o no) que comparten un mismo problema de salud y aportan información sobre cómo ellos han superado la crisis, facilitando la adaptación (permiten la expresión de sentimientos y temores que a menudo se ocultan a las personas cercanas).

115-e

Distintos estudios han confirmado, que las personas que disponen de apoyo familiar eficaz, soportan mejor la crisis y el impacto del estrés es mucho menor. También la familia es la que está en la mejor situación para hacerle sentirse importante y necesario y así reforzar la valoración positiva de sí mismo a veces disminuida por la depresión y el comportamiento del personal de salud.

116-d

Las crisis situacionales están constituidas por sucesos estresantes que la mayoría de las veces no pueden anticiparse y ocurren de forma rápida y accidental. Las demás citadas son crisis evolutivas, o las que se producen durante los períodos de transición y maduración de las personas, que aunque producen estrés, se puede anticipar y entrenar.

117-c

En el proceso de interacción familiar se llama comunicación paradójica o de doble vínculo, aquélla en que se envían mensajes contradictorios; ante una situación determinada, la otra persona envía dos mensajes distintos, lo que uno afirma, está negado por el otro (hablar de cariño y con el cuerpo mostrar rechazo).

118. Cuando la enfermera ante el dilema de quién acompañará al paciente, sugiere «...en estos casos sería conveniente pensar si hay alguna persona con la que él se encuentra más cómodo». Actúa:

a) Excediéndose en sus funciones.
b) Valorando las habilidades sociales.
c) Tratando de explorar las relaciones familiares.
d) Ayudando a identificar las personas significativas que pueden proveer apoyo.
e) Suplantando el rol de otros.

119. Uno o varios de estos factores pueden influir en el abuso o violencia familiar que en muchos casos requiere cuidados en los servicios de salud. Señálelas:

a) Comunicación alterada.
b) Falta de habilidades para afrontar los problemas o crisis.
c) Déficits de recursos o redes de apoyo.
d) Factores externos como desempleo, pobreza...
e) Todas ellas.

120. El modelo transaccional de estrés se debe a:

a) Selye, 1956.
b) Las teorías psicoanalíticas sobre la ansiedad.
c) Lazarus y Folkman, 1984.
d) Holmes y Rahe, 1967.
e) Labrador, 1992.

121. A la forma en que los individuos responden al estrés la conocemos como:

a) Mecanismos de defensa.
b) Estilos cognitivos.
c) Respuestas adaptativas.
d) Estrategias de afrontamiento.
e) Mecanismos fisiológicos de adaptación.

122. Las llamadas estrategias de afrontamiento «paliativas» están encaminadas a:

a) La solución del problema.
b) Reducir la emoción o activación.
c) Búsqueda de información.
d) Controlar la situación estresora.
e) La búsqueda de recursos.

123. Como enfermera/o, se puede encontrar muchas veces con la negación como estrategia de afrontamiento. La considerará ineficaz:

a) Dependiendo del tipo de negación y el contexto.
b) En todas las enfermedades.
c) En las enfermedades incurables.
d) En ningún caso.
e) Siempre.

124. El patrón de conducta tipo A es:

a) Responsable directo del infarto de miocardio.
b) Un factor predisponente en la enfermedad cardio-coronaria.
c) Considerado por el psicoanálisis como regulador de los mecanismos de defensa.
d) Una de las distintas manifestaciones de la ansiedad.
e) Un conjunto de atributos psicológicos bien identificado.

125. La personalidad tipo A se considera un factor de riesgo en la enfermedad cardio-coronaria. ¿Cuál de las siguientes afirmaciones describe mejor las características del comportamiento de tipo A?:

a) Respuesta tranquila y sin emoción al enfado.
b) Respuesta explosiva de enfado y hostilidad.
c) Reacción de hostilidad e ira contenida.
d) Conducta de alimentación desordenada y rica en grasas.
e) Desorganización y sentido de urgencia del tiempo.

126. Cuando las enfermeras dicen que la "moral alta" del paciente influye en su recuperación, están equiparando moral alta y:

a) Optimismo.
b) Empatía.
c) Autoestima.
d) Afrontamiento activo.
e) Capacidad e inteligencia.

118-d

Uno de los objetivos de enfermería con respecto a la exploración de las redes de apoyo es ayudar a identificar las personas-recurso y forma parte de la intervención en los aspectos psicológicos de los cuidados.

119-e

Esto y en general todos los que se consideran factores de riesgo en la valoración del estrés familiar, pobreza, desempleo, racismo, sexismo, padres adolescentes, etc.

120-c

En dicho modelo los autores sostienen que la respuesta de estrés depende tanto del estímulo o situación estresante (estresor), como de la percepción del individuo de que dispone de recursos para afrontarla o no.

121-d

También afrontamiento o respuesta de afrontamiento y pueden estar influidas por los estilos cognitivos, ser o no adaptativas en el sentido de eficacia y poner en marcha determinados mecanismos fisiológicos.

122-b

Lazarus y Folkman (84), distinguen entre estrategias de afrontamiento centradas en el problema y/o en la emoción (paliativas). Estas últimas encaminadas a reducir la emoción en aquellas situaciones en que el problema no puede resolverse (muerte de un ser querido).

123-a

Ninguna estrategia es ineficaz en sí misma, depende de la persona y el contexto. Así, en la negación depende de aquello que es negado, la situación en que ocurre y el individuo que la presenta. Puede ser eficaz cuando no hay nada que pueda hacerse contra la amenaza o también negar algún aspecto de la misma, no es lo mismo negar que una persona tiene cáncer, que negar que cáncer sea igual a muerte, etc.

124-b

El patrón de conducta tipo A (definido por Rosenman y Friedman, 1974), fue reconocido por el National Institute for Heart, Lung and Blood de los EE.UU. en 1981 como un factor de riesgo de aparición de enfermedad cardio-coronaria.

125-c

Las últimas investigaciones demuestran que de los distintos componentes del patrón de conducta tipo A (impaciencia, hostilidad, forma explosiva de hablar, competitividad, etc.), son los de hostilidad e ira contenida lo más relacionados con la hiperreactividad cardiovascular y por tanto con la enfermedad.

126-d

De las investigaciones sobre estrés y enfermedad, conocemos que un estilo de afrontamiento activo se reflejará en conductas de lucha que a su vez aumentan la activación del sistema inmunitario y naturalmente, esto facilitará la recuperación.

127. De lo que se conoce sobre estrés y enfermedad, las intervenciones de enfermería irán encaminadas fundamentalmente a:

a) Evitar a los sujetos los estímulos estresores.
b) Enseñarles a reconocer estrategias de afrontamiento ineficaces y a emplear otras alternativas.
c) Fomentar las posibles redes de apoyo.
d) Entrenarles en solución de problemas.
e) Enseñarles a reconocer los estímulos estresores y escapar.

128. El criterio más utilizado para diferenciar la definición de dolor crónico del agudo es:

a) La intensidad.
b) La frecuencia.
c) Los aspectos psicológicos, de más influencia en el dolor crónico.
d) La mejor tolerancia del dolor crónico.
e) La duración.

129. En la observación del dolor (como en otras conductas) la evaluación se hará atendiendo a:

a) El triple sistema de respuesta conductual: emoción, pensamiento y conducta externa.
b) Los aspectos de creencias.
c) Los componentes fisiológicos.
d) El estímulo nociceptivo.
e) La situación del paciente.

130. Diferentes investigaciones demuestran que ante el dolor una prescripción del tipo analgésico, si precisa, disminuye su utilización en un porcentaje considerable dependiendo de los trabajos. Esto demuestra por parte del personal sanitario:

a) Conocimiento de la peligrosidad del fármaco.
b) Preocupación por las conductas adictivas.
c) Convencimiento de que el dolor es manejable.
d) La existencia de prejuicios.
e) Haber tenido experiencias desafortunadas.

131. Cuando se equipara intensidad de lesión y magnitud de dolor, realmente se está haciendo referencia a:

a) Dolor físico.
b) Dolor psicógeno.
c) Nocicepción.
d) Dolor crónico.
e) Dolor agudo.

132. Los procedimientos más utilizados en la evaluación del dolor son:

a) La entrevista.
b) Cuestionarios.
c) Autorregistros.
d) Escalas visuales analógicas.
e) Autoinformes.

133. El tratamiento deficiente del dolor infantil neonatal respecto del adulto ha estado basado fundamentalmente en uno de estos supuestos. Señálelo:

a) La dificultad de calcular la dosis.
b) El miedo a los efectos secundarios.
c) Hay que enseñarles a ser fuertes.
d) Su inmadurez neurofisiológica (el niño tan pequeño no siente dolor).
e) La complejidad de la medición.

134. El objetivo principal de la relación terapéutica o de ayuda es:

a) Informar al paciente sobre su enfermedad.
b) Enseñar al paciente los cuidados que requiere su problema de salud.
c) La adhesión al tratamiento y satisfacción del paciente.
d) Que la enfermera se sienta bien al lograr la confianza del paciente.
e) Conseguir que el paciente admita sin discutir las medidas que se proponen.

135. El modelo de enfermería que más profundiza en la relación enfermera/paciente pertenece a:

a) I. King.
b) H. Peplau.
c) V. Henderson.
d) C. Roy.
e) M. Rogers.

136. La relación Personal de Salud/Enfermo (PS/E), por su importancia ha sido objeto de investigación en las Ciencias Psicosociales. En este contexto el enfoque de los roles de Parsons (75) es un modelo:

a) Específico.
b) Que explica el comportamiento del personal de salud (PS) y su influencia sobre el paciente (E).
c) Que incide en el carácter conflictivo de la relación.
d) General descriptivo.
e) Que destaca el papel de la comunicación.

127-b

Esta alternativa contiene la filosofía de «no le des un pez, enséñale a manejar la caña», pues no podemos aislarle en todos los estresores posibles, ni siempre lo mejor es escapar o los problemas son solucionables.

128-e

Hasta hoy, el criterio para la definición de uno y otro es que dure más de 6 meses, en el caso de dolor crónico y menos de ese tiempo en el agudo.

129-a

El triple sistema de respuesta nos dará a conocer no sólo las conductas observables de queja, retirada, sudoración, etc., sino también los sentimientos y pensamientos del sujeto que están en relación con sus creencias y preocupaciones.

130-d

La existencia de prejuicios derivados de su propia cultura y del desconocimiento en el campo del dolor y la analgesia, pues cada día se conoce más sobre la especificidad y tolerancia de este tipo de fármacos y es más claro el concepto de dolor como experiencia subjetiva única.

131-c

Al concepto de nocicepción, como el nivel más bajo de la jerarquía en la experiencia de dolor, según la clasificación de Loeser (80) (recogida en Penzo, 1989) fundamental para evitar la confusión en este campo.

132-b

Al autoinforme pertenecen todas las medidas señaladas, ya que es el paciente el que informa en la entrevista, cuestionario, etc. Por otro lado es lógico dado el carácter subjetivo de la experiencia (sin embargo no se puede perder de vista el problema de la validez y fiabilidad en este tipo de medidas).

133-d

Hasta hace pocos años, se sostenía que el recién nacido y lactante no tenía la suficiente maduración neurofisiológica para sentir dolor, cuestión hoy ya superada. Los otros supuestos señalados son prejuicios que también dominan el tratamiento del dolor en los adultos.

134-c

La relación enfermera-paciente, es considerada como un proceso de influencia social, en el que a través de la interacción se pretende obtener la resolución del problema de salud. Indudablemente esto no se logrará si el paciente no lleva a cabo las medidas propuestas, al no estar satisfecho o convencido, por muy bien que se le enseñe o se le informe.

135-b

La obra de Peplau «Relaciones Interpersonales en Enfermería». 1990 (original, «Interpersonal Relations in Nursing,» 1952) ha sido uno de los primeros pasos para comprender la importancia de la interacción en las situaciones de enfermería y el valor de la relación como instrumento terapéutico.

136-d

El modelo de los roles de Parsons (75) ha sido criticado por su carácter general (falta de especificidad): se limita a describir los papeles de cada uno (PS/E) pero no dice qué conductas de uno producen qué cambios en la conducta del otro. Al mismo tiempo, considera que la base de la relación es la confianza mutua, lo cual es muy discutible en la experiencia.

137. Uno de los aspectos específicos de la relación PS/E investigados ha sido el poder social que el profesional ejerce. ¿Cuál es según los autores el más eficaz?

a) Coercitivo.
b) De recompensa.
c) Referente.
d) De experto.
e) Ninguno.

138. Las fases de la relación enfermera-paciente según H. Peplau son:

a) Identificación, explotación, orientación, resolución.
b) Orientación, identificación, explotación, resolución.
c) Extraños, identificación, orientación, resolución.
d) Aceptación, orientación, identificación, resolución.
e) Negación, orientación, identificación, resolución.

139. De los trabajos realizados sobre qué variables de la relación personal de salud/paciente influyen más directamente en el grado de cumplimiento de las instrucciones para el tratamiento, se reconocen como más importantes:

a) Nivel socioeconómico.
b) Comunicación eficaz.
c) Factores culturales.
d) Implicación o tono afectivo.
e) Las que se señalan en b y d.

140. Al ser dado de alta un paciente, la enfermera encargada de darle las instrucciones sobre el tratamiento deberá tener en cuenta que:

a) Los enfermos recuerdan peor los datos sobre diagnóstico y pruebas.
b) Cuantos más datos tenga sobre el proceso mejor recordará las instrucciones.
c) Deberá estructurar la información para que se recuerden mejor las instrucciones.
d) Hay que repetirle toda la información machaconamente.
e) Bastará darle el informe por escrito.

141. Cuando un paciente pregunta insistentemente "qué es lo que me pasa" a todos los miembros del personal sanitario que entran en su habitación, lo hace porque:

a) No comprende lo que se le explica debido a su ignorancia.
b) Pretende obtener atención.
c) Rechaza el mensaje (negación).
d) Ha detectado alguna incongruencia y pretende contrastarla.
e) Se ha convertido en una rutina que no hay que reforzar.

142. Para el paciente que ingresa y su familia el Hospital es un estresor:

a) En sí mismo.
b) Sólo si se acude porque el problema es grave.
c) Exclusivamente si supone consecuencias dolorosas (cirugía, curas).
d) Principalmente por el aislamiento y separación del ambiente cotidiano.
e) Únicamente cuando se ingresa para clarificar el diagnóstico, por la incertidumbre.

143. Una de las reacciones emocionales consideradas normales en el duelo de los pacientes terminales puede verse agravado en los pacientes de SIDA. Identifíquela:

a) Adaptación.
b) Ansiedad.
c) Hostilidad.
d) Soledad.
e) Desesperanza.

144. Una de las intervenciones más recomendadas, de apoyo emocional al paciente, es permitirle expresar sus sentimientos. De las frases siguientes, ante un paciente que ve inquieto y callado, ¿Cuál podría decirse que lo hace?:

a) «Pero si está mejor porque...».
b) «Lo que debe hacer es alegrar...».
c) «Es mejor que deje de preocuparse...».
d) «Sé como se siente y...».
e) «¿Le preocupa algo? Parece inquieto...».

137-c

Los modelos que investigan aspectos específicos de la relación PS/E, más útiles porque señalan conductas concretas (comunicación, afecto, obediencia, etc.) respecto del poder, consideran más eficaz para obtener la adhesión al tratamiento, el referente o basado en la atracción mutua. Los tipos de premio, castigo o experto (el que da el conocimiento) pueden ejercer un efecto contradictorio según las personas y fases de la relación.

138-b

En la relación enfermera-paciente según Peplau se consideran cuatro etapas interrelacionadas, Orientación, Identificación, Explotación y Resolución. En cada una de ellas se definen las tareas y papeles a desempeñar por la enfermera para resolver las dificultades conjuntamente con el enfermo.

139-e

De estudios empíricos realizados sobre doscientas variables, se ha llegado a la conclusión de que las que más directamente influyen en la adhesión al tratamiento son: naturaleza de la enfermedad, naturaleza del tratamiento e interacción personal de salud/paciente y de esta última la eficacia de la comunicación (claridad, orden, etc.) y el tono afectivo (interés del profesional).

140-c

De los trabajos de Ley y Spelman (1967) sobre el problema del recuerdo de las instrucciones, y su repercusión en el tratamiento, se sabe hoy que hay que estructurar la información de acuerdo con las leyes de la memoria: nº de datos, recuerdan mejor lo que se dice primero y ellos consideran más importante (diagnóstico y pruebas), etc.

141-d

En investigaciones sobre el proceso de comunicación entre el personal sanitario y los pacientes se ha encontrado que cuando el paciente detecta indicios no verbales (no mirar, inquietud) de que se le está engañando, pregunta a todos para lograr filtrar la verdad.

142-a

De las investigaciones realizadas se desprende que el Hospital es un estresor en sí mismo, debido a su organización compleja, distintas fuentes de poder (profesional-administrativo), tecnificación, los problemas de comunicación entre los grupos profesionales y de éstos con el paciente, éste se siente despersonalizado y piensa que está hecho para los que trabajan en él.

143-d

El carácter de estigma de la enfermedad provoca actitudes de rechazo y marginación, de la población general y en ocasiones del propio personal sanitario (son considerados merecedores de lo que los pasa y menos dignos de simpatía que otros). Esto puede repercutir en alteraciones de la necesidad de seguridad (sentirse abandonados, estar solos, etc.).

144-e

Es una pregunta abierta que permitirá al paciente expresar cualquier aspecto referido al problema, sentimientos, etc. No puede Vd. saber como se encuentra porque no es él, y los consejos y sugerencias sirven de poco en cuanto a sentimientos.

145. El síndrome de los cuidados intensivos o síndrome de UCI hace referencia a:

a) Las alteraciones de percepción sensorial que sufren estos pacientes.
b) La situación de riesgo vital en estas unidades.
c) La falta de bienestar por los catéteres, sondas, etc.
d) La frialdad del ambiente por la tecnificación.
e) Las alteraciones del patrón de sueño.

146. En la fase de aceptación (Kubler-Ross, 1989) de la enfermedad terminal (duelo) el tipo de respuesta predominante y al que la enfermera ha de hacer frente es:

a) Agresividad.
b) Mirada hacia sí mismo y comunicación no verbal.
c) Llanto
d) Incredulidad.
e) Contacto con líderes religiosos y actitud sumisa.

147. Frecuentemente oirá hablar de la necesidad de ofrecer alternativas al paciente, ante una situación de conflicto personal/familiar en relación con los cuidados. Es necesario que para ello la enfermera esté entrenada en:

a) Procedimientos de distracción.
b) Asertividad.
c) Conocimiento de todas las situaciones posibles.
d) Habilidad para informar eficazmente.
e) Resolución de problemas.

148. En los pacientes sometidos a intervenciones quirúrgicas que conlleven algún tipo de mutilación, explorará específicamente en la fase de valoración la existencia de:

a) Dolor.
b) Ansiedad.
c) Trastornos de la imagen corporal.
d) Falta de conocimientos.
e) Temores en relación con la anestesia.

149. El cuidado de los aspectos psicológicos, que facilitan la reducción del estrés y la ansiedad en pacientes sometidos a cirugía, se llevará a cabo:

a) En intervenciones quirúrgicas voluntarias.
b) Siempre.
c) En intervenciones quirúrgicas involuntarias.
d) En intervenciones quirúrgicas programadas.
e) En intervenciones quirúrgicas de urgencia.

150. En los programas para reducir el estrés y la ansiedad en cirugía (que han demostrado influir en una recuperación más rápida). Se utiliza preferentemente el entrenamiento en:

a) Solución de problemas.
b) Inoculación de estrés.
c) Relajación.
d) Autoinstrucciones positivas.
e) Parada de pensamiento.

145-a

Se conoce con el nombre de síndrome de UCI a un estado que cursa con alteraciones de la conciencia (desorientación), de la sensopercepción (pseudoalucinaciones), contenidos del pensamiento (delirios) y cambios en la afectividad (depresión o euforia) debido a la deprivación o exceso de estímulos ambientales.

146-b

Según Kubler-Ross en sus trabajos sobre duelo y pacientes terminales, los distintos patrones de respuesta del enfermo van marcando una serie de etapas: negación, ira, negociación, depresión y aceptación. Esta última, que en algunas personas no se produce, se caracteriza por el predominio de la comunicación no verbal y necesidad de intimidad.

147-e

La resolución de problemas es un procedimiento cognitivo-conductual, que entrena para que en una situación conflictiva, la persona identifique el problema, halle la causa, genere el mayor número de alternativas posibles, considere las ventajas y desventajas de cada opción, elija una y planifique.

148-c

Generalmente una característica específica de este tipo de intervenciones, es la aparición de alteraciones en el concepto de autoimagen, que pueden repercutir en la autoestima y autoconcepto. Los otros aspectos señalados se explorarán en todos los pacientes sometidos a cirugía.

149-b

La percepción de amenaza o daño puede ser estresante en todos los casos, así como la aparición de emociones como ansiedad y temor, por eso la intervención habrá que hacerla siempre, lo único que varía es el momento, que en el caso de las intervenciones de urgencia, queda reducido a la fase postoperatoria.

150-b

El entrenamiento en inoculación de estrés abarca todas las técnicas psicológicas señaladas.

5 FARMACOLOGIA CLINICA

1. Indica cuál de los siguientes factores influye en la velocidad de absorción de un fármaco:

a) Peso molecular.
b) Coeficiente de reparto lípido/agua.
c) Forma farmacéutica.
d) Presencia de aditivos y excipientes.
e) Todas son ciertas.

2. En la inhibición enzimática del metabolismo de un fármaco, se produce:

a) Disminución de su absorción.
b) Disminución de su volumen de distribución.
c) Un incremento de su vida media.
d) Una disminución brusca de su actividad farmacológica.
e) Un aumento de su constante de eliminación.

3. Las siguientes afirmaciones respecto a la unión de un fármaco a proteínas plasmáticas son ciertas, exceptuando:

a) Cuando la unión es muy intensa la absorción es mayor por vía oral que por vía intramuscular.
b) El fármaco unido a proteínas plasmáticas es inactivo, estando en equilibrio con el fármaco en estado libre.
c) Aumenta el volumen de distribución.
d) Disminuye la filtración glomerular.
e) Prolonga el efecto farmacológico.

4. Siempre que se mantenga constante el volumen de distribución de un fármaco, la constante de eliminación se relaciona directamente con:

a) Vía de administración .
b) Forma farmacéutica.
c) Aclaramiento.
d) Intervalo entre dosis.
e) Fijación a proteínas plasmáticas.

5. Indica cuál de los procesos siguientes dará lugar a una reducción del volumen de distribución de un fármaco:

a) Edemas.
b) Derrame pleural.
c) Ascitis.
d) Embarazo.
e) Obesidad.

6. En una infusión intravenosa continua mantenida, la concentración en estado de equilibrio estacionario depende de:

a) Dosis administrada en la unidad de tiempo y aclaramiento.
b) Dosis administrada e intervalo entre dosis.
c) Aclaramiento y volumen de distribución.
d) Volumen de distribución y aclaramiento.
e) Intervalo entre dosis y aclaramiento.

7. Al administrar conjuntamente dos fármacos se produce una potenciación del efecto farmacológico, por:

a) Inhibir su absorción.
b) Impedir su entrada en depósitos específicos en los que permanece secuestrado.
c) Aumentar sus enlaces a proteínas plasmáticas.
d) Inducir su biotransformación.
e) Aumentar su aclaramiento.

8. Al administrar un fármaco aparece tolerancia farmacocinética cuando hay:

a) Inducción enzimática sobre su propio enzima biotransformante.
b) Inhibición enzimática competitiva sobre su propio enzima biotransformante.
c) Inhibición no competitiva sobre su metabolismo.
d) Aumento de su absorción.
e) Aumento de su volumen de distribución.

9. No es cierto que por causa de la administración subcutánea de adrenalina se produzca una de las siguientes acciones farmacológicas:

a) Aumento de la excitabilidad de células cardíacas.
b) Aumento de la contractilidad cardíaca.
c) Aumento de la presión arterial sistólica.
d) Disminución el período refractario.
e) Disminución del volumen minuto.

10. De los fármacos citados a continuación cuál se administra preferentemente como broncodilatador:

a) Butoxamina.
b) Propanolol.
c) Timolol.
d) Salmeterol.
e) Oxprenolol.

1-e

Tanto las características físico-químicas como las de la preparación farmacéutica influyen en la velocidad de absorción de los fármacos.

2-c

En la inhibición enzimática, tanto competitiva como no competitiva, da como resultado clínico un incremento de la vida media del fármaco que conlleva generalmente un aumento de la actividad farmacológica y la probabilidad de que se produzcan intoxicaciones.

3-c

Un fármaco unido a proteínas no atraviesa las barreras fisiológicas, limitando la difusión a los tejidos y, por tanto, reduciendo el volumen de distribución.

4-c

Si se mantiene constante el volumen de distribución de un fármaco, la velocidad de eliminación dependerá del aclaramiento del fármaco. Cuanto mayor sea la velocidad de eliminación mayor será su aclaramiento, y cuanto menor sea esta velocidad menor será el aclaramiento. La velocidad de eliminación se cuantifica mediante la constante de eliminación.

5-e

En la obesidad hay una disminución de la proporción del agua por kilo de peso, por tanto hay una disminución del volumen de distribución real del fármaco, aumentando su concentración plasmática y dando origen a un aumento de los efectos, sobre todo en fármacos que se unan poco a proteínas o péptidos plasmáticos.

6-a

El nivel estable o concentración en equilibrio estacionario en una infusión intravenosa continua mantenida depende directamente de la dosis e inversamente del aclaramiento.

7-b

Así se consigue un aumento de la concentración en estado libre en el lugar de acción y, por consiguiente, un incremento de los efectos farmacológicos.

8-a

Se produce tolerancia farmacocinética de un fármaco al ocasionar una inducción enzimática sobre su propio sistema o enzima biotransformante, dando origen a una disminución del efecto terapéutico tanto en intensidad como en duración.

9-e

Al administrar adrenalina por vía subcutánea se produce un aumento de la velocidad de conducción A-V y un acortamiento del potencial de acción, por lo que se origina un aumento del volumen minuto y simultáneamente un incremento del consumo de oxígeno por el miocardio.

10-d

El Salmeterol es un agonista simpaticomimético con mayor selectividad de acción sobre los adrenoceptores $beta_2$, relajando el músculo liso bronquial y bronquiolar, como consecuencia de un aumento intracelular de AMP cíclico.

11. La administración de betanecol puede producir las siguientes reacciones adversas, exceptuando:

a) Náuseas y vómitos.
b) Disnea.
c) Estreñimiento.
d) Hipotensión.
e) Hipersalivación.

12. Entre las acciones de los fármacos anticolinérgicos se encuentra:

a) Reducción de las secreciones respiratorias y relajación de musculatura bronquial.
b) Aumento de la sudoración.
c) Miosis.
d) Aumento de la secreción gástrica tanto en volumen como en acidez.
e) Aumento de la tensión arterial.

13. Una de las siguientes afirmaciones acerca de la noradrenalina no es cierta:

a) Es un potente estimulador de adrenoceptores α y β_1.
b) Se administra preferentemente vía subcutánea.
c) La metabolización se debe principalmente por la COMT y la MAO.
d) Su vida media es corta.
e) Una sobredosis causa una grave hipertensión.

14. Las siguientes afirmaciones en relación con el propanolol son ciertas, exceptuando:

a) Produce broncoconstricción.
b) Reduce la tolerancia a la glucosa en diabéticos.
c) Produce hipotensión arterial.
d) Aumenta la contractilidad cardíaca.
e) La suspensión de su tratamiento debe ser gradual.

15. El prazosín se administra por su acción:

a) Antiemética.
b) Anticonvulsivante.
c) Antihipertensora.
d) Diurética.
e) Hipnótica.

16. Al administrar d-tubocurarina la principal reacción adversa es:

a) Parálisis respiratoria.
b) Crisis hipertensiva.
c) Alucinaciones.
d) Discinesias.
e) Taquicardia.

17. En el tratamiento con clorpromacina aparecen las siguientes reacciones adversas, exceptuando:

a) Discinesia.
b) Acatisia.
c) Convulsiones.
d) Crisis hipertensivas.
e) Leucopenias transitorias.

18. En caso de una sobredosificación o intoxicación aguda con benzodiacepinas se debe utilizar:

a) Disulfiran.
b) Flumazenil.
c) Hidroxicina.
d) Sulpiride.
e) Edrofonio.

19. El haloperidol es un fármaco de amplio uso por poseer, entre otras, las siguientes acciones farmacológicas, excepto:

a) Antipsicótico.
b) Antiemético.
c) No produce excesiva sedación.
d) No produce reacciones extrapiramidales.
e) Tiene un mayor índice terapéutico que otros neurolépticos.

20. Una sobredosificación con meprobamato puede ocasionar:

a) Depresión respiratoria.
b) Excitabilidad cardíaca.
c) Crisis psicóticas.
d) Cuadros hipomaníacos.
e) Reacciones disquinéticas.

11-c

Tras la administración de fármacos parasimpaticomiméticos, se produce un aumento del tono, del peristaltismo y de las secreciones a nivel gastrointestinal, dando origen a una aceleración del tránsito intestinal, pudiendo originar diarreas.

12-a

Por este efecto los fármacos anticolinérgicos se utilizan en cuadros de patología respiratoria que cursen con aumento de las secreciones.

13-b

Por vía subcutánea se absorbe muy mal debido a la vasoconstricción intensa que produce, pudiendo llegar a originar fenómenos necróticos tisulares.

14-d

Por ser el propanolol un bloqueante no selectivo de adrenoceptores beta, disminuye la contractilidad cardíaca, la velocidad de expulsión sistólica y la frecuencia cardíaca reduciendo el gasto cardíaco.

15-c

El prazosin es un bloqueante de adrenoceptores alfa$_1$, por lo que su administración da lugar a vasodilatación arterial y venosa, sin originar cambios en el flujo sanguíneo renal y sin alterar la velocidad de filtración glomerular; siendo utilizado en el tratamiento de la hipertensión asociada a insuficiencia renal.

16-a

Este fármaco produce un bloqueo no despolarizante de la placa motriz por antagonismo competitivo con la acetilcolina a nivel del receptor nicotínico. Por la posible aparición de parálisis respiratoria se debe administrar bajo vigilancia continua.

17-d

El neuroléptico clorpromacina no actúa antagonizando solamente receptores dopaminérgicos, sino también receptores de otros neurotransmisores, como son los adrenérgicos alfa$_1$, dando hipotensión ortoestática o postural.

18-b

El flumazenil es un antagonista del receptor benzodiacepínico que neutraliza la intensa sedación producida. Su vida media es corta, por lo que a veces requiere repetición de la dosis.

19-d

Las reacciones extrapiramidales están relacionadas con el antagonismo de receptores dopaminérgicos, produciendo la administración de haloperidol una alta incidencia de reacciones extrapiramidales .

20-a

Produce una depresión a nivel central dosis dependiente, que puede ocasionar un coma y muerte por parada respiratoria.

21. La imipramina produce las siguientes reacciones adversas, a excepción de:

a) Hipertensión arterial.
b) Disminución del umbral convulsivo.
c) Confusión y alucinaciones.
d) Estreñimiento.
e) Taquicardia sinusal.

22. En las crisis epilépticas generalizadas, del tipo de las ausencias, mioclonias y crisis atónicas, es de elección uno de los siguientes fármacos:

a) Valproato sódico.
b) Metilfeniclato.
c) Primidona.
d) Naproxeno.
e) Prednisona.

23. Cuando al administrar anestésicos inhalatorios se produzca la reacción adversa de hipertermia maligna, además del tratamiento sintomático se debe de administrar:

a) Vitamina B_6.
b) Sales de calcio.
c) Dantrolene.
d) Lidocaina.
e) Succinil-colina.

24. Una de las reacciones adversas más frecuentes al administrar levodopa es:

a) Hipotermia.
b) Disquinesias y distonias.
c) Toxicidad auditiva.
d) Hepatotoxicidad.
e) Alteraciones hematológicas.

25. El biperiden se utiliza en el tratamiento del temblor y la rigidez en los primeros estadios del parkinson, por su acción:

a) Bloqueante de receptores muscarínicos.
b) Agonista de receptores muscarínicos.
c) Agonista de receptores dopaminérgicos.
d) Antagonista de adrenoceptores β.
e) Agonista de receptores serotonérgicos.

26. El fármaco fenobarbital se usa en terapéutica por su acción:

a) Analgésica.
b) Hipnótica.
c) Anticonvulsiva.
d) Antidepresiva.
e) Cerebroactiva.

27. Las siguientes afirmaciones sobre la ketamina son ciertas, excepto:

a) Se puede administrar por vía intravenosa y por vía intramuscular.
b) No induce depresión respiratoria.
c) Produce efectos psicomiméticos.
d) Produce una gran analgesia.
e) Induce un bloqueo simpático.

28. La administración de morfina produce las siguientes reacciones adversas, exceptuando:

a) Deprime el ritmo respiratorio.
b) Induce retención urinaria.
c) Produce náuseas y vómitos.
d) Produce diarreas.
e) Miosis.

29. La intoxicación por sobredosificación de morfina requiere el tratamiento con:

a) Diflunisal.
b) Naloxona.
c) Metadona.
d) Meperidina.
e) Flumazenil.

30. El ácido acetilsalicílico posee las siguientes acciones farmacológicas, a excepción de:

a) Analgésica y antitérmica.
b) Antiinflamatoria.
c) A dosis altas es uricosúrico.
d) Agregante plaquetario.
e) Disminuye el glucógeno hepático y muscular.

31. Es falso que como consecuencia de una intoxicación con ácido acetilsalicílico se produzca:

a) Hipotermia.
b) Deshidratación.
c) Aumento del consumo de glucosa.
d) Hiperventilación.
e) Alteraciones neurológicas.

21-a

La hipotensión ortoestática producida por este antidepresivo tricíclico, es causado por el bloqueo de los adrenoceptores alfa, siendo muy frecuente este efecto adverso.

22-a

En estos tipos de crisis epilépticas es de elección el valproato sódico que actúa aumentando los niveles GABA; si éste no es tolerado por el paciente se administra clonacepam.

23-c

El dantrolene es un antiespástico que inhibe la liberación de iones calcio, impidiendo la contracción del músculo. Es efectivo también como profiláctico.

24-b

Tienen las disquinesias y distonias una gran incidencia en los pacientes tratados con levodopa. Su intensidad aumenta paralelamente con el tiempo de tratamiento.

25-a

El biperiden es un anticolinérgico con especial selectividad por receptores muscarínicos centrales, disminuye la gran actividad colinérgica que se manifiesta normalmente en las fases iniciales del Parkinson.

26-c

El barbitúrico fenobarbital es administrado como anticonvulsivante en las crisis epilépticas tónico-clónicas por actuar incrementando la respuesta inhibidora al GABA Tiene la particularidad de ser un potente anticonvulsivo a dosis más bajas que las requeridas para la acción sedante-hipnótica, no produciendo tolerancia para este efecto anticonvulsivo.

27-e

La ketamina produce un aumento en la actividad simpática, aumentando la liberación de noradrenalina e inhibiendo su recaptación en las terminaciones adrenérgicas. Se origina un aumento de la frecuencia cardíaca y de la presión arterial, elevándose la presión en el líquido cefalorraquídeo y la presión intraocular. Está contraindicado su uso en pacientes hipertensos, coronarios, con enfermedad vascular cerebral y en enfermos glaucomatosos.

28-d

La administración de morfina provoca una inhibición de la actividad neurógena, produciendo una depleción de la motilidad gastrointestinal, origen del estreñimiento que ocasiona.

29-b

Además de los cuidados generales, se debe de administrar un antagonista. La naloxona antagoniza de forma inmediata la depresión respiratoria ocasionada por una sobredosificación.

30-d

El ácido acetilsalicílico, como consecuencia de la inhibición de la enzima ciclooxigenasa plaquetaria, produce un bloqueo de la síntesis de tromboxano, lo que ocasiona una acción antiagregante plaquetaria.

31-a

En una intoxicación se ocasiona una hipertermia como consecuencia de un desacoplamiento de la fosforilación oxidativa, por producir interferencia en la produción de ATP a nivel mitocondrial.

32. En caso de sobredosificación con paracetamol una de las siguientes afirmaciones no es cierta:

a) Los síntomas clínicos iniciales son los indicadores de su gravedad.
b) Origina toxicidad hepática.
c) Se deben medir niveles plasmáticos en relación con el tiempo de ingesta.
d) Se incrementan las aminotransferasas hepáticas.
e) Se debe reducir la absorción y administrar N-acetil-cisteína.

33. Una de las siguientes afirmaciones respecto al sulindac no es cierta:

a) Tiene acción analgésica y antiinflamatoria.
b) Tiene acción antiagregante plaquetaria.
c) Es un buen antitérmico.
d) Inhibe inicialmente prostaglandinas renales.
e) Frecuentemente produce intolerancia gastrointestinal.

34. Es falsa una de las siguientes afirmaciones acerca de la milrinona:

a) Es un inhibidor de la enzima fosfodiesterasa.
b) Su efecto es antagonizado por bloqueantes de la entrada del ión calcio.
c) Produce un efecto inotropo negativo.
d) Produce vasodilatación coronaria.
e) Reduce la presión pulmonar.

35. La nifedipina se caracteriza por producir la siguente acción farmacológica:

a) Produce vasoconstricción periférica.
b) Aumenta la velocidad de conducción del nodo A-V.
c) Aumenta la demanda miocárdica de oxígeno.
d) Disminuye la resistencia vascular coronaria.
e) Disminución del período refractario.

36. Indica cuál de estos fármacos se utiliza en una emergencia hipertensiva:

a) Dobutamina.
b) Nitroprusiato sódico.
c) Nilidrina.
d) Teofilina.
e) Dopamina.

37. La digoxina tiene las siguientes acciones farmacológicas, a excepción de:

a) Aumenta la frecuencia cardíaca.
b) Aumenta la contractilidad del miocardio.
c) Produce vasoconstricción arterial y venosa.
d) Aumenta la diuresis.
e) Disminuye el gasto de oxígeno en el miocardio, en el corazón insuficiente.

38. La toxicidad de la digoxina se incrementa cuando se administra conjuntamente con:

a) Antiácidos.
b) Tiacidas.
c) Metoclopramida.
d) Colestiramina.
e) Caolín.

39. Después de la administración de nitroglicerina por vía sublingual es frecuente la aparición de:

a) Alteraciones visuales.
b) Hipotensión ortostática.
c) Disnea.
d) Estreñimiento.
e) Convulsiones.

40. El verapamilo se utiliza principalmente por su acción:

a) Adrenérgica.
b) Aumento de la contractilidad cardíaca.
c) Depresora de la velocidad de conducción a nivel del nodo A-V.
d) Broncoconstrictora.
e) Disminución del período refractario del nodo A-V.

41. En el tratamiento y profilaxis de la taquicardia ventricular consecutiva al infarto de miocardio es útil la administración intravenosa de:

a) Triamcinolona.
b) Dobutamina.
c) Noradrenalina.
d) Lidocaína.
e) Hidralacina.

FARMACOLOGIA CLINICA

32-a

En las primeras horas da origen a náuseas y vómitos, no siendo indicadores de la gravedad del cuadro por tener un período de latencia de dos a tres días. Por eso es correcto medir los niveles plasmáticos de paracetamol con relación al tiempo de ingesta. Las aminotransferasas no se incrementan hasta haber tanscurrido 12-24 horas. El tratamiento es más eficaz en administración precoz.

33-d

El sulindac no inhibe las prostaglandinas renales a dosis en que ya es activo en otros sistemas. Por este motivo es de elección cuando esté comprometida la perfusión renal.

34-c

Este fármaco, por inhibir la enzima fosfodiesterasa, induce un aumento de AMP cíclico en la célula miocárdica, facilitando por tanto la entrada de ión calcio y su movilización intracelular, dando lugar a un efecto inotrópico positivo.

35-c

A dosis terapéuticas produce una vasodilatación predominantemente arteriolar. A nivel coronario produce una relajación arterial disminuyendo la resistencia vascular coronaria y aumentando el flujo sanguíneo coronario.

36-b

Es correcto administrar nitroprusiato sódico por vía intravenosa, teniendo un rápido comienzo de acción. Es un fármaco vasodilatador directo tanto arterial como venoso.

37-a

La digoxina disminuye la frecuencia cardíaca al inducir por aumento de liberización de acetilcolina, sustancia que aumenta el período refractario del nodo A-V, y por una inhibición de las catecolaminas periféricas, disminuyendo el tono simpático que está aumentado en el corazón insuficiente.

38-b

Al administrarse conjuntamente con las tiacidas se produce un aumento de la sensibilidad del miocardio a la acción de la digoxina, por ocasionar una mayor excreción de potasio, pudiendo originar una intoxicación digitálica.

39-b

Esta acción es secundaria a la vasodilatación que produce, por lo que se recomienda al paciente que al administrarse este fármaco esté en posición sentada o acostado.

40-c

En el miocardio produce un bloqueo del canal lento del ión calcio, dando lugar a un aumento del período refractario y una inhibición de la conducción a nivel A-V. Estos efectos fundamentan su acción como antiarrítmico en taquicardias supraventriculares.

41-d

La lidocaína actúa bloqueando los canales de ion sodio, y reduce la duración del potencial de acción y del período refractario efectivo, actuando preferentemente a nivel ventricular.

42. La teofilina tiene, entre otras, las acciones farmacológicas siguientes, excepto:

a) Broncoconstrictora.
b) Estimula la secreción gástrica de ácido y pepsina.
c) Diurética.
d) Aumenta la contractilidad cardíaca.
e) Activación del sistema nervioso central.

43. En caso de sobredosificación con heparina se debe de administrar:

a) Vitamina K.
b) Sulfato de protamina.
c) Clorotiazida.
d) Probenecid.
e) Urokinasa.

44. El mecanismo de acción de la warfarina es:

a) Antagoniza la vitamina K.
b) Activa la conversión del fibrinógeno en fibrina.
c) Activa la antitrombina III.
d) Inhibe la enzima ciclooxigenasa.
e) Estimula la enzima adenilciclasa.

45. Uno de los siguientes factores es una contraindicación para el uso de anticoagulantes orales:

a) Insuficiencia cardíaca congestiva.
b) Colocación de prótesis valvular.
c) Embolia cerebral.
d) Alcoholismo.
e) Hemorragia gastrointestinal.

46. El ácido tranexámico se utiliza en terapéutica por su acción:

a) Inhibidora del plasminógeno.
b) Inhibidora de la síntesis de aldosterona.
c) Activadora de la síntesis de oxitocina.
d) Liberadora de catecolaminas endógenas.
e) Antagonista dopaminérgico.

47. Indica cuál de estos fármacos es antagonista de la aldosterona a la que inhibe de forma competitiva:

a) Amiloride.
b) Teofilina.
c) Espironolactona.
d) Clorotiazida.
e) Triamtereno.

48. Al ser administrado triamtereno a un paciente con insuficiencia renal se produce frecuentemente la siguiente reacción adversa:

a) Hipernatremia.
b) Hipocalcemia.
c) Hipocloremia.
d) Hiperpotasemia.
e) Hipomagnesemia.

49. La clorotiazida tiene las siguientes acciones farmacológicas, excepto:

a) Inhibe la reabsorción tubular de sodio y cloro.
b) Inhibe la secreción activa de ácido úrico.
c) Reduce la eliminación urinaria de calcio.
d) Tiene acción hipoglucemiante.
e) Aumenta la tensión arterial

50. Es falso que entre los efectos adversos de la furosemida se encuentre:

a) Hiperpotasemia.
b) Pérdida de audición.
c) Deshidratación brusca con hiponatremia.
d) Hiperglucemia.
e) Alcalosis hipoclorémica.

51. El omeprazol se emplea en terapéutica por su acción:

a) Anestésica local.
b) Antiagregante plaquetaria.
c) Inhibidora de la bomba de protones.
d) Anticolinérgica.
e) Antihistamínica H_2.

52. El mecanismo de acción de cimetidina es por:

a) Bloqueo de receptores muscarínicos M_1.
b) Bloqueo de receptores histamínicos H_2.
c) Bloqueo de receptores dopaminérgicos DA_1.
d) Bloqueo de receptores adrenérgicos α.
e) Bloqueo de receptores serotonérgicos.

53. ¿Cuál de los siguientes antiácidos puede producir una hipofosfatemia?:

a) Hidróxido de aluminio.
b) Hidróxido de magnesio.
c) Carbonato cálcico.
d) Bicarbonato sódico.
e) Carbonato de bismuto.

42-a

Produce broncodilatación por su acción relajante de fibra muscular lisa sobre todo a nivel bronquial, además de producir un aumento del transporte mucociliar y estimular el centro respiratorio por acción a nivel bulbar.

43-b

El sulfato de protamina se combina con la heparina neutralizando los grupos ácidos de esta última.

44-a

Su acción anticoagulante tiene un período de latencia de 12 a 24 horas; inhibe la sintetización en hígado de cuatro proenzimas: II, VII, IX y X, factores de la coagulación dependientes de la vitamina K.

45-e

En hemorragias gastrointestinales es una contraindicación absoluta, ya que la principal reacción adversa al administrar estos fármacos es la producción de hemorragias.

46-a

El ácido tranexámico se fija al plasminógeno inactivándolo e inhibiendo, por tanto, la fibrinolisis, estabilizando las estructuras de fibrina. Se utiliza en la prevención de hemorragias postquirúrgicas y postraumáticas, principalmente.

47-c

La espironolactona inhibe la acción de la aldosterona de forma competitiva y reversible, impidiendo que promueva la síntesis de proteínas necesarias para facilitar la reabsorción de ión sodio.

48-d

La hiperpotasemia es la principal reacción adversa, que puede dar origen a alteraciones respiratorias, circulatorias, neuromusculares y alteraciones renales.

49-e

Tiene acción hipotensora puesto que origina una disminución del volumen minuto cardíaco por redución de ión sodio y del volumen plasmático. Además disminuyen los efectos de las catecolaminas a nivel vascular, siendo potenciadora de los bloqueantes ganglionares. No es efectiva en pacientes hipertensos con insuficiencia renal grave.

50-a

Aumenta la excreción de potasio por aumentar la concentración de ión sodio que llega al túbulo distal aumentando su intercambio con ión potasio a ese nivel. Además produce una estimulación de la actividad de la aldosterona aumentando la pérdida de potasio.

51-c

El omeprazol inhibe de forma no competitiva e irreversible el enzima ATPasaH^+/K^+, que es el mecanismo último en la produción de la secreción ácida a nivel gástrico, con independencia de cuál sea el mecanismo activador de dicha secreción.

52-b

Este bloqueo lo realiza de manera específica y reversible, inhibiendo la secreción ácida a nivel gástrico, sin modificar la velocidad del vaciado gástrico.

53-a

En el intestino delgado el aluminio se combina con los fosfatos, dando lugar a una disminución de la absorción de los mismos.

54. La domperidona se utiliza preferentemente por su acción:

a) Diurética.
b) Antiemética.
c) Neuroléptica.
d) Hipnótica.
e) Depresora del peristaltismo.

55. Indica cuál de los siguientes fármacos no posee acción relajante uterina:

a) Salbutamol.
b) Hexoprenalina.
c) Sulfato de magnesio.
d) Prostaglandina E_2.
e) Ritodrine.

56. Indica cuál de estos síntomas no pertenece a una intoxicación crónica de iodo:

a) Alteración del gusto.
b) Lesiones cutáneas.
c) Irritación ocular.
d) Aumento de la salivación.
e) Disminución de secreción traqueobronquial.

57. Una sobredosificación de propiltiouracilo produce:

a) Hiperglucemia.
b) Diuresis.
c) Hipotiroidismo.
d) Arritmias cardíacas.
e) Depresión respiratoria.

58. Una de las siguientes afirmaciones acerca de la calcitonina no es cierta:

a) Se administra vía intramuscular, subcutánea o en spray nasal.
b) Aumenta los niveles circulantes de calcio.
c) Aumenta la excreción urinaria de calcio, fosfato y magnesio.
d) Las pricipales reacciones adversas son las molestias gastrointestinales.
e) Posee propiedades analgésicas.

59. Una sobredosificación de vitamina D puede causar una hipervitaminosis cuyos sintomas son los siguientes, a excepción de:

a) Hipercalcemia.
b) Proteinuria.
c) Poliuria.
d) Hipocalciuria.
e) Debilidad y cansancio.

60. Los glucocorticoides tienen las siguientes acciones farmacológicas excepto:

a) Antiflamatoria.
b) Aumentan las tasas de producción de anticuerpos.
c) Aumentan la producción de ácido clorhídrico y pepsina.
d) Aumentan el glucógeno hepático y muscular.
e) Tienen efecto lipolítico favoreciendo la movilización de las grasas.

61. Indica una de las reacciones adversas que pueden producirse con la administración crónica de glucocorticoides:

a) Sedación.
b) Diuresis.
c) Hipotensión arterial.
d) Osteoporosis.
e) Pérdida de peso.

62. Una de las siguientes afirmaciones acerca de las sulfonilureas no es correcta:

a) Facilitan la secreción de insulina.
b) Se absorben bien en el tracto gastrointestinal.
c) Por su alta unión a proteínas plasmáticas pueden producir numerosas interacciones con otros fármacos.
d) Pueden producir hiperglucemia.
e) Están contraindicadas en embarazos, insuficiencia renal y hepática.

63. Una de las siguientes afirmaciones acerca de la eritropoyetina no es correcta:

a) Debe ser administrada por vía parenteral.
b) El aumento del hematocrito es proporcional a la dosis.
c) Produce frecuentemente hipotensión arterial.
d) Después de una administración i.v. puede aparecer sintomatología gripal.
e) Es el tratamiento de elección en la anemia producida por insuficiencia renal.

64. Entre las reacciones adversas más frecuentes de los antibióticos β-lactámicos se encuentra:

a) Reacciones alérgicas.
b) Reacciones teratogénicas.
c) Toxicidad acústica.
d) Bloqueo neuromuscular.
e) Miopatía.

54-b

Dicha acción es debida a la acción antagonista de receptores dopaminérgicos periféricos, teniendo la ventaja este fármaco de que al no atravesar fácilmente la barrera hematoencefálica no produce efectos apreciables a nivel central dando menos reacciones adversas.

55-d

La prostaglandina E_2 tiene acción constrictora a nivel uterino, siendo un potente estimulador uterino en cualquier fase del embarazo, aunque el útero es más sensible a su acción en un estadio cercano al parto.

56-e

El iodo produce un aumento en la actividad de las glándulas de la mucosa traqueobronquial, por lo que tiene cierta utilidad como expectorante. Además inhibe la actividad del tiroides, siendo este último un efecto no permanente, lo que obliga a que el tratamiento no dure más de una o dos semanas. Los síntomas de la intoxicación guardan relación con la dosis.

57-c

El propiltiouracilo es un fármaco cuya acción principal es la inhibición de la síntesis de las hormonas tiroideas; para ello inhiben la incorporación de la forma oxidada del iodo en los residuos tirosilo de la molécula de tiroglobulina. También actúa inhibiendo la monodesiodación de la tiroxina.

58-b

La calcitonina reduce los niveles circulantes de calcio por inhibir la resorción ósea, debido a la acción inhibidora sobre la actividad del osteoclasto.

59-d

Produce hipercalciuria que puede originar nefrocalcinosis por depositarse calcio en el riñón. Cuando se produce esta hipervitaminosis se debe suspender la administración de vitamina D, hidratar convenientemente y administrar calcitonina y glucocorticoides para disminuir la concentración de calcio.

60-b

Los glucocorticoides afectan a la respuesta inmunitaria teniendo una acción depresora que puede ser utilizada en evitación de rechazos de injertos; pero también es causa de reacciones secundarias por incrementarse la suceptibilidad a las infecciones.

61-d

La osteoporosis es debida a la inhibición de la actividad de los osteoblastos y al incremento de la actividad de los osteoclastos mediante la estimulación de la parathormona, además de producir una inhibición de la absorción intestinal de vitamina D.

62-d

Con la administración de estos fármacos se puede ocasionar una hipoglucemia intensa, ya sea por sobredosificación, por retraso en las comidas, o por tratarse de personas con insuficiencia renal o hepática.

63-c

Uno de los efectos secundarios que produce frecuentemente la eritropoyetina es la hipertensión arterial.

64-a

La hipersensibilidad es la reacción adversa más frecuente con la administración de estos antibióticos. Esta reacción puede aparecer de manera inmediata o tardía.

65. Indica cuál es el mecanismo de acción del aztreonam:

a) Inhibición de la síntesis de proteínas.
b) Inhibición de la síntesis de la pared celular bacteriana.
c) Inhibición de la síntesis de ácidos nucleicos.
d) Inhibición de la función de ácidos nucleicos.
e) Alteración de la función de la membrana celular.

66. Una de las siguientes afirmaciones acerca de la estreptomicina no es cierta:

a) Por vía oral su absorción es escasa.
b) Actúa inhibiendo la síntesis de proteínas bacterianas.
c) Tiene un índice terapéutico bajo.
d) Produce toxicidad auditiva y vestibular.
e) No produce resistencias bacterianas significativas.

67. Al administrar alimentos ricos en calcio simultáneamente con uno de los fármacos que se citan, su absorción oral disminuye notablemente:

a) Amoxicilina.
b) Tetraciclina.
c) Lincomicina.
d) Cefaclor.
e) Fluconazol.

68. La reacción adversa de anemia aplásica puede ser producida por la administración de:

a) Ampicilina.
b) Cefapirina.
c) Cloranfenicol.
d) Tobramicina.
e) Doxiciclina.

69. Una de las siguientes afirmaciones en relación con el cloranfenicol no es cierta:

a) A dosis terapéuticas se comporta como bacteriostático para la mayoría de los microorganismos.
b) Su mecanismo de acción es por inhibición de síntesis proteica.
c) Tiene un amplio espectro bacteriano.
d) Puede producir depresión reversible de médula ósea.
e) Potencia la acción de macrólidos y lincosamidas.

70. La dapsona se utiliza preferentemente en el tratamiento de:

a) Tuberculosis.
b) Brucelosis.
c) Micosis.
d) Lepra.
e) Fiebres reumáticas.

71. En el tratamiento del herpes simple y del herpes zóster es indicado administrar:

a) Estreptomicina.
b) Aciclovir
c) Isoniacida.
d) Mebendazol.
e) Co-trimoxazol.

72. Tras la administración de interferón-α es típica la aparición de:

a) Crisis hipertensivas.
b) Neuritis óptica.
c) Toxicidad auditiva.
d) Síndrome de Reye.
e) Cuadro pseudogripal.

73. En el tratamiento de neumonía por Pneunocystis carinii en enfermos inmunodeprimidos, se emplea preferentemente:

a) Co-trimoxazol.
b) Nistatina.
c) Anfotericina B
d) Ganciclovir.
e) Fluconazol.

74. La ciclosporina no se debe administrar conjuntamente con:

a) Leche.
b) Zumos de frutas.
c) Chocolate.
d) Agua.
e) Ninguna de las anteriores.

75. Una de las siguientes afirmaciones acerca de la vincristina no es correcta:

a) Paraliza la mitosis en metafase.
b) Actúa en la fase S desplazando el ácido dihidrofólico.
c) En caso de extravasación da lugar a necrosis tisulares.
d) Su toxicidad tardía ocasiona neuropatía periférica.
e) Se utiliza, asociada a prednisona, en leucemias linfoblásticas.

65-b

El aztreonam es una monobactama, perteneciente a los betalactámicos, los cuales ejercen su acción bactericida inhibiendo la síntesis del péptido-glicano, componente de la pared celular bacteriana.

66-e

El mecanismo de resistencia bacteriana se desarrolla por una alteración del sitio de unión a la subunidad ribosomal 30S, lo cual da lugar a una alta resistencia a este antibiótico.

67-b

Las tetraciclinas se absorben por vía oral en un 70% u 80%, disminuyendo notablemente esta absorción en presencia de cationes divalentes o trivalentes al formar quelatos no absorbibles.

68-c

Se trata de una reacción de carácter idiosincrático que puede aparecer durante el tratamiento o meses después de haber sido suspendida su administración.

69-e

Inhibe la acción de macrólidos (eritromicina, espiramicina, josamicina...) así como de lincosamidas (clindamicina), por actuar compitiendo por el mismo sitio de unión en el ribosoma bacteriano (subunidad 50S), por lo que no deben administrarse conjuntamente.

70-d

La dapsona es un antibiótico bacteriostático que actúa inhibiendo la síntesis de ácido fólico bacteriano. Es de primera elección en el tratamiento de la lepra.

71-b

El aciclovir es un agente antivírico muy eficaz contra el virus del herpes simple y del herpes zóster, actuando preferentemente cuando el virus se encuentra en fase de crecimiento.

72-e

La administración de este fármaco puede originar fiebre, escalofríos, cefaleas y mialgias, todo lo cual da lugar a un cuadro pseudogripal.

73-a

Para el tratamiento de la neumonía e infecciones extrapulmonares causadas por P. carinii es de elección el trimetropim con sulfametoxazol (co-trimoxazol). Ambos actúan inhibiendo la síntesis del ácido fólico bacteriano a distintos niveles.

74-d

Este fármaco no se debe mezclar con agua al ser administrado, debido a que tiene una intensa hidrofobicidad. Por vía oral se debe administrar en solución lipídica.

75-b

Este antineoplásico interactúa dentro de las células con la tubulina, impidiendo la formación del huso mitótico.

6 NUTRICION Y DIETETICA

1. Indique cuál de las siguientes afirmaciones sobre alimentación-nutrición es errónea:

a) La alimentación es educable.
b) La nutrición estudia los procesos por los que el organismo recibe, transforma y utiliza los nutrientes.
c) Hay muchas formas de alimentarse y sólo una de nutrirse.
d) La nutrición es un proceso voluntario.
e) La alimentación es un proceso de selección de alimentos del entorno.

2. La principal fuente alimentaria de carbohidratos aprovechables es:

a) Fibra dietética de verduras y frutas.
b) Almidón de cereales, legumbres y tubérculos.
c) Sacarosa de la fruta y azúcar.
d) Lactosa de la leche y yogur.
e) Glucógeno de vísceras y carnes.

3. La función principal de la fibra dietética hidrosoluble es:

a) Aumentar el vaciamiento gástrico.
b) Disminuir el volumen de las heces.
c) Capacidad de fijar sales biliares.
d) Disminuir la velocidad de absorción intestinal de la glucosa.
e) Aumentar el tránsito intestinal.

4. La sacarosa está constituida por la unión de:

a) Glucosa - fructosa.
b) Glucosa - glucosa.
c) Ribosa - glucosa.
d) Glucosa - galactosa.
e) Fructosa - galactosa.

5. ¿Qué nutrientes disminuyen en la obtención de harina refinada a partir del grano entero de trigo?:

a) Almidón.
b) Fibra dietética.
c) Vitaminas hidrosolubles y minerales.
d) b y c son correctas.
e) Proteínas (gluten).

6. La carencia de fibra dietética en la alimentación se relaciona como factor de riesgo para el desarrollo de las siguientes patologías, excepto:

a) Cáncer de colon.
b) Obesidad.
c) Enfermedad diverticular del colon.
d) Enfermedad cardiovascular ateroesclerótica.
e) Litiasis renal.

7. ¿Qué porcentaje del aporte energético total (AET) deben de suministrar los hidratos de carbono en una alimentación equilibrada?:

a) Más del 60% A.E.T.
b) Entre 40-50% A.E.T.
c) Entre 50-60% A.E.T.
d) Entre 35-40% A.E.T.
e) Menos del 35% A.E.T.

8. Los lípidos en la alimentación habitual se toman mayoritariamente en forma de:

a) Acidos grasos libres.
b) Triglicéridos de cadena larga.
c) Colesterol.
d) Fosfolípidos.
e) Triglicéridos de cadena media.

9. El principal ácido graso esencial (AGE) es:

a) Oleico.
b) Araquidónico.
c) Palmítico.
d) Linoleico.
e) Eicosapentanoico.

10. Son funciones fisiológicas del colesterol todas las siguientes, menos:

a) Es un nutriente energético.
b) Es un precursor de las hormonas esteroideas.
c) Forma parte de las membranas celulares.
d) Es un precursor de la vitamina D.
e) Es transportado en la sangre por las lipoproteínas.

1-d

La nutrición es la ciencia que estudia el conjunto de procesos por los que el organismo recibe, transforma y utiliza las sustancias nutritivas recibidas del exterior mediante la alimentación. Por tanto, la nutrición es un proceso involuntario que depende de los procesos metabólicos.

2-b

Los alimentos ricos en almidón (harina, pan, pastas, legumbres y patatas) son la principal fuente alimentaria de carbohidratos complejos. Frutas, azúcar y miel contienen azúcares sencillos que son una fuente secundaria. Los carbohidratos de origen animal (lactosa y glucógeno) representan una fuente muy pequeña. La fibra dietética está constituida por carbohidratos no aprovechables.

3-d

Los componentes de la fibra hidrosoluble (gomas, pectinas y mucílagos) tienen la propiedad de absorber agua con formación de geles que retrasan el vaciamiento gástrico y dificultan el contacto de los nutrientes con el epitelio intestinal por lo cual disminuye la velocidad de absorción de la glucosa y mejora la glucemia postprandial.

4-a

La sacarosa o azúcar común es un disacárido formado por glucosa-fructosa que se encuentra en las frutas, miel y en el azúcar extraído de la remolacha y de la caña de azúcar. Los otros disacáridos son: maltosa (glucosa-glucosa) y lactosa (glucosa-galactosa).

5-d

En el proceso de molienda del grano y extracción de la harina eliminamos las envolturas externas, el germen y la aleurona del grano, obteniéndose el salvado. Nutricionalmente disminuye el contenido de fibra (celulosa), vitaminas hidrosolubles y minerales y se conserva igual el núcleo amiláceo.

6-e

La carencia de fibra junto con otros factores alimentarios (dietas ricas en grasas saturadas y azúcares refinados) es un factor de riesgo para el desarrollo de enfermedades metabólicas, cardiovasculares, por hiperpresión (diverticulosis) y ciertas neoplásias. No se relaciona con la litiasis renal.

7-c

Los hidratos de carbono deben de aportar del 50-60% del A.E.T., mayoritariamente (40-45%) a partir de alimentos amiláceos ricos en fibra (cereales, verduras, legumbres, etc.) y en menor grado (10-15%) por azúcares sencillos.

8-b

Los triglicéridos con ácidos grasos de cadena larga aportan del 95 al 98% de la ingesta diaria de lípidos por ser los más abundantes en los alimentos y con diferente grado de saturación según la fuente alimentaria. Su función nutricional es sobre todo energética. El aporte de los otros lípidos es muy pequeño.

9-d

Los AGE son el ácido linoleico y el α linolénico. A partir del linoleico se sintetizan las prostaglandinas y puede formarse el ácido araquidónico, que no es AGE. A partir del ácido linolénico se sintetizan los otros ácidos grasos «ω-3».

10-a

El colesterol es un nutriente no esencial, ni energético. Con una función estructural (componente membrana de la célula) y reguladora (precursor de hormonas esteroideas y vit. D), que se elimina por la bilis y en su metabolismo es transportado por diferentes lipoproteínas, cuyo aumento se relaciona claramente con la enfermedad ateroesclerótica.

11. Los ácidos grasos poliinsaturados predominan en:

a) Aceite de semillas.
b) Aceite de oliva.
c) Pescado azul.
d) Carne.
e) a y c son correctas.

12. Los ácidos grasos saturados, ¿qué porcentaje del aporte energético total deben de suministrar en una alimentación equilibrada cardiosaludable?:

a) Menos del 5%.
b) 10%.
c) 15%.
d) 20%.
e) Más del 20%.

13. ¿Cuál de las siguientes afirmaciones sobre las proteínas es correcta?:

a) Su principal función es la energética.
b) Contienen un 16% de nitrógeno.
c) Su valor energético «in vitro» es igual que «in vivo».
d) Las proteínas vegetales son de alto valor biológico.
e) Todas las proteínas contienen todos los aminoácidos esenciales.

14. Una proteína es de alto valor biológico cuando:

a) Tiene mucho hierro.
b) Tiene carencia de algún aminoácido esencial.
c) Tiene todos los aminoácidos esenciales.
d) Conserva la estructura secundaria.
e) a y c son correctas.

15. El alimento con las proteínas de mejor calidad nutricional es:

a) Carnes.
b) Soja.
c) Legumbres.
d) Huevos.
e) Arroz.

16. Podemos mejorar la calidad nutricional de una proteína tomando en la misma comida los dos siguientes alimentos:

a) Arroz y lentejas.
b) Pan y arroz.
c) Verduras y arroz.
d) Garbanzos y lentejas.
e) Todas son ciertas.

17. La cantidad mínima recomendada de proteínas en g/Kg peso/día en el adulto es de:

a) 0,6.
b) 1.
c) 2.
d) 1,5.
e) 0,8.

18. La cantidad de la ración de productos cárnicos y el número de veces al día que es aconsejable tomar en la alimentación equilibrada del adulto es de:

a) 200-250 g/2 veces-día.
b) 100-130 g/3 veces-día.
c) 100-130 g/1 vez-día.
d) 100-130 g/2 veces-día.
e) 200-250 g/3 veces-día.

19. ¿Qué factor aumenta la absorción intestinal de calcio?:

a) Parathormona.
b) Presencia de lactosa y proteínas.
c) Presencia de oxalatos y fitatos.
d) El exceso de fosfatos.
e) Calcitonina.

20. La ingesta diaria recomendada de calcio (RDA, Europa, 1990) en el adulto es de:

a) 400 mg.
b) 600 mg.
c) 800 mg.
d) 1.000 mg.
e) 1.200 mg.

11-e

Los A.G. poliinsaturados de la familia n-6 (linoleico y araquidónico) se encuentran en los aceites de semillas (soja, girasol y maíz) y de la familia n-3 (linolénico) en el pescado azul. El aceite de oliva es rico en ácido oleico, monoinsaturado.

12-b

Las grasas deben aportar del 30-35% del aporte energético total, repartidas de forma adecuada:

- A.G. saturados (10%) a partir de carnes y lácteos.
- A.G. monoinsaturados (10-15%) a partir de aceite oliva.
- A.G. poliinsaturados (10%) a partir de pescados y aceites de semillas.

13-b

Las proteínas son nutrientes esenciales que contienen un 16% de nitrógeno y su principal función es aportar los aminoácidos esenciales necesarios para los procesos de síntesis proteica del organismo. Secundariamente tienen una función energética y el valor calórico «in vivo» (4 Kcal/ gr.) es más bajo que «in vitro» dado que el nitrógeno no es oxidado.

14-c

Una proteína es de alto valor biológico o buena calidad nutricional cuando contiene todos los a.a. esenciales en la cantidad adecuada para cubrir las necesidades y promover un balance nitrogenado positivo, así como un crecimiento y renovación de los tejidos correctos.

15-d

El huevo tiene la proteína de mejor calidad nutricional (90-95% V.B.), seguido de otros proteínas de origen animal (vísceras, leche, carne y pescado). Las proteínas vegetales son de calidad nutricional más baja.

16-a

Las proteínas de origen vegetal son de baja calidad nutricional porque les falta 1 o más a.a. esenciales, a.a. limitante. Si mezclamos en la misma toma proteínas con diferente a.a. limitante que se complementen, cereales (a.a.l.: lisina, rica metionina) y legumbres (a.a.l.: metionina, rica lisina), su calidad nutricional aumenta al de una proteína completa.

17-e

La cantidad mínima recomendada de proteínas (RDA, FAO/OMS, 1985) es de 0,8 g/Kg peso/día, siendo la mitad de alto valor biológico. Las necesidades proteicas son mayores durante la infancia y gestación.

18-d

2 veces al día (comida y cena) y en cantidad de 100 a 130 g de peso neto de carne, pescado o pollo o 2 huevos, es lo recomendable para cubrir las necesidades de proteínas de alto valor biológico, vitaminas y minerales. Si se consumen en más cantidad y veces, se aumentará la ingesta de grasas, sobre todo saturadas, con los consiguientes efectos nocivos a largo plazo para la salud.

19-b

Del 10% al 40% del calcio ingerido es absorbido en el duodeno. La absorción es facilitada por la vitamina D3, la lactosa y proteínas y es neutralizada por la presencia de oxalatos, fitatos y exceso de fosfatos por formar sales de calcio insolubles. La calcitonina y PTH regulan la calcemia por mecanismos diferentes a la absorción de Ca.

20-c

Las necesidades de calcio del adulto son de 800 mg/día que deben ser aportadas en las 2/3 partes por los lácteos y el 1/3 restante a partir de otros alimentos (carne, pescado, verduras, legumbres, etc.). Las necesidades de calcio aumentan a 1.200 mg durante la adolescencia, embarazo y lactancia.

21. Son funciones fisiológicas del hierro en el organismo:

a) Regular el crecimiento.
b) Formar parte de la mioglobina muscular.
c) Formar parte de las hormonas tiroideas.
d) Regular la contracción muscular.
e) Formar parte de la insulina.

22. El alimento con más cantidad y mejor biodisponibilidad de hierro es:

a) Hígado.
b) Lentejas.
c) Leche.
d) Espinacas.
e) Huevo.

23. La anemia ferropénica por carencia alimentaria de hierro en que período de la vida es más frecuente:

a) Lactancia.
b) Infancia.
c) Varón adulto.
d) Mujer en período de edad fértil.
e) Mujer postmenopáusica.

24. Las vitaminas son nutrientes que actúan como sustancias:

a) Energéticas, controlando el metabolismo.
b) Plásticas, estimulando la síntesis de proteínas.
c) No esenciales para el organismo.
d) Reguladoras de procesos metabólicos o de procesos específicos.
e) Facilitan la absorción de nutrientes energéticos.

25. ¿Qué alimentos son ricos en β-carotenos?:

a) Huevos.
b) Verduras y hortalizas.
c) Leche y yogur.
d) Carnes y pescados.
e) Cereales.

26. Una persona alimentada con una dieta vegetariana estricta será necesario suplementarla con las siguientes vitaminas:

a) Vit. B_{12}.
b) Vit. C.
c) Vit. B_1.
d) Vit. D_3.
e) Todas las anteriores.

27. La deficiencia de niacina o nicotinamida origina:

a) Ceguera.
b) Fracturas óseas espontáneas.
c) Insuficiencia cardíaca y neuritis.
d) Hemorragias.
e) Diarreas y demencia.

28. El valor calórico aproximado de una dieta compuesta por 200 g de carbohidratos, 50 g de grasas, 70 g de proteínas, 4 g de minerales y 0,5 g. de vitaminas es de:

a) 1.000 Kcal.
b) 1.750 Kcal.
c) 1.500 Kcal.
d) 2.000 Kcal.
e) 1.250 Kcal.

29. Las necesidades energéticas disminuyen con la edad fundamentalmente:

a) Por padecer enfermedades.
b) Por cambios en la composición corporal con aumento de la grasa y disminución de la masa magra.
c) Por disminuir el peso y la talla.
d) Por disminuir el efecto térmico de los alimentos.
e) Ninguna de las anteriores.

30. La leche desnatada respecto a la leche entera contiene menos:

a) Calcio.
b) Proteínas.
c) Vitaminas hidrosolubles.
d) Vitaminas liposolubles.
e) Agua.

21-b

El hierro forma parte de la mioglobina de los músculos dándole el color rojo a la carne, aunque la principal función del hierro es formar la hemoglobina, además es un constituyente de enzimas de la cadena oxidativa. El hierro es transportado en la sangre por la transferrina y se almacena en forma de ferritina en hígado, bazo y médula ósea.

22-a

Del 5 al 20% del hierro ingerido es absorbido por un proceso activo en función de su biodisponibilidad. Las vísceras (hígado) y carnes contienen bastante hierro en forma hemínica, que es el más fácilmente absorbible o biodisponible. Las legumbres (lentejas) y verduras (espinacas) también tienen bastante hierro, pero la presencia de fibra, fitatos y oxalatos dificultan la absorción.

23-d

Las necesidades de hierro de la mujer en edad fértil son mayores (15 a 18 mg/día) que en el resto de los períodos señalados, para compensar las pérdidas de sangre por la menstruación. Esta circunstancia, junto con un aporte bajo por la relativa escasez de hierro en los alimentos y la baja absorción, hacen que la anemia ferropénica sea frecuente.

24-d

Las vitaminas son nutrientes esenciales para el organismo, no energéticos, ni plásticos, que actúan como sustancias reguladoras de procesos metabólicos (vit. grupo B como coenzimas) o bien de determinados procesos específicos (vit. A en la visión, Vit. K en factores de la coagulación, Vit. D en metabolismo calcio, etc.).

25-b

Los β-carotenos son sustancias que actúan como provitamina A y se encuentran en verduras y hortalizas sobre todo de color intenso (tomate, zanahoria, lechuga). Son fuentes alimentarias de vitamina A la yema del huevo, la leche y mantequilla, hígado y pescados grasos.

26-a

Una dieta sólo a expensas de productos vegetales de forma bien balanceada (legumbres, frutos secos, cereales completos, frutas, etc.) cubre las necesidades de todas las vitaminas, excepto B12 que deberá tomarla en forma de preparados farmacológicos para evitar carencias (anemia megaloblástica, problemas digestivos y neurológicos), dado que la B_{12} sólo se encuentra en los productos animales (hígado y carnes).

27-e

La niacina forma parte de las coenzimas (NAD y NADP) que intervienen en el metabolismo de los tres principios inmediatos y el cuadro carencial completo se denomina pelagra o síndrome de las tres «D»: Dermatitis, Diarreas y Demencia. La gravedad clínica varía según el grado de carencia y puede haber síntomas no característicos.

28-c

200 gr. carbohidratos x 4 Kcal/g = 800 Kcal (53% VCT)
50 gr. de grasas x 9 Kcal/g = 450 " (30% «).
70 gr. de proteínas x 4 Kcal/g = 280 " (18% «).
Total Valor calórico de la dieta = 1.530 Kcal.
Vitaminas y minerales no tienen valor energético.

29-b

Las necesidades de energía disminuyen un 2% cada década a partir de los 20 años por disminuir la actividad física y sobre todo por disminuir la tasa metabólica basal como consecuencia de la involución y cambios fisiológicos del envejecimiento con una menor masa magra o de tejidos metabólicamente activos y aumento del compartimento graso.

30-d

En el proceso de extracción de la materia grasa de la leche son eliminados el colesterol, ácidos grasos y las vit. liposolubles A y D. Por tanto, la leche desnatada es pobre en vit. liposolubles y colesterol, tiene la mitad del valor calórico por no tener casi grasas y conserva íntegros los restantes nutrientes de la leche entera.

31. ¿Qué sistema se utiliza para conocer el comportamiento alimentario de una persona que acude a consulta de enfermería por obesidad?:

a) Determinar el metabolismo basal por calorimetría.
b) Entrevista sobre el consumo de alimentos.
c) Método de pesada de los alimentos ingeridos.
d) Método de registro de los alimentos ingeridos.
e) Análisis bromatológico de los alimentos ingeridos.

32. Las necesidades calóricas adicionales de la mujer durante la gestación suelen ser:

a) 300 Kcal durante 2° y 3° trimestre.
b) 500 Kcal durante 2° y 3° trimestre.
c) 100 Kcal durante toda la gestación.
d) 400 Kca. durante toda la gestación.
e) 500 Kca. durante toda la gestación.

33. ¿Qué nutrientes hay que suplementar farmacológicamente de forma obligada durante la gestación para evitar carencias?

a) Todas las vitaminas.
b) Todos los minerales.
c) Calcio.
d) Hierro.
e) a y b son ciertas.

34. La harina con gluten no hay que introducirla en la alimentación del lactante antes del:

a) 2° mes.
b) 3° mes.
c) 4° mes.
d) 5° mes.
e) 6° mes.

35. ¿Cuál de las siguientes afirmaciones sobre la leche materna es correcta?:

a) La leche humana contiene más proteínas que la de vaca.
b) La leche humana tiene menos calcio que la de vaca.
c) La leche humana tiene más calorías que la de vaca.
d) La leche de vaca es idónea para el lactante.
e) La leche de vaca tiene más grasa que la humana.

36. Las dietas progresivas están indicadas en el tratamiento dietético habitual de:

a) Postoperatorio de cirugía mayor.
b) Obesidad mórbida.
c) Insuficiencia renal crónica.
d) Diabetes mellitus.
e) a y b son correctas.

37. La dieta hiposódica está indicada en las siguientes patologías, excepto en:

a) Insuficiencia cardíaca congestiva.
b) Diabetes sin complicaciones micro-macrovasculares.
c) Cirrosis hepática con ascitis.
d) Síndrome nefrótico completo.
e) Cor pulmonale.

38. En una dieta con restricción leve de sodio, aparte de evitar la sal añadida, eliminaremos los siguientes alimentos:

a) Sopas de sobre.
b) Pescado congelado.
c) Jamón serrano.
d) Frutos secos fritos.
e) Todos los anteriores, menos b.

39. En el síndrome de dumping postgastrectomía, ¿qué medidas dietéticas le indicaremos al paciente?:

a) Restringir las grasas.
b) Beber abundantes líquidos durante las comidas.
c) Comidas pequeñas y frecuentes.
d) Restringir los carbohidratos complejos.
e) Comidas abundantes masticando despacio.

31-b

El sistema más habitual y sencillo para conocer los hábitos alimentarios de una persona es realizar una entrevista estructurada sobre el tipo, frecuentación y tamaño aproximado de la ración de los alimentos que consume. Los métodos de pesada y de registro requieren una gran colaboración de la persona y son más complejos.

32-a

Las necesidades energéticas durante la gestación aumentan en aproximadamente 300 kcal/día durante el 2° y 3 trimestre, siempre que la mujer mantenga una actividad física moderada, como consecuencia del aumento de la tasa metabólica basal por los cambios metabólico-hormonales adaptativos (anabolismo facilitado-catabolismo exagerado).

33-d

Hay que dar preparados de hierro desde el 4° mes del embarazo para cubrir las necesidades nutricionales elevadas (35-70 mg/día) producidas por el aumento de la eritropoyesis materna y fetal. Conviene dar suplementos de fólico desde el inicio para prevenir defectos del tubo neural y anemia megaloblástica materna. Las necesidades de otras vitaminas y minerales quedan cubiertas con la alimentación.

34-e

El Comité de Nutrición de la ESPGAN (Sociedad Europea de Gastroenterología y Nutrición Pediátrica) aconseja no introducir las harinas con gluten (elaboradas con trigo, cebada, centeno o avena) antes de los 6 meses para evitar la aparición de la enfermedad celíaca en edades tempranas de la vida en niños predispuestos genéticamente.

35-b

La leche humana contiene 2 veces menos proteínas, 4 veces menos calcio y sodio, 6 veces menos fósforo y tiene más grasa y lactosa que la de vaca con igual valor calórico. Estas diferencias cuantitativas y cualitativas hacen que la leche de vaca tenga que adaptarse en las fórmulas infantiles para la lactancia artificial.

36-a

Las dietas progresivas se utilizan desde el inicio de la alimentación oral para ir progresando en diferentes etapas evolutivas (dieta absoluta-líquida-semilíquida-blanda, etc.) hasta alcanzar el mayor grado posible de normalidad en la dieta, según tolerancia y patología de base. Están indicadas en el postoperatorio de cirugía mayor, no en el resto de procesos señalados.

37-b

Las dietas con restricción de sal tienen como objetivo conseguir un balance negativo de Na en los procesos donde hay un aumento de la reabsorción renal de sodio con aumento del líquido extracelular, como sucede en los procesos señalados, menos en la diabetes si no cursa con hipertensión, nefropatía o cardiopatía.

38-e

Se eliminarán los alimentos que en su proceso de conservación o fabricación se les añada sal (carnes y pescados salados, secados o ahumados, aperitivos, quesos curados, sopas y cubitos, conservas en lata, etc.). Los alimentos congelados pueden usarse.

39-c

El síndrome de dumping está originado por una llegada rápida de nutrientes al intestino. Las medidas dietéticas para corregirlo son: 1) Comidas pequeñas y frecuentes (6-7 al día); 2) Beber fuera de las comidas; 3) Limitar los azúcares sencillos; 4) Resto alimentación normal.

40. ¿Cuál de las medidas indicadas es incorrecta en un paciente portador de una colostomía permanente por una neoplasia de colon intervenida?:

a) Suprimir los alimentos ricos en fibra dietética.
b) Suprimir los alimentos flatulentos.
c) Suprimir inicialmente la leche y alimentos grasos.
d) Restringir la ingesta oral de agua.
e) Suprimir alimentos estimulantes del peristaltismo.

41. A un paciente de 40 años se le realiza una pancreatectomía total por una pancreatitis complicada de origen etanólico, ¿qué tratamiento dietético se le indicará?:

a) Dieta normal sin alcohol.
b) Dieta hipercalórica, baja en grasas y control glúcidos.
c) Dieta hiperproteica.
d) Dieta para la diabetes.
e) Dieta baja en grasas.

42. Un niño con enfermedad celíaca no puede tomar:

a) Pasta de sémola de trigo.
b) Pan de arroz.
c) Carne.
d) Legumbres.
e) Copos de maíz.

43. En el tratamiento dietético de la encefalopatía hepática, ¿qué tipo de nutrientes hay que restringir?:

a) Carbohidratos.
b) Lípidos.
c) Proteínas.
d) Sodio.
e) Agua.

44. ¿Qué medida dietética no es aconsejable en un paciente obeso con hiperuricemia y gota?.

a) Dieta pobre en purinas.
b) Beber abundantes líquidos.
c) Eliminar las bebidas alcohólicas.
d) Dieta hipocalórica muy estricta.
e) Dieta hipocalórica moderada.

45. Una persona tiene una obesidad severa cuando el indice de masa corporal (Kg/m^2) es de:

a) ≥ 40.
b) 30-39,9.
c) 25-29,9.
d) 20-24,9.
e) < 20.

46. Un paciente con obesidad severa es tratado con una dieta equilibrada de 1.000 Kcal, ¿cuál de las siguientes afirmaciones es correcta si sus necesidades energéticas son de 2.000 Kcal?:

a) Perderá peso siempre por igual.
b) Inicialmente perderá más peso por mayor lipólisis.
c) Tardíamente perderá más peso por perder proteínas.
d) Desde la 2ª semana perderá 2 kg semanales.
e) Desde la 2ª-3ª semana perderá 0,5-1 Kg semanales.

47. El número de tomas diarias aconsejables en un paciente con diabetes insulinodependiente es de:

a) 4 tomas fijas.
b) 5-6 tomas distribuidas según ritmo de vida y control.
c) 3 tomas principales fijas y el resto variables.
d) 3 tomas fijas.
e) No tiene importancia la distribución de las tomas.

48. 1 unidad o ración de alimentos con hidratos de carbono = 10 g carbohidratos, equivale a:

a) 50 g judías verdes.
b) 50 g pan blanco.
c) 50 g patatas.
d) 50 g sandía.
e) Todas las anteriores.

40-d

Las medidas dietéticas tienen como objetivo disminuir el volumen de las heces y evitar que sean muy fluidas con poca producción de gases. Todas las medidas señaladas ayudan a conseguir los objetivos anteriores, sin restringirse la ingesta de agua que se tomará en pequeñas cantidades y a menudo para facilitar su absorción.

41-b

La pancreatectomía total ocasionará una ausencia de insulina (diabetes insulinodependiente) y de fermentos digestivos (maladigestión),por lo que la dieta deberá ser:

- Baja en grasas, sobre todo en LCT. Suplementar con MCT.
- Con control de glúcidos sencillos y en 6 tomas regulares
- Adecuado aporte calórico a expensas de proteínas y glúcidos complejos.

42-a

La enfermedad celíaca es un cuadro de malabsorción intestinal producido por intolerancia al gluten. El tratamiento es dietético y consiste en eliminar por completo los cereales que tienen gluten (trigo, cebada, centeno y avena). El resto de cereales (arroz y maíz) y alimentos puede tomarlos sin problemas.

43-c

El tratamiento dietético es una dieta hipoproteica con restricción de severa a moderada de proteínas, según tolerancia del paciente, para intentar corregir el exceso de amoníaco y las alteraciones de los aminoácidos. El aporte del resto de los nutrientes es normal, si no hay otras complicaciones asociadas a la cirrosis.

44-d

Todas las medidas dietéticas reseñadas son aconsejables, menos una dieta hipocalórica muy restrictiva para perder peso, que provoque una lipólisis y cetogénesis acentuada con aumento del ácido úrico en sangre y poder producir o empeorar un ataque de gota.

45-a

La relación peso en Kg/ talla al cuadrado en metros o índice de Quetelet o I.M.C. es el más utilizado para evaluar el grado de obesidad:

- Obesidad I o sobrepeso: 25-29.9.
- Obesidad II o moderada: 30-39.9.
- Obesidad III o severa: ≥ 40.

46-e

Al comenzar con un balance energético negativo hay un fase inicial (gluconeogénica) de 2 a 3 semanas con mayor pérdida de peso a expensas de proteínas y una segunda fase tardía en la que se pierde peso más lentamente a expensas del tejido adiposo y ahorrando proteínas. 1 Kg de tejido adiposo son 7.000 kcal, con un déficit en el aporte diario de aproximadamente 1.000 Kcal, perderá de 0,5-1 kg semanal.

47-b

Lo habitual son 3 tomas principales (desayuno-comida-cena) y 2-3 intermedias (media mañana, merienda y antes de acostarse). La regularidad en el número de tomas, cantidad y distribución de los alimentos es muy importante en el control de la diabetes insulinodependiente, acopladas al tratamiento de insulina, actividad física y ritmo de vida.

48-c

1 ración de CH.: Farináceos = 50 g patatas o 20 g pan; verduras = 200 g judías verdes y frutas = 200 g sandía.

La dietas por raciones son aconsejables en el tratamiento dietético de la diabetes siempre que el entrenamiento y colaboración del paciente lo permitan.

49. ¿Qué lipoproteína transporta los triglicéridos exógenos?:

a) Lipoproteína de alta densidad (HDL).
b) Lipoproteína de baja densidad (LDL).
c) Lipoproteína de muy baja densidad (VLDL).
d) Quilomicrones (Q).
e) Lipoproteína de densidad intermedia (IDL).

50. La causa más frecuente de una hipertrigliceridemia que mejora rápidamente con dieta adecuada es:

a) Hipertrigliceridemia familiar.
b) Píldora anticonceptiva.
c) Diabetes en buen control.
d) Dieta con un 50% de la energía en glúcidos complejos.
e) Consumo excesivo de bebidas alcohólicas.

51. ¿Qué aceite no es aconsejable en el tratamiento dietético de las hiperlipemias?:

a) Aceite de coco.
b) Aceite de oliva.
c) Aceite de soja.
d) Aceite de maíz.
e) Aceite de girasol.

52. En la anorexia nerviosa no complicada con estrés, ¿qué parámetros nutricionales están disminuidos?:

a) Albúmina sérica.
b) Índice excrección creatinina.
c) Pliegue graso subcutáneo.
d) b y c son correctas.
e) Todas son correctas.

53. El compartimento proteico visceral lo podemos valorar determinando:

a) Índice excrección creatinina.
b) Transferrina.
c) Recuento de linfocitos.
d) Balance nitrogenado.
e) Circunferencia muscular del brazo.

54. La nutrición enteral tiene las siguientes ventajas sobre la nutrición parenteral, excepto:

a) Es más cara.
b) Tiene menos complicaciones y menos graves.
c) Tiene un efecto trófico sobre la mucosa intestinal.
d) Es más fácil de preparar.
e) Es más fácil de controlar.

55. La vía más frecuente de administración de la nutrición enteral es:

a) Gastrostomía.
b) Sonda nasoyeyunal.
c) Yeyunostomía.
d) Faringostomía.
e) Sonda nasogástrica.

56. La fórmula nutricional de dieta enteral indicada cuando no hay alteraciones de la función digestiva es:

a) Dieta completa oligomérica.
b) Suplementos orales.
c) Dieta completa polimérica.
d) Dietas especiales.
e) Dieta completa elemental.

57. La complicación más frecuente en nutrición enteral es:

a) Neumonía por aspiración de la nutrición.
b) Diarreas.
c) Alteraciones de la función hepática.
d) Hiperglucemia.
e) Contaminación bacteriana de la dieta.

58. El carbohidrato más utilizado en nutrición parenteral completa es:

a) Fructosa.
b) Sorbitol.
c) Xilitol.
d) Glucosa.
e) Glicerol.

49-d

Los quilomicrones transportan en el período postprandial los triglicéridos absorbidos desde la mucosa intestinal a los tejidos periféricos (hígado, músculo, tejido adiposo) para ser almacenados o utilizados como fuente de energía.

50-e

Las causas más frecuentes de aumento de los triglicéridos son el alcohol y la obesidad. El tratamiento dietético basado en supresión total del alcohol y dieta hipocalórica para reducción del peso de forma gradual reduce de forma espectacular el nivel de triglicéridos plasmáticos.

51-a

El aceite de coco, a pesar de ser de origen vegetal, está compuesto mayoritariamente por ácidos grasos de cadena media saturados y el cociente P/S es muy bajo, no siendo aconsejable su uso en hiperlipemias. A partir de él se obtienen los MCT, que por su facilidad de hidrólisis y absorción se utilizan en patología digestiva.

52-d

La anorexia nerviosa es el prototipo de desnutrición calórica originado por una situación de inanición sin estrés, que conduce a un agotamiento progresivo de las reservas energéticas del compartimento graso (disminución del pliegue graso) y proteico muscular (disminución índice excrección creatinina y circunferencia muscular) con conservación de las proteínas viscerales.

53-b

Determinando proteínas sintetizadas mayoritariamente en el hígado y que circulan en el plasma con diferente vida media: albúmina (20 días), transferrina (7 días), prealbúmina (2-3 días) y proteína ligada al retinol (12-24 horas).

54-a

La nutrición enteral es más económica y fisiológica, con menos complicaciones que la nutrición parenteral y tiene un efecto trófico directo sobre la mucosa intestinal con una mejor adaptación y utilización de las sustancias nutritivas.

55-e

La nutrición enteral se administra por sondas nasoenterales (nasogástrica, nasoduodenal y nasoyeyunal) o por ostomías quirúrgicas (faringostomía, gastrostomía y yeyunostomía). La sonda nasogástrica es la más utilizada por lo fácil de colocar y siempre que no esté contraindicada por riesgo de aspiración en pacientes comatosos o con reflejo del vómito disminuido.

56-c

Las dietas completas poliméricas que aportan las proteínas en su forma intacta y los restantes nutrientes esenciales y no esenciales para mantener un adecuado estado nutricional son las más usadas. Se reservan las dietas con péptidos (oligomérica) o aminoácidos libres (elemental) cuando la función de digestión o absorción está alterada.

57-b

Las complicaciones gastrointestinales son las más habituales en nutrición enteral y, en particular, las diarreas, por diferentes causas: velocidad de infusión muy rápida, alta osmolaridad o elevada densidad calórica de la fórmula, presencia de lactosa, efectos secundarios de otras medicaciones y excepcionalmente contaminación bacteriana de la dieta.

58-d

El carbohidrato más usado como fuente de energía en nutrición parenteral es la glucosa por ser el principal glúcido que es utilizado en el organismo. Debe aportarse de 5-7 g/Kg /día para evitar graves hiperglucemias y alteraciones de la función hepática. Como alternativa pueden usarse alcoholes azúcares (sorbitol y xilitol) o fructosa.

59. ¿Qué afirmación sobre la nutrición parenteral periférica no es correcta?.

a) Es una nutrición completa.
b) Puede administrarse por vía i.v. central o periférica.
c) Permite la administración i.v. de grasas y a.a.
d) No debe administrarse más de 7 días.
e) La velocidad de infusión la limita la osmolaridad.

60. La complicación más habitual de la nutrición parenteral central y que puede prevenirse con un manejo correcto es:

a) Trombosis venosas.
b) Déficit de zinc.
c) Sepsis por catéter.
d) Hiperglucemia.
e) Alteraciones de la función hepática.

59-a

La nutrición parenteral periférica es una modalidad de soporte nutricional que permite durante cortos períodos de tiempo (< 7 días) y utilizando una vía venosa periférica, administrar las necesidades mínimas de glúcidos y a.a. junto con grasas, electrólitos, agua y otros micronutrientes. Es una nutrición incompleta.

60-c

En la nutrición parenteral puede haber complicaciones mecánicas con la vía de acceso, metabólicas e infecciosas. Las metabólicas (hiperglucemia, función hepática alterada, etc.) son las más frecuentes pero no prevenibles. Las infecciosas y, sobre todo, la sepsis por catéter se puede evitar con un manejo aséptico correcto de la vía y de la bolsa de nutrientes.

7 ENFERMERIA MEDICO-QUIRURGICA

1. La hiponatremia da lugar a:

a) Debilidad muscular.
b) Oliguria.
c) Somnolencia.
d) Piel seca.
e) Taquicardia.

2. Indique en qué situación tenemos que controlar la aparición de hipopotasemia:

a) La administración de múltiples enemas.
b) Insuficiencia renal.
c) Transfusiones de sangre.
d) Deshidratación.
e) Quemados.

3. Indique cuál de estos signos es de hipercalcemia:

a) Fracturas patológicas.
b) Hormigueo en boca y nariz.
c) Tetania.
d) Depósito de calcio en los tejidos.
e) Cálculos renales.

4. ¿Cuál de estas actividades no se valora en el equilibrio hídrico?:

a) Enemas de limpieza.
b) Fiebre.
c) Administración de diuréticos.
d) Inmovilización.
e) Alcalosis metabólica.

5. Hablaremos de acidosis respiratoria, cuando:

a) $PO_2 < 80$ mmhg.
b) $PCO_2 > 50$ mmhg.
c) $PCO_2 < 40$ mmhg.
d) $PO_2 > 80$ mmhg.
e) pH > 7,40

6. Referente a los cuidados de la inflamación ,indique cuál de estas afirmaciones es incorrecta:

a) Aliviar el dolor.
b) Elevar el miembro afectado.
c) Realizar un vendaje protector.
d) Movilizar el miembro afectado.
e) Evitar erosiones en la zona afectada.

7. ¿A qué se denomina vector en la cadena de infección?:

a) Al microorganismo que causa la infección.
b) Al lugar donde crece el microorganismo.
c) Portador no humano que transmite el microorganismo.
d) La puerta de entrada del microorganismo.
e) Donde se produce la inoculación.

8. La proliferación de un agente infeccioso y la infección que origina depende de varios factores. Señale cuál es incorrecto:

a) De la virulencia del germen.
b) Del vehículo común.
c) De la edad del huésped.
d) De la nutrición del huésped.
e) De la inmunidad del huésped.

9. En un proceso infeccioso no es habitual encontrar:

a) Aumento de neutrófilos.
b) Descenso de linfocitos.
c) Aumento de linfocitos.
d) Aumento de monocitos.
e) Aumento de eosinófilos.

10. La infección nosocomial más habitual en el hospital es:

a) Infección respiratoria.
b) Infección genitourinaria.
c) Infección de la piel.
d) Infección del sistema vascular.
e) Infección del aparato digestivo.

11. El aislamiento inverso o protector se aplicará en:

a) Tuberculosis respiratoria.
b) Gangrena gaseosa.
c) Hepatitis B.
d) Leucemias.
e) Meningitis meningocócica.

1-a

El resto de signos se dan en situaciones de hipernatremia.

2-a

El líquido de los enemas es en parte absorbido diluyendo el potasio en el espacio intersticial alterando el equilibrio. El resto de situaciones dan lugar a hiperpotasemia.

3-e

Cuando se acumula calcio en el líquido extracelular pasa a los riñones y puede precipitar dando lugar a cálculos renales una de las causas puede ser la inmovilización.

4-e

Los enemas de limpieza pueden provocar absorción de líquido, la fiebre provoca mayor eliminación de líquidos, la administración de diuréticos también hace que se elimine agua y la inmovilización puede provocar edemas.

5-b

Esta cifra indica una retención de CO_2 y se produce acidosis respiratoria.

6-d

Se mantendrá inmovilizado el miembro afectado para aliviar la sintomatología.

7-c

Portador no humano que transmite el microorganismo. El vector es un portador no humano, generalmente un artrópodo que transmite los microorganismos de una persona infectada a otra que no lo está.

8-b

Del vehículo común. El vehículo común es un modo de transmisión de la infección de forma que se propaga por un objeto inanimado contaminado, no es un factor que influya en la proliferación e infección.

9-e

El resto de las opciones son distintas respuestas leucocitarias a procesos infecciosos.

10-b

La infección de origen genitourinario es la más frecuente en el medio hospitalario, generalmente la causa es una mala práctica.

11-d

El aislamiento inverso o protector tiene como objetivo prevenir que enfermos con alteraciones importantes del sistema de defensa sea infectado por agentes exógenos en el hospital. Durante el tratamiento de las leucemias el sistema inmunitario está deprimido.

12. En situación de hiperpotasemia indique cuál de estas actividades realizará el personal de enfermería:

a) Vigilar diuresis.
b) Realizar EKG diario.
c) Peso diario.
d) Balance hídrico.
e) Vigilar la aparición de edema.

13. Para paliar la situación de shock, se intenta como primera medida rehidratar todos los tejidos, excepto en el shock:

a) Hipovolémico.
b) Séptico.
c) Neurogénico.
d) Tóxico.
e) Cardiogénico.

14. Uno de los fármacos más utilizados en los pacientes con shock es:

a) Isoproterenol.
b) Catecolaminas.
c) Ansiolíticos.
d) Inhibidores de la ECA.
e) Antiarrítmicos.

15. En un paciente politraumatizado con importantes pérdidas de sangre, si queremos hacer una reposición urgente de la volemia realizaríamos como primera medida:

a) Canalización de dos vías venosas periféricas.
b) Disección de la vena safena.
c) Disección de la vena cefálica.
d) Colocación de catéter de swan-ganz en yugular interna.
e) Canalización de vía central en subclavia.

16. Si nos encontramos ante un paciente asintomático que de repente presenta hematémesis importante, sudoración y frialdad periférica, la primera actuación de enfermería a realizar sería:

a) Transfusión sanguínea.
b) Avisar al cirujano para que realice laparotomía.
c) Observar volumen y consistencia de heces negras.
d) Canalizar vía venosa para la administración de líquidos.
e) Colocar sonda nasogástrica y realizar lavados.

17. Al realizar la valoración de un paciente con shock hipovolémico encontraremos:

a) Bradicardia.
b) Vasodilatación periférica.
c) Hipertensión.
d) Aumento de la PVC (Presión Venosa Central).
e) Oliguria.

18. Un enfermo con hemorragia importante suele presentar como signos básicos:

a) Hipertensión, taquipnea y frialdad de piel.
b) Taquicardia, hipotensión y taquipnea.
c) Hipotensión, bradicardia y frialdad de piel.
d) Hipertensión, taquicardia y agitación.
e) Hipertensión, taquipnea y sensación de sed.

19. Un signo de hemorragia es:

a) Piel caliente.
b) Orinar con frecuencia.
c) Polidipsia.
d) Aumento de la tensión arterial.
e) Taquicardia.

20. Todos los siguientes mecanismos locales de compensación actúan a nivel de un vaso lesionado para detener la pérdida sanguínea, excepto:

a) Vasodilatación local.
b) Agregación plaquetaria.
c) Fibrinolisis.
d) Coagulación sanguínea.
e) Formación de trombo.

21. Con respecto al shock hipovolémico, indique cuál de las siguientes afirmaciones es errónea:

a) El paciente con shock hipovolémico presenta hiperventilación como respuesta al metabolismo anaerobio celular.
b) El shock hipovolémico se origina por una disminución intensa del volumen de líquido circulante.
c) El paciente con shock hipovolémico presenta la piel encarnada y caliente por vasodilatación del lecho vascular cutáneo.
d) El shock hipovolémico origina una vasoconstricción renal manifestando una disminución del flujo urinario.
e) El paciente con shock hipovolémico mantiene el pulso débil y rápido como respuesta a los mecanismos compensadores.

12-b

Los síntomas de la hiperpotasemia son arritmias cardíacas que pueden llegar a fibrilación ventricular y parada cardíaca.

13-e

El shock cardiogénico se origina cuando el corazón no es capaz de bombear suficiente sangre a las células corporales; por lo que si se perfunden líquidos abundantes se agravaría la situación.

14-b

Como intento de solucionar la situación de perfusión tisular anómala se administran catecolaminas con el fin de producir vasoconstricción.

15-a

Realizando dos canalizaciones venosas periféricas es la manera más rápida de reemplazar fluidos para restaurar precozmente la perfusión hística.

16-d

Realizaremos canalización con un catéter corto y grueso, a ser posible, para reemplazar las pérdidas a la mayor brevedad posible.

17-e

Debido a una hipoperfusión del riñón se produce una hipovolemia con vasoconstricción renal.

18-b

La taquicardia, hipotensión y taquipnea son las consecuencias del proceso fisiopatológico que se produce ante la disminución de la volemia y que son comunes a todo tipo de hemorragia, sea cual sea la causa y el origen de la misma.

19-e

La hemorragia sobre el sistema cardiocirculatorio produce taquicardia compensadora a la disminución del gasto cardíaco. Aunque la taquicardia puede presentarse también en otras situaciones, ante la sospecha de hemorragia toda taquicardia será consecuencia de la misma hasta que no se demuestre lo contrario.

20-a

Ante la lesión de un vaso sanguíneo se produce una vasoconstricción debido fundamentalmente al espasmo muscular de los vasos sanguíneos.

21-c

La palidez y frialdad de la piel y mucosas constituyen uno de los signos más precoces para la detección de shock hipovolémico producidos por vasoconstricción del lecho vascular cutáneo y disminución del flujo sanguíneo.

22. ¿Qué actitud sería errónea si estamos cuidando a un paciente con shock hipovolémico?:

a) Al paciente debemos moverlo lo menos posible hasta que logremos mejorar la circulación.
b) Colocarle en posición supina con los miembros inferiores en declive.
c) Evitar una excesiva temperatura por la vasodilatación refleja que conlleva.
d) Facilitar la permeabilidad de las vías aéreas manteniéndole en posición adecuada.
e) Realizaremos un riguroso control de la diuresis por el riesgo de oliguria.

23. Si queremos prevenir en un paciente encamado una neumonía intrahospitalaria será conveniente:

a) Mantener al paciente en aislamiento respiratorio.
b) Disminuir la ingesta de líquidos.
c) Administrar antibióticos de manera profiláctica.
d) Realizar cambios posturales y movilizaciones frecuentes.
e) Se aconseja la vacunación .

24. Con respecto a una hemorragia arterial todo las afirmaciones siguientes son ciertas, excepto una. Señálela:

a) La hemorragia aumenta de intensidad coinciendo con el sístole cardíaco.
b) La hemostasia la realizaremos en el trayecto comprendido entre la herida y la periferia.
c) Para conseguir la hemostasia no debemos elevar el miembro afectado.
d) La sangre que fluye es sangre roja, oxigenada.
e) El flujo de sangre será de forma continuada.

25. ¿En cuál de las siguientes alteraciones está indicada la movilización del paciente encamado?:

a) Temperatura superior a 39° C.
b) Hemorragia intensa.
c) Lesión craneal.
d) Hipotonía muscular.
e) Algunos tipos de coma.

26. De los siguientes factores que se indican, ¿cuál facilita el desarrollo precoz de úlceras por presión?:

a) Control urinario.
b) Movilidad completa.
c) Nutrición adecuada.
d) Obesidad.
e) Sensibilidad cutánea manifiesta.

27. De las afirmaciones siguientes con respecto a los cuidados e higiene de la piel en un paciente encamado, señale la falsa:

a) El jabón utilizado debe ser suave y no muy grasoso.
b) Será conveniente dar a la piel hidratación y humedad.
c) Se aconseja secar la piel sin frotarla.
d) No usar productos que contengan alcohol.
e) La higiene se realizará diaria eliminando jabones desodorantes.

28. La medida más adecuada que debemos realizar para evitar las infecciones cruzadas entre pacientes-personal asistencial es:

a) Uso de guantes.
b) Uso de bata y mascarilla.
c) Lavado de manos.
d) Aislamiento del paciente en habitación individual.
e) Protección del paciente con sábanas y material estéril.

29. La vía de entrada más frecuente para las bacterias en un shock séptico suele ser:

a) Gastrointestinal.
b) Heridas.
c) Aparato respiratorio.
d) Sistema genitourinario.
e) Origen biliar.

30. El dolor que padece una persona en una extremidad afectada por un traumatismo, se denomina:

a) Dolor visceral.
b) Dolor somático.
c) Dolor neurológico.
d) Dolor fantasma de la extremidad.
e) Dolor psicógeno.

22-b

A un paciente con shock hipovolémico debemos colocarle en decúbito supino con los miembros inferiores elevados a una altura adecuada, para que aumente al máximo el flujo sanguíneo cerebral.

23-d

La prevención de las neumonías intrahospitalarias depende en gran medida del trabajo de los profesionales de enfermería con la puesta en marcha de cambios posturales si el paciente está encamado durante largo tiempo para evitar el acúmulo de secreciones en el árbol bronquial.

24-b

La hemorragia arterial fluye de manera continua pero aumentando de intensidad coincidiendo con cada sístole cardíaca y cede cuando realizamos la hemostasia en el trayecto comprendido entre la herida y el corazón (a diferencia de la hemorragia venosa).

25-d

La hipotonía muscular puede desencadenarse en un paciente encamado por inmovilización prolongada, siendo importante realizar cambios posturales siempre que se coloquen las articulaciones en posición funcional con la realización de ejercicios activos y pasivos según tolerancia y prescripción.

26-d

Aunque la grasa subcutánea actúa de almohadillado, en situaciones de obesidad nos encontramos con áreas de tejido subcutáneo poco vascularizadas y sometidas a un exceso de presión favoreciéndose la aparición de úlceras por presión.

27-b

La humedad es la responsable de la maceración cutánea. Cuando un paciente descansa sobre sábanas húmedas por el sudor, secreciones etc., estamos favoreciendo la ulceración de la zona. Se recomienda que la piel permanezca lo más seca posible.

28-c

El lavado de manos es la medida más importante para prevenir la transmisión de infecciones. Esta acción puede disminuir o eliminar la diseminación de microorganismos patógenos de las manos. Al realizar el lavado de manos y friccionar con fuerza todas las superficies enjabonadas arrastramos y suspendemos los microorganismos en el agua.

29-d

El shock séptico suele estar originado por bacterias gramnegativas, siendo la puerta de entrada de éstas por lo general el aparato genitourinario aunque en ocasiones es imposible identificarlo.

30-b

El dolor somático se caracteriza por estar bien localizado, en zonas poco profundas o superficiales e inervadas por el sistema nervioso central.

31. La intensidad de dolor que una persona está dispuesta a soportar, se conoce como:

a) Umbral del dolor.
b) Percepción del dolor.
c) Tolerancia al dolor.
d) Reacción ante el dolor.
e) Significado del dolor.

32. La responsabilidad del control farmacológico del dolor, la tienen fundamentalmente:

a) Las enfermeras.
b) Los médicos.
c) Los médicos y las enfermeras.
d) Los pacientes.
e) El médico, la enfermera y el paciente.

33. La valoración de enfermería ante el dolor se basa específicamente en:

a) La causa del dolor.
b) Los datos subjetivos que aporta el paciente.
c) Los signos corporales que podemos detectar.
d) Los signos conductuales que podemos detectar.
e) La valoración general a un grupo de pacientes con características parecidas.

34. Las actividades de enfermería ante el paciente con dolor tienen como objetivos:

a) Administrar analgésicos pautados.
b) Aliviar el dolor.
c) Evitar el dolor.
d) Aliviar y evitar el dolor
e) Administrar analgésicos a demanda del paciente.

35. Para utilizar de forma correcta los analgésicos la enfermera debe establecer un planteamiento preventivo del dolor y para ello es necesario entre otras medidas:

a) Establecer dosis estandarizadas.
b) Esperar siempre a que el paciente pida el analgésico.
c) Administrar el analgésico antes de que el dolor sea intenso.
d) Administrar el analgésico cuando el dolor sea intenso.
e) Administrar el analgésico tras realizar una valoración objetiva del estado del paciente.

36. Una de las diferencias entre las neoplasias benignas y malignas, es:

a) Las neoplasias benignas no infiltran los tejidos circundantes.
b) Las neoplasias malignas aparecen en órganos y tejidos distintos a las benignas.
c) Las benignas aparecen en personas jóvenes y las malignas en personas de edad avanzada.
d) Las neoplasias benignas tienen tratamiento quirúrgico y las malignas no.
e) Las neoplasias benignas nunca causan la muerte, a pesar de que su localización comprometa funciones vitales.

37. Un adenocarcinoma es:

a) Una neoplasia benigna de tejido epitelial.
b) Una neoplasia maligna de tejido conectivo.
c) Una neoplasia benigna de tejido conectivo.
d) Una neoplasia maligna de tejido epitelial.
e) Una neoplasia benigna de tejido embrionario.

38. En la clasificación del cáncer, el grado se refiere a:

a) La presencia o no de metástasis.
b) La aparición de ganglios linfáticos infiltrados.
c) El criterio histológico de diferenciación celular.
d) La infiltración del tumor en tejidos adyacentes.
e) La cantidad de masa tumoral en el órgano o tejido afectado.

39. La braquiterapia es un tipo de tratamiento que consiste en la administración de:

a) Radioterapia externa.
b) Inmunoterapia.
c) Radioterapia intraoperatoria.
d) Radioterapia interna.
e) Radioterapia más quimioterapia.

31-c

Una vez percibido el dolor, cada persona tiene un grado de tolerancia al mismo diferente, e incluso en una misma persona varía dependiendo de las situaciones o de otros factores (alcohol, aburrimiento, afecto, ansiedad, etc.).

32-e

El control farmacológico del dolor es un proceso multidisciplinar en el cual, el médico prescribe según la patología, la enfermera valora y evalúa la respuesta del paciente al fármaco y el paciente informa sobre su dolor.

33-b

El dolor es una sensación subjetiva que sólo el que la padece es capaz de valorar; por tanto, el dolor es lo que el paciente dice que es, independientemente de los signos que podamos encontrar.

34-d

Las actividades deben ir encaminadas a aliviar el dolor con la administración de analgésicos de forma correcta y la utilización de otras medidas analgésicas (medios físicos, distracción, relajación) y evitar el dolor llevando a cabo actividades para ello (cambios posturales, movilizaciones).

35-c

Cuando el dolor es intenso se necesitan dosis mayores para conseguir los efectos deseados, con lo que también aumentan los efectos secundarios; por tanto la dosis establecida no aliviará el dolor si no se administra a intervalos regulares para mantener un nivel plasmático que evite el aumento del dolor.

36-a

Las neoplasias benignas crecen lentamente por expansión; suelen estar encapsuladas y no se diseminan por infiltración, ni invaden vasos sanguíneos y linfáticos, ni metastatizan a distancia.

37-d

Según la nomenclatura de las neoplasias, las benignas llevan el sufijo -oma (adenoma, osteoma), las malignas llevan el sufijo carcinoma si son de tejido epitelial (adenocarcinoma) y el sufijo -sarcoma si son de tejido conectivo (osteosarcoma).

38-c

Hay dos métodos para clasificar el cáncer, uno es el grado de diferenciación celular, según criterio histológico (G1 al G4), y otro es el estadio en el que se valora el tumor (T), masa e infiltración, los ganglios (N) infiltrados y la presencia o no de metástasis (M).

39-d

Dentro de la radioterapia, la braquiterapia consiste en la introducción de material radioactivo en la zona afectada por el tumor y dejarlo actuar durante 48 ó 72 horas retirándolo posteriormente.

40. Ante la extravasación en la administración intravenosa de quimioterapia, las actividades a realizar por la enfermera serán:

a) Detener la perfusión y retirar la vía IV.
b) Detener la perfusión, aspirar con una jeringa el contenido posible, retirar posteriormente la vía IV y poner antídoto en la zona afectada.
c) Mantener la perfusión a un ritmo más lento y poner antídoto en la zona afectada.
d) Detener la perfusión, lavar la vía I.V. con suero fisiológico y continuar la perfusión a ritmo más lento para ver la reacción.
e) Cambiar la perfusión por una solución de suero fisiológico durante 1 hora, y posteriormente reanudar la perfusión prescrita.

41. Los cuidados de enfermería ante un paciente sometido a radioterapia externa irán encaminadas a:

a) Aliviar el dolor y favorecer el descanso.
b) Prevenir la infección y controlar las alteraciones digestivas.
c) Prevenir las alteraciones cutáneas, controlar las alteraciones digestivas y prevenir la infección.
d) Prevenir la alopecia y controlar la toxicidad visceral.
e) Prevenir las alteraciones cutáneas y aliviar el dolor.

42. El síndrome paraneoplásico se refiere a:

a) Los efectos locales del cáncer.
b) Las alteraciones psicológicas del cáncer.
c) Las alteraciones metabólicas y digestivas del cáncer.
d) Los efectos sistémicos del cáncer.
e) La respuesta del individuo al tratamiento con quimioterapia.

43. El sufijo -ostomía se utiliza cuando se realiza:

a) Resección.
b) Incisión.
c) Abertura.
d) Reparación.
e) Reconstrucción.

44. La cirugía mayor provoca en el organismo una serie de reacciones fisiológicas; éstas son:

a) Reacciones neurológicas.
b) Reacciones neuroendocrinas.
c) Reacciones cardiovasculares.
d) Reacciones respiratorias.
e) Reacciones digestivas.

45. En la valoración preoperatoria, la obesidad supone un factor de riesgo para el desarrollo del proceso quirúrgico. Señala cuál de las siguientes opciones no sería una complicación de la misma:

a) Infección.
b) Dehiscencia de suturas.
c) Problemas respiratorios.
d) Dolor.
e) Tromboflebitis.

46. Uno de los propósitos de la premedicación anestésica es:

a) Evitar el dolor.
b) Prevenir hemorragias.
c) Disminuir la ansiedad.
d) Que el paciente duerma la noche anterior.
e) Prevenir la infección.

47. En la preparación preoperatoria inmediata, ¿qué actividad de las siguientes no es correcto realizar?:

a) La preparación de la piel.
b) Fisioterapia respiratoria.
c) Profilaxis antibiótica.
d) Rasurado.
e) Premedicación anestésica.

48. Para que la profilaxis antibiótica cumpla su propósito, deberá administrarse:

a) El día anterior a la intervención quirúrgica.
b) La noche anterior.
c) Cuando el paciente esté anestesiado.
d) 30 ó 60 minutos antes de la intervención.
e) 3 horas antes de la intervención.

40-b

La extravasación de la administración IV de quimioterapia puede producir una necrosis de los tejidos si no se trata de forma adecuada, por tanto hay que vigilar cualquier signo o síntoma de intolerancia a la perfusión, aunque sea mínimo.

41-c

En la radioterapia externa la piel debe mantenerse hidratada y limpia, la ropa no debe ajustarse y se deben evitar las temperaturas extremas para evitar lesiones; hay que controlar las náuseas y vómitos y prevenir las infecciones vigilando el recuento leucocitario.

42-d

El síndrome paraneoplásico describe los efectos sistémicos del cáncer independientemente de su localización; puede alterar todos los sistemas del organismo (hematológico, inmunológico, nervioso, digestivo, hormonal, etc.). En algunos casos cede con el tratamiento.

43-c

Dentro de los sufijos utilizados para describir las técnicas quirúrgicas que se van a realizar, -ostomía se refiere a la realización de una abertura en un órgano o cavidad para establecer una comunicación (gastrostomía, traqueostomía, gastroduodenostomía).

44-b

El organismo para protegerse de las lesiones reacciona con modificaciones hormonales y del S.N. Simpático, tales como vasoconstricción, disminución de la actividad digestiva, aumento de la secreción de glucocorticoides y de hormona ADH.

45-d

El dolor postoperatorio aparece siempre, por el contrario, el resto de las complicaciones sí que aparecen con más frecuencia en las personas obesas.

46-c

La premedicación anestésica tiene tres propósitos: disminuir la ansiedad, facilitar la inducción y mejorar el mantenimiento de la anestesia. Para que disminuya la ansiedad debe haber una preparación psicológica previa, si no, el paciente estará somnoliento pero ansioso.

47-b

Los ejercicios de fisioterapia respiratoria deben realizarse y enseñarse en los días previos a la intervención para mejorar la función respiratoria en el postoperatorio, nunca inmediatamente antes del proceso quirúrgico.

48-d

Dependiendo de la vía de administración (IV o IM), para conseguir unos niveles plasmáticos óptimos cuando se realice la incisión quirúrgica, que es el momento más crítico, y disminuir así el riesgo de infección.

49. ¿Cuál de los siguientes objetivos no es prioritario en los cuidados preoperatorios de enfermería?:

a) Evitar úlceras por decúbito.
b) Mantener un buen estado de nutrición.
c) Controlar las alteraciones preexistentes.
d) Mantener un ritmo adecuado de eliminación.
e) Mantener un estado óptimo de hidratación.

50. La enfermera del quirófano debe realizar la valoración del paciente:

a) En la mesa de operaciones.
b) Después de anestesiarle.
c) En el quirófano.
d) Sólo con los datos de la historia clínica.
e) En el antequirófano.

51. Durante la intervención quirúrgica, los responsables de la seguridad y bienestar del paciente son:

a) El cirujano y el anestesista.
b) La enfermera instrumentista y el cirujano.
c) La enfermera circulante y el anestesista.
d) Las enfermeras del quirófano.
e) El cirujano y sus ayudantes.

52. Durante la anestesia general, el paciente estará:

a) Inconsciente, relajado y no analgesiado.
b) Consciente, relajado y no analgesiado.
c) Inconsciente, no relajado y analgesiado.
d) Inconsciente, relajado y analgesiado.
e) Consciente, relajado y analgesiado.

53. En la fase intraoperatoria, los objetivos prioritarios de enfermería serán:

a) Aliviar el dolor de todos los pacientes.
b) Prevenir úlceras por presión en el paciente.
c) Procurar el descanso y el sueño.
d) Mantener la seguridad y procurar el bienestar.
e) Mantener el orden y el horario establecido.

54. Durante la anestesia epidural, una de las complicaciones potenciales que hay que tener en cuenta es:

a) Hipertensión.
b) Laringoespasmo.
c) Hipotensión.
d) Hipertermia.
e) Hemólisis.

55. En el Plan de Cuidados intraoperatorio, ¿cuál de estos diagnósticos de enfermería estará siempre incluido en el mismo?:

a) Dolor.
b) Riesgo de infección.
c) Alteración del intercambio gaseoso.
d) Alteración de la integridad de la piel.
e) Alteración de la movilidad.

56. Para realizar cirugía perineal, al paciente se le colocará en posición de:

a) Decúbito supino.
b) Decúbito prono.
c) Decúbito lateral.
d) Trendelenburg.
e) Litotomía.

57. Los criterios de alta en la sala de reanimación ante un paciente con anestesia local, son:

a) Que el paciente no tenga dolor en la zona afectada.
b) Que haya recobrado totalmente la sensibilidad en la zona.
c) Que haya recobrado la función motora y parcialmente la sensitiva.
d) Que haya recobrado totalmente la función sensitiva y parcialmente la motora.
e) Que haya recobrado parcialmente sólo la función motora.

58. En el postoperatorio inmediato las dos causas más frecuentes de alteración del intercambio gaseoso, son:

a) Hipoventilación y asfixia.
b) Hipoventilación y obstrucción de la vía aérea.
c) Obstrucción de la vía aérea y dolor.
d) Disnea y dolor.
e) Dolor e hipoventilación.

59. Las causas más frecuentes de alteración del bienestar en el postoperatorio inmediato, son:

a) Dolor e hipotermia.
b) Hipotermia e hipotensión.
c) Dolor e hipoxemia.
d) Hipotensión e hipoxemia.
e) Hipotermia y ansiedad.

49-a

En la cirugía programada los pacientes mantienen un grado de movilidad en el preoperatorio, que evita la aparición de úlceras por decúbito si se consiguen el resto de los objetivos planificados.

50-e

Si no hay otro protocolo establecido (visita preoperatoria), la enfermera del quirófano deberá realizar siempre la valoración del paciente en el antequirófano, a través de la entrevista y la observación, para poder así planificar los cuidados intraoperatorios.

51-c

La enfermera circulante es la responsable de los cuidados intraoperatorios, y el anestesista es el responsable de mantener al paciente en las condiciones óptimas para que se desarrolle la intervención quirúrgica.

52-d

Para que una anestesia general cumpla su propósito, el paciente debe estar inconsciente, analgesiado y con el mínimo relajante compatible con la técnica quirúrgica que se realiza.

53-d

Los objetivos en la fase intraoperatoria deben planificarse para conseguir que durante el proceso quirúrgico queden atendidas todas las necesidades biosicosociales del paciente.

54-c

Las anestésicos locales utilizados para la administración de anestesia epidural, producen vasodilatación y como consecuencia de ello se produce una hipotensión, que debe vigilarse para evitar que ponga en riesgo la vida del paciente.

55-b

El riesgo de infección está relacionado fundamentalmente con la destrucción de la barrera cutánea y la exposición al ambiente externo de tejidos, órganos y cavidades virtualmente estériles; por tanto la enfermera mantendrá antes y durante la intervención todas las normas de asepsia de forma estricta.

56-e

Es la posición idónea para este tipo de cirugía, el paciente yace de espaldas con los glúteos en el borde de la mesa, los muslos y las piernas se colocan en los estribos de forma simultánea y formando ángulo recto para evitar lesiones y estasis venosa.

57-c

En la administración de la anestesia local lo último que desaparece es la motricidad y lo primero la sensibilidad (dolorosa, térmica, táctil), en la recuperación sigue el orden inverso, primero motricidad y progresivamente la sensibilidad.

58-b

La hipoventilación a causa de los fármacos, el dolor, la obesidad o la compresión del diafragma y la obstrucción de la vía aérea por relajación de la lengua hacia la faringe y acumulación de secreciones son las principales causas que alteran la ventilación pulmonar.

59-a

El dolor acompaña a los pacientes en el postoperatorio inmediato y ello hace que esté incómodo aunque no totalmente consciente. Así mismo, la exposición prolongada y la vasoconstricción que provoca el acto quirúrgico son la causa de la hipotermia.

60. Al despertar de la anestesia el primer sentido que se recupera es:

a) La vista.
b) El tacto.
c) La audición.
d) El olfato.
e) El gusto.

61. La febrícula que aparece a las 48 horas de la intervención quirúrgica, debe valorarse como un signo de:

a) Infección.
b) Cicatrización.
c) Dehiscencia.
d) Evisceración.
e) Rechazo del material de sutura.

62. La deambulación en el postoperatorio está contraindicada cuando existe:

a) Dolor.
b) Bajo estado de ánimo.
c) Infección grave.
d) Estasis venosa.
e) Disminución del peristaltismo.

63. Un drenaje quirúrgico debe retirarse generalmente:

a) A las 48 h.
b) A las 24 h.
c) A los 7 días.
d) 24 horas después del cese de emisión de contenido.
e) A los 5 días.

64. En el glaucoma se administrarán colirios:

a) Midriáticos.
b) Mióticos.
c) Ciclopéjicos.
d) Anestésicos.
e) Epitelizantes.

65. La alteración de la agudeza visual que se caracteriza por mala visión de objetos lejanos, se llama:

a) Hipermetropía.
b) Presbicia.
c) Astigmatismo.
d) Miopía.
e) Emetropía.

66. El orzuelo es:

a) Una inflamación de los bordes palpebrales.
b) Una obstrucción de una glándula en el borde libre del párpado.
c) Una infección de una glándula en el borde libre del párpado.
d) Una inflamación de la conjuntiva.
e) Una infección bacteriana de la córnea.

67. En los procesos infecciosos oculares se colocará apósito:

a) Siempre.
b) Nunca.
c) Sólo si hay fotofobia.
d) Sólo en el ojo afectado.
e) Cuando exista dolor.

68. Las gotas oculares deben ponerse en:

a) El centro del saco conjuntival.
b) El centro del globo ocular.
c) El ángulo interno del ojo.
d) El ángulo externo del ojo.
e) A lo largo de todo el saco conjuntival.

69. Ante una lesión por un producto químico en un ojo, ¿qué harías en primer lugar?:

a) Colocar un apósito.
b) Administrar un colirio analgésico.
c) Avisar al oftalmólogo.
d) Lavar el ojo con agua fría.
e) Mantener el ojo en reposo.

70. Las cataratas se producen por:

a) Una lesión de la retina.
b) Un aumento de la PIO.
c) Una atonía del cuerpo ciliar.
d) Una falta de elasticidad del cristalino.
e) Una opacidad del cristalino.

71. Tras la cirugía oftalmológica, el objetivo prioritario de enfermería será:

a) Mantener el reposo.
b) Evitar el aumento de la PIO.
c) Mantener el apósito limpio y seco.
d) Aliviar el dolor.
e) Disminuir la fotofobia.

60-c

La audición es el último sentido que se pierde en la inducción de la anestesia general y el primero que se recupera en el despertar, por eso aunque el paciente no esté totalmente consciente oye todo lo que le decimos y hablamos.

61-b

En la primera etapa de la cicatrización (los tres primeros días) se produce un proceso inflamatorio como reacción al trauma hístico que puede manifestarse con febrícula.

62-c

En caso de infección grave debe mantenerse al paciente en reposo hasta que desaparezcan los signos de infección (fiebre, malestar general, dolor agudo, etc.), ya que hay un exceso de consumo de oxígeno que dificulta la deambulación.

63-d

Los drenajes quirúrgicos se colocan para evacuar el contenido de una cavidad y evitar que se acumule y retrase la recuperación de la salud, por tanto, si no existe contenido y el drenaje está correcto, se debe retirar.

64-b

En un glaucoma se pretende que la pupila esté contraída para mantener abierto el drenaje del humor acuoso a través del conducto de Schlemm.

65-d

En la miopía hay una alteración de la acomodación del ojo para enfocar objetos lejanos y esto hace que la imagen se forme delante de la retina.

66-c

El orzuelo cursa como un absceso localizado en la base de las pestañas, generalmente causado por una infección por estafilococos.

67-b

En los procesos infecciosos no se colocará apósito para evitar que el calor y la humedad favorezca el crecimiento de los microorganismos y aumente la infección.

68-a

Se deben poner en el centro para que se extiendan al cerrar el párpado y evitar así que se pierda la menor cantidad posible del mismo.

69-d

Lo primero que hay que hacer es lavar el ojo con agua fría abundante durante unos minutos para intentar eliminar la mayor cantidad de producto del ojo y a continuación avisar al oftalmólogo para su revisión.

70-e

Es un proceso degenerativo que se caracteriza por la opacidad del cristalino, lo que ocasiona pérdida de visión en el ojo afectado.

71-b

El aumento de la PIO. puede causar daños irreparables en la visión, además de favorecer el riesgo de hemorragia, dehiscencia de suturas, etc.; por tanto, hay que evitar sobre todo los vómitos, la tos, la maniobra de valsalva, agacharse, y detectar signos de infección intraocular.

72. En el desprendimiento de retina, al paciente se le colocará:

a) En posición de Fowler intermedia.
b) En decúbito supino con la cabeza alineada.
c) En decúbito lateral del ojo sano.
d) En decúbito supino con la cabeza en declive hacia el ojo afectado.
e) En decúbito lateral del ojo afectado.

73. Las hipoacusias de percepción se producen por lesiones en:

a) El oído externo.
b) El oído medio.
c) La cóclea.
d) El tímpano.
e) Los canales semicirculares.

74. Una de las complicaciones más frecuentes de las infecciones de las vías aéreas superiores, es:

a) La otitis externa.
b) La otitis media.
c) La laberintitis.
d) La otosclerosis.
e) Los trastornos laberínticos.

75. Tras la realización de una miringotomía, colocaremos al paciente:

a) Con el oído operado hacia abajo.
b) Con el oído operado hacia arriba.
c) Con la cabeza alineada.
d) En semi Fowler.
e) En decúbito supino sin almohada.

76. La temperatura de las gotas óticas para su instilación debe ser:

a) Según esté en el frigorífico.
b) A temperatura ambiente.
c) A la temperatura corporal.
d) Calientes.
e) La temperatura no es importante.

77. ¿Cuál de las siguientes actividades no debe realizar un paciente tras la cirugía oftamológica?:

a) Levantarse de la cama.
b) Flexionar el tronco.
c) Pasear.
d) Dormir con almohada.
e) Comer alimentos sólidos.

78. En la otosclerosis, el tratamiento quirúrgico consiste en la realización de una:

a) Estapedectomía.
b) Miringotomía.
c) Timpanoplastia.
d) Mastoidectomía.
e) Laberintectomía.

79. Tras una operación de oído, una medida para evitar la infección es:

a) No colocar apósito en el oído.
b) No levantarse de la cama en una semana.
c) No flexionar el tronco.
d) No lavarse la cabeza en dos semanas.
e) No realizar movimientos bruscos.

80. La contracción muscular isométrica es la que:

a) Cambia la longitud.
b) Mantiene la longitud y aumenta la tensión muscular.
c) Cambia la longitud y mantiene la tensión muscular.
d) Disminuye la tensión y aumenta la longitud muscular.
e) Aumenta la tensión y disminuye la longitud.

81. En la exploración musculoesquelética, el goniómetro se utiliza para medir:

a) La fuerza muscular.
b) La alineación corporal.
c) La movilidad articular.
d) La función neurovascular.
e) La rotación cervical.

82. La punción articular para realizar una artrografía, está contraindicada en caso de:

a) Dolor.
b) Inflamación.
c) Derrame articular.
d) Trastornos hemorrágicos.
e) Deformidad articular.

83. Para el vendaje de una rodilla, ¿qué tipo de vuelta utilizarías?:

a) Circular.
b) Espiral.
c) En espiga.
d) Recurrente.
e) En ocho.

72-d

Siempre se le mantendrá en reposo, una vez localizado el desprendimiento se colocará la cabeza en declive hacia la zona afectada para evitar que el desgarro aumente y favorecer en lo posible la adhesión de las capas de la retina.

73-c

Las hipoacusias de percepción se producen por lesiones del oído interno generalmente de la cóclea, que impide la percepción del sonido a través de la estimulación del nervio acústico.

74-b

La otitis media puede presentarse como una complicación de las infecciones de vías aéreas superiores, como consecuencia de su comunicación a través de la trompa de Eustaquio.

75-a

Se mantendrá con el oído operado hacia abajo para favorecer el drenaje del oído medio, que es el propósito de la miringotomía.

76-c

Hay que calentar la solución entre la manos a la temperatura corporal (no más de 38°); a temperaturas mayores o menores puede producir vértigo.

77-b

Durante la primera semana no debe flexionar el tronco para evitar el aumento de la PIO y las posibles complicaciones posteriores.

78-a

La otosclerosis es una hipoacusia producida por la osificación del laberinto y la inmovilización del estribo. La estapedectomía consiste en la resección del estribo y la sustitución del mismo por una prótesis para restablecer la comunicación.

79-d

Para evitar la infección una de las medidas es procurar que el apósito no se humedezca y no utilizar champú, al menos en dos semanas.

80-b

En la contracción isométrica no se produce movimiento, sólo aumento de presión en el músculo, por eso la longitud del mismo no varía.

81-c

El goniómetro es un semicírculo graduado de 0° a 180° con el que se mide el ángulo de amplitud de la articulación. La extensión anatómica se mide como 0°.

82-d

La punción articular está contraindicada en pacientes con trastornos hemorrágicos o tratamiento con anticoagulantes por riesgo de hemorragia, de difícil acceso para la hemostasia.

83-e

Para vendar rodillas, codos o tobillos, se debe utilizar la vuelta en forma de ocho ya que este tipo de vendaje evita la hiperextensión de la articulación.

84. ¿Cuál de los siguientes objetivos no se persigue con la colocación de una férula?:

a) Acelerar la cicatrización ósea.
b) Prevenir deformidades.
c) Favorecer el retorno venoso.
d) Facilitar la alineación correcta de los segmentos óseos.
e) Inmovilizar una extremidad manteniendo un fácil acceso a los tejidos blandos.

85. La osteomielitis es un proceso:

a) Inflamatorio del tejido esponjoso.
b) Infeccioso del tejido compacto.
c) Infeccioso de la cavidad articular.
d) Infeccioso de la médula ósea.
e) Infeccioso del tejido esponjoso.

86. Las artralgias migratorias son una manifestación clínica de:

a) La artritis reumatoide.
b) El lupus eritematoso.
c) La artrosis.
d) La tuberculosis ósea.
e) La artritis gotosa.

87. La artrosis es una alteración:

a) Degenerativa de tejido óseo.
b) Inflamatoria de la cavidad articular.
c) Degenerativa del cartílago articular.
d) Inflamatoria de los ligamentos articulares.
e) Inflamatoria del tejido óseo.

88. Tras una fractura, la aparición de petequias en piel y mucosas (tórax, axilas y conjuntiva), es un signo de:

a) Síndrome compartimental.
b) Embolia grasa.
c) Shock hipovolémico.
d) Retardo en la consolidación.
e) Rechazo al material.

89. En la valoración articular, la diferencia entre un proceso artrítico y un proceso artrósico, se manifiesta principalmente por:

a) La duración del proceso.
b) El dolor.
c) La impotencia funcional.
d) La tumefacción, el calor y enrojecimiento.
e) La deformidad de la articulación.

90. La complicación más importante de una luxación es:

a) La lesión nerviosa.
b) La lesión vascular.
c) La impotencia funcional.
d) El acortamiento de la extremidad.
e) El dolor.

91. El sarcoma de Ewing es un tumor de:

a) Tejido cartilaginoso.
b) Tejido óseo.
c) Tejido conjuntivo.
d) Médula ósea.
e) Tejido muscular.

92. En una fractura, el dolor profundo, pulsátil, que no cede con analgésicos y aumenta con el movimiento, es una manifestación clínica de:

a) Seudoartrosis.
b) Embolia grasa.
c) Necrosis vascular ósea.
d) Miositis osificante.
e) Síndrome compartimental.

93. En el tratamiento de las fracturas, la osteosíntesis consiste en:

a) Colocar un fijador externo.
b) Colocar una tracción.
c) Colocar un vendaje rígido inmovilizador.
d) Inmovilizar internamente una fractura.
e) Sustituir la zona afectada por una prótesis.

94. Para que una tracción esquelética sea eficaz, los principios que debe cumplir son:

a) Contratracción, continuidad y alineación corporal.
b) Movilidad articular y alineación corporal.
c) Continuidad y movilidad articular.
d) Contratracción y alineación corporal.
e) Continuidad, alineación corporal y movilidad articular.

95. En el vendaje rígido inmovilizador, la atrofia muscular de la zona afectada que conlleva la inmovilización se puede reducir con:

a) Movimientos de amplitud de la extremidad afectada.
b) Contracciones isotónicas de la zona afectada.
c) Contracciones isométricas de la zona afectada.
d) Ejercicios de las articulaciones no inmovilizadas.
e) Cambios posturales cada dos horas.

84-a

Con la férula se puede inmovilizar una fractura pero no acelera por sí misma el proceso de cicatrización de la fractura, si no está acompañada de otro tipo de tratamiento como la tracción, osteosíntesis, etc.

85-d

La osteomielitis es un proceso infeccioso que se desarrolla en la médula ósea produciendo un absceso supurativo hacia los tejidos blandos.

86-b

Las artralgias migratorias aparecen por la afectación articular de la enfermedad; duran unos dias, ceden y aparecen al cabo del tiempo en otra articulación. No están acompañadas de signos inflamatorios.

87-c

La artrosis es una alteración degenerativa crónica del cartílago articular, que produce la destrucción del mismo y que afecta principalmente a las articulaciones que soportan peso.

88-b

La embolia grasa es una de las complicaciones inmediatas de las fracturas, suele aparecer en las primeras 24 ó 48 horas, y se manifiesta con alteraciones de la conducta (confusión, agitación) y aparición de petequias en piel y mucosa.

89-d

En la exploración física de la artritis encontramos tumefacción, calor y enrojecimiento, como respuesta al proceso inflamatorio. En la artrosis no, ya que se trata de un proceso degenerativo no inflamatorio.

90-a

La pérdida de contacto entre las dos superficies articulares que define la luxación, comporta un riesgo de lesión nerviosa por proximidad y posible elongación del nervio circundante.

91-d

El sarcoma de Ewing es un tumor maligno que se origina en la médula ósea y que aparece, generalmente, entre los 10 y los 25 años, afectando principalmente a huesos largos, pelvis y escápula.

92-e

El síndrome compartimental se define como el aumento de la tensión en un compartimento; este aumento de la tensión produce una isquemia que se manifiesta con dolor en el compartimento y que puede provocar una necrosis de la zona afectada.

93-d

La osteosíntesis o fijación interna implica la inmovilización de una fractura por elementos metálicos internos y tiene como objetivos conseguir la estabilidad de la misma y recuperar la funcionalidad lo antes posible.

94-a

La eficacia de una tracción depende de la presencia de contratracción (ajustar la posición del lecho), la continuidad (no interrumpir nunca la tracción) y la conservación de la alineación corporal impidiendo que se pueda alterar la línea de tracción (roce de pesas y poleas o posición inadecuada del paciente).

95-c

Durante el tratamiento inmovilizador se debe enseñar al paciente a tensar los músculos sin mover la zona afectada para reducir la atrofia muscular y mantener la resistencia del músculo.

96. Dolor, impotencia funcional, deformidad, tumefacción, crepitación y equímosis, son manifestaciones clínicas de:

a) La artrosis.
b) Las fracturas.
c) Las luxaciones.
d) La artritis.
e) La osteomielitis.

97. Los esguinces se clasifican en benignos o graves en función de:

a) El lugar de la lesión.
b) El derrame articular.
c) La impotencia funcional.
d) La estabilidad articular.
e) La tumefacción posterior.

98. Durante la aplicación de una férula de Braun, es importante vigilar para evitar lesiones cutáneas:

a) La temperatura de los dedos.
b) La posición del pie.
c) El almohadillado del ángulo proximal interno de la férula.
d) El almohadillado del ángulo proximal externo de la férula.
e) La posición del hueco poplíteo.

99. ¿Cuál de estas afirmaciones, en relación a las fracturas, es falsa?:

a) La edad altera la velocidad de curación de una fractura.
b) En el tejido esponjoso, el tiempo de curación de una fractura es menor.
c) Uno de los objetivos del tratamiento de las fracturas es la correcta consolidación ósea.
d) Sólo se reducen o alinean las fracturas cerradas.
e) La infección aumenta el tiempo de curación de una fractura.

100. Tras la cirugía ortopédica, una de las complicaciones más frecuentes que la enfermera debe contemplar siempre en el Plan de Cuidados, es:

a) El dolor.
b) Las arritmias cardíacas.
c) La enfermedad tromboembólica.
d) El broncoespasmo.
e) La hipocalcemia.

101. La osteomalacia es una alteración:

a) Infecciosa.
b) Inflamatoria.
c) Degenerativa.
d) Metabólica.
e) Tumoral.

102. Las fracturas conminutas se caracterizan por:

a) Ser fracturas abiertas.
b) Tener múltiples fragmentos.
c) Ser fracturas incompletas.
d) Localizarse en el antebrazo.
e) Ser fracturas completas.

103. ¿Cuál de los siguientes procesos no forma parte de la cicatrización de las fracturas?:

a) Proliferación celular.
b) Osificación.
c) Remodelación.
d) Transformación.
e) Inflamación.

104. La sustitución de las superficies articulares se llama:

a) Artroplastia.
b) Artrodesis.
c) Osteosíntesis.
d) Osteotomía.
e) Artrotomía.

105. El síntoma principal de intolerancia que valorará la enfermera en un paciente con tracción esquelética continua, será:

a) Incomodidad.
b) Dolor.
c) Inflamación.
d) Supuración.
e) Enrojecimiento.

106. La presencia de secuestro óseo, manifestada radiológicamente, se considera un signo de:

a) Osteosarcoma.
b) Osteomielitis aguda.
c) Osteomielitis crónica.
d) Tuberculosis ósea.
e) Mal de Pott.

96-b

Al producirse una fractura aparece dolor en la zona afectada que aumenta con la presión y el movimiento; impotencia funcional por falta de continuidad ósea, deformidad por desplazamiento óseo, acortamiento y contracción de los músculos, crepitación por roce de los fragmentos en la palpación y equimosis debido al traumatismo y hemorragia consecutivas a la fractura.

97-d

El esguince es una lesión de las estructuras ligamentosas periarticulares a causa de la torsión; si la lesión de los ligamentos es grave la estabilidad articular será menor.

98-c

La falta de almohadillado y la presión excesiva del ángulo proximal interno de la férula sobre el isquión es la causa principal de hematomas y úlceras en la zona perineal.

99-d

Uno de los principios del tratamiento de las fracturas es la reducción y posterior inmovilización de las mismas, ya sean éstas abiertas o cerradas; sólo variará el tipo de tratamiento utilizado en cada una de ellas.

100-c

Es una de las complicaciones más frecuente y peligrosa que se presentan en el postoperatorio en el paciente ortopédico. La enfermera debe valorar a diario las piernas del paciente para detectar signos de trombosis venosa profunda (signo de Homans), edema, aumento de sensibilidad, e informar al médico inmediatamente.

101-d

La osteomalacia es una osteopatía metabólica que se caracteriza por una mineralización deficiente del hueso, a causa de una perturbación generalizada del metabolismo de los minerales.

102-b

Se llaman así a las que se acompañan de la formación de varios fragmentos óseos.

103-d

Después de una fractura, el hueso se regenera a sí mismo a través de distintas fases de cicatrización, pero no se transforma.

104-a

La artroplastia consiste en sustituir una o ambas superficies articulares por materiales plásticos o metálicos.

105-b

El dolor es el síntoma más importante de intolerancia, ya que una tracción bien colocada debe ser siempre indolora.

106-c

Las infecciones repetidas provocan la necrosis del tejido afectado que se manifiesta radiológicamente como secuestro óseo.

107. La presencia de nódulos en el tejido celular subcutáneo, próximos a la articulación metacarpofalángica es un signo de:

a) Osteoartritis.
b) Artritis gotosa.
c) Artritis bacteriana.
d) Artritis reumatoide.
e) Bursitis.

108. Antes de comenzar los ejercicios pasivos de la articulación de la rodilla, en un paciente con artritis reumatoide, la enfermera deberá:

a) Administrar analgésicos.
b) Aplicar frío local.
c) Hacer que el paciente deambule 10 min.
d) Aplicar calor local.
e) Colocar una férula durante 30 min.

109. En las alteraciones inflamatorias y degenerativas, el tratamiento farmacológico de base es:

a) Los corticoides.
b) Los AINES.
c) Los antiinflamatorios.
d) Los analgésicos.
e) La calcitonina.

110. La valoración neurovascular de la zona distal al foco de fractura, debe realizarse:

a) En la tracción esquelética.
b) En la tracción cutánea.
c) En el vendaje rígido inmovilizador.
d) En todo tipo de fracturas y tratamientos.
e) Tras la osteosíntesis.

111. El Diagnóstico de Enfermería: trastorno de la imagen corporal por cambios físicos, podemos aplicarlo de forma correcta en pacientes con:

a) Osteomielitis.
b) Artritis gotosa.
c) Artritis reumatoide.
d) Tuberculosis ósea.
e) Artritis bacteriana.

112. El síndrome del túnel carpiano se produce por una alteración:

a) Nerviosa.
b) Arterial.
c) Venosa.
d) Muscular.
e) Ósea.

113. La desviación lateral de la columna vertebral se denomina:

a) Cifosis.
b) Hernia discal.
c) Escoliosis.
d) Anquilosis.
e) Lordosis.

114. La reacción inflamatoria pone en marcha una respuesta inmunitaria:

a) Específica humoral.
b) Específica celular y humoral.
c) Adquirida activa.
d) Inespecífica celular y humoral.
e) Inespecífica humoral.

115. Las linfocinas son liberadas por:

a) Linfocitos T
b) Linfocitos B.
c) Macrófagos.
d) Mastocitos.
e) Monocitos.

116. Durante los primeros días de una infección aguda, estará aumentada en el suero la:

a) IgG.
b) IgM.
c) IgA.
d) IgD.
e) IgE.

117. Las gammaglobulinas terapéuticas confieren al individuo:

a) Inmunidad adquirida activa.
b) Inmunidad inespecífica celular.
c) Inmunidad inespecífica humoral.
d) Inmunidad natural.
e) Inmunidad adquirida pasiva.

118. ¿Cuál de las siguientes alteraciones no se considera autoinmune?:

a) Diabetes Mellitus.
b) Tiroiditis.
c) Esclerosis múltiple.
d) Endocarditis.
e) Artritis reumatoide.

107-d

Una cuarta parte de los pacientes afectados de artritis reumatoide presentan nódulos subcutáneos, que se conocen como nódulos reumatoides, localizándose en las proximidades de las articulaciones afectadas.

108-d

Con la aplicación de calor local se consigue que la articulación esté más flexible y que el paciente no manifieste dolor con la movilización.

109-b

Los antiinflamatorios no esteroideos se utilizan como tratamiento básico de estas alteraciones, ya que unen su acción analgésica a su acción antiinflamatoria. Se mantiene durante largo tiempo, pero siempre bajo control médico.

110-d

La valoración de la función neurovascular de las zonas distales debe realizarse de forma sistemática en todo tipo de fracturas, sea cual sea el tipo de tratamiento utilizado.

111-c

Las deformidades afectan sobre todo a manos y pies y responden a un proceso crónico y progresivo que no desaparece al ceder los períodos de exacerbación de la enfermedad.

112-a

El síndrome del túnel carpiano aparece por la compresión del nervio mediano en la muñeca.

113-c

La desviación lateral de la columna es un problema ortopédico que suele manifestarse durante la adolescencia.

114-d

La reacción inflamatoria pone en marcha localmente los mecanismos de defensa celular y humoral inespecíficos que se activan como respuesta a las lesiones tisulares o a la presencia de microorganismos.

115-a

Las linfocinas son sustancias proteicas liberadas por los linfocitos T al entrar en contacto con un antígeno específico.

116-b

La IgM específica es un indicador importante de la presencia de infección o de que ha ocurrido muy recientemente; esta inmunoglobulina desaparece a los 10 ó 12 dias para elevarse posteriormente la IgG.

117-e

Cuando se administra una gammaglobulina, el individuo recibe anticuerpos específicos para defenderse de forma rápida contra ese antígeno hasta que el organismo produzca sus propios anticuerpos.

118-d

La endocarditis es un proceso inflamatorio de causa conocida. El resto de las alteraciones se producen por una respuesta del organismo contra estructuras propias que no reconoce como tal.

119. Las células que se sensibilizan tras el contacto con el alérgeno son:

a) Los mastocitos.
b) Los monocitos.
c) Los fagocitos.
d) Los neutrófilos.
e) Los eosinófilos.

120. Según Gell y Coombs, la hipersensibilidad mediada por células es la:

a) Tipo I.
b) Tipo IV.
c) Tipo III.
d) Tipo II.
e) Inmediata.

121. En un paciente con una reacción alérgica pueden aparecer las siguientes manifestaciones, excepto:

a) Broncoespasmo.
b) Aumento de la secreción mucosa.
c) Vasoconstricción.
d) Prurito.
e) Dolor abdominal.

122. En la hipersensibilidad tipo I, se encuentra elevada en el suero:

a) La IgA.
b) La IgD.
c) La IgE.
d) LA IgM.
e) La IgG.

123. La anafilaxia se produce cuando el alérgeno:

a) Alcanza el tracto respiratorio.
b) Alcanza el tracto gastrointestinal.
c) Está en contacto con la piel.
d) Alcanza la circulación sanguínea.
e) Alcanza niveles elevados.

124. Los cuidados generales de una persona con hipersensibilidad inmediata comprenden:

a) Abstinencia, tratamiento de los síntomas e inmunoterapia.
b) Abstinencia, antibioterapia y corticoides.
c) Corticoides, antihistamínicos y broncodilatadores.
d) Inmunoterapia y tratamiento de los síntomas.
e) Antihistamínicos y abstinencia.

125. Cuando la enfermera administra la inmunoterapia (vacuna), debe extremar las precauciones para evitar riesgos:

a) Sólo la primera vez.
b) Cuando la dosis sea elevada.
c) El primer año de vacunación.
d) Siempre que administre una dosis.
e) Cuando estén presentes síntomas de alergia.

126. El virus VIH, ¿se une y destruye a todo tipo de células del organismo?:

a) Sí.
b) Solo a los linfocitos B.
c) Solo a los linfocitos T.
d) Solo a las células Hematopoyéticas.
e) A las células portadoras de CD_4.

127. En la fase inicial de una infección por VIH, los anticuerpos se detectan:

a) A los 3 días.
b) A los 14 días.
c) A las 3 ó 4 semanas.
d) Varios años después.
e) A los 3 meses.

128. A una persona infectada por VIH se le diagnostica de SIDA cuando:

a) Tiene anticuerpos VIH y signos de infección por VIH.
b) Existe linfadenopatía generalizada persistente y anticuerpos VIH.
c) Padece una neuropatía periférica y tiene linfadenopatía generalizada.
d) Padece una tuberculosis y tiene anticuerpos VIH.
e) Tiene un sarcoma de Kaposi, menos de 60 años, los linfocitos T_4 disminuidos y anticuerpos VIH.

129. El aislamiento de un paciente con SIDA está indicado:

a) Siempre.
b) Cuando padece una neumonía por pneumocystis carinii.
c) Cuando padece una candidiasis bronquial.
d) Cuando tiene una hemorragia y diarrea importante.
e) Cuando tiene fiebre y malestar general.

119-a

En el primer contacto con el alérgeno no hay síntomas, se segregan anticuerpos (IgE) que se unen y sensibilizan a los mastocitos presentes en los tejidos.

120-b

Se llama también hipersensibilidad retardada y describe las manifestaciones clínicas que acompañan a una respuesta inmunitaria mediada por linfocitos T; tarda 2 ó 3 días en aparecer.

121-c

La liberación de histamina por los mastocitos provoca todas las manifestaciones de la reacción alérgica, incluida vasodilatación, lo que contribuye a la caída brusca de la tensión arterial.

122-c

Cuando una persona atópica se ve expuesta a un alérgeno, produce IgE en vez de IgG.

123-d

La anafilaxia aparece por la liberación masiva por parte de los mastocitos y basófilos de sustancias vasoactivas que pueden provocar un shock e incluso la muerte.

124-a

Los cuidados irán encaminados a evitar el contacto con el alérgeno, farmacoterapia cuando aparecen los síntomas para disminuir sus efectos e inmunoterapia (vacuna o desensibilización) prolongada.

125-d

Siempre existe riesgo de que se presente una reacción anafiláctica grave durante la desensibilización, por tanto debe mantenerse la vigilancia del paciente al menos 1 hora después de la administración.

126-e

El virus se une estrechamente a las células que tiene en su membrana una proteína llamada CD_4; estas células se encuentran en el organismo en mucosas, sistema nervioso y sistema inmunitario (macrófagos y linfocitos T).

127-c

Tras el contagio por el VIH, hay una primera fase que cursa como un cuadro gripal y dura de 3 a 14 días, en la cual no se detectan anticuerpos. Estos aparecen a las 3 ó 4 semanas; el paciente puede estar asintomático.

128-e

El diagnóstico de SIDA se reserva para personas con anticuerpos VIH y linfocitos T_4 disminuidos que desarrollan enfermedades oportunistas y tumores malignos que no aparecen en situaciones normales.

129-d

El hecho de que un paciente tenga SIDA no significa que haya que aislarlo, pero hay situaciones, como la expulsión abundante de fluidos corporales, en las que se debe aislar al paciente para evitar riesgos de infección cruzada.

130. La enfermedad constitucional asociada al SIDA, se caracteriza por los siguientes signos y síntomas, excepto:

a) Fiebre persistente durante más de un mes.
b) Pérdida de peso.
c) Hemorragias.
d) Diarrea crónica.
e) Malestar general y debilidad.

131. Los fármacos específicos utilizados para la infección por VIH son:

a) Antibióticos.
b) Antipiréticos.
c) Antivíricos.
d) Corticoides.
e) Antiinflamatorios.

132. Las medidas de protección universal para evitar el contagio por VIH deben utilizarse desde que:

a) El paciente es diagnosticado de SIDA.
b) Se sospecha riesgo de infección.
c) Hay un recuento de linfocitos T_4 menor de 400.
d) Aparece linfadenopatía generalizada.
e) Se presenta la enfermedad constitucional.

133. En la prueba cutánea del raspado para diagnosticar la hipersensibilidad, los resultados aparecerán:

a) A los 10 minutos.
b) A las 2 horas.
c) A las 48 horas.
d) A las 24 horas.
e) A los 30 minutos.

134. En la Inmunodeficiencia primaria por defecto de linfocitos B, las infecciones más frecuentes se producen por:

a) Virus.
b) Bacterias.
c) Micobacterias.
d) Hongos.
e) Protozoos.

135. Con respecto a las glándulas sebáceas, ¿cuál de las afirmaciones siguientes es falsa?:

a) Comienzan a segregar a partir de la pubertad.
b) Su secreción se controla a través de la hormona testosterona.
c) Son más abundantes en las palmas de las manos y en las plantas de los pies.
d) Son el resultado de una invaginación del folículo piloso.
e) Contribuyen a la formación del manto graso de la piel.

136. Si para calcular la superficie corporal quemada de un paciente utilizamos «la regla del nueve», el miembro superior ocupa:

a) 4,5%.
b) 9%.
c) 18%.
d) 27%.
e) 6%.

137. ¿Qué afirmación es correcta respecto a las quemaduras epidérmicas o de primer grado?:

a) Producen únicamente eritema.
b) Producen flictenas o ampollas.
c) Producen necrosis de la zona.
d) Precisan tratamiento quirúrgico, requiriendo injertos cutáneos.
e) Dejan secuelas importantes en la zona de lesión.

138. La actuación inmediata de enfermería ante una quemadura es:

a) Administración de pomadas vaselinadas.
b) Administración de pomadas con corticoide.
c) Administración de pomadas epitelizantes.
d) Administración de pomadas con antihistamínico.
e) Mantener la herida en condiciones lo más asépticas posibles.

139. Con respecto a la psoriasis, señale la afirmación falsa:

a) Se localiza típicamente en rodillas, codos y zona sacra.
b) En ocasiones puede afectar a mucosas.
c) Presenta signo de la bombilla positivo.
d) Cursa con placas algo elevadas, escamosas y bien definidas.
e) Seguido correctamente el tratamiento puede ser curativo.

130-c

Las hemorragias pueden ocurrir por enfermedades oportunistas pero no forman parte del cuadro clínico de enfermedad constitucional, que puede desarrollarse sin que aquéllas estén presentes.

131-c

Los fármacos antivíricos se están utilizando para combatir la infección por VIH, aunque los resultados son contradictorios debido a la altísima tasa de mutación del virus. Los más utilizados son: AZT (Zidovudina); ddC (Didesoxiciticlina), ddI (Didesoxiinosina) y últimamente la nevirapina.

132-b

Las medidas de protección universal se deben utilizar y enseñar desde que se sospecha riesgo de infección, aunque la seroconversión no se haya producido y el paciente esté asintomático.

133-a

Esta prueba se realiza para diagnosticar la hipersensibilidad inmediata, con la aplicación de antígenos en el antebrazo y una suave escarificación de la piel, el resultado es positivo si aparece eritema en 10 minutos, desaparece en 1 hora.

134-b

En las inmunodeficiencias primarias, las infecciones bacterianas repetitivas van asociadas a deficiencias del sistema inmunitario humoral e inespecífico.

135-c

Son más abundantes en las palmas de las manos y en las plantas de los pies. Las glándulas sebáceas se relacionan con los folículos pilosos, como el pelo que la acompaña están presentes en todo el cuerpo excepto en las palmas de las manos y plantas de los pies.

136-b

Con esta regla se mide el porcentaje de área de superficie quemada mediante la división del cuerpo en múltiplos de nueve (excepto el 1% restante que corresponde al periné), correspondiendo a cada miembro superior el 9% de superficie corporal.

137-a

Las lesiones epidérmicas presentan una apariencia eritematosa, no exudativa, causando sensación molesta (no dolorosa), curando espontáneamente en 3 ó 4 días.

138-e

Mantener la herida en condiciones lo más asépticas posibles. El tratamiento tópico ideal sería aquél que creara una barrera impenetrable a la contaminación de gérmenes y sería el primero en aplicar.

139-e

Los objetivos del tratamiento son disminuir el acelerado recambio de las células epidérmicas y favorecer la resolución de las lesiones psoriásicas pero no supone en ningún momento la curación de la enfermedad.

140. Los melanocitos se hallan en la epidermis a nivel de:

a) Capa basal.
b) Estrato espinoso.
c) Estrato granuloso.
d) Estrato lúcido.
e) Capa córnea.

141. Si a un paciente que presenta en el labio inferior un carcinoma espinocelular le dejamos sin tratamiento. ¿Qué es lo que no ocurriría?:

a) No cura.
b) Puede curar solo.
c) Destruye el labio por completo.
d) Metatastiza a ganglios regionales.
e) Produce metástasis a distancia.

142. Si estamos ante un montañero con los dedos del pie izquierdo congelados, la actividad de enfermería inmediata será:

a) Introducir el pie en agua fría.
b) Introducir el pie en agua caliente.
c) Introducir el pie en agua a temperatura del cuerpo.
d) Aplicar masaje.
e) Aplicar masaje con nieve.

143. La lesión sobreelevada de la piel que contiene líquido y cuyo diámetro es inferior a 0,5 cm se denomina:

a) Vesícula.
b) Ampolla.
c) Flictena.
d) Pústula.
e) Costra.

144. Las verrugas víricas que se localizan en el dorso de la mano son neoformaciones cuya lesión elemental es:

a) Ampolla.
b) Vesícula.
c) Nódulo.
d) Pápula.
e) Mácula.

145. Los carcinomas basocelulares casi siempre los encontramos localizados en:

a) Piernas.
b) Espalda.
c) Tronco.
d) Brazos.
e) Cara.

146. La inflamación micótica más frecuente en nuestro medio, es sin lugar a dudas:

a) Tiña corporal.
b) Tiña capitis.
c) Candidiasis en los pliegues de las personas obesas.
d) Candidiasis periungüeal.
e) Pie de atleta.

147. De las siguientes alteraciones, una de ellas no es complicación del «gran quemado», señálela:

a) Úlcera de Curling.
b) Septicemia.
c) Tromboflebitis.
d) Shock hipervolémico.
e) Desnutrición.

148. En la recepción de un paciente politraumatizado. ¿A qué lesión prestaría atención en primer lugar?:

a) Fractura abierta de húmero.
b) Hemorragia externa.
c) Neumotórax a tensión.
d) Hematoma extradural.
e) Rotura uretral.

149. Si nos encontramos ante un paciente que presenta una fractura costal, ¿qué actuación será la adecuada?:

a) Vendaje compresivo y elástico.
b) Reposo.
c) Inmovilización con escayola.
d) Fijación externa.
e) Colocación de clavos intramedulares.

150. La rotura de un bronquio puede llegar a producir todo lo siguiente excepto:

a) Disnea.
b) Tórax inestable.
c) Derrame pleural.
d) Hemoptisis.
e) Enfisema.

140-a

La capa basal o también llamada capa germinativa es la capa más profunda de la epidermis, en ella se encuentran los melanocitos entre los queratinocitos suprabasales (en proporción de 1:10).

141-b

El carcinoma espinocelular es un tumor maligno de la epidermis que aparece en piel lesionada por el sol siendo un carcinoma invasivo, por lo que sólo puede curar por escisión.

142-c

Introducir el pie en agua a temperatura del cuerpo. Los cuidados de enfermería incluyen el calentamiento gradual, con la inmersión del miembro congelado en agua, aumentando gradualmente la temperatura de 20° a 40° C.

143-a

La vesícula es una pequeña protuberancia de la piel que contiene un líquido transparente y que a diferencia de la ampolla o flictena, presenta un diámetro inferior a 0,5 cm.

144-d

La pápula es una lesión sólida, protuberante y palpable de color variable y menor de 1 cm. de diámetro.

145-e

El carcinoma basocelular o epitelioma basocelular puede formarse en cualquier parte del cuerpo pero lo hacen sobre todo en zonas expuestas al sol, siendo especialmente frecuentes en la cara de las personas ancianas.

146-e

El pie de atleta es la micosis más extendida, se trata de una lesión superficial que afecta a las plantas o pliegues interdigitales de los pies.

147-d

En un gran quemado la pérdida de la barrera cutánea hace que se pierdan grandes cantidades de líquidos por evaporación que, unido a la extravasación de sodio, iones y proteínas, origina en el paciente quemado un shock hipovolémico.

148-c

El neumotórax a tensión representa un problema urgente, de una gravedad extrema, la actuación inmediata será evacuar el contenido de la cavidad pleural con el propósito de reducir la presión del tórax.

149-b

Se mantiene al paciente en reposo para favorecer la consolidación de la fractura, las demás medidas son poco útiles y no aconsejables ya que limitan la ventilación del paciente.

150-b

El tórax inestable se produce por la fractura de varias costillas en dos puntos distintos; precisándose para ello un traumatismo muy severo y nunca por rotura de un bronquio.

151. La sangre arterial de un enfermo presenta los siguientes datos: pO_2 = 90 mmHg; pCO_2 = 40 mmHg; pH = 7,38; CO_3H^- = 25 mEq/l, Sat 0_2 = 97% corresponden probablemente a un paciente con:

a) Alcalosis respiratoria.
b) Acidosis respiratoria.
c) Sangre normal.
d) Alcalosis metabólica.
e) Acidosis metabólica.

152. Un paciente en acidosis respiratoria presentará en sangre arterial:

a) Hipoxemia.
b) Elevación del pH.
c) Aumento del bicarbonato.
d) Hipercapnia.
e) Hipocapnia.

153. A un paciente al que se le ha realizado la prueba de la tuberculina o Mantoux presenta un grado de induración de 25 mm de diámetro, este resultado nos indicaría que el paciente:

a) Tiene la enfermedad tuberculosa.
b) Precisa tratamiento antituberculoso de inmediato.
c) Tiene infección tuberculosa.
d) Ha estado vacunado previamente.
e) Tiene que vacunarse en el momento que desaparezca la cutirreacción.

154. Si estamos cuidando a un paciente que respira espontáneamente y tiene colocado un drenaje torácico tipo pleur-evac y observamos que el agua de la cámara de sello hidráulico asciende en la inspiración y desciende en la espiración, pensaremos que:

a) El sistema está obstruido en el tubo que va desde el enfermo a la cámara de drenaje.
b) El sistema se encuentra acodado en algún punto.
c) El sistema por algún sitio está en desconexión.
d) El enfermo ya está recuperado.
e) El sistema funciona con normalidad.

155. Si administramos concentraciones altas de oxígeno en un paciente que sufre una EPOC (enfermedad pulmonar obstructiva crónica) puede entrañar peligro porque:

a) El oxígeno administrado a altas concentraciones puede provocarle distress respiratorio.
b) La hipercapnia supone para el paciente un estímulo para respirar.
c) Habrá una hipocapnia muy severa.
d) La hipoxia dejará de ser un estímulo para respirar.
e) Sufrirá una intoxicación de CO_2.

156. Si realizamos la valoración a un paciente que presenta una intoxicación de oxígeno, observaremos:

a) Agitación, ansiedad y desorientación.
b) Somnolencia, cianosis y desorientación.
c) Disnea, aleteo nasal y molestia subesternal.
d) Visión borrosa, ansiedad y vértigo.
e) Síncope, visión borrosa y cianosis.

157. ¿Qué parámetros analíticos encontraríamos alterados en un paciente que presenta un insuficiencia respiratoria aguda?:

a) Descenso de la pO_2 y aumento de la pCO_2.
b) Acidosis metabólica e hipercapnia.
c) Aumento de la pO_2 y disminución de la pCO_2.
d) Alcalosis metabólica e hipocapnia.
e) Aumento de la pO_2 y normocapnia.

158. Al medir la frecuencia respiratoria a un paciente en reposo observamos que es de 36 respiraciones por minuto, respiraciones profundas mantenidas de forma continuada, ¿cómo denominamos este tipo de respiración?:

a) Cheyne-Stokes.
b) Biot.
c) Kussmaul
d) Hiperepnea.
e) Taquipnea.

151-c

La gasometría arterial es de gran ayuda para evaluar el intercambio gaseoso en los pulmones. Recordando las cifras siguientes: pO_2 de 80 a 100 mmHg, pcO_2 de 35 a 45 mmHg, pH de 7,35 a 7,45, CO_3H^- de 22 a 26 mEq/l y Sat O_2 de 95 a 100% nos indica que los anteriores datos corresponden a valores normales de sangre arterial.

152-d

Un paciente en acidosis respiratoria presenta un exceso de retención de CO_2, siendo éste superior a 45 mmHg.

153-c

El test de tuberculina detecta únicamente la presencia de infección del bacilo, no de enfermedad.

154-e

Si el paciente respira espontáneamente y tiene colocado un drenaje pleur-evac, funciona correctamente si la fluctuación del nivel del agua (en la cámara del agua) se eleva en la inspiración y desciende con la espiración.

155-d

El exceso en la administración de oxígeno en un paciente con EPOC (enfermedad pulmonar obstructiva crónica) puede eliminar el estímulo respiratorio ya que en estos pacientes la hipoxia estimula su respiración.

156-c

La administración de oxígeno en cantidades excesivas puede producir efectos tóxicos en pulmones y sistema nervioso central causando efectos adversos como disnea, aleteo nasal y molestia subesternal.

157-a

La insuficiencia respiratoria se basa en la existencia en sangre arterial de una presión parcial de oxígeno menor de 60 mmHg que puede ir acompañada, pero no necesariamente, de una elevación de la presión parcial de dióxido de carbono mayor de 45 mmHg, tomadas estas cifras en reposo y a nivel del mar.

158-c

El aumento notable de la frecuencia y profundidad respiratoria, sin pausa, recibe el nombre de respiración de Kussmaul.

159. Si tenemos que realizar una gasometría arterial, la arteria que escogeríamos con preferencia para realizar la punción sería:

a) Radial.
b) Cubital.
c) Humeral.
d) Braquial.
e) Femoral.

160. Si al auscultar el tórax de un paciente notamos un ruido producido por la dificultad a la salida de aire en los pulmones posiblemente este ruido sea:

a) Estertor.
b) Crepitante.
c) Sibilancia.
d) Estridor.
e) Roce pleural.

161. Si estamos ante un paciente con enfisema pulmonar, evitaremos todas las actividades siguientes excepto:

a) El sedentarismo.
b) La obesidad.
c) La tos.
d) Los irritantes respiratorios.
e) El estreñimiento.

162. Realizaremos la maniobra de Heimlich cuando estemos ante un paciente que presente:

a) Ulcus gastroduodenal.
b) Pancreatitis aguda recidivante.
c) Alergia a anestésicos convencionales.
d) Obstrucción aguda de vías aéreas.
e) Intoxicación medicamentosa.

163. Si nos encontramos ante un paciente que presenta una atelectasia pulmonar, la actuación de enfermería no sería correcta si...:

a) Administramos analgésicos.
b) Ayudamos a la realización de ejercicios respiratorios.
c) Realizamos al paciente cambios posturales, evitando el lado donde está la atelectasia.
d) Aumentar la ingesta de líquidos.
e) Administrar oxigenoterapia.

164. ¿En cuál de las situaciones siguientes no está indicada la aspiración de secreciones bronquiales?:

a) Cuando el paciente no pueda toser y expectorar de forma eficaz.
b) Si las secreciones son muy espesas y el paciente no las puede eliminar.
c) Cuando hay una obstrucción de la vía aérea por tubo endotraqueal.
d) Después de una cirugía maxilofacial.
e) Si se realiza de forma rutinaria, cada 2 ó 3 horas.

165. Si al visualizar una radiografía de tórax de un paciente observamos un acúmulo de secreciones en el lóbulo inferior derecho y pretendemos colocarle en una posición tal que se facilite la expectoración de estas secreciones acumuladas. ¿Qué posición sería la correcta?:

a) Elevar los pies de la cama del paciente 40 cm.
b) Elevar la cabecera de la cama 50 cm.
c) Mantener al paciente en posición de Fowler.
d) Mantener al paciente inclinado hacia delante.
e) Colocar al paciente en decúbito lateral en posición de Sim.

166. Cuando se realiza una intervención en el colon, las actividades de enfermería incluyen todas las siguientes, excepto:

a) Administración de laxantes y enemas de limpieza.
b) Realización de sondaje vesical.
c) No será necesaria la realización de sondaje nasogástrico.
d) Administración de antibióticos en el preoperatorio.
e) Administración de antibióticos en el postoperatorio.

167. Señale en cuál de las siguientes situaciones no debe pinzarse un drenaje torácico tipo pleur-evac:

a) Cuando el sistema de drenaje está alterado o roto.
b) Si tuviéramos que trasladar al paciente de la cama a una camilla.
c) Si hay que recoger muestra del líquido drenado.
d) Cuando la cámara de colección de drenado se encuentra llena.
e) Si el pleur-evac necesita ser sustituido.

159-a

La arteria radial, además de ser la más accesible, es la que presenta menos complicaciones potenciales ya que tiene otra arteria colateral que puede irrigar al miembro en caso de inutilización de la misma.

160-c

El ruido que se produce en la espiración que impide el flujo de aire en las vías respiratorias estrechas se denomina sibilancia o silbido y en ocasiones son debidas a presencia de secreciones en el árbol bronquial.

161-c

Es importante la enseñanza y ayuda al enfermo para que tosa con el propósito de mejorar la ventilación basal y la eliminación de las secreciones.

162-d

La maniobra de Heimlich es una técnica en la que por medio de la compresión subdiafragmática o empuje abdominal se crea una fuerza expulsora que actúa desde los pulmones hasta las vías aéreas superiores.

163-a

En un paciente que presenta atelectasias pulmonares evitaremos la administración de analgésicos, ya que éstos disminuyen el reflejo tusígeno acumulando aún más las secreciones en el árbol bronquial.

164-e

La aspiración de secreciones bronquiales no debe hacerse nunca de manera rutinaria, sino siempre que el paciente lo necesite ya que durante la realización de esta maniobra pueden aparecer diversas complicaciones como son: el aspirado sanguinolento, arritmias cardíacas, cianosis, broncoespasmos etc.

165-a

Elevación de los pies de la cama del paciente 40 cm con respecto al plano horizontal para favorecer mediante la fuerza de la gravedad la eliminación de secreciones hacia los bronquios mayores o hacia la tráquea.

166-c

En una intervención del colon será preciso la realización de sondaje nasogástrico para descomprimir el tubo digestivo y evitar la distensión del intestino.

167-b

El pinzar un drenaje torácico sin indicación implica que el aire o líquido acumulado en la pleura se escape y pone al paciente en riesgo de neumotórax. En caso de traslado del paciente no debe pinzarse, tan sólo se tomará como precaución el evitar que se eleve el sistema de drenado por encima del punto de punción ya que puede haber reflujo de drenado.

168. Las actividades de enfermería encaminadas a un paciente con disnea incluye todas las siguientes, excepto:

a) Estimular al paciente para que tosa frecuentemente.
b) Administrar oxigenoterapia, si precisa.
c) Evitar temperaturas excesivas.
d) Estimular al paciente para que hable y se mantenga despierto.
e) Realizar cambios posturales en el paciente.

169. Con respecto al dolor torácico de tipo pleurítico es todo correcto excepto:

a) Aumenta su intensidad con la tos.
b) Puede irradiarse al hombro.
c) Cede tras la administración de nitroglicerina sublingual.
d) Produce una sensación de quemazón retroesternal.
e) Disminuye su intensidad si el paciente deja de respirar.

170. Ante un paciente que presenta epístaxis, ¿cuál sería la posición correcta ?:

a) Decúbito supino con la cabeza hacia un lado.
b) Sentado o de pie con el la espalda en extensión y la cabeza inclinada hacia delante.
c) Sentado con la cabeza inclinada hacia atrás.
d) De pie con la cabeza inclinada hacia atrás.
e) Decúbito lateral.

171. El dolor pulsátil de un sólo seno nasal, con rinorrea espesa, anosmia y cefalea son manifestaciones de:

a) Rinitis aguda.
b) Rinitis alérgica.
c) Rinitis crónica.
d) Sinusitis aguda.
e) Sinusitis crónica.

172. Si la gasometría arterial muestra pH = 7,60, pO_2=120mmHg. pCO_2 = 17 mmHg. y CO_3H^- = 17 mEq/l. , el paciente presenta:

a) Alcalosis respiratoria.
b) Acidosis respiratoria.
c) Alcalosis metabólica.
d) Acidosis metabólica.
e) Insuficiencia respiratoria.

173. ¿Qué objetivo será prioritario si se observa en un politraumatizado una lesión torácica con entrada de aire a la cavidad pleural?:

a) Colocar drenaje aspirativo.
b) Realizar toracotomía exploradora.
c) Mantener al paciente con ventilación mecánica a presión positiva.
d) Cierre inmediato y colocación de tubo torácico con sello de agua.
e) Realizar traqueotomía por compromiso respiratorio.

174. Si el paciente al que estamos aplicando cuidados está sometido a ventilación mecánica y suena la alarma que indica presión máxima, nos indica que puede ser debido a:

a) Fuga alrededor del tubo endotraqueal.
b) Obstrucción de las vías aéreas del paciente por acúmulo de secreciones.
c) Las tubuladuras de alguna parte del sistema están desconectadas.
d) Pequeña fuga del neumo del tubo endotraqueal.
e) Los recipientes del nebulizador o del humidificador de cascada no están bien ajustados.

175. ¿Cuál de las siguientes medidas no debe llevarse a cabo en un paciente que presenta bronquitis crónica?:

a) Administración de oxigenoterapia y aerosolterapia.
b) Facilitar el reposo.
c) Promover la tos.
d) Administración de fármacos expectorantes.
e) Evitar el estreñimiento.

176. ¿Cuál de los siguientes signos y síntomas no se observa en un paciente con sospecha de bronquitis crónica?:

a) Sibilancias.
b) Tos seca.
c) Broncoespasmos.
d) Hipercapnia.
e) Yugulares ingurgitadas.

168-d

Ante un paciente con disnea uno de los objetivos de enfermería consistirá en disminuir las demandas de oxígeno del organismo, para ello evitaremos que el paciente hable, lo que supone un mayor esfuerzo y consumo de oxígeno.

169-c

La nitroglicerina se administra para aminorar el consumo de oxígeno del miocardio, con lo que se alivia el dolor anginoso, pero no el dolor pleurítico.

170-b

En esta posición se dificulta la broncoaspiración y se favorece la salida de sangre al exterior.

171-d

En la sinusitis aguda hay obstrucción del flujo de secreción y ésta se infecta. Es muy raro que afecte a los dos senos al mismo tiempo, con pérdida de olfato y cefalea severa y constante.

172-a

Un paciente con alcalosis respiratoria presenta un exceso de eliminación de anhídrido carbónico que los riñones compensan eliminando bicarbonato por debajo del valor normal.

173-d

Esta entrada de aire neutraliza la presión negativa intrapleural colapsando el pulmón afectado. Como medida inmediata se debe cerrar esta entrada de aire y colocar un drenaje torácico que permita la salida del aire acumulado.

174-b

El acúmulo de secreciones en la vía aérea interfiere el suministro del volumen prefijado, necesitando presiones más elevadas para que la ventilación sea correcta.

175-b

En un paciente con bronquitis crónica será aconsejable que realice ejercicio progresivamente de acuerdo con el patrón respiratorio de cada paciente. En este tipo de pacientes está contraindicado el reposo ya que favorece la hipoventilación, se deprime el reflejo tusígeno y se retienen las secreciones.

176-b

La bronquitis crónica se caracteriza por presentar expectoración abundante (clara y transparente al comienzo de la enfermedad y mucopurulenta en fases avanzadas); sobre todo por la mañana.

177. Cuando los episodios de broncoespasmos de un paciente con asma bronquial tienen una duración de 30 minutos aproximadamente, nos encontramos ante un:

a) Status asmático.
b) Crisis asmática.
c) Mal asmático.
d) Ataque asmático.
e) Trastorno asmático.

178. Los siguientes factores predisponen a la tromboflebitis y embolia pulmonar, excepto:

a) Neoplasias.
b) Vasculopatías.
c) Tratamiento prolongado con fibrinolíticos.
d) Consumo de anticonceptivos orales.
e) Traumatismos.

179. ¿Cuál de las siguientes afirmaciones es cierta?:

a) El cor pulmonale es un trastorno en el cual encontramos agrandado el ventrículo derecho.
b) El edema agudo de pulmón de origen hemodinámico se debe a una insuficiencia ventricular derecha.
c) Las neumoconiosis son alteraciones pulmonares de tipo neoplásico.
d) El tromboembolismo pulmonar rara vez produce la muerte del paciente.
e) El enfisema pulmonar se caracteriza por una hipertrofia de las células productoras de moco.

180. ¿Qué signo o síntoma es el más frecuente en pacientes con cáncer broncopulmonar?:

a) Hemoptisis.
b) Dolor torácico.
c) Tos.
d) Disfonía.
e) Debilidad.

181. ¿Cuál de estas medidas no debe llevarse a cabo en un paciente con pleuritis?:

a) Mantener al paciente tumbado sobre el lado afectado.
b) Aplicación de calor o frío en la zona.
c) No administrar analgésicos.
d) Administración de antiinflamatorios.
e) Sujeción con las manos de la zona afectada mientras tose.

182. ¿Cuál de las siguientes medidas no debe llevarse a cabo en un paciente que presenta una herida penetrante en el tórax?:

a) Retirar el objeto clavado.
b) Colocar drenaje torácico.
c) Cubrir la herida.
d) Administración de oxigenoterapia.
e) Toracotomía de emergencia, si es grave.

183. ¿Si nos encontramos ante un paciente que presenta una embolia aérea, la posición adecuada del paciente será?:

a) En posición de Sim.
b) Semisentado, con el tórax lo más erguido posible.
c) En posición de Trendelenburg y en decúbito lateral izquierdo.
d) En cualquier posición, siempre que la cabeza se encuentre en posición más alta que los pies.
e) En decúbito supino.

184. ¿Qué mecanismo actúa como favorecedor de la úlcera gástrica?:

a) Hipercloridria.
b) Aumento de pepsina.
c) Disminución del bicarbonato pancreático.
d) Barrera mucosa gástrica alterada.
e) Aumento de la masa de células parietales.

185. Denominamos hernia por deslizamiento a aquélla que:

a) Se reduce fácilmente.
b) Hay obstrucción completa del flujo intestinal.
c) Una víscera entra a formar parte del contenido herniado.
d) Lleva otra hernia asociada.
e) Se debe a una malformación congénita.

186. Ante un paciente que presenta un absceso de gran magnitud en la zona perianal, la actuación inmediata será:

a) Administración de antiinflamatorios.
b) Administración de tratamiento antibiótico.
c) Drenaje quirúrgico.
d) Administración de analgésicos.
e) Realizar baños de asiento.

177-b

La crisis asmática es un ataque corto, que dura desde minutos hasta una hora.

178-c

Los fibrinolíticos o trombolíticos permiten una resolución más rápida de los trombos. A largo plazo, previenen las lesiones permanentes del lecho vascular de dichos órganos.

179-a

El cor pulmonale o cardiopatía pulmonar es el trastorno en el cual encontramos agrandado el ventrículo derecho (con insuficiencia o sin ella) como consecuencia de enfermedades que alteran la estructura o función de los pulmones o de sus vasos.

180-c

La tos es el signo clínico más frecuente en pacientes con cáncer broncopulmonar, apareciendo en el 75% de los casos y se va a producir como consecuencia de lesiones tumorales que inducen irritación y erosión de la mucosa respiratoria.

181-c

Las intervenciones de enfermería irán encaminadas a intentar aliviar el dolor pleurítico mediante medios farmacológicos y físicos.

182-a

Si el objeto está clavado no se quitará, ya que éste actúa a modo de tapón, impidiendo que se precipite una hemorragia o que se produzca la entrada libre de aire.

183-c

Se coloca en esta posición para intentar desplazar el aire a la posición superior de la aurícula derecha.

184-d

La mucosa gástrica funciona como barrera impermeable ya que es la defensa del organismo contra la digestión por sus propias secreciones. Todo factor que lesione la mucosa gástrica es ulcerativo.

185-c

La más común es la hernia hiatal deslizante y en ésta, la unión esofagogástrica y el cardias entran a formar parte del tórax.

186-c

En los espacios pararrectales se acumulan microrganismos patógenos con gran cantidad de pus fétido que causan un dolor muy intenso, para su resolución inmediata se realiza el tratamiento quirúrgico con la incisión y drenaje del absceso.

187. En una hernia abdominal estrangulada, es falso que:

a) El contenido herniado es irreducible.
b) Existe un obstrucción intestinal.
c) Es muy dolorosa.
d) El contenido sufre compromiso vascular.
e) El contenido herniado puede devolverse al abdomen.

188. La causa más frecuente de abdomen agudo es:

a) Infarto mesentérico.
b) Apendicitis aguda.
c) Úlcera péptica.
d) Enfermedad de Cronh.
e) Perforación de colon.

189. La intervención de Heller es el tratamiento quirúrgico que se realiza en:

a) Acalasia de esófago.
b) Estenosis esofágica.
c) Diverticulitis.
d) Hernia hiatal.
e) Tumor esofágico.

190. Cuando un paciente tiene pinzado el drenaje de Kher y presenta intolerancia, ¿qué signos y síntomas debe observar la enfermera?:

a) Dolor abdominal, sensación de plenitud y náuseas.
b) Taquipnea, dolor abdominal y fiebre.
c) Ictericia, fiebre y eructos.
d) Sensación de plenitud, ictericia y fiebre.
e) Dolor abdominal, eructos e ictericia.

191. Una persona que padece una pancreatitis crónica se le aconseja que ingiera una dieta:

a) Pobre en grasas y pobre en calorías.
b) Pobre en calorías y normolipídica.
c) Hiperproteica e hipercalórica.
d) Pobre en grasas y normoproteica.
e) Pobre en proteínas y rica en fibras.

192. La enfermera sabe que a un paciente nunca se le debe suspender bruscamente la administración de una nutrición parenteral, ya que si se realizase detectaríamos en el paciente signos de:

a) Hipoglucemia.
b) Hipopotasemia.
c) Hiperpotasemia.
d) Hiperglucemia.
e) Hipernatremia.

193. ¿Cuál de estas medidas no debe llevarse a cabo en un paciente si estamos irrigando por primera vez su colostomía?:

a) Irrigar con 1.000 ml de agua caliente.
b) Colocar la bolsa de irrigación unos 50 cm por encima del estoma.
c) Dilatar el estoma con un dedo.
d) Lubricar la sonda antes de su introducción en el estoma.
e) Introducir la sonda unos 20 c. en el estoma.

194. Si al administrar la nutrición enteral a un paciente comprobamos que el contenido gástrico es de 160 ml, ¿cuál sería la actuación correcta?:

a) Volver a introducir el volumen extraído y administrar la dieta pautada.
b) Sacar el volumen extraído y administrar la dieta pautada.
c) Volver a introducir el volumen extraído y retrasar la dieta pautada.
d) Sacar el volumen extraído y retrasar la dieta.
e) No es necesario extraer el contenido gástrico.

195. Estamos cuidando a un paciente que tiene colocada una sonda de Sengstaken-Blackemore. Súbitamente presenta signos de dificultad respiratoria, ¿cuál sería nuestra actuación inmediata?:

a) Desinflar el balón gástrico.
b) Desinflar los balones gástrico y esofágico.
c) Realizar gasometría arterial y colocar mascarilla de oxígeno con urgencia.
d) Cortar la sonda con unas tijeras.
e) Conectar la sonda a aspiración por si la obstrucción se debiera a retención de contenido gástrico.

187-e

En una hernia estrangulada el contenido es irreducible y cesan por completo el paso de sangre y contenido intestinal por las asas entéricas herniadas.

188-b

La apendicitis es la causa más común de abdomen agudo, cursando con dolor del cuadrante inferior derecho de la cavidad abdominal.

189-a

El tratamiento quirúrgico de la acalasia esofágica es la cardiomiotomía (operación de Heller) en la que se seccionan las fibras musculares del esfínter esofágico inferior.

190-a

Si pinzamos el drenaje de Kher y presenta intolerancia la bilis retorna al hígado y al torrente sanguíneo dando como resultado dolor abdominal, sensación de plenitud y náuseas.

191-d

La dieta debe ser pobre en grasas ya que la ingestión de las mismas puede desencadenar el dolor y normoproteica para evitar el desarrollo de la enfermedad.

192-a

La secreción de insulina endógena una vez adaptada a la sobrecarga de glucosa sigue durante un tiempo después de suprimirse el estímulo, por ello se puede llegar a producir una hipoglucemia por exceso de insulina endógena.

193-a

Se realizará la irrigación con 500 ml. de agua a 40,5° C y después se aumenta poco a poco el volumen cada día, hasta llegar a los 1.500 ml.

194-c

Si al aspirar con una jeringa el contenido gástrico es superior a 125 m. nos indica que existe retención gástrica y se retrasará la toma, volviendo a introducir el volumen para así evitar pérdidas de jugo gástrico.

195-d

Si el balón esofágico entra en la hipofaringe puede existir oclusión de la vía aérea, como tratamiento de emergencia cortaríamos la sonda con unas tijeras y después procederíamos a la retirada de la sonda.

196. ¿Cuál de estas medidas no debe llevarse a cabo en un paciente que presenta pancreatitis aguda?:

a) Administrar analgésicos.
b) Frecuente control de glucemia.
c) Realizar sondaje nasogástrico.
d) Administrar dieta blanda.
e) Realizar una reposición hidroelectrolítica.

197. Ante un paciente inconsciente que presenta vómitos, la actuación de enfermería incluirá todo lo siguiente excepto:

a) Administración de fármacos antieméticos.
b) Colocar al paciente en decúbito supino para facilitar el drenaje del vómito.
c) Colocación de sonda nasogástrica.
d) Observar las características del vómito.
e) Suprimir la dieta oral.

198. Cuando un paciente elimina sangre por la boca procedente del tubo digestivo, sangre que ha tenido tiempo suficiente para sufrir el proceso de la digestión, la elimina en forma de:

a) Enterorragia.
b) Melenas.
c) Posos de café.
d) Rectorragia.
e) Hematemesis.

199. La preparación de un paciente al que se le va a realizar colecistografía oral, incluye todo lo siguiente excepto:

a) La noche anterior debe ingerir una dieta blanda con alta cantidad de líquidos.
b) Después de la cena ingerirá el contraste por vía oral.
c) Deberá permanecer en ayunas a partir de la ingestión de contraste.
d) Se recomendará la administración de enemas de limpieza.
e) No debe fumar el día de la realización de la prueba.

200. Si estamos colocando a un paciente una sonda de Salem sabremos que está bien situada cuando:

a) Previamente se ha medido la longitud de la sonda a introducir.
b) La bolsa colectora recoge drenado.
c) Conectando la sonda a una jeringa se aspira contenido gástrico.
d) Al introducirla refluye contenido gástrico.
e) Al introducir suelo salino, logramos recuperarlo de nuevo.

201. Al realizar una paracentesis a un paciente, ¿qué medida prioritaria deberá tomar la enfermera antes del procedimiento?:

a) Medir la tensión arterial.
b) Sentar al paciente en posición erecta.
c) Vaciar la vejiga antes de la punción.
d) Administrar analgésico local.
e) No es necesario que esté el paciente en ayunas.

202. Si estamos ante un paciente que presenta reflujo gastroesofágico aconsejaríamos todas las medidas siguientes, excepto:

a) Ingerir abundantes líquidos con las comidas.
b) Aconsejar de 5 a 6 comidas diarias.
c) Realizar comidas hiperproteicas y de poco volumen.
d) Elevar la cabecera de la cama unos 15 cm.
e) Evitar todas aquellas actividades que provoquen un aumento de la presión intraabdominal.

203. ¿Cuál de las siguientes afirmaciones respecto a la úlcera gástrica es cierta?:

a) El dolor que se localiza en epigástrio no se irradia.
b) Es más frecuente que la duodenal.
c) El dolor es intermitente.
d) El dolor aparece sobre todo por la noche.
e) Es frecuente que se acompañe de vómitos.

204. De las siguientes afirmaciones respecto a la úlcera péptica, ¿cuál de ellas es falsa?:

a) Aparece un dolor localizado en epigastrio.
b) Presenta mayor incidencia en el sexo femenino.
c) Es un dolor postprandial que aparece entre 1-3 horas después de comer.
d) Evoluciona a brotes, siendo más frecuente en primavera y otoño.
e) Es más frecuente la úlcera duodenal que la gástrica.

196-d

Al paciente de pancreatitis durante la fase aguda se debe mantener en dieta absoluta para reducir la estimulación enzimática.

197-b

En un paciente inconsciente habrá que prevenir la broncoaspiración colocando al paciente en decúbito lateral para, de esta forma, facilitar el drenaje del vómito.

198-c

La sangre en contacto con el jugo gástrico, tiende a ser digerida, y las células sanguíneas se alteran, dando un aspecto de microcoágulos suspendidos en líquido claro (posos de café).

199-a

La noche anterior a la realización de la prueba se aconseja al enfermo ingerir una dieta blanda con poca cantidad de líquidos para que el proceso de digestión se realice convenientemente.

200-c

Una sonda de Salem es una sonda nasogástrica de dos luces que estará correctamente colocada cuando al aspirar con una jeringa conseguimos recuperar contenido gástrico.

201-c

Antes de la realización de una paracentesis la enfermera deberá aconsejar al paciente que vacíe la vejiga urinaria para así disminuir el riesgo de perforarla.

202-a

El exceso de líquidos durante las comidas aumenta el volumen de las mismas favoreciendo el reflujo.

203-e

A diferencia de la úlcera duodenal, la úlcera gástrica suele acompañarse de vómitos siendo la mayor parte de las veces consecutivo a un ataque de dolor intenso.

204-b

La úlcera péptica es más frecuente en varones entre los 40 a 60 años de edad en una proporción de 3:1 con respecto a las mujeres.

205. ¿Cuál de los siguientes cuidados de enfermería no debe llevarse a cabo en un paciente en el curso del postoperatorio inmediato de una cirugía gástrica?:

a) Controles frecuentes de las constantes vitales.
b) Vigilar frecuentemente el peso del paciente.
c) Comprobar el buen funcionamiento de la sonda nasogástrica, realizando frecuentes lavados y movilizaciones de la misma.
d) Comenzar a administrar alimentación una vez restaurado el peristaltismo intestinal.
e) Facilitar la ventilación pulmonar colocando al paciente en posición semi-Fowler.

206. Estamos ante un paciente al que se le ha realizado una colostomía de descarga en el colon ascendente; las heces que elimine, ¿qué consistencia tendrán?:

a) Formadas.
b) Blandas.
c) Consistentes.
d) Duras.
e) Semilíquidas.

207. ¿Cuál de las siguientes afirmaciones respecto de la hepatitis vírica aguda es falsa?:

a) El tratamiento farmacológico usado tradicionalmente no ha demostrado eficacia real.
b) El paciente con hepatitis vírica aguda deberá seguir una dieta equilibrada rica en calorías y carbohidratos.
c) Es necesario el aislamiento del paciente que presenta una hepatitis vírica aguda.
d) El paciente deberá mantener reposo conforme a su estado y a sus limitaciones.
e) A un paciente con hepatitis vírica aguda estarán contraindicados la administración de sedantes y de aspirinas.

208. Ante un paciente que presenta cirrosis hepática, las actividades de enfermería incluirían todo lo siguiente excepto:

a) Facilitar y favorecer el reposo del paciente.
b) Administrar analgésicos para calmar el dolor, tipo aspirinas.
c) Administrar dieta con restricción de sodio.
d) Evitar la ingestión de alcohol.
e) Aplicar cuidados a la piel del paciente.

209. ¿En qué localización se encuentra, más frecuentemente, el carcinoma colorrectal?:

a) Colon ascendente.
b) Colon descendente.
c) Colon sigmoideo.
d) Colon transverso.
e) Recto.

210. ¿El principal factor predisponente en la formación de hernias es?:

a) Exceso de grasa y debilidad de la pared abdominal.
b) Debilidad muscular de la pared abdominal y malnutrición.
c) Malnutrición y aumento de la presión intrabdominal.
d) Aumento de la presión intrabdominal y debilidad muscular de la pared abdominal.
e) Atrofia de la pared abdominal y malnutrición.

211. La complicación más frecuente del ulcus péptico es:

a) Hemorragia.
b) Perforación.
c) Estenosis.
d) Necrosis.
e) Malignización.

212. Las instrucciones que debemos dar a un paciente al que se le ha realizado una hemorroidectomía incluyen todo lo siguiente excepto:

a) Se aconseja la ingestión de dietas pobre en picantes.
b) Se recomienda la administración de analgésicos después de la defecación.
c) Se aconseja la ingestión de dieta rica en fibras.
d) El paciente evitará estar mucho tiempo sentado o de pie.
e) Se recomienda la deambulación precoz del paciente.

213. ¿En qué localización puede aparecer la enfermedad de Crohn?:

a) Boca.
b) Esófago.
c) Estómago.
d) Colon.
e) Todas las anteriores son correctas.

205-c

A un paciente al que se le ha realizado una cirugía gástrica no se debe lavar ni movilizar la sonda nasogástrica ya que corremos el riesgo de deshicencia o rotura de la zona de sutura.

206-e

A este enfermo le ha sido eliminado el recto y gran parte del colon, luego las heces o residuos de desecho serán más fluidas al no existir apenas absorción de agua, misión que era realizada antes por el colon.

207-c

En este tipo de pacientes se considera innecesario el aislamiento ya que el período prodrómico es el de mayor riesgo de contagio y la mayor parte de las veces pasa inadvertido.

208-b

En los pacientes con cirrosis hepática está contraindicado el uso de aspirinas por su carácter hepatotóxico y por el elevado riesgo de producir hemorragias.

209-e

La localización más frecuente es en el recto; los 2/3 localizados en recto-sigma.

210-d

Casi todas las hernias son producidas por una debilidad de la pared abdominal unido a una mayor presión dentro del abdomen por tos, esfuerzos en la defecación, etc.

211-a

La complicación más frecuente de la úlcera péptica es la hemorragia que suele deberse a la erosión de un vaso sanguíneo subyacente a la úlcera.

212-b

En el postoperatorio de una cirugía anorrectal es importante la administración de analgésicos antes de la defecación, para que ésta sea menos dolorosa. También lograremos disminuir el dolor con suavizantes de heces y baños de asiento.

213-e

La localización de la enfermedad de Crohn va desde la boca hasta el ano, siendo más frecuente (40%) la ileocólica.

214. ¿Cuál es el tratamiento quirúrgico que debe realizarse a un paciente que presenta un carcinoma rectal a 5 cm del ano?:

a) Anastomosis terminoterminal.
b) Resección abdominoperineal.
c) Colostomía de descarga permanente.
d) Colostomía de descarga temporal.
e) Intervención de Heller.

215. Con respecto a la enfermedad celíaca del adulto todo lo siguiente es cierto, excepto:

a) En esta enfermedad existe una absorción deficiente de proteínas.
b) El paciente manifiesta emisión de heces diarreicas de color grisáceo.
c) El paciente muestra desnutrición con disminución ponderal.
d) Se recomienda la administración de dieta con alto contenido en gluten.
e) Se manifiesta con avitaminosis A, D y K.

216. Ante un paciente que presenta hemorroides internas trombosadas, el tratamiento de elección consiste en:

a) Aplicar baños de asiento.
b) Administración de pomadas analgésicas.
c) Administrar dieta con alto contenido en fibra y elevada ingesta de líquidos.
d) Extirpación de las hemorroides.
e) Administración de laxantes para disminuir el dolor en la defecación.

217. ¿Cuál de estas medidas no debe realizarse en un paciente con un cuadro de abdomen agudo?:

a) Administración de analgésicos.
b) Mantener en dieta absoluta.
c) Reposición de líquidos mediante canalización de una vía.
d) Observar y valorar las constantes vitales.
e) Detectar signos de deshidratación.

218. La enfermera deberá extremar la vigilancia de la piel que rodea a un estoma cuando se haya exteriorizado el:

a) Íleon.
b) Colon ascendente.
c) Colon transverso.
d) Colon descendente.
e) Colon sigmoide

219. ¿Qué medidas no se aconsejarían a un paciente que presenta diverticulitis en fase de inflamación?:

a) Administración de abundantes líquidos en las comidas.
b) Ingerir dieta rica en fibras.
c) Aconsejar reposo en cama.
d) Administración de laxantes.
e) Ingerir dieta pobre en fibras.

220. Ante un paciente al que se le ha realizaco una ileostomía, entre los cuidados de enfermería se incluyen todos los siguientes, excepto:

a) Administración de dieta adecuada.
b) Higiene cuidadosa del estoma y piel que lo rodea.
c) Observar aspecto del estoma.
d) Administración de laxantes para evitar la obstrucción del estoma.
e) Usar bolsa que no permita fuga de olores.

221. ¿De qué depende la realización de una anastomosis terminoterminal en un paciente con cáncer de colon?:

a) Tamaño del tumor.
b) Localización del tumor.
c) Histopatología del tumor.
d) Existencia o no de metástasis.
e) Existencia o no de síntomas asociados.

222. Una obstrucción intestinal de tipo paralítico o adinámico se produce en:

a) La invaginación intestinal.
b) Los vólvulos intestinales.
c) Las adherencias intestinales.
d) La cirugía intestinal.
e) Las hernias.

223. Con respecto a un paciente que recibe nutrición enteral intermitente. ¿Cuál de las afirmaciones siguientes no es correcta?:

a) Lavar la sonda con agua después de administrar la dieta.
b) La dieta deberá ser administrada a 37° C para mejor tolerancia.
c) La dieta deberá administrarse en posición de Fowler.
d) Un volumen gástrico de 90 ml después de 6 horas de ser administrado nos indica que podemos administrar la dieta que corresponda.
e) La dieta se administrará en 2 ó 3 tomas al día.

214-b

Si la neoplasia se localiza en el tercio inferior del recto se realiza una resección abdominoperineal que implica la amputación del recto y del ano con colostomía permanente.

215-d

La enfermedad celíaca del adulto también se conoce como enfermedad celíaca inducida por gluten debido a que el gluten ocasiona la atrofia de las vellosidades de la mucosa limitando su capacidad de absorción, en estos pacientes cesan todos los signos mientras que el individuo no reciba gluten en su dieta.

216-d

La complicación más frecuente de las hemorroides es la trombosis hemorroidal aguda producida por la formación de un coágulo en el interior de una vena hemorroidal subcutánea, precisando escisión quirúrgica de la vena trombosada.

217-a

Ante un cuadro de abdomen agudo no se debe administrar ningún tipo de analgésico ni antiespasmódico hasta haber establecido un diagnóstico. Aliviar el dolor puede enmascarar el cuadro y llegar a producirse una complicación mayor.

218-a

Cuando la exteriorización de los intestinos se realiza a la altura del íleon la descarga de heces será rica en enzimas digestivas. Éstas son tan eficaces tanto para descomponer los alimentos como para descomponer la piel, luego debemos extremar los cuidados de la piel que rodea el estoma.

219-b

Hasta que cese la inflamación se administrará una dieta pobre en fibras para dejar descansar los intestinos y así disminuir la inflamación. Una vez que la inflamación cese se administrará una dieta rica en fibras e incluso añadiendo salvado de trigo a lo largo de 4 a 6 semanas.

220-d

En las ileostomías está contraindicado el uso de laxantes ya que aumentan la pérdida de líquidos y se agudiza el desequilibrio hidroelectrolítico en este tipo de pacientes.

221-b

Cuando por su localización es posible extirpar la masa neoplásica se elimina el colon afectado dejando un margen en cada lado para eliminar la masa y uniendo los cabos del intestino en anastomosis terminoterminal del colon.

222-d

El íleo es la parálisis del peristaltismo por el efecto de traumatismos, en este caso, por un abordaje en cirugía abdominal en los nervios que regulan las contracciones intestinales.

223-e

Para mejorar la tolerancia del enfermo a la dieta la administraremos en 5 ó 6 tomas al día a intervalos de tiempo regulares.

224. En un absceso anorrectal el síntoma que aparece con mayor frecuencia es:

a) Hemorragia en heces.
b) Dolor.
c) Diarrea.
d) Estreñimiento.
e) Estreñimiento alternando con diarrea.

225. La consecuencia más grave que puede desencadenarse en un paciente con contracciones ventriculares prematuras es:

a) Bloqueo A-V de primer grado.
b) Taquicardia sinusal.
c) Fibrilación ventricular.
d) Taquicardia de la unión.
e) Bradicardia sinusal.

226. Para determinar si una arritmia puede comprometer la vida del paciente debemos ante todo:

a) Medir el segmento PR.
b) Identificar las ondas P y medir la frecuencia auricular.
c) Identificar las ondas T.
d) Buscar ondas P ocultas.
e) Identificar los complejos QRS y medir la frecuencia ventricular.

227. ¿Cuál de los siguientes no es un signo de insuficiencia cardíaca congestiva?:

a) Edema periférico.
b) Cianosis.
c) Poliuria.
d) Congestión pulmonar y crepitancias.
e) Taquipnea.

228. ¿Cuál es el fármaco idóneo para mejorar el gasto cardíaco de un paciente diagnosticado de Insuficiencia Cardíaca crónica?:

a) Lidocaina.
b) Nitroglicerina.
c) Nifedipina.
d) Atenolol.
e) Digoxina.

229. ¿Cuál es la causa del edema agudo de pulmón cardiogénico?:

a) Hipoxia tisular.
b) Insuficiencia cardíaca derecha.
c) Insuficiencia cardíaca izquierda.
d) Estenosis tricuspídea.
e) Pericarditis.

230. Cuando aplicamos torniquetes rotativos a un paciente dignosticado de edema agudo de pulmón realizaremos todas las actividades, excepto:

a) Hacer un esquema representativo del tiempo y la rotación.
b) Tomar la T.A. antes de aplicarlos.
c) Liberar los torniquetes de forma gradual.
d) Controlar el tiempo para la rotación.
e) Aplicar presión suficiente para interrumpir el flujo arterial.

231. Un signo que nos debe poner en alerta asociado al funcionamiento anómalo de un marcapasos cardíaco es:

a) Taquicardia.
b) Fiebre.
c) Hipotensión.
d) Frecuencia cardíaca inferior a la programada en el marcapasos.
e) Cianosis.

232. Indique cuál de los siguientes no es un factor de riesgo de la Cardiopatía Coronaria:

a) Obesidad.
b) Tabaquismo.
c) Diabetes.
d) Hiperlipemias.
e) Hipotensión.

233. ¿Cuál de las siguientes intervenciones de enfermería no estaría indicada después de un cateterismo cardíaco?:

a) Mantener la extremidad afectada en posición recta.
b) Controlar el apósito compresivo sobre la zona de punción.
c) Estimular la ingesta de líquidos.
d) Controlar los pulsos distales.
e) Controlar los pulsos proximales.

234. La principal prioridad en los cuidados a un paciente diagnosticado de Infarto agudo de miocardio será:

a) Aliviar el dolor.
b) Controlar la T.A.
c) Administrar líquidos I.V.
d) Mantener un registro electrocardiográfico constante.
e) Administrar sedantes suaves.

224-b

Los abscesos localizados en la zona anorrectal contiene gran cantidad de pus fétido, causando un dolor muy intenso.

225-c

Si la contracción ventricular prematura se produce en la fase vulnerable del ciclo cardíaco, puede dar lugar a una conducción anárquica del estímulo lo que se conoce como fibrilación ventricular.

226-e

Las arritmias ventriculares son las únicas que comprometen la vida del paciente de forma inmediata. Al identificar los complejos QRS y la frecuencia ventricular comprobamos la funcionalidad normal del ventriculo.

227-c

Los pacientes con ICC tienen una perfusión renal deficiente, por lo que presentan oliguria, no poliuria.

228-e

La digoxina incrementa la fuerza de las contracciones cardíacas, por lo que aumenta el gasto cardíaco.

229-c

Un ventrículo izquierdo insuficiente hace que la sangre no pueda ser bombeada de forma efectiva a la circulación sistémica, originando un aumento de la presión de la aurícula izquierda y un encharcamiento pulmonar.

230-e

La presión que se debe poner en los manguitos debe ser ligeramente inferior a la T.A., dado que el propósito es dificultar exclusivamente el retorno venoso.

231-d

Cuando la frecuencia cardíaca del paciente es inferior a la frecuencia programada en el marcapasos, éste debe comenzar a estimular el corazón.

232-e

La hipotensión no da lugar a un aumento del trabajo cardíaco, por lo que no contribuye a aumentar las necesidades de oxígeno del miocardio.

233-e

Si se altera la circulación en un miembro por el cateterismo cardíaco, los pulsos que se afectan son los distales a la punción.

234-a

El dolor de la necrosis miocárdica supone una sobrecarga de trabajo para el corazón, con lo que aumentan sus necesidades de oxígeno.

235. Mientras se está implantando un marcapasos cardíaco, ¿qué otro fármaco debería tener preparado además de la atropina?:

a) Isoproterenol.
b) Lidocaina.
c) Digoxina.
d) Cloruro cálcico.
e) Propanolol.

236. Tras verificar que un paciente está inconsciente, lo primero que debe hacer es:

a) Comprobar el pulso femoral.
b) Pedir ayuda mientras abre las vías aéreas superiores.
c) Tomar la T.A.
d) Elevar los miembros inferiores.
e) Iniciar compresión esternal.

237. Al aplicar respiración boca a boca hiperextenderá la cabeza del paciente para:

a) Prevenir la aspiración.
b) Evitar que el aire entre en el estómago.
c) Observar si hay movimientos torácicos.
d) Evitar que la lengua bloquee las vías aéreas.
e) Facilitar la maniobra.

238. Los pacientes diagnosticados de edema agudo de pulmón deberán permanecer:

a) En decúbito supino.
b) En posición de Fowler, con los miembros inferiores elevados.
c) En posición de Fowler, con los miembros inferiores descendidos.
d) En decúbito lateral derecho.
e) En decúbito lateral izquierdo.

239. El dolor torácico de carácter opresivo, punzante, que aumenta con la tos y la respiración es característico de:

a) Angina inestable.
b) Angina estable.
c) Pericarditis.
d) Endocarditis.
e) Infarto agudo de miocardio.

240. Tras la implantación de prótesis valvulares mecánicas, a los pacientes se les debe administrar:

a) Anticoagulantes durante los dos primeros meses.
b) Ácido acetilsalicílico.
c) Heparina cálcica de forma profiláctica.
d) Anticoagulantes de forma permanente.
e) Heparina sódica durante las 48 horas posteriores a la intervención.

241. La enzima cuya elevación nos indica de forma precoz que existe necrosis miocárdica es:

a) CPK.
b) CPK-MM.
c) CPK-MB.
d) CPK-BB.
e) SGOT.

242. Señale cuál de las siguientes opciones es cierta:

a) La cardioversión es la denominación más actualizada de la desfibrilación.
b) La cardioversión se aplica a pacientes inconscientes mientras que la desfibrilación se aplica a pacientes conscientes.
c) La desfibrilación consiste en un descarga de energía eléctrica no sincronizada con el ritmo cardíaco del paciente.
d) La cardioversión no se debe aplicar nunca a pacientes portadores de marcapasos.
e) La desfibrilación no se debe aplicar nunca a pacientes en ventilación mecánica.

243. La secuencia masaje cardíaco/ventilación cuando la RCP la realizan dos personas es:

a) 15 compresiones por cada 2 insuflaciones.
b) 5 compresiones por cada insuflación.
c) 2 compresiones por cada 15 insuflaciones.
d) 12 compresiones por cada 10 insuflaciones.
e) 2 compresiones por cada 2 insuflaciones.

244. La causa más frecuente de valvulopatías cardíacas es:

a) Sustancias químicas.
b) Alteraciones metabólicas.
c) Traumatismos torácicos.
d) Fiebre reumática.
e) Aumento de los lípidos séricos.

235-a

El Isoproterenol potencia el automatismo del marcapasos fisiológico del corazón y facilita la conducción aurículo ventricular.

236-b

Con esta medida se comprueba si las vías aéreas están permeables.

237-e

Al hiperextender el cuello, la vía aérea se rectifica, con lo que se facilita la ventilación.

238-c

En esta posición, el retorno venoso hacia el corazón disminuye.

239-c

El roce de las membranas del pericardio entre sí, que aumenta con los movimientos respiratorios, produce dolor.

240-d

Las prótesis mecánicas favorecen la formación de trombos sobre ellas, con riesgo de embolismos.

241-c

La isoenzima MB de la CPK es específica del músculo cardíaco y se libera al torrente circulatorio cuando existe una necrosis de dicho músculo.

242-c

La desfibrilación se emplea en arritmias en las que existe una actividad eléctrica ventricular caótica e ineficaz, en la que no aparecen complejos QRS, por lo que no se puede sincronizar la descarga con los mismos.

243-b

Esta secuencia está reconocida internacionalmente como la más idónea para conseguir unos efectos más fisiológicos.

244-d

El Estreptococo beta hemolítico, responsable de la fiebre reumática, tiene especial afinidad por anidar en los anillos valvulares cardíacos, originando una cicatriz que altera el funcionamiento valvular.

245. En un registro electrocardiográfico la prolongación del intervalo P-R indica:

a) Período refractario normal.
b) Infarto ventricular izquierdo.
c) Bradicardia sinusal.
d) Bloqueo de la conducción A-V.
e) Ritmo de escape ventricular.

246. Una complicación frecuente al administrar diuréticos de asa a un paciente con Insuficiencia cardíaca es:

a) Hipertensión arterial.
b) Bradicardia sinusal.
c) Hipertermia.
d) Hipopotasemia.
e) Hipoxia tisular.

247. Al aplicar parches transcutáneos de nitroglicerina a un paciente debería realizar todas las actividades excepto:

a) Asegurarse que el parche se adhiere a la piel.
b) Comprobar que la piel está limpia y seca.
c) Evitar aplicar el parche en cicatrices o callosidades.
d) Cambiar el parche a cualquier hora del dia.
e) No recortar el parche para disminuir la dosis.

248. Para calcular la frecuencia cardíaca en un electrocardiograma de un paciente con ritmo regular debería:

a) Controlar todas las ondas P.
b) Controlar todos los complejos QRS.
c) Controlar todas las ondas T.
d) Controlar todas las ondas R.
e) Dividir 300 entre el nº de cuadros grandes que existen entre dos ondas R.

249. A un paciente diagnosticado de claudicación intermitente se le puede aliviar el dolor con:

a) Medias elásticas.
b) Hacer ejercicios de flexión-extensión de la pierna.
c) Reposo.
d) Subir escaleras.
e) Compresas calientes.

250. La claudicación intermitente se define como:

a) Coloración azulada de la piel producida por vasodilatación capilar.
b) Presencia de un coágulo en una arteria.
c) Acúmulo de líquido en los tejidos.
d) Déficit de pulso en los miembros inferiores.
e) Dolor que aparece en los miembros inferiores.

251. Las úlceras venosas aparecen como consecuencia de:

a) Incompetencia valvular.
b) Tromboflebitis.
c) Flebotrombosis.
d) Estados de hipocoagulabilidad.
e) Venas varicosas.

252. La enfermedad de Raynaud se debe a:

a) Espasmos de las venas de los miembros superiores e inferiores.
b) Espasmos de las arterias de los miembros superiores e inferiores.
c) Crisis de hipertensión.
d) La exposición al calor de forma prolongada.
e) La aparición de placas de ateroma.

253. Señale cuál no es un signo de trombosis venosa profunda:

a) Edema.
b) Disminución de la sensibilidad.
c) Signo de Homans.
d) Dolor.
e) Calor.

254. Para evaluar si un paciente tiene pulso paradójico, debería vigilar:

a) Un aumento de la presión sanguínea sistólica en la espiración.
b) Una disminución de la presión sanguínea sistólica en la espiración.
c) Una disminución de la presión sanguínea sistólica en la inspiración.
d) Un aumento de la presión sanguínea sistólica en la espiración.
e) Un aumento de la presión sanguínea diastólica en la espiración.

245-d

El intervalo P-R indica el tiempo que transcurre entre la activación auricular y la ventricular, por lo que si está alargado, indica que existe un retraso en la conducción del estímulo desde la aurícula al ventrículo.

246-d

Los diuréticos de asa favorecen la eliminación de potasio por el riñón, por lo que descienden sus niveles plasmáticos.

247-d

La nitroglicerina como cualquier otro fármaco necesita mantener unos niveles plasmáticos, para conseguirlos el parche se debe cambiar siempre a la misma hora.

248-e

En el papel de regristro electrocardiográfico hay 300 cuadros grandes en un minuto; teniendo en cuenta que el espacio R-R corresponde a la longitud de un ciclo cardíaco si dividimos 300 entre el número de cuadros grandes obtendremos el número de latidos cardíacos que hay en un minuto.

249-c

Durante el ejercicio el músculo sufre calambres debido a la falta de oxígeno, con el reposo las necesidades de oxígeno disminuyen.

250-e

La claudicación intermitente está producida por isquemia y la isquemia produce dolor.

251-a

La incompetencia valvular produce en principio regreso del flujo hacia las venas superficiales provocando una hipertensión venosa. Esto da lugar a que estas áreas se vuelvan edematosas, frágiles y posiblemente se ulceren.

252-b

Los espasmos de las arterias de pequeño y mediano calibre originan vasoconstricción que se manifiesta por palidez, hormigueo doloroso, etc. lo que conocemos como fenómeno de Raynaud.

253-b

La sensibilidad en los pacientes con trombosis venosa profunda está aumentada debido a la inflamación que se origina en los tejidos próximos a la trombosis.

254-c

En condiciones normales, los pulsos periféricos se perciben más intensamente durante la inspiración porque la disminución de la presión intratorácica aumenta el retorno venoso al corazón; sin embargo, cuando hay un taponamiento cardíaco, el aumento de la presión intrapericárdica hace que el retorno venoso no aumente en la inspiración, por lo que el pulso no se percibe como más intenso.

255. La enseñanza a pacientes con úlceras en las extremidades inferiores contemplará todos los puntos siguientes, excepto:

a) Debe mantener el área afectada limpia y seca.
b) La higiene deberá realizarla con agua y jabón neutro.
c) Mantener en posición que mejore el flujo sanguíneo.
d) Aplicar calor con almohadillas eléctricas o bolsas de agua caliente.
e) Evitar cualquier presión sobre la zona afectada.

256. A un paciente postoperado de varices debería enseñarle todos los puntos siguientes, excepto:

a) Deberá permanecer de pie o sentado.
b) Elevar los pies de la cama.
c) No puede mover las piernas.
d) No puede hacer ejercicio.
e) Puede tomar analgésicos si tiene dolor.

257. ¿Qué dieta aconsejaría a un paciente que presente úlceras en las extremidades inferiores?:

a) Rica en fibra e hidratos de carbono.
b) Rica en hidratos de carbono y grasas.
c) Exenta de gluten.
d) Rica en proteínas, vit. C y hierro.
e) Rica en vit. A.

258. Para medir la PVC se debe:

a) Tomar antes la T.A.
b) Mantener al paciente sedado.
c) Realizar la técnica a través de una vía periférica.
d) Controlar la frecuencia cardíaca.
e) Ajustar el cero del manómetro a la altura de la aurícula derecha del paciente.

259. Indique cuál de las siguientes afirmaciones referentes a la medición de la T.A. es falsa:

a) El tamaño del manguito debe ser adecuado para el paciente.
b) Los registros iniciales deben hacerse en ambos brazos.
c) El brazo del paciente debe estar por debajo del nivel del corazón.
d) El paciente debe permanecer en reposo.
e) El paciente no debe haber ingerido ningún tipo de bebidas alcohólicas.

260. A un paciente diagnosticado de trombosis venosa profunda se le pueden aplicar compresas calientes en la zona afectada porque el calor:

a) Ayuda a disolver los coágulos.
b) Proporcina alivio sintomático.
c) Favorece la vasoconstricción.
d) Facilita la curación.
e) Disminuye el edema.

261. ¿Cuál de las siguientes posiciones sería la idónea para un paciente con oclusión venosa en la pierna derecha?:

a) Decúbito supino con la pierna derecha elevada.
b) Decúbito lateral derecho.
c) Decúbito supino con la pierna derecha en declive.
d) Mantener la pierna flexionada.
e) Decúbito lateral izquierdo.

262. Las actividades de enfermería ante un paciente diagnosticado de trombosis venosa profunda son todas las siguientes, excepto:

a) Promover el descanso en cama.
b) Administrar analgésicos.
c) Enseñar al paciente a utilizar medias elásticas.
d) Aplicar calor.
e) Restricción líquida para disminuir el volumen circulante.

263. La ergometría es una prueba diagnóstica que debe realizarse:

a) En la fase aguda del infarto de miocardio.
b) En la fase aguda de la angina inestable.
c) En la fase aguda de la angina estable.
d) Cuando el paciente toma vasodilatadores.
e) Cuando ha pasado la fase aguda del dolor coronario.

264. Cuando a un paciente se le realiza alguna prueba diagnóstica en la que sea necesario inyectar contraste con yodo, debería preguntarle si es alérgico a:

a) La fibra.
b) El gluten.
c) Los cereales.
d) Los mariscos.
e) Las proteínas.

255-d

Nunca se debe aplicar calor, ya que origina vasodilatación y dificulta la cicatrización.

256-a

El permanecer durante mucho tiempo de pie o sentado dificulta la circulación, originando estasis venoso.

257-d

Porque favorece el proceso de cicatrización.

258-e

La PVC es la presión que existe en la aurícula derecha; el punto de referencia (cero) debe estar a la altura de dicha aurícula para que el peso del aire no induzca a una medición falsa.

259-c

La presión arterial, como cualquier presión, se modifica con la altura por lo tanto el brazo del paciente debe estar al mismo nivel que el corazón.

260-b

El calor alivia el dolor, reduce la inflamación y origina vasodilatación; en definitiva, alivia los síntomas.

261-a

La elevación de la pierna derecha debe disminuir la congestión venosa.

262-e

La restricción líquida no tiene ninguna influencia en la trombosis venosa profunda, y no es una actividad a realizar en esta situación.

263-e

El dolor coronario indica una isquemia del músculo cardíaco, por lo que durante la fase aguda, en la que la isquemia está presente, el músculo está propenso a complicaciones severas.

264-d

Los mariscos contienen yodo, por lo que si el paciente es alérgico a ellos no se le debe administrar yodo.

265. Antes de administrar fármacos vasodilatadores a un paciente debe:

a) Tomar la frecuencia cardíaca.
b) Tomar la T.A.
c) Comprobar el balance hídrico.
d) Hacer un control de iones en sangre.
e) Controlar los pulsos distales.

266. La causa más frecuente de un aneurisma es:

a) Insuficiencia venosa.
b) Infecciones en las paredes de las arterias.
c) Traumatismos arteriales.
d) Arterioesclerosis.
e) Ingesta de sal.

267. El propósito de la endarterectomía carotídea es:

a) Evitar la oclusión de una arteria.
b) Reparar la lesión del tejido cerebral.
c) Eliminar el ateroma que ocluye la arteria.
d) Insertar un injerto venoso que se convierta en un vaso arterial.
e) Reparar la pared de la arteria.

268. ¿Cuál de los siguientes signos indica enfermedad del tracto piramidal?:

a) Ausencia de reflejo abdominal.
b) Signo de Homans negativo.
c) Reflejo cremastérico positivo.
d) Reflejo de Babinski positivo.
e) Reflejo rotuliano positivo.

269. La valoración de los pacientes en coma neurológico (escala de Glasgow) se realiza a partir de los siguientes parámetros:

a) Reflejos cutáneos, coloración de la piel, temperatura.
b) Edad, tamaño de las pupilas, reflejos cutáneos.
c) Respuesta verbal, apertura de los ojos, respuesta motora.
d) Medición de la PIC, tensión arterial, respuesta motora.
e) Reflejo corneal, tamaño de las pupilas, reflejos cutáneos.

270. Si un paciente presenta una lesión del VII par craneal, ¿cuál de las siguientes anomalías debería observar?:

a) Incapacidad para hablar.
b) Incapacidad para deglutir.
c) Alteraciones de la audición.
d) Incapacidad para levantar las cejas.
e) Falta de control de los movimientos de la lengua.

271. La punción lumbar se realiza a nivel de:

a) L5-S1.
b) L4-L5.
c) S1-S3.
d) D12-L1.
e) L1-L2.

272. La migraña se diferencia de la cefalea común en que siempre va precedida de:

a) Crisis de hipertensión.
b) Parestesias faciales.
c) Parestesias generalizadas.
d) Pródromos.
e) Convulsiones.

273. Una característica propia del shock medular es que cursa con:

a) Poliuria.
b) Hipertension.
c) Hipertermia.
d) Bradicardia.
e) Midriasis.

274. Las fasciculaciones son:

a) Espasmos musculares de torsión.
b) Sacudidas involuntarias incoordinadas y focales.
c) Temblores rítmicos.
d) Movimientos estereotipados.
e) Espasmos regulares y lentos.

275. Un paciente que tiene el XI par craneal alterado, ¿cuál de las siguientes alteraciones presentaría?:

a) Dificultad para deglutir.
b) Abolición del reflejo faríngeo.
c) Vómitos en escopetazo.
d) Ronquera.
e) Incapacidad para elevar los hombros.

265-b

La acción de estos fármacos consiste en una dilatación de las paredes de los vasos sanguíneos; ésta origina hipotensión, por lo que no se deben administrar sin estar seguro de que la T.A. es normal o alta.

266-d

Las placas de ateroma favorecen la formación de dilataciones de la pared arterial, lo que se conoce con el nombre de aneurisma.

267-c

La endarterectomía carotídea consiste en la eliminación del ateroma que ocluye la luz de la arteria.

268-d

La dorsiflexión del dedo gordo del pie y la extensión en abanico de los restantes al estimular la planta del pie, indica lesión piramidal.

269-c

La escala de coma de Glasgow es una tabla internacionalmente reconocida que permite valorar de forma sencilla y uniforme el grado de coma de un enfermo, asignándole una puntuación.

270-d

El VII par craneal gobierna las funciones sensitiva y motora de los músculos faciales.

271-b

Este nivel se considera el más declive del espacio raquídeo; además, en él existe un riesgo mínimo de punción de la médula espinal.

272-d

Los pródromos son signos que preceden de manera habitual a la manifestación de la enfermedad; en el caso de la migraña: vómitos, visión borrosa, trastornos sensoriales.

273-d

El shock medular se produce por pérdida del tono simpático y activación del parasimático, lo cual origina vasodilatación y bradicardia.

274-b

Las fasciculaciones son movimientos musculares anormales que surgen como consecuencia de alteraciones en la función motora.

275-e

El XI par craneal controla los movimientos de los músculos del hombro y de la rotación del cuello.

276. Una de las complicaciones más frecuentes que sufre un paciente al que se realiza una punción lumbar es:

a) Convulsiones.
b) Hipotermia.
c) Cefaleas.
d) Taquicardia.
e) Hipotensión.

277. ¿En qué lóbulo del cerebro se producen las actividades motoras necesarias para hablar?:

a) Occipital.
b) Parietal.
c) Temporal.
d) Frontal.
e) Límbico.

278. Respecto al shock medular, indique cuál de las siguientes consideraciones es verdadera:

a) Es una pérdida repentina de la integridad de los órganos sensoriales periféricos.
b) Una hiperactividad del sistema nervioso central.
c) Podriamos considerarlo como un aumento gradual de la actividad sensorial.
d) Una pérdida repentina de la continuidad entre la médula espinal y los centros nerviosos motores.
e) Se considera el resultado del aumento de la presión del líquido cefalorraquídeo.

279. El proceso degenerativo que compromete a las células del encéfalo y causa deterioro en la función intelectual se denomina:

a) Esclerosis múltiple.
b) Esclerosis lateral amiotrófica.
c) Enfermedad de Alzheimer.
d) Enfermedad de Parkinson.
e) Síndrome de Guillain-Barré.

280. Un signo precoz de tumor cerebral es :

a) Aumento de la tensión arterial.
b) Disminución del nivel de conciencia.
c) Convulsiones.
d) Parestesias.
e) Bradicardia.

281. Los movimientos de pronación-supinación del antebrazo y mano son característicos de:

a) Convulsiones generalizadas.
b) Esclerosis múltiple.
c) Crisis epilépticas.
d) Enfermedad de Parkinson.
e) Cualquier proceso degenerativo del Sistema nervioso.

282. La aparición de pequeñas zonas de desmielinización del encéfalo y médula espinal se define como:

a) Enfermedad de Parkinson.
b) Esclerosis múltiple.
c) Enfermedad de Alzheimer.
d) Esclerosis lateral amiotrófica.
e) Síndrome de Guillain-Barré.

283. Los cuidados de enfermería a pacientes postoperados de un tumor intracraneal incluyen todos los siguientes excepto:

a) Monitorización de los signos vitales cada dos horas.
b) Monitorización de la presión intracraneal.
c) Mantener períodos de reposo .
d) Mantener una ventilación adecuada.
e) Mantener la cabeza del paciente por debajo del nivel del cuerpo.

284. Durante la fase clónica de la epilepsia generalizada pueden aparecer los signos de:

a) Espasmos musculares, midriasis, taquicardia.
b) Cianosis, apnea, pérdida de conciencia.
c) Hipertensión, sudoración, incontinencia vesical.
d) Salivación, bradicardia, hipotermia.
e) Hiperventilación, hipotensión, miosis.

285. El síndrome de Reye está considerado un cuadro clínico potencialmente grave porque origina:

a) Hipotensión severa.
b) Insuficiencia renal.
c) Encefalopatía.
d) Parada respiratoria.
e) Alteración brusca de los centros termoreguladores.

276-c

La punción lumbar produce un cierto grado de disminución de la presión del LCR, que se manifiesta por cefaleas.

277-d

En el lóbulo frontal se encuentra el área de Broca encargada de controlar las actividades motoras necesarias para el habla.

278-d

El shock medular se origina cuando se produce la pérdida de continuidad entre la médula espinal y los nervios motores de los vasos, lo que produce una vasodilatación.

279-c

En la enfermedad de Alzheimer se producen unos filamentos irregulares y de gran tamaño en las neuronas del encéfalo y placas neuríticas que originan un deterioro progresivo de la conducta, la memoria y de la capacidad de juicio.

280-c

El crecimiento del tumor puede dificultar la circulación cerebral originando situaciones de hipoxia, esta situación mantenida da lugar a convulsiones.

281-d

El déficit de dopamina en los depósitos cerebrales origina una degeneración lenta de los mecanismos de retrocontrol que ayudan a controlar el movimiento, la coordinación y la postura, lo que se traduce por lentitud en la marcha, y movimientos rápidos de pronación-supinación de la mano.

282-b

Esta alteración es el resultado de la destrucción de la vaina de mielina que enlentece la conducción de los impulsos formándose placas.

283-e

La cabeza del paciente debe permanecer por encima del nivel del cuerpo para disminuir la presión y evitar el edema.

284-c

Esto se debe a que hay una alteracion de la actividad eléctrica neuronal y a la puesta en marcha del sistema nervioso simpático.

285-c

Tras varios días de padecer una infección vírica, se produce una infiltración de grasa hepática y edema cerebral, los productos nitrogenados pasan al torrente circulatorio interfiriendo la función cerebral normal.

286. Los signos y síntomas característicos de la Miastenia grave son:

a) Dolor muscular.
b) Visión doble y topsis.
c) Sensación de hormigueo en las extremidades.
d) Alteración de los reflejos.
e) Dolor postural.

287. Al valorar a un paciente descubre que presenta el signo de Kernig, esto le será indicativo de que el paciente sufre:

a) Aumento de la presión intracraneal.
b) Accidente isquémico transitorio.
c) Inflamación meníngea.
d) Infarto cerebral.
e) Crisis de herniación encefálica.

288. Cuando un paciente responde a una situación de urgencia, la reacción de su sistema nervioso contribuye a:

a) Disminuir el flujo sanguíneo a los órganos vitales.
b) Estimular las glándulas suprarenales para liberar adrenalina.
c) Enlentecer la frecuencia cardiaca.
d) Enlentecer la respiración.
e) Disminuir los niveles de glucosa.

289. Entre las actividades de enfermería a pacientes con convulsiones se incluyen todas las siguientes excepto:

a) Administrar oxígeno.
b) Mantener en reposo.
c) Sujetar al paciente.
d) Protegerlo para evitar traumatismos.
e) Valorar el nivel de conciencia durante la convulsión.

290. ¿Cuál es la complicación más seria que se puede presentar cuando cuide a un paciente diagnosticado de síndrome de Guillain-Barré?

a) Paraplejia.
b) Disartria.
c) Parálisis respiratoria.
d) Disfagia.
e) Crisis convulsivas.

291. A un paciente que se le ha practicado una craneotomía para extirpar un tumor en el lóbulo frontal, ¿cómo debería colocarle la cabeza?:

a) En decúbito supino.
b) Elevada 90°.
c) En decúbito lateral derecho.
d) En declive respecto al cuerpo para facilitar la circulación.
e) Elevado 30°.

292. A un paciente que presenta coma neurológico deberá aplicarle todos los cuidados excepto:

a) Aspirar secreciones bronquiales para evitar estímulos.
b) Dar cambios posturales.
c) Mantener una estricta higiene bucal.
d) Mantener los ojos del paciente abiertos para visualizar si aparece reflejo corneal.
e) Hidratar la piel.

293. Tras un traumatismo craneoencefálico, ¿qué situación requiere actuación quirúrgica urgente?:

a) Hematoma epidural.
b) Hematoma subdural.
c) Edema cerebral.
d) Hematoma intracraneal.
e) Hematoma extracerebral.

294. ¿Cómo valoraría la sensibilidad superficial de un paciente neurológico?:

a) Pellizcando la piel en distintas zonas.
b) Pasando una torunda de algodón por distintas zonas para comprobar sus sensaciones.
c) Aplicando luz intensa en sus ojos.
d) Comprobando si existe reflejo rotuliano.
e) Diciendo al paciente que se lleve el dedo de la mano a la punta de la nariz.

295. En la enseñanza al paciente sobre la ingesta de anticonvulsivantes debería decirle todo lo siguiente excepto:

a) No debe tomar alcohol.
b) Debe llevar una tarjeta de identificación.
c) No conducir mientras está bajo los efectos de los fármacos.
d) Acudir a las revisiones periódicas.
e) Si olvida la ingesta de una dosis puede tomarla junto con la dosis siguiente.

286-b

La causa, se cree, es debida a la parálisis progresiva de los músculos, a medida que el paciente hace uso de ellos como resultado de un déficit de acetilcolina.

287-c

El signo de Kernig se manifiesta por dolor o resistencia al explorar al paciente en posición supina, al flexionar una de sus piernas sobre las rodillas creando un ángulo de 90° e intentar volverla a su posición normal, el paciente siente dolor.

288-b

El sistema nervioso simpático ayuda al organismo en las situaciones de urgencia estimulando las glándulas suprarenales para que liberen adrenalina. Esta liberación contribuye a poner en alerta a todos los órganos diana para combatir el estrés.

289-c

Los pacientes con convulsiones intensas corren el riesgo de sufrir fracturas óseas al sujetarles, durante la convulsión deben tomarse medidas de seguridad para evitar traumatismos.

290-c

La parálisis motora ascendente puede afectar el funcionamiento de los músculos respiratorios del paciente situación que puede comprometer su vida.

291-e

Con esta medida se previene el aumento de la presión intracraneal.

292-d

A los pacientes en coma neurológico se le deben mantener los ojos cerrados para evitar úlceras corneales ya que tienen el reflejo corneal y palpebral abolidos.

293-a

Cuando existe un hematoma epidural se origina una hemorragia entre el cráneo y la duramadre en el espacio epidural. Este hematoma comprime hacia abajo y hacia dentro produciéndose herniación y pudiendo ocasionar el exitus.

294-b

Al pasar una torunda de algodón por distintas zonas del cuerpo, el paciente nos indicará con los ojos cerrados cuándo nota el contacto con el mismo.

295-e

La acción de los anticonvulsivantes, al igual que otros fármacos se consigue manteniendo unos niveles plasmáticós constantes que se consiguen realizando la ingesta cada día a la misma hora, además, el efecto de estos fármacos es sedante por lo que podrían ocasionar al paciente un problema añadido.

296. ¿Cuál de éstos pacientes tiene mayor riesgo de sufrir crisis convulsivas?:

a) Paciente diabético.
b) Paciente con hemorragias.
c) Paciente con úlcera péptica.
d) Paciente con infarto de miocardio.
e) Paciente con uremia.

297. Al realizar valoración física a un paciente con traumatismo craneal comprobamos si presenta el signo de Battle; este signo se manifiesta por:

a) Aparición de equimosis detrás de los oídos.
b) Ausencia de reflejos pupilares a la luz.
c) Dificultad para abrir los ojos.
d) Alteraciones gustativas.
e) Alteración en la percepción de olores.

298. Un incremento muy lento de la presión intracraneal podría manifestarse por:

a) Alteración en el tamaño de las pupilas.
b) Alteración en el nivel de conciencia.
c) Dislexia.
d) Cefaleas matutinas.
e) Alteración en las constantes vitales.

299. Definiremos la ataxia como:

a) Temblores generalizados.
b) Dificultad para leer.
c) Dificultad para escribir.
d) Dificultad para transcribir imágenes.
e) Incoordinación de movimientos.

300. Un paciente que ha sufrido un traumatismo craneal presenta anisocoria; esta situación nos indicaría :

a) Edema cerebral generalizado.
b) Alteración del tronco cerebral.
c) Lesión focal.
d) Lesión en cualquier zona cerebral.
e) Lesión en el lóbulo occipital.

301. Indique cuál no es un signo temprano de Shock medular:

a) Disminución de la tensión arterial.
b) Disminucuión de la frecuencia cardíaca.
c) Disminución de la frecuencia respiratoria.
d) Piel rosada,caliente y seca.
e) Íleo paralítico.

302. Un signo de alerta en un paciente que sufre meningitis meningocócica con tratamiento antibiótico es:

a) Náuseas.
b) Vómitos.
c) Elevación de la temperatura por encima de 39°.
d) Sudoración abundante.
e) Taquicardia.

303. Para comprobar que la rinorrea que presenta un paciente que ha sufrido un traumatismo craneoencefálico se debe a pérdida de líquido cefalorraquídeo, ¿qué haría?:

a) Tomar muestra para cultivo.
b) Hacer Rx de cráneo.
c) Comprobar si tiene cefaleas.
d) Hacer BMtest.
e) Medir la presión de los ventrículos cerebrales.

304. Una complicación que puede aparecer a largo plazo tras la rotura de un aneurisma cerebral es:

a) Irritación meníngea.
b) Fotofobia.
c) Náuseas.
d) Vómitos.
e) Hidrocefalia.

305. Un paciente en estado de inconsciencia presenta las extremidades superiores flexionadas y las inferiores extendidas; esta situación le indicaría que:

a) El paciente presenta postura de decorticación.
b) El paciente está en estado de descerebración.
c) El paciente presenta flacidez.
d) Tiene lesión de la médula espinal.
e) Presenta un déficit motor de miembros inferiores.

306. Al valorar a un paciente sospecha que tiene una lesión del tronco cerebral porque presenta:

a) Miosis unilateral.
b) Reflejo oculocefálico alterado.
c) Midriasis bilateral.
d) Ausencia de Babinski.
e) Pupilas reactivas a la luz.

296-e

Un aumento de las toxinas metabólicas por la uremia puede ocasionar convulsiones.

297-a

El signo de Battle se manifiesta por la aparición de equimosis detrás de los oídos como resultado de fractura de base de cráneo.

298-d

Las cefaleas matutinas reflejan la dilatación vascular que se produce durante el sueño originada por la retención de dióxido de carbono o de aumento de la producción de sustancias vasoactivas como las catecolaminas.

299-e

Cuando un paciente sufre un proceso desmielinizante en las vainas de mielina se van formando placas que dificultan la trasmisión de la mielina y afecta a la neurona motora originando, entre otras alteraciones, incordinación del movimiento.

300-c

La anisocoria en un paciente con traumatismo craneal es un signo de lesión focal y se manifiesta con pupila midriática en el mismo lado donde se ha producido el hematoma.

301-e

El íleo paralítico suele aparecer dentro de los dos primeros días siguientes al traumatismo y surge por inivición del sistema parasimpático.

302-c

La elevación de la temperatura nos indicaría que el tratamiento antibiótico no está siendo eficaz y podría originarse una sepsis, situación que pondría en peligro la vida del paciente.

303-d

El líquido cefalórraquídeo contiene glucosa, por lo que al hacer BMtest nos daría positivo.

304-e

Esta complicación se debe a la obstrucción que produce la sangre en el espacio subacnoideo del cuarto ventrículo que dificulta el drenado normal de líquido cefalorraquídeo.

305-a

Cuando un paciente sufre lesión cerebral adopta una postura anómala.

306-b

La exploración del reflejo oculocefálico se realiza manteniendo los párpados del paciente abiertos y haciendo girar su cabeza a uno y otro lado. En condiciones normales los ojos deben girar al lado opuesto al que se ha rotado la cabeza, en el paciente con lesión del tronco cerebral, bien se mueven de forma no coordinada o permanecen fijos.

307. Decimos que un paciente tiene un accidente isquémico transitorio (AIT) cuando la sintomatología persiste durante:

a) Siete días.
b) Veinte días.
c) Nueve días.
d) Desde segundos a veinticuatro horas.
e) Cinco días.

308. La dificultad en la pronunciación de las palabras se define como:

a) Afasia de expresión.
b) Afasia de comprensión.
c) Disartria.
d) Apraxia.
c) Ataxia.

309. ¿Qué alimentos no incorporaría a la dieta de un paciente diagnosticado de poliglobulia?:

a) Leche y productos lácteos.
b) Verduras.
c) Legumbres y vísceras.
d) Hidratos de Carbono.
e) Pescado blanco.

310. Una complicación leve y de fácil resolución que puede sufrir un paciente al que se le realiza una flebotomía es:

a) Crisis convulsivas.
b) Desvanecimiento.
c) Dolor anginoso.
d) Hipotermia.
e) Desgarro de la vena puncionada.

311. Señale cuál de las siguientes opciones respecto a los pacientes hemofílicos es falsa:

a) Los pacientes hemofílicos deben llevar una tarjeta de identificación.
b) Deben obviar los fármacos que lleven en su composición salicilatos para aliviar el dolor articular.
c) Pueden hacer cualquier tipo de deporte.
d) Deben mantener una higiene bucal estricta.
e) Para evitar complicaciones deben visitar al odontólogo de forma regular.

312. La promoción de autocuidado dirigida a pacientes diágnosticados de leucemia mieloide crónica se basará en todos los puntos siguientes excepto:

a) Higiene perianal y rectal diaria.
b) Tomar la temperatura corporal todos los días.
c) Lavado de manos antes y después de las comidas.
d) Cepillar los dientes de forma exhaustiva después de las comidas.
e) No tomar fármacos sin consultar con su médico.

313. Un síntoma que puede aparecer precozmente en pacientes con Enfermedad de Hodgkin es:

a) Febrícula persistente.
b) Mareos.
c) Anorexia.
d) Astenia.
e) Prurito generalizado.

314. Una de las complicaciones más graves que pueden aparecer durante la transfusión sanguínea es:

a) Bradicardia.
b) Náuseas.
c) Vómitos.
d) Hipotensión.
e) Reacciones de hipersensibilidad.

315. Si aparecen reacciones de hipersensibilidad mientras realiza la transfusión sanguínea la primera actividad a realizar sería:

a) Tomar la tensión arterial.
b) Enlentecer el ritmo de la transfusión.
c) Tomar la frecuencia cardíaca.
d) Suspender la transfusión.
e) Administrar fármacos antihistamínicos.

316. Señale cuál de las siguientes opciones es correcta:

a) La perfusión de hematíes concentrados debe realizarse de forma rápida para evitar que se sedimenten los hematíes.
b) Mientras se realiza una transfusión de hematíes el paciente debe estar en ayunas.
c) Por la vía donde se está transfundiendo sangre se pueden administrar fármacos.
d) La transfusión de la misma unidad no debe permanecer más de cuatro horas.
e) La temperatura de la unidad a transfundir debe ser 1 grado más elevada que la temperatura del paciente.

307-d

Los accidentes isquémicos transitorios son originados por vasoespasmos que ceden en un período máximo de 24 horas sin dejar ningun tipo de secuelas.

308-c

La disartria se define como la dificultad en la pronunciación de las palabras, provocada por la debilidad o incoordinación de los músculos que intervienenen en la articulación verbal.

309-c

Las legumbres y vísceras son alimentos ricos en hierro, elemento que debe evitar el paciente con poliglobulia.

310-b

El desvanecimiento es relativamente común y suele relacionarse con reacciones vagales y ayuno antes de la extracción; se resuelve acostando al paciente o manteniéndolo sentado con la cabeza entre las rodillas.

311-c

A los pacientes hemofílicos se les debe facilitar la actividad física, pero tomando ciertas precauciones; sólo son convenientes los deportes no violentos para evitar hemorragias.

312-d

Los pacientes diagnosticados de leucemia mieloide crónica presentran plaquetopenia y granulocitopenia, lo que los hace muy susceptibles a las hemorragias e infecciones. Por lo tanto se debe evitar el utilizar cepillo dental para mantener una correcta higiene dental, si bien es necesaria la utilización de un antiséptico líquido tras las comidas.

313-e

El prurito generalizado puede aparecer como único síntoma precoz en la enfermedad de Hodgkin; se cree que es debido a una erupción cutánea relacionada con la sudoración profusa que padecen estos pacientes.

314-e

Algunos pacientes pueden presentar reacciones de hipersensibilidad a una proteína plamática o a anticuerpos de la sangre transfundida que puede reaccionar con un antígeno propio.

315-d

Tan pronto se identifique la reacción de hipersensibilidad debe interumpirse la transfusión de inmediato, manteniendo la vía intravenosa con perfusión lenta de solución salina isotónica para poder administrar fármacos si fuera preciso.

316-d

El tiempo de transfusión de una misma unidad de hematíes concentrados no debe prolongarse más de cuatro horas, ya que se corre el riesgo de que los hematíes se lisen.

317. Los cuidados de enfermería a un paciente que se le ha realizado transplante de médula ósea irán encaminados de forma prioritaria a:

a) Vigilar las constantes vitales.
b) Mantener hidratación adecuada.
c) Vigilar los puntos de punción.
d) Aplicar tratamiento quimioterápico.
e) Prevenir infecciones.

318. Las anemias cuya etiología es el déficit de vitamina B_{12} son:

a) Anemia aplásica.
b) Anemia megaloblástica.
c) Anemia hemolítica.
d) Talasemia.
e) Anemia ferropénica.

319. La lesión o destrucción de una célula madre origina en los individuos :

a) Anemia megaloblástica.
b) Anemia ferropénica.
c) Anemia aplásica.
d) Anemia hemolítica.
e) Talasemia.

320. ¿Qué alimentos aconsejaría a un paciente que tiene una anemia ferropénica?:

a) Hidratos de carbono.
b) Leche.
c) Pescado.
d) Verduras de hoja verde y vísceras.
e) Féculas.

321. La coagulación intravascular diseminada ocurre cuando existe:

a) Eritropoyesis.
b) Desequilibrio entre los mecanismos de coagulación y fibrinolisis.
c) Hemofilia.
d) Plaquetoféresis.
e) Púrpura trombocitopénica.

322. Al realizar un estudio de células sanguíneas para un recuento capilar, ¿cuál de las acciones de enfermería no debería llevar a cabo?:

a) Explicar al paciente lo que le va hacer.
b) Mantener a temperatura adecuada la mano donde va a realizar la punción.
c) Si tiene problemas de vasoconstricción decirle que se frote las manos.
d) Hacer limpieza de la piel con alcohol.
e) Puncionar la yema del dedo con una lanceta.

323. La carencia del factor de coagulación VIII y IX origina en los individuos:

a) Púrpura trombocitopénica.
b) Plaquetopenia.
c) Eritrocitosis.
d) Coagulación intravascular diseminada.
e) Hemofilia.

324. El mieloma múltiple origina :

a) Dolores óseos.
b) Alteraciones en la coagulación.
c) Trastornos en el recuento plaquetario.
d) Adenopatías generalizadas.
e) Adenopatía única.

325. Cuando administre hierro a un paciente por vía parenteral (intramuscular) debe utilizar la técnica en Z para:

a) Mejorar la absorción.
b) Aliviar el dolor.
c) Conseguir niveles séricos de forma precoz.
d) Evitar tatuajes.
e) No romper fibras musculares.

326. ¿Cuál es el tiempo establecido para la perfusión de una unidad de plaquetas?:

a) Dos horas.
b) Entre cinco y quince minutos.
c) Tres horas.
d) Una hora.
e) Media hora.

317-e

Los pacientes con transplante de médula ósea están inmunodeprimidos, por lo que se debe evitar cualquier riesgo de infección dado que la situación de inmunosupresión les hace muy vulnerables.

318-b

El déficit de vitamina B_{12} originado por mala absorción del tubo digestivo causa una anemia carencial llamada megaloblástica.

319-d

La destrucción de una célula madre origina una lesión o destrucción de todas las series de células siguientes provocando una hemólisis.

320-d

Las verduras de hoja verde y vísceras son alimentos ricos en hierro que deberían ingerir los pacientes que tienen una anemia ferropénica para aumentar los niveles del mismo y corregir el déficit.

321-b

Cuando se produce un desequilibrio entre los mecanismos de coagulación y fibrinolisis se forman coágulos en la microcirculación capilar, lo que se conoce con el nombre de coagulación intravascular diseminada.

322-d

Si se utiliza alcohol para desinfectar la zona antes de puncionar con lanceta se debe secar el alcohol con gasa estéril, ya que el alcohol deteriora los eritrocitos.

323-e

La hemofilia se caracteriza por la carencia de los factores de coagulación VIII y IX, es una alteración propia de los varones y aquellas personas que la padecen son muy susceptibles a las hemorragias.

324-a

El mieloma múltiple origina dolor articular que puede ser incapacitante. Esto es debido a la destrucción de masa ósea, los pacientes, además de dolor pueden sufrir fracturas óseas.

325-e

La técnica en Z consiste en desplazar lateralmente la piel antes de introducir la aguja, de esta forma evitamos el reflujo del fármaco y su infiltración por la piel al no coincidir el orificio cutáneo con el muscular.

326-b

Una transfusión de plaquetas se debe efectuar entre cinco y quince minutos salvo prescripción médica porque se degradan muy rápidamente.

327. Tras realizar una punción de médula ósea a un paciente tendremos especial cuidado en :

a) Controlar la tensión arterial.
b) Controlar la frecuencia cardíaca.
c) Controlar la temperatura.
d) Dejar en ayunas durante una hora.
e) Aliviar el dolor.

328. La somatotropina (STH) se sintetiza en:

a) La adenohipófisis.
b) La neurohipófisis.
c) El hipotálamo.
d) La médula suprarrenal.
e) Los genitales femeninos.

329. El exoftalmos es una manifestación clínica de:

a) Hipotiroidismo
b) Hipertiroidismo.
c) Hipoparatiroidismo.
d) Hiperparatiroidismo.
e) Hiperaldosteronismo.

330. ¿Cuál de estas actividades no incluirá en el plan de cuidados de la enfermedad de Cushing?:

a) Vigilar la aparición de sangrado de mucosas.
b) Controlar los niveles de glucosa en sangre.
c) Controlar la aparición de infecciones nosocomiales.
d) Dieta rica en sodio.
e) Control del peso.

331. Indique cuál de las siguientes complicaciones puede aparecer en la tiroidectomía:

a) Tetania.
b) Diarrea.
c) Náuseas.
d) Cálculos renales.
e) Arritmias cardíacas.

332. ¿Cuál de estos signos indica que el tratamiento del hipotiroidismo no es el adecuado?:

a) Aumento de peso.
b) Disminución de edemas.
c) Mejora del estreñimiento.
d) Aumento de apetito.
e) Aumento de la frecuencia cardíaca.

333. ¿Cuál de estos signos no aparece en el hipertiroidismo:

a) Taquicardia.
b) Piel caliente.
c) Intolerancia al frío.
d) Temblores finos.
e) Ansiedad.

334. La aldosterona está secretada por:

a) La médula suprarrenal.
b) La corteza suprarrenal.
c) El riñón.
d) El tiroides.
e) Los ovarios.

335. La acromegalia es un signo de:

a) Hiperfunción neurohipofisaria.
b) Hiperfunción adenohipofisaria.
c) Hipofunción neurohipofisaria.
d) Hipofunción adenohipofisaria.
e) Hipertiroidismo.

336. En el tratamiento con vasopresina de la diabetes insípida, ¿cuál de estos síntomas tendrás en cuenta?:

a) Sed.
b) Peso.
c) Rinitis.
d) Volumen de orina.
e) Ingesta de líquidos.

337. En una situación de hiperparatiroidismo, ¿qué actividad es incorrecta?:

a) Restricción hídrica menos de 1 litro/24 h.
b) Dieta pobre en calcio.
c) Realizar un plan de ejercicios.
d) Evitar caídas y cambios posturales bruscos.
e) Valorar los dolores óseos y administrar analgesia.

338. ¿Cuál de estos síntomas no aparece en el hipoparatiroidismo?:

a) Convulsiones.
b) Estridor laríngeo.
c) Fracturas patológicas.
d) Náuseas.
e) Parestesias alrededor de la boca.

327-e

A los pacientes que se les realiza una punción de médula ósea refieren dolor por la succión en la aspiración. Para aliviarlo se les debe administrar un calmante.

328-a

La hormona STH secretada en el lóbulo anterior de la hipófisis, está relacionada con el crecimiento de huesos y tejidos. Interviene en el metabolismo de hidratos de carbono, proteínas y grasas.

329-b

El exoftalmos es una manifestación clínica del hipertiroidismo que va acompañado de un incremento del tono nervioso simpático (mirada fija, desplazamiento hacia atrás de los párpados, etc.).

330-d

La dieta en la enfermedad de Cushing deberá ser pobre en sodio y calorías, ya que el aumento de cortisol produce retención de sodio y agua.

331-a

Uno de los signos que debemos tener en cuenta en el cuidado postoperatorio es la aparición de tetania debido a la posible estirpación de las paratiroides.

332-a

Con un tratamiento adecuado para el hipotiroidismo se consigue perder peso.

333-c

La intolerancia al frío es un signo característico del hipotiroidismo. En cambio, en situaciones hipertiroideas aparece intolerancia al calor.

334-b

La aldosterona se encuentra en el grupo de mineralcorticoides secretados por la corteza suprarrenal.

335-b

La hiperfunción de la adenohipofisis da lugar al incremento de producción de hormonas, entre ellas la STH que origina la sintomatología de acromegalia en el adulto.

336-c

La aparición de rinitis hay que tenerla en cuenta, porque la vasopresina se administra por vía intranasal y da lugar a un aumento de la irritación.

337-a

Los pacientes con hiperparatiroidismo, deben aumentar la ingesta líquida hasta 3L/24 h para evitar la formación de cálculos.

338-c

Las fracturas patológicas ocurren en situaciones de exceso de PTH, debido al desplazamiento del calcio óseo hacia la sangre.

339. ¿Cuál de estas causas origina diabetes tipo I?:

a) Vida sedentaria.
b) Obesidad.
c) Destrucción de las células β del páncreas.
d) Estrés.
e) Dieta rica en hidratos de carbono.

340. En la hiperglucemia no aparece:

a) Oliguria.
b) Fatiga.
c) Sueño.
d) Polidipsia.
e) Polifagia.

341. Señale cuál es el pico de acción de la insulina NPH o de acción intermedia:

a) 1 hora.
b) 2-4 horas.
c) 6-8 horas.
d) 10-12 horas.
e) 24 horas.

342. ¿Cuál de estas afirmaciones es falsa?:

a) Los alimentos se deben ingerir antes de la administración de la insulina.
b) Las insulinas de acción intermedia necesitan aporte calórico nocturno.
c) El ejercicio ayuda a controlar los niveles de glucemia.
d) La insulina NPH sólo se administra por vía subcutánea.
e) Las insulinas de acción intermedia y prolongada necesitan aporte calórico en sus picos de acción.

343. ¿Cuál de estos signos indica hipoglucemia?:

a) Bradicardia.
b) Sudoración.
c) Agitación.
d) Poliuria.
e) Piel seca.

344. Una de las complicaciónes de los pacientes insulino-dependientes es:

a) La obesidad.
b) La edad (mayor de 45 años).
c) Producción de insulina endógena.
d) Cetoacidosis.
e) La dieta rica en hidratos de carbono.

345. Indique cuál de estas afirmaciones es correcta en el fenómeno Somogyi:

a) Se produce una hiperglucemia después de una hipoglucemia.
b) Se produce una hipoglucemia después de una hiperglucemia.
c) Es debido a una dosis insuficiente de insulina.
d) Aparece al mediodía.
e) Indica una correcta administración de insulina.

346. ¿Cuál es el umbral renal de la glucosa?:

a) 60 mg/dl.
b) 120 mg/dl.
c) 180 mg/dl.
d) 200 mg/dl.
e) 250 mg/dl.

347. ¿Cuál de estas instrucciones no es correcta para la preparación de un test de intolerancia a la glucosa?:

a) Restricción de hidratos de carbono,menos de 200 gr/día.
b) Suprimir corticoides.
c) Ayunar 12 h antes de realizar la prueba.
d) No realizar ejercicio antes de la prueba.
e) Suprimir anticonceptivos orales.

348. Señale cuál de estas manifestaciones no es una complicación tardía de la diabetes insulino-dependiente:

a) Incontinencia.
b) Ceguera.
c) Impotencia.
d) Cetoacidosis.
e) Nefropatía.

349. Un paciente diabético, con tratamiento de antidiabéticos orales, ante una intervención quirúrgica:

a) Se tratará siempre con insulina.
b) Se tratará con insulina si aparece infección.
c) Se tratará con insulina si no se logra controlar su glucemia.
d) Se tratará con una combinación de antidiabéticos orales e insulina.
e) Nunca se tratará con insulina.

339-c

La vida sedentaria, la obesidad y la dieta rica en hidratos de carbono son factores que influyen en la aparición de la diabetes tipo II.

340-a

En situaciones de hiperglucemia, aparece poliuria debido a que la concentración plasmática de glucosa excede el umbral renal, produciéndose una diuresis osmótica.

341-b

El pico de acción de la insulina NPH es de 2/4 horas, teniéndolo en cuenta para la administración de aporte calórico.

342-a

Los alimentos se deben ingerir después de la administración de la insulina y antes de que comience su acción.

343-b

La sudoración es un signo característico de la hipoglucemia.

344-d

La cetoacidosis es una de las complicacións más importante que aparece en diabetes insulinodependiente.

345-a

El fenómeno de Somogyi generalmente es debido a un aporte excesivo de insulina con respecto a las necesidades reales. Durante la noche se produce una hipoglucemia y el mecanismo hormonal del organismo reacciona provocando una hiperglucemia, llevando consigo un aumento de las unidades de insulina prescritas.

346-c

El umbral renal de la glucosa es de 180 mg/dl a partir de la cual aparece glucosuria y diuresis osmótica.

347-a

El aporte de hidratos de carbono será de 300g/día. Si está por debajo de esta cantidad, la secreción de insulina disminuye y al someter al paciente a una sobrecarga de glucosa, puede provocar falsas curvas de glucemia positiva.

348-d

La cetoacidosis es una complicación que aparece en el diabético insulinodependiente siempre que se produzca una hiperglucemia debido a una insuficiencia aguda de insulina.

349-a

A los pacientes que van a estar en ayunas y/o dieta absoluta, se les suspenderán los antidiabéticos orales y se pasará a insulina para controlar con más exactitud los niveles de glucemia.

350. ¿Cuál de estas hormonas tiene efecto hiperglucemiante?:

a) Insulina.
b) Somatotropina.
c) Oxitocina.
d) Prolactina.
e) Tirotropina.

351. Indique cuál de estas actividades no estarían en el plan de cuidados postoperatorios de una intervención transesfenoidal realizada para extirpar un tumor hipofisario:

a) Control del peso del paciente.
b) Pérdida temporal del olfato.
c) Frotar enérgicamente las encías.
d) Evitar acciones que eleven la presión intracraneal.
e) Inclinación del plano de la cama 30°.

352. Indique cuál de estas funciones no tiene el Cortisol:

a) Efectos catabólicos.
b) Efectos antiinflamatorios.
c) Aumentan la lipolisis.
d) Efectos hipoglucemiantes.
e) Aumentan la capacidad inmunitaria.

353. ¿Qué define el término de disuria?:

a) Dolor en la micción.
b) Aumento del número de micciones diarias.
c) Disminución del volumen de orina diario.
d) Infección de orina.
e) El mayor volumen de orina es durante la noche.

354. ¿Cuál de las siguientes complicaciones es más frecuente en un paciente sometido a biopsia renal mediante punción?:

a) Hematuria.
b) Hipertensión arterial.
c) Infección urinaria.
d) Hemorragia.
e) Insuficiencia respiratoria.

355. La actuación de la enfermera/o ante un paciente diagnosticado de poliquistosis renal, estará orientada hacia la:

a) Prevención de la aparición de la enfermedad.
b) Prevención del contagio de la enfermedad.
c) Prevención de infección urinaria.
d) Prevención de hemorragia urinaria.
e) Prevención de hipertensión renal.

356. Un paciente con «vejiga fláccida» presenta:

a) Incontinencia por rebosamiento.
b) Incontinencia total.
c) Aumento del perímetro abdominal.
d) Edemas en miembros inferiores.
e) Hipertensión arterial.

357. A un paciente diagnosticado de retención urinaria,se decide tratarle mediante sondajes intermitentes. ¿Qué valoración realizará la enfermera/o para aplicar este tratamiento?:

a) El paciente estará en reposo.
b) El aspecto de la orina (color, transparencia).
c) El volumen de orina residual.
d) Las constantes vitales.
e) El nivel cultural del paciente.

358. El sindrome nefrótico se caracteriza por:

a) Edemas, proteinuria intensa, hipoalbuminemia.
b) Fiebre, dolor tipo cólico, disuria.
c) Polaquiuria, piuria, hipertensión arterial.
d) Anorexia, vómitos, fiebre, edemas.
e) Edema, anuria y fiebre.

359. La educación a un paciente diagnosticado de litiasis renal por cálculos de ácido úrico se basa en la siguiente información:

a) Dieta rica en carnes, legumbres, líquidos abundantes.
b) Dieta rica en lácteos y verduras, líquidos abundantes.
c) Dieta rica en hidratos de carbono y restricción hídrica.
d) Dieta rica en hidratos de carbono, restricción hídrica y reposo.
e) Controles radiológicos de forma periódica.

350-b

La hormona somatotropina tiene efecto sobre el metabolismo de los hidratos de carbono. Es antagonista de la insulina.

351-c

Es importante realizar una higiene bucal exhaustiva pero se realizará de forma suave con torundas de algodón para preservar las suturas de la encía.

352-e

El cortisol tiene un efecto inmunosupresor.

353-a

El aumento del número de micciones diarias se llama polaquiuria. Nicturia es la micción nocturna con predominio sobre la diurna.

354-d

La hemorragia es la complicación más frecuente en esta biopsia renal, debido a que el riñón está muy vascularizado y la punción se realiza sin visualización directa del órgano.

355-c

Los quistes en el riñón, van aumentando de tamaño hasta que se rompen, originando infección y cicatrización del tejido renal. Es una enfermedad hereditaria, por lo tanto, nuestra actuación está encaminada a evitar infecciones, que aceleran el proceso.

356-a

La «vejiga fláccida» es una alteración que se produce por una destrucción del arco reflejo en lesiones medulares. La vejiga posee gran capacidad de incontinencia por rebosamiento.

357-c

Para planificar los sondajes intermitentes se medirá la orina residual en cada micción; si es mayor de 200 cc se realizarán cada 2/3 horas,; si es menor de 200 cc cada 4/5 horas.

358-a

En el síndrome nefrótico, al aumentar la permeabilidad del glomérulo a las proteínas plasmáticas, aparece proteinuria, con descenso de la albúmina plasmática y la presión oncótica.

359-b

Los cristales de ácido úrico precipitan en orina con pH ácido, por lo tanto, recomendaremos una dieta rica en lácteos y verduras, y líquidos abundantes para evitar el estasis urinario.

360. El signo más importante de la Insuficiencia renal aguda es:

a) Hipertensión arterial.
b) Hipertermia.
c) Oliguria.
d) Hiperglucemia.
e) Alitosis.

361. ¿Cuál sería nuestro objetivo ante un paciente que es portador de una fístula arterio-venosa?:

a) Mantener la fístula protegida con un apósito oclusivo.
b) Mantener el miembro portador de la fístula inmóvil con un vendaje comprensivo.
c) Mantener la fístula permeable mediante una perfusión intravenosa con suero salino.
d) El brazo portador de la fístula tiene que estar libre de presión.
e) La fístula arteriovenosa se heparinizа cada 24 horas.

362. ¿Cuál es uno de nuestros objetivos principales en el postoperatorio inmediato de una próstatectomía transuretral?:

a) Mantener elevados los miembros inferiores.
b) Mantener permeable la sonda vesical.
c) Vigilar la temperatura corporal.
d) Medir el perímetro abdominal.
e) Administrar sueroterapia.

363. Ante la sospecha de obstrucción de la pelvis renal, ¿qué prueba es la más indicada?:

a) Cistometrografía.
b) Pielografía.
c) Cistografía.
d) Cistoscopia.
e) Sondaje vesical.

364. Los pacientes con síndrome nefrótico debido a la pérdida masiva de proteínas por la orina, tienen riesgo de padecer:

a) Hipertermia.
b) Poliuria.
c) Trombosis.
d) Anemia.
e) Deshidratación.

365. Antes de insertar el catéter para realizar la diálisis peritoneal, ¿qué precaución debemos tomar?:

a) Tomar la temperatura corporal.
b) Evacuar la orina de la vejiga.
c) Asegurarnos la ingesta abundante de líquidos.
d) Realizar una cateterización venosa para administrar antibióticos.
e) Proporcionar un relajante muscular.

366. ¿Cuál de estos signos indican una complicación de la diálisis peritoneal?:

a) La oliguria.
b) La aparición súbita de diarrea.
c) La disminución de la sed.
d) La pérdida de peso.
e) La aparición de somnolencia.

367. ¿Qué es una nefrostomía?:

a) Estirpación quirúrgica de un riñón.
b) Drenaje en la pelvis renal.
c) Obstrucción de la pelvis renal.
d) Inflamación del riñón.
e) Infección de la pelvis renal.

368. ¿Cómo se realiza el lavado manual de una sonda vesical?:

a) De forma aséptica.
b) De forma estéril.
c) Utilizando suero glucosado al 5%.
d) Utilizando una cantidad de suero no menor de 100 ml.
e) Utilizando una solución jabonosa.

369. ¿Cuál de estos signos del rechazo renal es falso?:

a) Pérdida de peso importante.
b) Oliguria.
c) Hipertensión arterial.
d) Fiebre.
e) Aumento de la creatinina sérica.

370. ¿Qué precaución debemos tomar ante un paciente que se le administran diuréticos que actúan en el asa de Henle?:

a) Comprobar los niveles de calcio en sangre.
b) Comprobar los niveles de potasio en sangre.
c) Vigilar la aparición de proteinuria.
d) Vigilar la aparición de hematuria.
e) Vigilar la aparición de fosfaturia.

360-c

La oliguria es el signo más representativo del fracaso renal agudo, por la imposibilidad que tiene el riñón de formar orina.

361-d

Como medidas de mantenimiento no realizaremos ninguna actividad que aumente la presión en el brazo como es la toma de presión arterial o realizar el apoyo sobre ese brazo.

362-b

Debido a la hemorragia que se produce en el postoperatorio es necesario mantener la sonda vesical permeable con un lavado continuo.

363-b

La pielografía nos permite valorar la función renal y las obstrucciones de la pelvis renal.

364-c

La pérdida masiva de proteínas implica una disminucion de la albúmina sérica y de los inhibidores de la coagulación, produciéndose una hipercoagulabilidad y riesgo de tromboembolismo.

365-b

Debemos evacuar la vejiga de orina para evitar su perforación al insertar el catéter.

366-b

La aparición súbita de diarrea indica que se puede haber perforado algún asa intestinal con el catéter de la diálisis.

367-b

Es una formación quirúrgica de una fístula en el riñón o pelvis renal para drenar la orina.

368-b

Se realizará una técnica estéril, con suero fisiológico estéril y no se introducirán más de 50 cc en cada lavado.

369-a

En los procesos de rechazo renal, se produce un aumento brusco de peso de 1-1,5 Kg diario debido a la retención de líquidos.

370-b

Los diuréticos que actúan a nivel del asa de Henle, tienen como efecto la depleción de potasio.

371. El sondaje intermitente está indicado en:

a) Vejiga fláccida.
b) Incontinencia funcional.
c) Incontinencia por esfuerzo.
d) Vejiga neurógena.
e) Eneuresis.

372. Uno de estos factores que predispone al individuo a padecer litiasis renal es falso. Indique cuál es:

a) Infección urinaria.
b) Hipertensión arterial.
c) Sondajes vesicales.
d) Ingesta escasa de líquidos.
e) Sedentarismo.

373. La prueba diagnóstica de aclaramiento de creatinina tiene como finalidad:

a) Detectar tumores renales.
b) Detectar cálculos urinarios.
c) Conocer el funcionamiento renal.
d) Determinar la proteinuria.
e) Conocer el nitrógeno ureico.

374. El término polaquiuria define

a) Aumento del volumen de orina (>2000 ml/ 24h).
b) Dolor en la micción.
c) Infección urinaria.
d) Emisión de micciones de forma muy frecuente.
e) Emisión de micciones involuntarias en la noche.

375. El término de piuria define:

a) Orina turbia con sedimento.
b) Infección urinaria.
c) Dolor en la micción.
d) Disminución del volumen de orina diario (<400 ml).
e) Aparición de ácido úrico en la orina.

376. En las enfermedades renales que se producen pérdidas de proteínas por la orina debemos vigilar:

a) La temperatura del individuo.
b) El peso corporal.
c) El resultado de la pielografía.
d) El aspecto de la orina.
e) La pérdida de apetito.

377. Uno de los objetivos del tratamiento inmediato de las infecciones de vías respiratorias altas de los niños es:

a) Evitar la pérdida de peso.
b) Evitar las complicaciones renales.
c) Disminuir el reposo durante la infección.
d) Alterar las defensas del organismo.
e) Evitar la ausencia escolar.

378. Los enfermos portadores de sondas vesicales, ¿qué tipo de litiasis renal pueden tener?:

a) De ácido úrico.
b) De calcio.
c) De fosfato de amonio.
d) De oxalato.
e) No tiene incidencia el sondaje vesical.

379. ¿Qué dieta recomendarías a las personas con cálculos de fosfato de amonio?:

a) Rica en purinas y legumbres.
b) Rica en lácteos verduras y frutas.
c) Pobre en lácteos verduras y frutas.
d) No tiene que llevar ninguna dieta.
e) Líquidos abundantes.

380. ¿Cuál de estos signos pone de manifiesto que un individuo tiene una hipertrofia prostática?:

a) Aumento del volumen diario de orina.
b) Aumento de la frecuencia de micciones y nicturia.
c) Hematuria macroscópica.
d) Deshidratación por pérdida de líquidos.
e) Impotencia sexual.

381. ¿En cuál de estas intervenciones planificaremos el soporte psicológico para afrontar una disfunción sexual?:

a) Prostatectomía transuretral.
b) Prostatectomía suprapúbica.
c) Prostatectomía retropúbica.
d) Prostatectomía perineal.
e) No se da en ningún caso disfunción sexual.

382. ¿Cuál es el primer síntoma que suele aparecer en los tumores vesicales?:

a) Anemia.
b) Hematuria intermitente.
c) Dolor.
d) Hipertensión arterial.
e) Nicturia.

371-a

En la vejiga fláccida se presenta una retención de orina por destrucción del arco reflejo acompañándose de incontinencia por rebosamiento.

372-b

La precipitación de cristales de distintos compuestos está favorecida por cambios del pH urinario como ocurre con la infección urinaria y los pacientes con sondaje vesical. La ingesta inadecuada de líquidos y el sedentarismo favorecen el estasis urinario y la formación de cálculos.

373-c

El aclaramiento de creatinina es una prueba que nos indica la capacidad que tiene el riñón para filtrar la creatinina. Su fórmula es U*V/P U= Concentración de creatinina en orina V= Volumen minuto de orina P= Concentración de creatinina en sangre.

374-d

La polaquiuria y la disuria son síntomas que se asocian en las infeccciones urinarias.

375-a

La piuria indica orina turbia con sedimento; aparece normalmente en la infección urinaria.

376-b

La disminución de la presión oncótica produce edemas, lo que da lugar a un aumento de peso.

377-b

La glomerulonefritis aguda en los niños aparece normalmente a las 2-3 semanas después de una infección de garganta en la que el streptococo β hemolítico del grupo A está presente.

378-c

Las personas portadoras de sondas vesicales son más propensos a tener infecciones de orina, que al alcalinizar, favorece la precipitación de cristales de fosfato de amonio.

379-a

Estos alimentos acidifican la orina. evitando que precipiten cristales de fosfato de amonio.

380-b

La hipertrofia prostática provoca una estenosis uretral parcial que da lugar al aumento de la frecuencia de micciones y a la nicturia.

381-d

En este tipo de intervención se extrae toda la próstata y tejido adyacente produciéndose una alteración de la inervación genital.

382-b

La hematuria intermitente no dolorosa es el primer síntoma que aparece, acompañado generalmente de cistitis ya que el tumor se puede comportar como un cuerpo extraño.

383. La complicación más frecuente de la diálisis peritoneal es:

a) Deshidratación.
b) Hipertermia.
c) Peritonitis.
d) Poliuria.
e) Anuria.

384. ¿Qué actividad no sería correcta incluirla en la planificación de un enfermo con insuficiencia renal?:

a) Dar líquidos abundantes 1.500-2.000 ml/ 24 h.
b) Realizar balance hídrico.
c) Dar una dieta hipoproteica.
d) Vigilar la aparición de signos de infección.
e) Peso diario.

385. El dietiletilbestrol es el estrógeno más utilizado en el cáncer de próstata.¿Cuál de estos efectos adversos es falso?:

a) Impotencia sexual.
b) Ginecomastia.
c) Aumento de la hormona andrógena.
d) Infarto de miocardio.
e) Embolia pulmonar.

386. La falta de descenso de uno o ambos testículos se denomina:

a) Criptorquidia.
b) Orquitis.
c) Epididimitis.
d) Varicocele.
e) Hidrocele.

387. La enfermedad inflamatoria pélvica puede favorecer la aparición de:

a) Aborto.
b) Embarazo ectópico.
c) Menopausia.
d) Amenorrea.
e) Dismenorrea.

388. ¿Qué es un pesario?:

a) Un dispositivo colocado en la parte superior de la vagina que sirve para conservar en su posición algún órgano.
b) Un dispositivo metálico que sirve para comparar pesos específicos de fármacos.
c) Un dispositivo que se utiliza en el laboratorio para encontrar las dosis adecuadas de productos sólidos.
d) Un dispositivo intrauterino utilizado como anticonceptivo.
e) Es una prótesis definitiva de vagina.

389. Señale cuál de estas manifestaciones indica una complicación de la radiación intracavitaria en el tratamiento de las neoplasias del aparato reproductor de la mujer:

a) Diarrea.
b) Poliuria.
c) Dolor abdominal agudo.
d) Prurito.
e) Náuseas y vómitos.

390. Señale cuál de estos factores de riesgo para padecer cáncer de mama es falso:

a) Ingestión de grasas y alcohol.
b) Nuliparidad.
c) Tumores malignos de ovarios.
d) Exposición prolongada a ionización.
e) Los anticonceptivos orales.

391. El objetivo de los estudios citológicos es:

a) Detectar infecciones vaginales.
b) Detectar infecciones sistémicas.
c) Detectar alteraciones en la función uterina.
d) Detectar cáncer cervicouterino.
e) Detectar la esterilidad femenina.

392. La alteración mamaria que se debe a un aumento de estrógenos es:

a) El fibroadenoma.
b) La displasia mamaria.
c) La mastitis.
d) El carcinoma ductal infiltrante.
e) La hipertrofia mamaria.

383-c

La peritonitis es la complicación más frecuente ya que para realizar esta técnica se pone en contacto el espacio peritoneal con el exterior; cualquier manipulación séptica del catéter o de la solución dializadora puede provocar una infección.

384-a

En la insuficiencia renal aguda debe realizarse restricción hídrica. Se dará 400- 500 ml más del volumen que pierde por orina para evitar el aumento del edema.

385-c

Todos los efectos adversos citados son propios de los estrógenos. La administración de esta hormona inhibe la actividad androgénica testicular y con esto desaparece la hormona andrógena de la que depende la proliferación del cáncer.

386-a

La orquitis es la inflamación de los testículos. La epididimitis es la infección del epididimo. El varicocele es la dilatación anormal de las venas en el escroto El hidrocele es la acumulación de líquido en la túnica del testículo o cordón espermático.

387-b

Entre las complicaciones de la enfermedad pélvica está la formación de abscesos, estenosis y obstrucción de las trompas de Falopio. Esta oclusión puede ocasionar el embarazo ectópico.

388-a

El pesario es un dispositivo anular realizado de caucho o plástico que se coloca en la parte superior de la vagina para conservar en su posición otro órgano como la vejiga o el útero, debido a una lesión obstétrica.

389-e

El dolor abdominal agudo puede indicar perforación provocada por el aplicador de radiación interno.

390-e

Los anticonceptivos orales no aumentan el riesgo de padecer cáncer de mama.

391-d

Se aspiran o raspan las secreciones vaginales del cuello y se transfieren a un portaobjetos. El hallazgo de anormalidad en un frotis indica que debe realizarse una biopsia dirigida con colposcopia.

392-b

Se observa más en mujeres entre los 30 y 50 años en las que hay un desequilibrio entre la secreción de estrógenos y progesterona.

393. Después de realizar un legrado, la enfermera/o debe vigilar estrechamente:

a) La temperatura corporal.
b) La frecuencia respiratoria.
c) La hemorragia y el dolor.
d) La eliminación fecal y trastornos digestivos.
e) Incontinencia urinaria.

394. La orquidopexia es:

a) La extirpación testicular.
b) La fijación testicular.
c) La resección parcial de un testículo.
d) La falta de un testículo.
e) La inflamación testicular.

395. Uno de los factores de riesgo de cáncer de mama es:

a) El fibroadenoma.
b) Las displasias.
c) Las mastitis.
d) Ser multípara.
e) La menarquia tardía.

396. Los signos característicos de una vaginitis son:

a) Dolor, dispareunia y flujo vaginal escaso.
b) Prurito, dolor y enrojecimiento.
c) Malestar general, náuseas y vómitos.
d) Prurito, dolor y dispareunia.
e) Prurito, dispareunia, aumento del flujo vaginal.

397. La transmisión de la gonorrea se produce por:

a) Contacto directo durante el coito.
b) Contacto indirecto en las relaciones sexuales.
c) Contacto directo con prendas íntimas del afectado.
d) Vía congénita.
e) Vía hemática.

398. Los tumores estrógenos dependientes se localizan en:

a) Endometrio.
b) Ovario.
c) Mama.
d) Cérvix.
e) Útero.

399. La alteración mamaria que cursa con dolor en la etapa premenstrual, y masas múltiples blandas que aumentan de tamaño se denomina:

a) Fibroadenoma.
b) Mastitis.
c) Carcinoma.
d) Displasia.
e) Tensión premenstrual.

400. Señale cuál de estas medidas no es correcta en un paciente con traumatismo craneoencefálico y con monitorización de la presión intracraneal PIC:

a) Mantener la cama en posición horizontal.
b) Mantener la presión del oxígeno arterial por encima de 70 mmHg.
c) Mantener al paciente con normotermia.
d) Calibrar el equipo de medida cada 48 h.
e) Evitar las maniobras de Valsalva.

401. El catéter de Swan-Ganz nos da información sobre el estado hemodinámico del paciente. Señale la respuesta incorrecta:

a) Informa sobre el gasto cardíaco.
b) Informa de la presión venosa central.
c) Informa de la presión arterial.
d) Informa de la temperatura corporal.
e) Informa de la presión arterial pulmonar.

402. Indique cuál de estas afirmaciones referentes al catéter de Swan-Ganz es falsa:

a) Mantener siempre permeable con solución de heparina.
b) Tomar las presiones al final de la espiración.
c) Aspirar el aire del balón para deshincharlo
d) Vigilar arritmias.
e) Eliminar el aire del transductor.

403. La presión del balón de los tubos endotraqueales debe mantenerse:

a) 15 mmHg.
b) 20 mmHg.
c) 30 mmHg.
d) 40 mmHg.
e) 50 mmHg.

393-c

La hemorragia se mide según el número de compresas perineales que empapa (60 ml/cu). El dolor debe controlarse con AINES .Si el dolor no cede bajo tratamiento con AINES, se puede pensar en la aparición de una perforación de útero.

394-b

Consiste en la fijación del testículo a la pared del escroto.

395-b

La displasia mamaria son trastornos nodulares dependiente de la secreción de estrógenos, multiplica por dos el riesgo de padecer cáncer de mama.

396-a

Los signos y síntomas de la vaginitis o inflamación de la vagina son prurito, leucorrea o flujo amarillento vaginal y dolor en el coito.

397-a

Se transmite cuando las membranas mucosas se ponen en contacto en el curso de la actividad sexual genital, oral o anal.

398-c

Algunos tumores de mama son dependientes de estrógenos, y contienen receptores que unen al estradiol, estimulando su crecimiento por estas hormonas.

399-e

Estos trastornos nodulares se tornan dolorosos en la premenstruación.

400-a

La cama debe estar elevada alrededor de 30° para evitar el aumento de la presión intracraneal.

401-c

Todos los datos son ciertos excepto la presión arterial.

402-c

Si aspiramos el aire con la jeringuilla se puede romper, simplemente se debe dejar que salga el aire.

403-a

Se mantendrá en 15 mmHg o 25 cm de agua para evitar fístulas traqueoesofágicas y úlceras por presión.

404. La presión venosa central representa:

a) La presión de llenado del ventrículo derecho.
b) La presión sistólica del corazón.
c) El volumen sanguíneo.
d) La presión arterial del paciente.
e) La capacidad de bombeo del corazón.

405. ¿Cuál es el tiempo aconsejado para mantener un catéter de Swan-Ganz?:

a) 8 horas.
b) 12 horas.
c) 24 horas.
d) 48 horas.
e) 36 horas.

406. ¿Cuál es la primera acción que realizamos a un paciente que ingresa en una Unidad de Cuidados Intensivos en situación crítica?:

a) Comprobar la circulación sanguínea.
b) Asegurar la vía aérea.
c) Comprobar que el paciente respira.
d) Tomar la frecuencia cardíaca.
e) Comprobar su situación neurológica.

407. Durante la monitorización de la presión arterial, señale cuál de estas afirmaciones es falsa:

a) Es preciso bolsa de presión para la perfusión.
b) Se utiliza una solución heparinizada.
c) Se puede perfundir medicación a través del catéter arterial.
d) Nos da el valor exacto de presión sistólica y diastólica.
e) Se extrae sangre arterial para pruebas diagnósticas.

408. ¿Cuál de estas arritmias cardíacas precisa de una intervención inmediata:

a) Fibrilación auricular.
b) Bloqueo A-Vde primer grado.
c) Fibrilación ventricular.
d) Taquicardia sinusal.
e) Extrasístoles ventriculares.

409. Señale cuál de estas afirmaciones referente a la presión espiratoria final positiva, PEEP, es falsa:

a) Hay un incremento de la capacidad residual funcional pulmonar.
b) Aumenta el gasto cardíaco.
c) Mejora la oxigenación arterial.
d) Está indicado en el disstrés respiratorio.
e) Está contraindicado en el neumotórax.

410. De estas afirmaciones sobre los controladores de perfusión indique cuál es falsa:

a) En la velocidad de perfusión influye el calibre de la vena.
b) La viscosidad del fluido no influye en la velocidad del flujo.
c) En el momento que se produce extravasación del fluido el controlador no lo puede perfundir.
d) En la velocidad del flujo de una perfusión por controlador influye la perfusión de otras soluciones.
e) Requiere sistemas de bajo costo.

411. Indique cuál de estas afirmaciones es falsa respecto al tratamiento del infarto agudo de miocardio con fibrinolíticos:

a) Es necesario que el paciente lleve menos de 6 horas con dolor antes de iniciar el tratamiento.
b) Está contraindicado en edema agudo de pulmón.
c) Es imprescindible utilizar una vía central para la administración del fibrinolítico.
d) El tratamiento consiste en favorecer la conversión del plasminógeno en plasmina activando el sistema fibrinolítico.
e) Es normal que aparezcan arritmias por reperfusión, extrasístoles ventriculares.

412. ¿Cuál es el fármaco de elección en un shock por reacción anafiláctica?:

a) Antihistamínico.
b) Lidocaína.
c) Teofilina.
d) Corticoides.
e) Adrenalina.

404-a

Se utiliza para valorar el estado del volumen de líquidos ya que el lecho venoso representa el 60% del volumen sanguíneo.

405-d

Después de este tiempo es casi inevitable que se formen trombos de fibrina en la punta del catéter.

406-b

Es prioritario asegurar la vía aérea para que en cualquier caso podamos restablecer la función respiratoria en una situación crítica.

407-c

Nunca se debe perfundir a través del catéter nada, excepto la solución heparinizada.

408-c

En la fibrilación ventricular existen un gran número de focos ectópicos; cada uno despolariza únicamente una pequeña zona de ventrículo, produciendo una estimulación caótica, por lo que no hay bombeo eficaz.

409-b

La PEEP dificulta el retorno venoso y produce hipotensión y taquicardia, por lo tanto disminuye el gasto cardíaco.

410-b

Todos los controladores son sistemas accionados por la gravedad, por lo tanto la viscosidad del fluido influye en la velocidad de la perfusión.

411-c

El fibrinolítico se puede administrar por vía central o periférica.

412-e

La adrenalina es el fármaco de elección en el shock por una reacción anafiláctica.

413. En una situación de toxicidad por álcalis o ácidos es recomendable:

a) Ingerir leche.
b) No se debe ingerir líquidos para evitar el tránsito intestinal.
c) Inducir el vómito.
d) Inducir el vómito con agua y sal.
e) Lavado con agua fría a través de una sonda.

414. Indique cuál de estas sustancias es el antídoto de los narcóticos opiáceos:

a) Naloxona.
b) Atropina.
c) Neostigmina.
d) Dolantina.
e) Morfina.

415. ¿Cuál es el primer síntoma del golpe de calor?:

a) Hipotensión.
b) Acidosis metabólica.
c) Deshidratación.
d) Afectación del SNC.
e) Vómitos.

416. Indique cuál de estas afirmaciones referente a la lesión por frío es falsa:

a) El miembro afectado se debe friccionar para aumentar la temperatura.
b) No ingerir alcohol ya que potencia la hipotermia.
c) No debe fumar, el tabaco es vasoconstrictor.
d) Se dará analgésicos para el dolor.
e) A medida que avanza la congelación la zona queda insensibilizada.

417. En un ahogamiento por inmersión de agua salada, indique qué afirmación no es correcta:

a) El agua hipertónica provoca que el fluido sanguíneo llegue al alvéolo aumentando la hipoxia.
b) Hay un aumento de la volemia.
c) La presión venosa central disminuye.
d) Hay aumento de sodio en sangre.
e) Las alteraciones renales son poco frecuentes.

418. A un paciente que sufre ahogamiento por inmersión se le realizarán maniobras compresivas supradiafragmáticas:

a) Sólo si está inconsciente.
b) Sólo si el ahogamiento es de agua dulce.
c) No se realizarán maniobras compresivas.
d) Se realizarán sobre una superficie dura.
e) Se tendrá precaución con las lesiones cervicales.

419. Ante una picadura de serpiente venenosa, señale cuál de estas actuaciones no es correcta:

a) Vigilar aparición de hemorragias (melenas, hemoptisis).
b) Aplicar torniquete unos 10 cm por encima de la picadura, sólo para evitar el retorno venoso.
c) Inmovilizar si se trata de un miembro.
d) Al llegar al servicio de Urgencias se retira el torniquete rápidamente.
e) Mantener al paciente en reposo.

420. Ante una hemorragia en el cuello señale cuál de estas actividades es falsa:

a) Comprimir la zona de la herida.
b) Vigilar frecuencia cardíaca.
c) Vigilar tensión arterial.
d) Vigilar relleno capilar.
e) Comprimir la arteria carotidea.

413-a

La leche contribuye a neutralizar las sustancias y aunque aumente el vaciamiento gástrico este tipo de sustancias ejercen sus efectos cáusticos a nivel esofágico y gástrico. El vómito está contraindicado.

414-a

La naloxona es un antagonista de los narcóticos opiáceos. La atropina se utiliza en las intoxicaciones por insecticidas organofosforados y la neostigmina es un antídoto para la atropina.

415-d

Al principio, el organismo intenta eliminar parte del calor mediante la vasodilatación manteniendo la TA aumentando la FC, después aparece hipotensión, vómitos, diarrea y acidosis metabólica.

416-a

Nunca se debe friccionar el miembro afectado de congelación.

417-b

La volemia esta disminuida debido a la alta osmolaridad del agua salada.

418-c

No se recomienda realizar este tipo de maniobras, debido al riesgo de que el agua deglutida en el estómago pueden ser broncoaspirada.

419-d

El torniquete se va aflojando poco a poco porque se puede liberar el veneno de repente si se quita rápidamente.

420-e

En el caso de la hemorragia en el cuello no se comprime la arteria carotidea porque se puede provocar un ictus.

8 ENFERMERIA INFANTIL

1. Los actuales cuidados enfermeros a la infancia son producto de:

a) Las ideas acerca de los niños y las niñas a lo largo de la historia.
b) La aparición de las especialidades médicas.
c) La revolución francesa y la Declaración de los Derechos del Hombre.
d) El desarrollo profesional de Enfermería con Florence Nigthingale.
e) Las diferentes condiciones sociales y el pensamiento acerca de los niños, el desarrollo de la ciencia y la tecnología.

2. Dentro de las figuras cuidadoras a través de la historia de los cuidados a la infancia destaque una:

a) La matrona.
b) La madre.
c) La mujer.
d) Lillian Wald.
e) Florence Nigthingale.

3. El derecho de los niños y niñas a la salud está recogido en:

a) La Constitución (art. 43).
b) Normas y manifiestos internacionales.
c) La carta de los Derechos del Niño.
d) La Organización de las Naciones Unidas
e) La Cumbre Mundial de la Infancia, celebrada en Nueva York en 1990.

4. El cambio más destacable en el sector salud en nuestro país ha sido:

a) El año 1984, donde se establecen los 33 objetivos de la Estrategia Regional de «Salud para todos en el año 2000».
b) El año 1979, declarado «Año Internacional del niño».
c) La fundación de Cruz Roja por Henri Dunant.
d) La Ley de Sanidad Infantil y Maternal en 1941, donde se plantea la enseñanza de la Puericultura.
e) La Ley General de Sanidad promulgada en el año 1986.

5. Se entiende por tasa de mortalidad neonatal:

a) Nº de fallecimientos producidos antes de los 28 días de vida por cada 1.000 nacidos vivos.
b) Nº de fallecimientos acontecidos durante los primeros siete días de vida.
c) Nº de niños fallecidos con más de 28 días y menos de un año por cada 1.000 nacidos vivos.
d) Nº de niños fallecidos con más de 7 días y hasta 28 días de edad por cada 1.000 nacidos vivos.
e) Nº de recién nacidos que fallecen durante las primeras 24 horas de vida por cada 1.000 nacidos vivos.

6. Las tasas más altas de natalidad en España se dan con excepción de Ceuta y Melilla en:

a) Murcia, Valencia y Granada.
b) Aragón, Cataluña y Baleares.
c) Castilla-La Mancha y Canarias.
d) Murcia, Andalucía, Baleares y Canarias.
e) País Vasco, Levante y Andalucía.

7. La primera infancia se caracteriza por:

a) Un crecimiento rápido que se desacelera progresivamente desde el nacimiento, con variaciones amplias en los parámetros antropométricos.
b) Una gran variabilidad individual que depende, sobre todo, del grado de actividad física.
c) Importantes cambios somáticos que conllevan una elevación de las necesidades proteicas, energéticas y de algunos micronutrientes.
d) Sus peculiaridades fisiológicas con respecto a la alimentación, ya que ésta debe atender el aumento de la masa corporal y la modificación de la composición de los tejidos.
e) Un proceso continuo que se prolonga hasta la adolescencia, pudiendo incluso alcanzar la edad adulta.

1-e

Los actuales cuidados enfermeros a la Infancia son el producto de una evolución gestada a través de los siglos en la que ha tenido especial importancia por un lado, las diferentes condiciones sociales y el pensamiento acerca de los niños y niñas y por otro, el desarrollo de la ciencia y la tecnología y su impacto en la salud de la población, así como su atención a través de los tiempos.

2-b

La relación madre-hijo constituye el germen del conjunto de actividades que conforman la base de los cuidados enfermeros en general y de la infancia en particular. Acciones de seguridad, bienestar, alimentación, educación... se refieren a la prestación adecuada por parte de la madre, de esos cuidados de dependencia que hoy día son uno de los objetos fundamentales de Enfermería.

3-c

La carta de los Derechos del Niño, proclamada en 1959. Es uno de los documentos más importantes en la historia de la asistencia de niños, contiene juicios relativos a las necesidades de los niños en materia de salud, asistencia y protección.

4-e

El cambio más destacable en el sector salud en nuestro país ha sido la Ley General de Sanidad promulgada el 15 de abril de 1986, que indiscutiblemente tiene implicaciones para los profesionales de la salud, en cuanto que requiere una preparación y un ejercicio profesional acorde con las tendencias que marca la ley, en especial la estrategia de la APS en cuyo ámbito se plantea la mayoría de los problemas de salud de los niños.

5-a

El período neonatal se subdivide, a su vez, en dos etapas: la neonatal precoz, que comprende desde el nacimiento hasta el 7º día de vida y la neonatal tardía, que va desde el final de la etapa anterior hasta los 28 días de edad. Es interesante resaltar que dentro de la mortalidad neonatal precoz, está la mortalidad acaecida durante las primeras 24 horas de vida o mortalidad neonatal inmediata, cuya tasa tiene un gran valor como indicador sanitario representativo de la calidad asistencial obstétrico-perinatal temprana, y es considerado como uno de los más finos y sensibles indicadores de salud.

6-d

La tasa de natalidad española se ha reducido a la mitad desde hace treinta años, y casi una tercera parte desde el inicio de la década de los ochenta. Las tasas más altas de natalidad en España se dan en Murcia, Andalucía, Baleares y Canarias.

7-a

La talla aumenta 18 cm a lo largo del primer año y 10 cm en el segundo año. El peso se incrementa en 7 y 2,5 kg respectivamente en los mismos períodos. Destaca el aumento del perímetro craneal que refleja el crecimiento acelerado del sistema nervioso. Aumenta la grasa corporal y se modifican las proporciones corporales, con aumento progresivo del segmento inferior del cuerpo, debido sobre todo al crecimiento rápido de los miembros inferiores.

8. El aspecto general del niño cuando se procede a la valoración física incluye:

a) Una impresión global sobre su estado de nutrición, su conducta y su desarrollo.
b) La descripción del aspecto físico, la postura, la higiene y la nutrición del niño.
c) La sometometría, medidas funcionales y aspecto de la piel, ganglios linfáticos y la evaluación neurológica.
d) La identificación de problemas, mediciones de crecimiento y somatometría.
e) Una impresión global y subjetiva de su aspecto físico, su estado de nutrición, su conducta y su desarrollo.

9. La exploración de la boca y la garganta es molesta para los lactantes y niños pequeños (2 años de edad), por eso se realizará:

a) Con depresor de lengua en la zona central para empujar la lengua hacia abajo.
b) Al final del examen o durante episodios de llanto.
c) Con depresor de lengua en un lado de la lengua y al final de la exploración física.
d) Si se resiste a abrir la boca, se le oprimirá la nariz con los dedos y ello le obligará a abrirla para respirar.
e) Los niños de estas edades son malos cooperadores y esta exploración se excluye.

10. Para obtener más fiabilidad en la toma de los signos vitales del lactante usted procederá tomando primero:

a) La FR, FC y temperatura.
b) La temperatura, FR y FC y TA.
c) Indistintamente.
d) A los lactantes sólo se les toma la temperatura.
e) La temperatura, FR TA, FC

11. Dentro del período de adaptación del RN a la vida extrauterina destaque el de mayor interés y de necesidad extrema del cuidado de enfermería:

a) Período neonatal precoz (donde ocurre el 50% de las muertes infantiles).
b) Período perinatal (alrededor del nacimiento).
c) Período postneonatal.
d) Período neonatal tardío.
e) Período perinatal precoz.

12. Usted debe saber si cuida a un RN que su equilibrio térmico está relacionado con:

a) Su homeotermia.
b) El metabolismo de la grasa parda.
c) La pérdida de calor y la producción de calor.
d) Su anatomía y su peso.
e) Su superficie corporal.

13. Cuando usted se dispone a aspirar secreciones a un RN, se ve obligada a tomar las siguientes precauciones:

a) Colocar al niño en posición de decúbito supino.
b) Pinzar la sonda, aspirar por boca a nivel faríngeo y nariz.
c) Aspirar primero por boca a nivel faríngeo y luego por nariz.
d) Controlar la presión entre 25-30 cm H_2O y el tiempo de aspiración 1min-1'5 min.
e) Sonda pinzada, presión no superior a 15 cm H_2O y tiempo no más de 15 s a 20 s.

14. De las características morfológicas del RN es importante que la enfermera evalúe y describa:

a) El peso y la talla.
b) Las marcas del nacimiento, exantemas, petequias.
c) Las características de la cabeza, cara y ojos.
d) El color, textura y turgencia de la piel.
e) La luxación congénita de caderas y la polidactilía.

15. Para poder establecer una alimentación adecuada a las necesidades fisiológicas del niño, especialmente del lactante, es imprescindible que usted, como enfermera, conozca:

a) Los requerimientos o necesidades nutritivas, así como la capacidad para transformar los alimentos, absorberlos y utilizar los nutrientes que contienen.
b) Que el mecanismo central que regula la ingesta de alimentos-apetito está parcialmente desarrollado.
c) Que es capaz de reconocer variaciones de concentración o de sabor en la leche materna a lo largo de una tetada.
d) Que la boca del niño carece de dientes y esto indica que no está preparado nada más que para recibir una alimentación líquida.
e) Que el comportamiento frente a la ingestión de una misma dieta es diferente en el niño y en la niña.

8-e

Destacando en la descripción del aspecto físico la facies, es decir, la expresión del rostro del niño; la postura, la posición y los tipos de movimientos corporales, la higiene en lo relacionado con la limpieza, olores, estado del cabello, uñas, dientes, pies, así como el de su ropa. En relación a su estado de nutrición, la impresión global y subjetiva va más allá del peso corporal y su estatura, como delgado y alto, sino que debe ser una valoración de la cantidad y calidad de ingestión de nutrientes. Respecto a su conducta incluye aspectos como personalidad, nivel de actividad interacción con los demás, etc. y en cuanto al desarrollo, se valorará el test de Denver.

9-c

Los niños pequeños suelen resistirse a los intentos por mantener su boca abierta. Como toda parte molesta de la exploración física debe efectuarse al final, usando un depresor de lengua a un lado de la lengua y no en la zona posterior o central, donde se desencadena el reflejo de la arcada.

10-a

Al medir los signos vitales en el lactante se procederá a tomar en primer lugar la F.R. antes de que se intranquilice por la manipulación, después la frecuencia del pulso y por último la temperatura. En caso de comenzar por la temperatura es probable que se produzca llanto, lo que incrementará las frecuencias respiratoria y cardíaca. Si no se pueden cuantificar los signos vitales sin intranquilizarle, se registrará la conducta del niño junto con los signos vitales medidos.

11-a

Es una etapa de la vida caracterizada por un índice de mortalidad más elevado que en edades posteriores. Tanto es así que el 50% de la mortalidad infantil acontece en esta época, así como una elevada morbilidad.

12-c

La temperatura corporal traduce el balance entre el calor generado o creado en el interior del organismo y el calor perdido a partir de la superficie corporal.

13-e

Existen riesgos con la técnica de aspiración, ya que si ésta se realiza por tiempo superior a 15 s-20 s, se estimula el vago pudiendo producirse apnea y bradicardia. Si la presión negativa que se utiliza es superior a 15 cm de H_2O se producen lesiones en la mucosa orofaríngea.

14-d

Su color varía según antecedentes raciales y familiares. En nuestro medio el RN presenta una coloración rojiza intensa debida a la inestabilidad vasomotora y al enlentecimiento de la circulación periférica. A partir de las 24 h su coloración debe ser sonrosada. Su textura es fina y delicada y tiene buena turgencia y elasticidad, de modo que si se pellizca suavemente la piel, ésta retorna rápidamente a su posición normal.

15-a

Al igual que otras estructuras orgánicas el aparato digestivo y los principales órganos que intervienen en el metabolismo sufren un proceso de maduración morfológica y funcional a lo largo de los primeros meses de vida extrauterina, que les permite adaptarse progresivamente a la alimentación omnívora. Es imprescindible durante este tiempo adecuar la cantidad y la calidad de los alimentos al nivel del desarrollo alcanzado por su aparato digestivo, así como al grado de maduración funcional de los sistemas que intervienen en el metabolismo.

16. De las indicaciones que a continuación se expresan, ¿cuál destacaría como la más importante cuando usted asesora a los padres de un RN, sobre el baño y la higiene?:

a) Que el baño lo podrán realizar a cualquier hora del día y debe no exceder de 15 minutos de duración.
b) Que el baño debe realizarlo preferentemente a última hora de la noche, en una habitación caliente, de corta duración y con jabón en poca cantidad.
c) Que el baño deben realizarlo según les indiquen, así como el cuidado en el área del pañal, la limpieza de los genitales, el secado de pliegues y la hidratación de la piel.
d) Que el niño no trague agua. Secarlo concienzudamente y cortarle las uñas.
e) Que debe ser diario, a la misma hora, de unos 5 minutos de duración y en una habitación caliente.

17. El reflejo que manifiesta un RN en forma de movimiento súbito en la cuna, elevando los miembros inferior y llevando hacia adelante y hacia arriba los miembros superiores se le conoce:

a) Babinski.
b) De Moro.
c) De orientación.
d) Prensión.
e) Tónico del cuello.

18. Usted, como enfermera, debe instruir a una madre que ha optado por la alimentación de su hijo al pecho respecto a todo lo siguiente excepto:

a) El hecho de mamar satisface no sólo la necesidad de alimentación, sino que además favorece un contacto más estrecho entre la madre y el niño.
b) Que los primeros días fabrica poca leche y que a medida que el niño succiona más y más, la madre incrementa su producción.
c) Permitirle que succione solo de un pecho durante cada amamantamiento.
d) Mantener el pecho separado de la nariz del niño para favorecer su respiración.
e) Le debe poner todo el pezón y tanta porción de areola como sea posible en la boca para evitar dañar los pezones.

19. La enseñanza a los padres por parte de la enfermera sobre cómo alimentar con biberón incluye todo lo siguiente, excepto:

a) La tetina se llenará con leche para evitar la deglución de aire.
b) Cuando los orificios de la tetina son demasiado pequeños el bebé se inquieta, traga aire y se cansa.
c) El resto del biberón que el niño no quiere puede guardarse para la siguiente toma en el frigorífico.
d) Cuando se administra el biberón se debe acunar al lactante.
e) La proporción entre la leche en polvo y el agua ha de ser siempre la correcta.

20. En el examen rutinario del niño, la valoración del estado nutricional es de máximo interés. ¿Sobre qué datos o indicadores debe interrogarse a los padres en la fase de valoración?:

a) Tipo de alimentación que recibe, edad del niño y caries dentales.
b) El número de comidas al día, tipo de alimentos y desarrollo psicomotor.
c) Preocupación excesiva por parte de los padres en cuanto a la alimentación del niño.
d) La existencia de alguna enfermedad, el tipo de dieta y conducta alimentaria.
e) Edad, factores socioeconómicos y culturales y el tipo de dieta.

21. ¿A qué edad corresponde el siguiente esquema de alimentación? 1. Anorexia fisiológica; 2. Caprichoso para comer; 3. Manías:

a) 1 a 3 años.
b) 3 a 6 años.
c) 6 a 12 años.
d) 12 a 14 años.
e) 14 a 18 años.

22. Juan tiene 6 meses de edad y está ingresado en la unidad de lactantes por un problema respiratorio. Usted debe conocer que a Juan le divertirá:

a) Intentar salirse de su cuna trepando.
b) Poner un taco encima del otro.
c) Tirar una pelota.
d) Los juguetes musicales.
e) Los juegos interactivos.

16-c

Los pañales deberán cambiarse tan pronto como están húmedos, ya que la piel es muy sensible y en contacto con la humedad se erosiona. La madre debe conocer que los genitales de las niñas se limpian de delante atrás para evitar la contaminación de la vagina con restos orgánicos y que no debe utilizar para el aseo los polvos de talco que en contacto con la humedad deterioran la piel.

17-b

Es provocado por un movimiento súbito o un ruido fuerte. Desaparece hacia los dos meses de edad.

18-c

Deberá mamar de los dos senos y en la toma siguiente la madre empezará por el último de la mamada anterior. Esta práctica reducirá al mínimo el traumatismo a los pezones y estimulará la producción leche.

19-c

No debe nunca guardarse para la siguiente alimentación. Se desechará por el riesgo de desarrollarse en la leche microorganismos y causar diarrea al bebé.

20-d

Los cuadros patológicos, especialmente todo lo referente al aparato digestivo (diarreas, vómitos, aftas) o procesos crónicos con repercusión sistémica (enfermedades metabólicas, nefropatías, enfermedades respiratorias). *Dieta*: Nº de comidas, tipo de alimentos, cantidades aproximadas de H.C. proteínas y grasas. *Conducta*: Apetito, actividad, relaciones sociales.

21-a

Los cambios de apetito por los que pasa el niño de 1 a 3 años alarman a los padres sin experiencia. De repente, el niño que antes comía con voracidad, se vuelve caprichoso y antojadizo. La necesidad que tienen de ejercer su autonomía creará problemas en el momento en que el niño se vea forzado a comer. Los niños de esta edad normalmente comen muy bien un día y durante los dos días siguientes sólo picotean en la comida. Estos cambios de apetito tienen un carácter fisiológico y evolutivo y hay que explicarlos a los padres.

22-d

El juego es el lenguaje universal de los niños. los juguetes para la edad de 3-9 meses son: móviles de cuna, mordedores y juguetes musicales y como actividad lúdica, jugar con una imagen en el espejo.

23. Si considera el caso anterior, Juan:

a) Nota la falta de continuidad en sus cuidados.
b) Tiene miedo ante la separación que sufre.
c) Confunde la realidad con la fantasía.
d) Teme al abandono.
e) Se aburre.

24. Usted se dispone a dar medicación oral a un lactante de 2 meses:

a) Le cogerá con cariño para no dar lugar a una conducta resistente.
b) Tendrá en cuenta que el niño escupe de forma deliberada.
c) Administrará volúmenes pequeños con jeringa en la porción central de la lengua o a lo largo de las encías.
d) Disimulará el sabor del medicamento con algún alimento favorito.
e) Explicará con sencillez el método que va a utilizar.

25. Usted debe preparar 25 cc de suero glucosado al 12% para administrar con un microgotero en 6 horas a María, y dispone de sueros glucosados al 5%, 10%, 33% y 50% para la dilución. ¿Qué sueros no utilizaría para la dilución?:

a) S.G. 10% y S.G. 33%.
b) S.G. 5% y S.G. 10%.
c) S.G. 50% y S.G. 5%.
d) S.G. 33% y S.G. 5%
e) S.G. 10% y S.G. 50%

26. Crecer y desarrollarse incluye todo lo expuesto excepto:

a) Cada niño crece y se desarrolla de acuerdo a patrones generales y ordenados que tienden a parecerse a los de otros de la misma edad, sexo y nacionalidad.
b) El desarrollo no se realiza en el niño de una forma caprichosa, sino que se lleva a cabo en sentido cefalocaudad y próximo distal.
c) El coeficiente de desarrollo (C.D.) no es estático, sino que está influido por innumerables factores: ambientales, la salud, la calidad de vida, los amigos, el colegio, la nutrición.
d) El niño realiza su desarrollo de lo específico a lo general y así la coordinación de los músculos pequeños precede a la de los músculos grandes.
e) Los factores que intervienen en el crecimiento y desarrollo están relacionados y son dependientes.

27. La alimentación complementaria se inicia por lo general con:

a) Cereal y fruta.
b) Carne y vegetales.
c) Puré de patata y fruta.
d) Cualquier tipo de alimento triturado.
e) Puré y pescado.

28. Las causas más frecuentes de enfermedad aguda en el lactante son:

a) Gastroenteritis.
b) Infecciones respiratorias.
c) Alergias.
d) Enfermedades transmisibles.
e) Enfermedades hepáticas.

29. Indique la respuesta verdadera:

a) Para el lactante mayor (1-3 años) la separación de sus padres constituye el aspecto más traumático de la hospitalización.
b) El lactante mayor (1-3 años) puede experimentar por primera vez los síntomas físicos de su enfermedad cuando ingresa en un hospital.
c) Para el lactante de 1 a 3 años lo más estresante de la hospitalización es mantenerle inmovilizado.
d) El niño de 1 a 3 años de edad tolera la separación, pero difícilmente combate el aburrimiento.
e) El niño de 1 a 3 años tiene buena tolerancia a la hospitalización.

30. La disposición que manifiesta el niño para soportar inconvenientes o dolores como parte de un tratamiento médico se conoce por el nombre de:

a) Dolor esperado.
b) Umbral del dolor.
c) Tolerancia del dolor.
d) Percepción del dolor.
e) Aceptación del dolor.

31. Si usted se dispone a realizar en un niño de ocho años una extracción de sangre para analítica, señale de las siguientes técnicas que se exponen cuál utilizaría para conseguir su colaboración:

a) Ofrecerá una almohada para que le dé un puñetazo.
b) Ofrecería una tirita de color para que se la colocase en el lugar de punción.
c) Permitiría que cogiera una rabieta.
d) Explicaría en términos adecuados para su nivel, porqué y cómo se hace la extracción.
e) Permitiría que antes él pusiera una inyección a un muñeco de trapo.

23-a

La hospitalización a esta edad significa que las cosas han cambiado; sus rituales se ven alterados; aunque se intente satisfacerle, el niño nota la falta de continuidad. Ante actividades desagradables el niño experimenta desconfianza. Es importante que, si es posible, haya una persona significativa que ofrezca al niño de una manera permanente un entorno que él pueda prever desde su perspectiva.

24-c

El lactante de esta edad no ofrece conducta resistente ni escupe de forma deliberada, por lo que no tiene razón de ser disimular el sabor del medicamento ni explicar el método a utilizar, sin embargo será importante controlar la cantidad de medicamento en la boca por temor a que no lo degluta y puede aspirarlo.

25-b

$$V1 \cdot C1 + V2 \cdot C2 = Vt \cdot Cr$$

26-d

El desarrollo es un proceso de adquisición de funciones cada vez más complejas y el niño lo realiza de lo general a lo específico, siendo la coordinación de los músculos grandes anterior a la de los músculos pequeños.

27-a

Aunque no existen razones para recomendar el inicio por uno u otro tipo de los tres grupos de alimentos (cereales, frutas y verduras y carnes) porque, en general, el esquema alimentario debe adaptarse al contexto socio-cultural de cada país, se recomienda el inicio con cereal sin gluten y pasar a cereal con gluten a partir del 8° mes. El zumo de naranja se puede dar como bebida de la comida, con la condición de utilizarlo puro y sin azúcar. Las frutas se pueden introducir paralelamente a las legumbres.

28-b

La causa más frecuente en esta edad son las infecciones respiratorias debidas a la propia estructura del sistema respiratorio a esta edad, ya que éste, es relativamente corto y compacto, sus pulmones tienen menos alvéolos, la vía respiratoria es de menor calibre, las membranas mucosas están poco adheridas a su vía respiratoria, motivos suficientes para que los gérmenes se desarrollen fácilmente.

29-a

Lo que más teme un niño de esta edad cuando observa su situación en la habitación de un hospital es que le hayan abandonado. El niño en la crisis de la separación pasa por tres fases: protesta, desesperación y negación. La calidad de la asistencia que reciba el niño es muy importante y ayudará a aliviar la ansiedad del niño.

30-e

La actitud que se adopta, como factor que determina la percepción del dolor, es un hecho fundamentalmente cultural. En cada cultura, los padres enseñan a sus hijos cómo deben reaccionar frente a una experiencia así, aceptándola o rechazándola, por lo que promueven formas de conducta determinadas.

31-d

La mayoría de los niños en edad escolar aceptan las explicaciones que le damos. Necesitan saber y, como cada vez pueden pensar con mayor objetividad, se muestran dispuestos a aceptar a pesar del dolor qué se les pueda proporcionar, porque está justificado.

32. De las siguientes propuestas, ¿cuál es menos significativa cuando usted planifica el cuidado postoperatorio de un niño que va a ser intervenido quirúrgicamente?:

a) Respuesta al analgésico previo a la intervención.
b) El método habitual de afrontar las tensiones.
c) Las preocupaciones y la angustia que se sienten.
d) Las molestias que le ocasionará el postoperatorio.
e) Promover la confianza en la relación.

33. Luisa es una niña de 15 años que va a ser intervenida quirúrgicamente de apendicitis con anestesia general. Usted se lo va a explicar. ¿Qué términos utilizaría?:

a) «Arreglar» por «operar».
b) «Aire especial» por «oxígeno».
c) «Sueño especial» por «anestesia».
d) «Puntos» por «sutura».
e) Ninguno de los términos empleados.

34. Ingresa en su unidad un niño que se queja de dolor psicosomático y se quiere diagnosticar el origen del mismo. Conviene suponer que:

a) El niño sabe que está inventándose signos y síntomas que no tiene.
b) El niño tiene ganas de llamar la atención
c) El niño está mal en el colegio.
d) Las manifestaciones del niño carecen de fundamento científico.
e) Las quejas del niño sirven de «disimulo» a otros problemas.

35. Usted, como enfermera, puede lograr que la familia asuma el autocuidado del niño, participando de cualquiera de las formas, excepto:

a) Explicándoles cuándo deben avisar del final de un tratamiento.
b) Animándoles a observar pero no a participar.
c) Explicándoles el objetivo de tal procedimiento.
d) Enseñándoles sobre la movilización del niño.
e) Invitándoles a que estén con el niño el tiempo que éste necesite.

36. La capacidad que tiene el RN para respirar, succionar y tragar, digerir y asimilar los elementos nutritivos, está en relación con una de las características del autocuidado. ¿Podría indicar cuál?:

a) Ser normal.
b) Actividad y descanso.
c) Necesidad de eliminación.
d) Aire, comida y agua.
e) Peligros contra la vida y el bienestar.

37. Adela tiene 11 meses de edad e ingresa en urgencias con sospecha de invaginación de evolución corta. Presenta las siguientes manifestaciones, excepto:

a) Dolor abdominal intenso e intermitente manifestado con llanto fuerte.
b) Dolor intenso intermitente que manifiesta pataleando y doblando las piernas sobre el abdomen.
c) Vómitos.
d) Fiebre hasta 41° C.
e) Expulsión de sangre y moco por el recto.

38. Mar, tiene siete años, fue ingresada en la Unidad por mostrar una sed excesiva, pérdida de peso y azúcar en orina y sangre. Los diagnósticos de enfermería son todos adecuados, excepto uno. ¿Cuál?:

a) Conocimiento inadecuado del proceso patológico.
b) Falta de habilidad para administrarse la insulina.
c) Diabetes mellitus juvenil.
d) Posible desequilibrio de azúcar relacionada con la diabetes.
e) Miedo a la inyección.

39. Los siguientes logros que se exponen sirven para valorar la aptitud para enseñar el control de esfínteres en el niño, excepto:

a) El niño debe caminar, sentarse y ponerse en cuclillas.
b) El niño reconoce la sensación de que necesita defecar u orinar.
c) El niño expresa su disposición de complacer a sus padres.
d) El niño puede permanecer seco más de cuatro horas.
e) El niño debe poseer habilidades comunicativas verbales o no verbales para indicar cuándo se ha mojado, tiene necesidad de orinar o defecar.

32-a

La planificación de los cuidados que el niño necesita, le exige a la enfermera promover la confianza en la relación, orientarle hacia un comportamiento constructivo ante la situación, prestar apoyo durante los momentos de dolor, mostrarle el significado de su conducta y procurar una atmósfera que le ayude a crecer como persona. Si conseguimos esto, las medicinas resultan a veces innecesarias.

33-d

En esta edad podemos usar ya términos científicos. Su capacidad intelectual se desarrolla cada vez más y va siendo posible hablar con ellos sobre hechos reales.

34-e

Un niño puede hundirse en períodos de angustia y su conducta puede responder con un problema psicosomático.

35-b

Una vez que se ha valorado la capacidad de la familia para asumir el autocuidado, éste debe llevarse a efecto, puesto que los padres se van a convertir en administradores del mismo y debemos enseñarles dentro de sus limitaciones.

36-d

El autocuidado que se relaciona con estas tres características está relacionada con la capacidad que tiene la persona para consumir la cantidad de aire, comida y agua necesaria para crecer y desarrollarse, para la reconstrucción de tejidos y para lograr un funcionamiento integral como ser biopsicosocial.

37-e

Las heces en «jalea de grosella» son de aparición más tardía, es decir, cuando la obstrucción lleva una evolución de 12 a 24 horas.

38-c

La diabetes mellitus juvenil es un diagnóstico médico.

39-d

El niño debe permanecer seco durante intervalos de cuando menos dos horas, lo que indica una capacidad vesical suficiente. Si se reúnen las condiciones expuestas, el niño estará listo para controlar sus necesidades corporales. Una actitud calmada y ecuánime tiene más probabilidades de éxito que una actitud tensa y amenazadora. No se logra el control diurno y nocturno antes de los tres años de edad y aún entonces debe preverse que ocurran algunos «accidentes».

40. Los cambios característicos durante la pubertad incluyen todo, excepto:

a) El aumento del peso y de la talla en esta edad es estable.
b) Crecimiento de pelo de pubis y axilas.
c) Cambios en el tamaño y pigmentación de los órganos genitales externos en ambos sexos.
d) Aumento de la producción de glándulas sudoríparas y selaceas.
e) Cambios en el contorno corporal en ambos sexos.

41. El niño de cuatro años de edad puede hacer todo, excepto:

a) Descender escaleras con paso alternado.
b) Usar tijeras romas para recortar dibujos.
c) Vestirse solo completamente.
d) Compartir juegos y juguetes con otros niños de su edad.
e) Incluir en su vocabulario palabras soeces sin que necesariamente conozca su significado.

42. Señale la respuesta no pertinente. La hospitalización causa tensión tanto al niño como a sus padres. La enfermera que debe atender las necesidades emocionales de ambos, podría:

a) Ofrecer explicaciones breves y sencillas al niño antes de llevar a cabo los procedimientos.
b) Proporcionar al niño y a sus padres la oportunidad de plantear preguntas.
c) Alentar a los padres y a los miembros del personal a tratar delante del niño los detalles de su enfermedad.
d) Relacionarse con el niño y la familia con más frecuencia que la que le obliga la administración de tratamiento y procedimientos.
e) Sugerir que los padres permanezcan con el niño el mayor tiempo posible, especialmente en lactantes pequeños y mayores.

43. Empareje competencias físicas con edades: 1. Uso rudimentario de la cuchara 2. Puede agarrar las cosas 3. Aprende las formas de buena educación en la mesa 4. Se le cae algo de comida de la cuchara 5. Puede poner la mesa:

a) 0 a 6 meses.
b) 6 a 12 meses.
c) 1 a 3 años.
d) 3 a 6 años.
e) 6 a 12 años.

44. De los siguientes conceptos sobre la muerte indique cuál es el que se ajusta a las edades entre los tres y cinco años:

a) La muerte para el niño es temporal y reversible.
b) La muerte sólo acontece a las personas mayores.
c) La vida termina con la muerte.
d) La desintegración del cuerpo afecta a todo el mundo.
e) A esta edad, el niño no tiene un concepto de lo que es la vida, ni de lo que es la muerte.

45. De las siguientes afirmaciones, referidas a la leche de mujer y a la leche de vaca, señale la falsa:

a) En la leche de mujer la relación albúmina/caseína es menor que en la leche de vaca.
b) El contenido proteico de la leche de vaca es mayor que en el calostro y leche de mujer.
c) La leche de mujer y la de vaca contienen cantidades relativamente grandes de vitamina A.
d) El contenido acuoso de ambas es el mismo.
e) La leche de mujer tiene mayor contenido de azúcares y menores cantidades de proteínas que la leche de vaca.

46. El crecimiento y desarrollo del niño de 1 a 3 años incluyen todas las siguientes características, excepto:

a) Comparte con facilidad lo que tiene con los demás.
b) Camina sin dificultad.
c) Utiliza juegos de imitación.
d) Posee 20 piezas dentales (dientes temporales).
e) Controla sus esfínteres.

47. Su actuación como enfermera ante la administración de medicamentos a la infancia incluye todo, excepto:

a) Explicar al niño según edad y mentalidad el procedimientos e emplear.
b) No engañarle nunca.
c) No amenazarle.
d) Administrar los medicamentos entre las comidas.
e) No mezclar medicamentos con grandes cantidades de comida.

40-a

La pubertad se inicia en las niñas entre la edad de 10 y 12 años y en los niños entre los 12 y 14 años. En las niñas hay un rápido aumento de estatura y peso que dos años más tarde tras presentarse la menarquía, se detiene bruscamente. En los niños el aumento de estatura y peso también es rápido, pero a los 15 años se detiene el crecimiento, aunque el aumento de peso continúa, como resultado del aumento de masas musculares.

41-c

A los cuatro años se ata los zapatos, se viste y se desviste bajo supervisión, se lava manos y cara bastante bien.

42-c

El hecho de estar enfermo y no comprender por qué se siente indispuesto causa ansiedad en el niño, igualmente que no saber qué esperar, someterse a procedimientos dolorosos, estar rodeado de personas extrañas. Es obvio que el niño sufrirá una variedad de emociones que van a ir desde el sobresalto hasta la aprensión y aún el terror, por lo que sería poco pertinente tratar con el niño (a sus distintas edades) de los detalles de su enfermedad.

43-c

a-2 b-1 c-4 d-5 e-3

44-a

El niño de 3 a 5 años, cree que la muerte es algo temporal y reversible. El niño reconoce que los muertos apenas se mueven y que, al parecer, pueden vivir en circunstancias distintas. Sus sentimientos y miedos ante la muerte, se relacionan con la propia idea de la separación especialmente, la separación de sus padres.

45-a

La relación albúmina/caseína es mayor en la leche humana y como consecuencia, una mejor digestibilidad de la leche, ya que la caseína produce una masa de cuajo mal digerido en el estómago del lactante.

46-a

El niño en la primera infancia es muy egocéntrico, compartir no es una de sus características. Su filosofía suele ser «lo mío para mí, y lo de los demás a medias».

47-d

Los medicamentos no deben ser administrados entre las comidas a menos que hayan sido prescrito por el facultativo, por temor a que el niño vomite y rechace el alimento después.

48. Considera usted que el tamaño de la aguja I.M. que va a utilizar en un niño debe venir indicado por:

a) La edad y el estado nutricional del niño; la longitud de la aguja no excederá de 3 cm.
b) La edad y la viscosidad del medicamento, y además nunca será de más de 2,5 cm de longitud en niños pequeños.
c) El desarrollo muscular y la enfermedad que padece, pudiendo utilizar la longitud de la aguja que proceda en cada caso.
d) El tamaño de la aguja no será de más de 2,5 cm de longitud en ninguna edad.
e) La viscosidad del medicamento, estado nutricional, desarrollo muscular y la edad del niño.

49. El ingreso de urgencias de un niño resulta más impresionante que el ingreso programado porque:

a) Las maniobras dolorosas suelen ser en mayor cantidad.
b) El manejo médico es más importante que el apoyo emocional.
c) El estado de estrés de los padres les impide colaborar y apoyar al niño.
d) El niño está más enfermo y decaído.
e) Todas.

50. ¿Cuál es la forma más frecuente de trastornos convulsivos durante la infancia?:

a) Crisis generalizadas.
b) Crisis parciales.
c) Espasmos infantiles.
d) Mioclonias.
e) Ninguna de las citadas.

51. Las convulsiones son más frecuentes en:

a) Los 2 primeros años de vida.
b) De los 2 a los 4 años.
c) De los 4 a los 7 años.
d) De los 7 a los 12 años.
e) De los 12 a los 15 años.

52. Está en el servicio de urgencias e ingresa un niño por ingestión tóxica de un fármaco desconocido para la madre. En la valoración descubre que han pasado 24 horas de su ingestión. Señale en cuál de las siguientes ocasiones puede ser efectivo el vómito o el lavado gástrico:

a) En intoxicación por barbitúricos.
b) En intoxicación por antidepresivos tricíclicos.
c) En intoxicación por salicilatos.
d) En ningún caso será efectivo el vómito o el lavado gástrico pasando de 4 horas de tiempo de ingestión.
e) b y c son ciertas.

53. Cuando un niño ingiere aspirinas en cantidad suficiente para producir una intoxicación, ¿qué se instaura en primer lugar?:

a) Una acidosis respiratoria.
b) Una hipoglucemia.
c) Una acidosis metabólica.
d) Una alcalosis respiratoria.
e) Una alcalosis metabólica.

54. Usted debe saber que en niños con quemaduras, sus cuidados deben dirigirse preferentemente a evitar aquellas complicaciones que producen el mayor número de muertes en los niños:

a) Cardiovasculares.
b) Infecciosas.
c) Renales.
d) Pulmonares.
e) SNC

55. De las siguientes afirmaciones respecto a la lactancia materna todas son ciertas excepto:

a) Debe iniciarse entre las 12 ó 24 horas de vida.
b) Logra cubrir todas las necesidades de nutrientes y energéticos del RN
c) Aumenta la resistencia a las infecciones.
d) Es aconsejable mantenerla hasta los 6 meses de vida.
e) No requiere manipulación.

48-e

El tamaño de la aguja vendrá indicado por: la edad, el estado nutricional y el desarrollo muscular del niño, así como de las características del medicamento. En relación a la longitud la aguja no será de más de 2,5 cm en niños pequeños y escolares, teniendo siempre en cuenta lo anterior.

49-e

La mayoría de las urgencias que ingresan están en el grupo de niños <5 años y los mecanismos para enfrentarse al problema pueden ser inadecuados para el estado de alarma originado por la urgencia.

50-b

Las crisis parciales son la forma más frecuentes de trastorno convulsivo, dándose en el 67% de los pacientes adultos epilépticos, y en el 40% de los niños.

51-a

Siendo las lesiones intracraneales congénitas, las causas más frecuentes de convulsiones en lactantes pequeños, y las infecciones agudas las causas más frecuentes en el lactante más grande.

52-e

Los antidepresivos tricíclicos, como los salicilatos, retrasan el vaciado gástrico, pudiendo ser efectivo el vómito o el lavado gástrico incluso pasadas 24 horas.

53-d

Una alcalosis respiratoria por el estímulo directo sobre el centro respiratorio, que se sigue de una acidosis metabólica compensatoria.

54-b

La sepsis es la principal causa de muerte del niño quemado y generalmente la producen bacterias como la Pseudomona aeruginosa y el Staphilococus aureus.

55-a

Prolongar por tanto tiempo el inicio de la alimentación comporta mayor posibilidad de que el niño haga una hipoglucemia y que la madre tenga un retraso en la producción de leche ante el no estímulo para que se instaure.

56. Señale de las siguientes acciones de enfermería, cuál es la más adecuada en un niño con un problema oncológico que presente anorexia:

a) Dar antieméticos antes del tratamiento.
b) Evitar introducir nuevos alimentos en las 24 horas antes y después de la quimioterapia.
c) Ofrecer al niño pequeñas cantidades de comida con frecuencia, cuidando la presentación de la misma.
d) No requiere ninguna acción de enfermería, puesto que la anorexia no se puede combatir en casos como el cáncer.
e) Dar una sola comida al día para que tenga más apetito.

57. Indique de los siguientes procedimientos cuál es el inadecuado en un niño afecto de leucemia:

a) Si presenta dolor, administrar cualquier analgésico para aliviar con prontitud el sufrimiento.
b) No tomar la temperatura rectal.
c) Mantener normas de higiene correctas.
d) No administrar medicamentos por vía I.M.
e) Mantener sus signos vitales dentro de los límites establecidos.

58. Álvaro, de seis meses de edad está ingresado en la unidad de lactantes por diagnóstico médico de gastroenteritis. Al planificar sus cuidados usted tendrá en cuenta las siguientes cuestiones, excepto:

a) Lavado meticuloso de manos para impedir la diseminación a otros niños.
b) Avisar inmediatamente al facultativo si el niño vomita o presenta algún signo de deshidratación.
c) Controlar la zona perianal para evitar excoriaciones.
d) Describir el color, consistencia, cantidad y número de evacuaciones.
e) Diluir a la mitad la leche de continuidad que está tomando el niño.

59. De las siguientes propuestas en relación a la «ictericia fisiológica» del RN, señale la falsa:

a) Suele manifestarse entre el 2° o 3° día de vida del nenonato.
b) La duración es menor en el neonato pretérmino.
c) La ictericia fisiológica es el resultado de un aumento en sangre de bilirrubina proveniente del metabolismo de la hemoglobina de los hematíes.
d) Aparece coloración amarilla en piel y mucosas, lechos ungueales y córnea.
e) Existen factores étnicos y genéticos que pueden afectar su gravedad.

60. El 40% de las anomalías congénitas son:

a) De causa desconocida.
b) De etiología ambiental.
c) Por una cromosopatía.
d) Causada por teratógenos.
e) Causada por fármacos.

61. Usted cuida a un RN con diagnóstico médico de neumotórax; de las siguientes propuestas, ¿cuál incluiría en el tratamiento del niño?:

a) Evitar el llanto.
b) Oxigenoterapia al 100%.
c) Drenaje si el neumotórax es muy grave.
d) Ofrecer cantidades pequeñas de alimento y frecuentes.
e) Todas las anteriores.

62. Usted en la valoración diaria que realiza el RN en la unidad de hospitalización observa la presencia de un cefalonematoma. Señale lo falso en relación a éste:

a) No sobrepasa la línea de sutura.
b) Se suele reabsorber en 2 semanas-3 meses
c) La tumefacción generalmente se visualiza 24-28 horas después del parto.
d) Es más común cuando la madre ha tenido un trabajo de parto prolongado o difícil.
e) Con frecuencia requiere tratamiento mediante incisión y drenaje.

63. ¿En qué tipo de deshidratación está el volumen de líquido extracelular disminuido y aumentado el líquido intracelular?:

a) Hipernatrémica.
b) Hiponatrémica.
c) Isonatrémica.
d) En todas.
e) En ninguna.

64. De las situaciones que a continuación se exponen, señale en cuál de ellas «no» está indicada la inmunoterapia:

a) Alergia por alimentos.
b) Dermatitis utópica.
c) Rinitis alérgica.
d) Alergia a picaduras de insecto.
e) a y b son ciertas.

56-c

El acto de comer en un niño inapetente como es el niño oncológico, debe hacerse lo más gratificante posible, todo lo que se separe de esta actitud incrementará la anorexia.

57-a

Cualquier analgésico no puede administrársele a un niño con leucemia, debe prescribirla el facultativo.

58-e

La diarrea en la Infancia se puede tratar eficazmente cuando el objetivo del plan de actuación se lleva a cabo, es decir mantener el intestino en reposo, y al niño bien hidratado, suprimiendo la alimentación por vía oral y administrando líquidos por vía intravenosa.

59-b

En los neonatos prematuros, los valores totales de bilirrubina no sobrepasan de 15 mg/dl (257 mol/l) y de 12,9 mg/dl (228 mol/l) en el R.N. a término; la duración es mayor en el prematuro (puede durar hasta 2 semanas). Esto se relaciona con el tiempo que necesita el prematuro para madurar su sistema de metabolización y excreción de bilirrubina.

60-a

Existen muchos agentes teratógenos conocidos, fundamentalmente drogas e infecciones, pero el 40% de las anomalías congénitas es de causa desconocida.

61-e

En todo neumotórax debe evitarse cualquier maniobra que comprometa la ventilación (llanto intenso, dilatación gástrica excesiva). El tratamiento incluye oxigenoterapia al 100%, que acelera la reabsorción para reducir la tensión de nitrógeno en sangre y crear un gradiente de presión de este gas, entre aire atrapado y sangre. En casos de compromiso circulatorio o respiratorio importante, el niño requerirá drenaje.

62-e

Sólo se realizará tratamiento quirúrgico en casos de infección con dolor y signos locales o sistémicos secundarios, para identificar germen y drenaje.

63-b

En la deshidratación hiponatrémica o hipotónica, el líquido del espacio extracelular se pierde con facilidad quedando muy disminuido y aumentado el intracelular.

64-e

La inmunoterápia está indicada en niños que sufren de rinitis alérgica, asma mediado por IgE o alergia sufrida por picadura de insectos.

65. ¿Qué porcentaje de los casos de SIDA en España corresponden a pacientes pediátricos?:

a) 1-2%.
b) 5%.
c) 8%.
d) 15%.
e) 20%.

66. ¿A qué edad comienza generalmente la sintomatología relacionada con el (SIDA) en los lactantes enfermos por transmisión vertical?:

a) En los primeros 6 meses de vida.
b) Entre los 6 meses y el año de vida.
c) En la etapa preescolar.
d) En la etapa escolar.
e) Entre las etapas preescolar y escolar.

67. Los vómitos constituyen uno de los síntomas que con más frecuencia se presenta a lo largo de la vida del niño. Entre las siguientes afirmaciones señale la respuesta errónea:

a) Los vómitos producidos por reflujo gastroesofágico tienen su manifestación generalmente a partir del segundo mes de vida.
b) Los vómitos por reflujo gastroesofágico mejoran ostensiblemente con tratamiento postural.
c) Por lo general cualquier enfermedad que padece el niño puede ir acompañada de vómitos.
d) Prácticamente los vómitos de aparición brusca, por lo general están relacionados con patología respiratoria de vías altas y gastrointestinales.
e) La complicación más importante que puede tener un lactante que tiene vómitos incoercibles es la deshidratación.

68. Se le acaba de realizar a Juan, niño de 1 mes de vida, la reparación de su labio leporino y los cuidados que usted debe ofecerle incluyen todos, excepto:

a) Limpieza de la sutura para prevenir la formación de costras.
b) Tomar medidas para evitar que se lesione la herida.
c) Brindarle caricias para cubrir las necesidades emocionales.
d) Proporcionarle un chupete para satisfacer su necesidad de succión porque tiene 1 mes de vida y necesita el placer de la succión.
e) Ofrecerle líquidos claros por boca con jeringa especial.

69. María es una niña de 2 días de vida, antes de introducirla en la bañera usted observa que tiene un acortamiento de la extremidad inferior derecha y más pliegues en la nalga y el muslo que en la otra extremidad. ¿A qué patología de las que a continuación se exponen podría corresponder los signos que manifiesta la niña?:

a) Rodillas en X o genu valgo.
b) Piernas en paréntesis o genu varo.
c) Luxación bilateral de caderas.
d) Fractura de fémur.
e) Displasía congénita de caderas.

70. ¿Qué síntoma caracteriza a la espina bífida oculta?:

a) Suelen aparecer en columna torácica o cervical.
b) Es asintomática y en general se descubre en forma accidental.
c) Con mucha frecuencia se presenta parálisis de extremidades inferiores.
d) Se asocia con frecuencia a la hidrocefalia.
e) Contiene a menudo tejido neural.

71. Todo lo siguiente se relaciona con infecciones del tracto superior del aparato respiratorio, excepto:

a) Taquipnea y taquicardia.
b) Irritabilidad e inquietud.
c) Pequeño o ningún beneficio proporcionado por un ambiente muy húmedo.
d) Vómitos y diarreas en los lactantes.
e) Retracciones supra y subesternales, con fase inspiratoria prolongada.

72. La enfermera desempeña un papel importante en la prevención de los accidentes infantiles. Usted explicará a los padres de Juan, ingresado en su unidad por ingestión de un cuerpo extraño, que el tratamiento inmediato en casa en el supuesto de ingestión de veneno, (excepto corrosivos y productos derivados de petróleo) es el siguiente, excepto:

a) Observar al niño, quizá encuentren restos de la substancia en ropa y manos.
b) Dar de comer algún alimento blando o dar leche.
c) Que traigan el envase y su contenido al hospital.
d) Inducir al vómito introduciendo los dedos.
e) La conducta del niño puede cambiar como primera manifestación.

65-c

El porcentaje de casos de sida en nuestro país es del 8%, superior al de EUA o Europa (1-2%), como consecuencia del elevado porcentaje de adictos a drogas por vía parenteral afectados de SIDA, que constituye el grupo de riesgo mayormente afectado en nuestro país.

66-a

En los primeros 6 meses de vida los lactantes que sufren el SIDA por transmisión vertical manifiestan sintomatología en el 80% de los casos.

67-a

Los vómitos producidos por R.G.E. se inician en el 85% de los casos en la primera semana de vida.

68-d

Después de la reparación uno de los objetivos postoperatorios para con estos niños es el de evitar que succionen o lloren, ya que esto origina tensión en la línea de sutura. Al no poder obtener placer el niño por la succión, se deben satisfacer sus necesidades emocionales con más motivo, por otros medios.

69-e

El momento del baño debe ser aprovechado por la enfermera para observar en el niño aquellos signos que aparecen en la displasía congénita de caderas, tales como: limitación a la abducción de la cadera, acortamiento del miembro afectado y asimetría de los pliegues de nalgas y muslos.

70-b

La espina bífida oculta es muy común; con frecuencia es asintomática y causada por la carencia o fusión incompleta de láminas vertebrales. Puede descubrirse como hallazgo casual al hacer un estudio radiográfico o existir una pequeña depresión en la superficie de la zona afectada, por lo general en la región lumbosacra de la columna vertebral.

71-c

Un ambiente húmedo en cualquier caso de infección respiratoria del tracto superior es aconsejable. Los niños pequeños no expectoran, tienden a deglutir las secreciones mucosas y hay que fluidificarlas para su expulsión, se utilizan entre otras, vaporizadores de vapor frío o caliente y pueden agregarse soluciones al agua para licuar las secreciones.

72-d

El vómito está contraindicado en caso de que el veneno sea una substancia cáustica o corrosiva por la posibilidad de mayor daño al esófago y estómago; en caso de ingestión de gasolina, petróleo..., está contraindicado, por el riesgo de aspiración. Finalmente los padres también estarán informados de que el vómito no debe inducirse en caso de que el niño presente convulsiones o esté inconsciente.

73. De las siguientes acciones que la enfermera se planifica para cuidar de un niño con tracción de Bryant o en marco de Bradford, ¿cuál consideraría la correcta?:

a) Mantener la pierna fracturada en ángulo recto con el cuerpo. Las nalgas bien pegadas a la cama y sujetar el abdomen del niño para impedir que se vuelva. Los dedos de los pies deben estar tibios y el llenado capilar inmediato.
b) Se le debe ofrecer al niño, mediante sujetador torácico, la oportunidad de darse la vuelta con el fin de que se distraiga y de evitar úlceras por presión. Los dedos estarán edematosos y fríos y tienen un llenado capilar lento, propio del proceso.
c) Ambas piernas deben mantenerse en ángulo recto con el cuerpo, las nalgas ligeramente levantadas de la cama y un sujetador torácico para limitar los movimientos. Los dedos de los pies deben estar tibios y sonrosados y el llenado capilar rápido.
d) Ambas piernas hay que mantenerlas en ángulo recto con el cuerpo, con las nalgas sobresaliendo parcialmente del marco de Bradford, para evitar que el niño se manche con las deposiciones. Sujetador abdominal ajustado, sin comprimir, para favorecer la inmovilidad. Los dedos de los pies normales.
e) Ambas piernas deben mantenerse en ángulo recto con el cuerpo. Cuando se cambian los vendajes, las pesas deben retirarse para permitir que la sangre circule sin dificultad.

74. Usted, que está al cuidado de un niño con diagnóstico médico de fibrosis quística, debe conocer que el tratamiento dietético tiene las siguientes características, excepto:

a) Suplemento de sal, sobre todo en clima cálido.
b) Una dieta pobre en calorías, rica en proteínas y con suficiente aporte de grasas para vehiculizar las vitaminas.
c) Reposición de enzimas pancreáticas antes de cada comida.
d) Administración diaria de vitaminas en dosis altas.
e) Las enzimas no deben agregarse a los alimentos calientes o tibios, ya que el calor las inactivan.

75. Usted sospecha de la presencia de un cuerpo extraño porque los padres le cuentan los siguientes acontecimientos ,excepto:

a) Que el niño ha rehusado tomar alimentos sólidos durante 24 horas, aunque estaba asintomático.
b) Que el niño empezó a toser, se ponía pálido y respiraba rápido.
c) Que el niño se lo encontró inconsciente y cianótico.
d) Que el niño presentaba ronquera sin estar resfriado.
e) Que el niño olía mal y no sabía de donde procedía el olor.

73-c

A los niños menores de dos o tres años que tienen fractura de fémur se les aplica tracción cutánea de Bryant, mientras que a los niños más grandes se les coloca la tracción de Russell o Buck. En la primera, ambas piernas se mantienen en tracción vertical, con las nalgas ligeramente levantadas para conseguir una tracción adecuada. La inmovilización puede ser torácica o abdominal y su única función es que el niño no se dé la vuelta o pierda el alineamiento de su cuerpo. Por supuesto que estas medidas restrictivas deben explicársele a los niños y a sus padres y deben controlarse con frecuencia para evitar problemas que puedan dificultar la necesidad de respiración.

74-b

El régimen del niño con fibrosis quística, debe ser abundante en proteínas e hidratos de carbono e incluir pocas grasas o excluirlas, además de la administración de enzimas pancreáticas, para permitir el crecimiento y desarrollo del niño en las mejores condiciones, ya que su digestión está alterada particularmente para la absorción de grasas.

75-a

El niño que presenta algún cuerpo extraño en un orificio corporal como, por ejemplo, el oído, no necesariamente rehuirá tomar alimentos por el problema que presenta.

9 ENFERMERIA MATERNAL

1. La primera Escuela de Matronas de la que se tiene referencia legal en España es:

a) Santa Cristina.
b) Santa Matrona.
c) Cruz Roja.
d) Valdecilla.
e) Santa Casilda.

2. Dentro de los diferentes tipos de pelvis que puede presentar la mujer, hay una que es la más adecuada al trabajo del parto y que se denomina:

a) Pelvis platipeloide.
b) Pelvis ginecoide.
c) Pelvis antropoide.
d) Pelvis androide.
e) Pelvis plana.

3. ¿Durante la ovulación, qué se está produciendo en el ovario?:

a) La fecundación.
b) La formación del cuerpo amarillo.
c) El folículo primordial.
d) La liberación del óvulo maduro.
e) Fase Isquémica.

4. Para que se produzca la fecundación, el número de espermatozoides que penetra en el óvulo, es de:

a) 2 - 5.
b) 2 - 3.
c) 1.
d) 3 - 6.
e) 3 - 5.

5. La hipófisis en su lóbulo anterior segrega unas hormonas para regular el ciclo ovárico, que son:

a) Estrógenos y oxitocina.
b) Prolactina y estrógenos.
c) La hormona folículo estimulante y hormona luteinizante.
d) Progesterona y estrógenos.
e) Prolactina y progesterona.

6. Durante la gestación se le recomienda a la mujer que el aumento de peso no sea superior a:

a) 8 Kg.
b) 10 Kg.
c) 15 Kg.
d) 12 Kg.
e) 9 Kg.

7. Si el último período normal de la mujer fue el 20-II-94, empleando la regla de Nägele, la fecha probable del parto es:

a) 20-X-94.
b) 30-X-94.
c) 27-XI-94.
d) 25-XI-94.
e) 20-XI-94.

8. Los órganos reproductores femeninos internos incluyen:

a) Vulva, útero, ovarios.
b) Clítoris, labios mayores, trompas de Falopio.
c) Ovarios, vagina, útero y trompas de Falopio.
d) Vagina, labios mayores, labios menores.
e) Útero, vagina, ovarios, clítoris.

9. La fecundación o la unión del espermatozoide y el óvulo maduro ocurre normalmente en:

a) Cavidad abdominal.
b) Zona fímbrica de la trompa de Falopio.
c) Útero.
d) Zona ampular de la trompa de Falopio.
e) Ovario.

10. Para llevar un buen control prenatal de la mujer gestante se la recomienda que acuda a las consultas con una frecuencia mínima de:

a) Una visita cada mes y medio hasta las 36 semanas y una visita cada 20 días hasta las 40 semanas.
b) Una visita cada 15 días hasta las 36 semanas y una cada 10 días hasta las 40 semanas.
c) Una visita cada 4 semanas hasta las 36 semanas, una visita quincenal hasta las 40 semanas y semanalmente hasta las 42 semanas.
d) Hasta las 36 semanas según demanda la mujer, una visita semanal hasta las 40 semanas y cada 4 días hasta las 42 semanas.
e) Una visita cada 4 semanas hasta las 40 semanas y una visita cada semana hasta las 42 semanas.

1-a

En 1904 se inauguró la Maternidad de Santa Cristina de Madrid, donde se instaló la primera Escuela de Matronas de España, y que en 1931, mediante Decreto, se adscribió a la Facultad de Medicina de Madrid.

2-b

Este tipo de pelvis es la más favorable para el parto pues todos los diámetros del estrecho superior y del estrecho inferior son suficientes para el descenso de la presentación fetal.

3-d

Mensualmente en el ovario se desarrolla un folículo que contiene un óvulo. Cuando el folículo de Graff, totalmente desarrollado, se rompe y libera un óvulo maduro, este proceso se denomina ovulación.

4-c

Un solo espermatozoide introduce su cabeza dentro del óvulo fecundándolo, e inmediatamente después se produce una serie de cambios fisiológicos en la superficie del óvulo evitando la entrada de otro espermatozoide.

5-c

La hipófisis produce las hormonas gonadotrópicas, facilitando la maduración de los folículos y la formación de cuerpo amarillo. Después el ovario segregará los estrógenos y la progesterona.

6-b

El peso excedente se atribuye a retención de líquidos en los tejidos y a la acumulación de lípidos, pudiendo producir alteraciones patológicas en el embarazo.

7-c

Según la regla de Nägele para predecir la fecha del parto se restan 3 meses a los meses de la última regla y se le agregan síete días a los días.

8-c

Los genitales internos son los órganos del aparato reproductor situados en la pelvis menor.

9-d

La fecundación suele realizarse en el tercio externo de las trompas de Falopio, que macroscópicamente corresponde a la porción ampular, la más gruesa.

10-c

El protocolo del control prenatal en las gestaciones sin ningún riesgo es el anteriormente descrito en la mayoría de los centros hospitalarios. En casos de gestaciones de alto riesgo el ritmo del control suele modificarse.

11. El embarazo a término tiene una duración aproximada de 280 días; pero en semanas gestacionales corresponde a:

a) 37 semanas.
b) 40 semanas.
c) 42 semanas.
d) 36 semanas.
e) 38 semanas.

12. Durante la gestación la dieta en la mujer tiene gran importancia. ¿En cuánto incrementará las calorías?:

a) 300 calorías.
b) 500 calorías.
c) 1.200 calorías.
d) 800 calorías.
e) 200 calorías.

13. Para el diagnóstico del embarazo la prueba más utilizada determina la presencia de una hormona en el suero sanguíneo o en la orina de la mujer. ¿De qué hormona se trata?:

a) Progesterona.
b) Estrógenos.
c) Lactógeno placentario
d) Gonadotropina coriónica.
e) Prolactina.

14. De los siguientes síntomas, ¿cuál representa un peligro para la gestación y es motivo de consulta urgente?:

a) Náuseas.
b) Calambres.
c) Varices.
d) Estreñimiento.
e) Pérdida de líquido por vagina.

15. Los hijos de mujeres consumidoras de heroína, no tienen riesgo de presentar:

a) Infecciones respiratorias.
b) Prematuridad.
c) Macrosomías.
d) Deficiencia en el desarrollo neurológico.
e) Manifestaciones del síndrome de abstinencia.

16. En el programa de enseñanza a la gestante se incluirá la siguiente recomendación para disminuir el edema de pies y tobillos:

a) Dieta rica en frutas y líquidos.
b) Permanecer sentada durante períodos cortos.
c) La flexión dorsal de los pies mientras estira la pierna.
d) Aumentar los períodos de descanso, recostarse sobre su flanco izquierdo y elevar las piernas cuando esté sentada.
e) Utilizar medias elásticas y evitar entrecruzar las piernas durante mucho tiempo.

17. Cuando una mujer gestante presenta una hemorragia después de las 28 semanas, se denomina:

a) Amenaza de aborto.
b) Mola hidatiforme.
c) Embarazo ectópico.
d) Hemorragia anteparto.
e) Aborto incompleto.

18. Son factores de riesgo materno para el feto durante la gestación:

a) Edad materna, malnutrición, antecedentes obstétricos normales.
b) Altura uterina, aumento del peso mayor de 6.000 kg, mala nutrición.
c) Malnutrición, ambiente laboral desfavorable, tabaquismo.
d) Edad materna, dieta rica en proteínas, ambiente laboral desfavorable.
e) Antecedentes obstétricos normales, tabaquismo, ambiente laboral desfavorable.

19. El virus del herpes simple origina una ETS. Si hay lesión, ¿qué manejo se recomienda durante el trabajo del parto y la expulsión?:

a) Se indica la cesárea para acabar el parto.
b) La atención de la enfermera es de apoyo psicológico.
c) Se indica el parto por vía vaginal.
d) Se indica el parto instrumentado con Forceps.
e) Se usan métodos de barrera para protegerse.

11-b

Este período se calcula en meses de 28 días, cada uno conocido como mes lunar. Un embarazo a término dura 10 meses lunares (40 semanas, 280 días).

12-a

Según la Food and Nutrition Board se recomienda un incremento calórico respecto a la ingestión ordinaria de 300 calorías por día durante la gestación.

13-d

Esta hormona aparece en los primeros días de la gestación. La hormona gonadotropina coriónica incrementa sus niveles hasta la décima semana. Mantiene el cuerpo amarillo funcionante hasta que la placenta tiene capacidad de producir estrógenos y progesterona.

14-e

La pérdida de líquido de forma espontánea por vagina es un signo precoz de rotura de la bolsa amniotica y esto hace que aumente el riesgo de infección materna y fetal.

15-c

Los hijos de madres heroinómanas suelen ser de bajo peso y tienen un elevado riesgo de nacer prematuramente.

16-d

El edema en los miembros inferiores se debe a la mayor dificultad para el flujo venoso por la compresión ejercida por el útero gravídico.

17-d

Se considera hemorragia anteparto toda hemorragía vaginal que se presenta en la segunda mitad de la gestación.

18-c

La malnutrición en la mujer gestante pone en riesgo al feto. El tabaquismo está relacionado con neonatos de bajo peso al nacer. Un aumento de trabajo bajo los efectos de la radiación o el humo del tabaco también puede lesionar al feto.

19-a

Si la mujer presenta una lesión activa en el momento del parto, se deberá indicar finalizarlo con cesárea, para evitar una infección mayor en el recién nacido al atravesar el canal del parto.

20. La incidencia de infección por el virus de inmunodeficiencia humana (VIH) va aumentando cada día en la mujer embarazada. Son factores de riesgo para la mujer:

a) Contactos sexuales sin protección.
b) Su pareja se inyecta drogas.
c) El uso de drogas por vía intravenosa.
d) Las relaciones sexuales con múltiples parejas.
e) Todas las anteriores.

21. Dña. Juana Pérez gestante adicta al café, se le indica que reduzca la ingestión, ya que esta sustancia puede producir:

a) Muerte neonatal.
b) Convulsiones en la mujer.
c) Síndrome de abstinencia.
d) Es causa de anomalías fetales.
e) Abortos espontáneos.

22. La higiene y cuidados de la mama durante el embarazo tiene gran importancia, sobre todo en las mujeres que quieren amamantar a su hijo. Se le dará las siguientes indicaciones, excepto:

a) Lavado circular sobre las mamas.
b) Aplicación de alcohol en los pezones.
c) Secar bien las mamas con toallas de felpa áspera.
d) La exposición de las mamas en tiempo limitado al aire.
e) Usar sujetadores que le sujeten las mamas pero sin comprimir.

23. Durante las visitas prenatales se le debe indicar a la mujer la posición que favorezca la irrigación sanguínea fetal. De las siguientes posiciones, indique la que recomendaría:

a) Semisentada.
b) Decúbito lateral izquierdo.
c) Decúbito lateral derecho.
d) Boca abajo.
e) Ninguna de éstas.

24. La señora X acude al servicio de urgencias con contracciones dolorosas en el abdomen y abundante hemorragia por vagina. En la exploración vaginal el cérvix se encuentra dilatado en 1-2 cm. El diagnóstico probable es:

a) Aborto diferido.
b) Embarazo ectópico.
c) Amenaza de aborto.
d) Aborto en curso.
e) Aborto incompleto.

25. La hipertensión inducida por el embarazo presenta tres signos que la caracterizan. Indíquelos:

a) Hipertensión, glucosuria y edemas.
b) Hipertensión, edemas y vómitos.
c) Edemas, aumento de peso e hipertensión.
d) Proteinuria, vómitos y edemas.
e) Edemas, proteinuria y hipertensión.

26. La hipertensión inducida por el embarazo se produce frecuentemente después de la:

a) 12ª semanas de embarazo.
b) 15ª semanas de embarazo.
c) 20ª semanas de embarazo.
d) 23ª semanas de embarazo.
e) 32ª semanas de embarazo.

27. ¿Cuáles son las causas más comunes de las hemorragias en el último trimestre de la gestación?:

a) Placenta previa, desprendimiento prematuro de la placenta y rotura uterina.
b) Rotura uterina, placenta previa y embarazo ectópico.
c) Desprendimiento de placenta, amenaza de aborto y placenta previa.
d) Mola hidatiforme, contracciones uterinas y rotura uterina.
e) Desprendimiento prematuro de placenta, retención placentaria y contracciones excesivas.

28. La inestabilidad del nivel de insulina materna durante el embarazo está influida por todo lo siguiente, excepto:

a) Disminución de la producción de glucosa en el hígado.
b) Náuseas y vómitos.
c) Aumento de glucosa placentaria y fetal.
d) Disminución del gasto urinario.
e) El ejercicio físico.

29. Una mujer tercípara, que recibió gammaglobulina anti-D en el primer parto por riesgo de incompatibilidad RH, tiene un recién nacido Rh+. Usted indicaría:

a) Administrar otra dosis de gammaglobulina.
b) No administrar otra dosis de gammaglobulina.
c) Administrar gammaglobulina anti-D sólo si el RN presenta ictericia.
d) Dejar al recién nacido ingresado durante la primera semana de vida por el riesgo de presentar una enfermedad hemolítica.
e) Todas son falsas.

20-e

Si una mujer en sus antecedentes presenta algunos de los factores anteriormente descritos, tiene un elevado potencial de desarrollar la infección por VIH, aunque no presente sintomatología ninguna, ya que puede estar asintomática de 2 a 10 años.

21-d

Se ha demostrado la capacidad de la cafeína para alterar genes y fragmentar cromosomas. También se han hecho estudio en animales, en los que se ha demostrado la gran capacidad vasoconstrictora que puede alterar los patrones de flujo sanguíneo tanto uterino como placentario.

22-b

El alcohol reseca la piel de los pezones y hace aumentar el riesgo de agrietamiento durante el amamantamiento.

23-b

El útero al estar aumentado de tamaño comprime los grandes vasos sanguíneos (la aorta abdominal y la vena cava inferior), lo que hace disminuir el flujo sanguíneo, llegando menos sangre al feto. En decúbito lateral izquierdo no se produce esta compresión.

24-d

En el aborto en curso la sintomatología que presenta la mujer es la descrita anteriormente y es lo que va a diferenciarla del resto de las patologías.

25-e

Cuando estos tres signos juntos se dan en la mujer embarazada se puede hablar de hipertensión inducida por el embarazo, ya que son los tres signos que la caracterizan.

26-c

En la mujer normotensa la H.I.E. aparece a partir de las 20 semanas y suele desaparecer después del puerperio.

27-a

Estas complicaciones guardan gran relación con el lugar de inserción de la placenta en el útero; además con la gran distensión del músculo uterino al final de la gestación que puede producir rotura de las fibras musculares. Estas complicaciones suelen producir hemorragias abundantes que comprometen la vida de la madre y el feto.

28-d

Los niveles de glucosa en orina son menos fiables, ya que el umbral renal para la glucosa disminuye durante el embarazo, pero el gasto urinario no está alterado.

29-a

Se debe administrar a la mujer otra dosis de gammaglobulina anti-D, antes de las 72 horas después del parto, para evitar en lo más posible el riesgo de sensibilización Rh en madres Rh–.

30. De los siguientes cambios que ocurren en la mujer en el embarazo, indique el que la predispone a la infección de vías urinarias:

a) El aumento de peso.
b) Los cambios anatómicos en vías urinarias.
c) La disminución de la motilidad gastroduodenal.
d) El aumento del volumen sanguíneo.
e) Aumento del perímetro torácico.

31. ¿De cuál de las siguientes sugerencias informaría a la mujer para la prevención de infecciones urinarias?:

a) Aumentar la ingesta de proteínas.
b) El paseo diario de 1/2 hora.
c) Vaciamiento de la vejiga con frecuencia y no aguantar el deseo de orinar.
d) El aseo correcto perineal.
e) El aumento de vitamina D.

32. Para prevenir o controlar las convulsiones de la preeclampsia grave, el medicamento de elección es:

a) Sulfato de magnesio.
b) Fenitoina.
c) Maleato de metilergonovina.
d) Gluconato cálcico.
e) Fenobarbital.

33. En una mujer gestante cardiópata, el tratamiento dietético incluye lo siguiente, excepto:

a) Dieta rica en vitaminas.
b) Dieta rica en carbohidratos.
c) Dieta rica en proteínas.
d) Ingesta adecuada en hierro.
e) Aumento de sodio en la dieta.

34. La hiperemesis gravídica es una alteración patológica en la mujer embarazada que suele producir deshidratación y:

a) Hiperglucemia.
b) Hipertensión.
c) Polaquiuria.
d) Acidosis.
e) Alcalosis.

35. A la mujer gestante se le informará sobre los signos del inicio del trabajo de parto. De los siguientes, ¿cuál excluiría?:

a) Expulsión de liquido amniótico por vagina.
b) Contracciones uterinas que se presentan cada 5 a 10 minutos.
c) Micciones frecuentes.
d) Expulsión de secreción mucosa manchado de sangre acompañado de dolor lumbar.
e) La actividad hace aumentar las contracciones.

36. En el trabajo del parto hay varios períodos. ¿Qué sucede en el primer período?:

a) Borramiento y dilatación del cuello.
b) Expulsión fetal.
c) Alargamiento del cordón umbilical.
d) Protusión del ano.
e) Expulsión de la placenta.

37. En el período expulsivo se producen las siguientes modificaciones fisiológicas, excepto:

a) Aparición de pujos.
b) Abombamiento y adelgazamiento del periné.
c) Formación del segmento inferior.
d) Visualización de la presentación fetal.
e) Contracciones intensas, que se presentan con menor frecuencia.

38. Las instrucciones del parto psicoprofiláctico, se basa en:

a) Necesidades nutricionales para el crecimiento del feto.
b) Modificación de los hábitos higiénicos en el embarazo.
c) Causas del dolor durante el trabajo de parto y método de adaptación.
d) Consejo y apoyo para el amamantamiento del bebé.
e) Planificación familiar.

39. La administración de enemas en el trabajo de parto está contraindicada cuando:

a) La dilatación se está iniciando.
b) Cuando la dilatación está muy avanzada.
c) Las contracciones tienen una frecuencia de 10 minutos.
d) La intensidad de las contracciones es de 80 mmHg.
e) Se ha expulsado el tapón mucoso.

30-b

El útero en crecimiento comprime ambos uréteres, lo cual disminuye el flujo a la vejiga causando estasis urinario. Las modificaciones hormonales en el embarazo producen una dilatación de las estructuras urinarias.

31-c

La retención urinaria en la vejiga de forma repetitiva, aumenta el riesgo de infecciones urinarias.

32-a

El sulfato de magnesio es un bloqueante neuromuscular y actúa como anticonvulsivante. Durante la administración hay que controlar los efectos colaterales tóxicos como parálisis respiratoria o el colapso circulatorio.

33-e

Debe restringir el consumo de sodio en 1 g diario, para evitar la retención de líquidos.

34-d

En los casos graves produce grandes alteraciones metabólicas, produciéndose una acidosis metabólica.

35-c

Las micciones frecuentes al final de la gestación se deben a la presión que ejerce la presentación fetal sobre la vejiga, pero no es un signo que indique el inicio del trabajo de parto.

36-a

En la primera etapa conocida como período de dilatación se produce el borramiento y dilatación del cérvix o cuello uterino, pasando de 0 a 10 cm.

37-c

Al final de la gestación empieza a formarse el denominado segmento inferior en el istmo. Esta es una zona de transición entre el cuerpo y cuello uterino que constituye una zona muy estrecha y engrosada. Con el trabajo de parto, se adelgaza y amplía hasta quedar totalmente definida en el período de dilatación.

38-c

El parto psicoprofiláctico se basa en el principio de que el conocimiento disipa el temor. La mujer asesorada sobre el parto es capaz de conservar el control y participar de forma activa en el parto.

39-b

Cuando la dilatación del cérvix es muy amplia no se debe poner el enema por el riesgo elevado de que se produzca la expulsión fetal al defecar.

40. La enfermera sabe que el proceso del trabajo de parto es la secuencia de movimientos o cambios de posición del feto para adaptarse a la forma del conducto del parto. Indique cuál de los siguientes listados de movimientos está en orden correcto:

a) Flexión, descenso, rotación interna, deflexión y rotación externa.
b) Descenso, rotación interna, deflexión y rotación externa.
c) Flexión, rotación interna, deflexión y rotación externa.
d) Descenso, flexión, rotación interna, deflexión y rotación externa.
e) Flexión, rotación interna, descenso y expulsión.

41. La parturienta se trasladará a la sala de partos:

a) Durante la fase activa del trabajo de parto.
b) Cuando se produce la rotura de la bolsa de las aguas.
c) Cuando las contracciones uterinas tienen una frecuencia de 4 minutos.
d) Cuando la presentación fetal aparece en el introito vaginal.
e) Tan pronto como el cérvix comienza a dilatarse.

42. En las multíparas, generalmente el segundo período del trabajo de parto es:

a) Sin dolor.
b) Muy doloroso.
c) Breve.
d) Prolongado.
e) Se enlentece poco a poco.

43. Durante el trabajo de parto, la mujer debe orinar con una frecuencia de dos horas para prevenir. ¿Cuál de las siguientes alteraciones?:

a) Aumento de las contracciones uterinas.
b) Que se produzca un sufrimiento fetal.
c) Que se produzca una hemorragia.
d) Que no se produzca el borramiento del cérvix.
e) La disminución de las contracciones uterinas.

44. En la última etapa del trabajo de parto se caracteriza por:

a) Desprendimiento y expulsión de la placenta.
b) Las contracciones uterinas aumentan en frecuencia e intensidad.
c) Rotura de la bolsa de las aguas.
d) Una duración de 20 minutos a una hora.
e) Expulsion fetal.

45. Se considera que el trabajo de parto es prematuro cuando:

a) Se inicia el parto una semana antes de la fecha esperado.
b) Se presenta el parto a las 37 semanas.
c) Es de corta duración.
d) Tiene contracciones leves y frecuentes.
e) Es de larga duración.

46. Dentro de las siguientes condiciones, ¿cuál es causa de distocia de parto?:

a) Rotura prematura de la bolsa de las aguas.
b) Contracciones uterinas anormales.
c) Parto que comienza a las 41 semanas de gestación.
d) La aparición de vómitos en la mujer.
e) Las infecciones urinarias.

47. Cuando la presentación fetal es de nalgas:

a) El parto siempre se ha de resolver mediante cesárea.
b) Se aconseja la aplicación de forceps para abreviar el período expulsivo.
c) El parto vaginal es posible.
d) Durante el parto está contraindicada la administración de oxitocina.
e) La mujer permanecera en la cama durante todo el trabajo del parto.

48. La enfermera realizará una serie de intervenciones en la mujer que ha sido sometida a cesárea. Incluyen todas las siguientes, excepto:

a) Estimular a la paciente para que permanezca en reposo en la cama.
b) Administrar líquidos por vía endovenosa.
c) Respiración profunda y toser.
d) Valorar las características de los loquios.
e) Valoración de la involución uterina.

49. Cuando la cabeza fetal durante el trabajo de parto se dirige hacia la parte posterior de la pelvis materna en lugar de hacerlo hacia el frente se conoce como:

a) Occipito anterior persistente.
b) Presentación de frente.
c) Presentación de cara.
d) Presentación transversa.
e) Occipito posterior persistente.

40-a

El feto se encaja sobre el estrecho superior de la pelvis en una actitud de flexión produciéndose el descenso y rotacion interna para acomodar su menor diámetro en el diámetro anteroposterior pélvico. La deflexión se realiza para la salida al exterior de la presentación y por último la rotación externa de la presentación para que se produzca el descenso y encajamiento de los hombros en el diámetro anteroposterior.

41-d

Cuando la presentación fetal es visible en el introito, es un signo de que el período expulsivo está próximo. La enfermera trasladará a la mujer a la sala de partos y preparará todo el utillaje para la atención del expulsivo.

42-c

El período expulsivo en la multíparas suele durar como media 20 minutos; en las primíparas puede durar de una a dos horas.

43-e

Cuando hay retenciones de orina se producen hipodinamias que hacen que el trabajo de parto se prolongue y evita además el descenso de la presentación fetal.

44-a

En la última etapa del trabajo de parto o período de alumbramiento, se producen unas contracciones del útero para adaptarse al tamaño que ha quedado reducido después de la expulsion fetal. Esto hace que se produzca el desprendimiento y expulsión de la placenta.

45-b

El trabajo de parto prematuro se presenta entre las 28 y 38 semanas de embarazo; el riesgo principal es para el feto, no para la madre. El trabajo de parto prematuro es una de las causas principales de muerte perinatal en el mundo.

46-b

Todas las disfunciones de las contracciones uterinas son causa de distocia de parto, y pueden dar como resultado un trabajo de parto prolongado, con posibilidad de dañar al feto.

47-c

El parto vaginal es posible si el feto no es muy grande y no existen contraindicaciones como: feto macrosómico, pelvis materna no favorable, retraso de crecimiento y toxemia.

48-a

Es importante la deambulación precoz en las mujeres que se les ha sometido a una cesárea por el elevado riesgo de tener complicaciones tromboembólicas y respiratorias.

49-e

Estas posiciones se presentan cuando la parte posterior de la cabeza fetal (occipucio), penetra en la pelvis materna en forma tal que está dirigida hacia la parte posterior y no hacia el frente de la pelvis. El trabajo de parto en estas posiciones suele ser más largo debido a que en el proceso de rotación interna, la cabeza debe girar más.

50. En los cuidados de la puérpera la enfermera debe valorar como está el fondo uterino. Indique cómo se encontrará éste el tercer día del puerperio:

a) Firme a nivel del ombligo.
b) Firme y dos traveses de dedo por debajo del ombligo.
c) Blando y dos traveses de dedo por debajo del ombligo.
d) Blando y en la línea media entre el ombligo y la sínfisis del pubis.
e) Firme y al nivel de la sínfisis del pubis.

51. Las contracciones que se producen en el útero durante el puerperio reciben el nombre:

a) Braxton Hicks.
b) Contracciones del puerperio.
c) Entuertos.
d) Loquios.
e) Pujos.

52. La enfermera realizará la valoración del signo de Hoffman para el diagnóstico de:

a) Pielonefritis.
b) Abceso mamario.
c) Tromboflebitis venosa profunda.
d) Alteraciones respiratorias.
e) Alteraciones de la hemostasia.

53. Dentro de las infecciones puerperales, la mujer puede presentar endometritis. Los síntomas clínicos que suelen relacionarse con la endometritis son:

a) Disminución de la frecuencia del pulso y útero doloroso y duro a la palpación.
b) Vómitos y útero firme y grande.
c) Útero pequeño y doloroso a la palpación con temperatura de 37° C.
d) Dolor a la palpación, reblandecimiento uterino y loquios profusos con mal olor.
e) Útero grande y doloroso a la palpación y escalofríos.

54. Dentro de las instrucciones a la paciente sobre el cuidado de las mamas, se le indica que el medio más eficaz para evitar el dolor de los pezones durante el amamantamiento es:

a) Ponerse sujetadores que le sujeten las mamas pero que no les comprima.
b) El lavado circular de las mamas y pezones y secado con toalla de felpa áspera.
c) La aplicación de zumo de limón sobre los pezones.
d) Procurar que el niño al succionar tome la mayor parte de la areola, aparte del pezón.
e) La exposición de las mamas durante tiempo limitado al aire.

55. Durante la lactancia, la dieta en la mujer tiene gran importancia. ¿En cuánto se debe incrementar las calorías de una dieta?:

a) 800 calorías.
b) 500 calorías.
c) 200 calorías.
d) 1.000 calorías.
e) 1.200 calorías.

56. Se dice que hay hemorragia puerperal cuando la pérdida de sangre durante o después del tercer período del trabajo de parto es mayor de:

a) 200 ml.
b) 300 ml.
c) 500 ml.
d) 1.000 ml.
e) 1.300 ml.

57. De las siguientes hormonas indique las que contienen los anticonceptivos hormonales:

a) Estrógenos y hormona luteinizante.
b) Progesterona y hormona estimulante del folículo.
c) Estrógenos y progesterona.
d) Progesterona y oxitocina.
e) Estrógenos y testosterona.

50-b

El útero que involuciona normalmente suele presentar una consistencia firme o dura y desciende un través de dedo diario por debajo del ombligo, que es donde se encuentra después del parto.

51-c

Los entuertos son contracciones del útero que se producen en el puerperio faciliando la involución uterina a su posición y forma primitiva.

52-c

La valoración del signo de Hoffman consiste en la dorsoflexión del pie manifestándose dolor en la pantorrilla cuando es positivo.

53-d

La endometritis es una infección que afecta el revestimiento interno del útero. Los tres síntomas descritos anteriormente son los que nos van a dar el diagnóstico de la endometritis, aunque la mujer presentará otros síntomas asociados de infección como: fiebre, malestar en general etc.

54-d

Al poner al niño de esta forma la succión produce mucho menos dolor y ademas disminuye el riesgo de aparición de grietas en los pezones.

55-b

Segun Food and Nutrition Board recomienda un incremento calórico respecto a la ingestion ordinaria de 500 calorías por día durante la lactancia.

56-c

Después del desprendimiento y expulsión de la placenta en el útero queda una zona sangrante en el lugar donde ha estado insertada la placenta produciéndose una pequeña hemorragia que si pasa de 500 ml se considera una hemorragia puerperal.

57-c

Estas dos hormonas van a evitar la ovulación al estar elevadas en los niveles sanguíneos.

58. De los siguientes consejos de educación sanitaria en la inserción del dispositivo intrauterino (D.I.U.), no tiene gran importancia:

a) Informar a la mujer que la inserción del D.I.U. sólo supone una leve molestia.
b) Disminuya el consumo de tabaco.
c) Abstinencia de relaciones sexuales coitales durante un período de 8-10 días.
d) Evitar duchas vaginales o utilización de tampones en esta primera semana.
e) Explicar cómo debe efectuar el autocontrol mediante palpación de los hilos vaginales después de la menstruación.

59. ¿En qué mujeres estaría contraindicada la anticoncepción oral?:

a) Mujeres mayores de 35 años.
b) Mujeres obesas.
c) Mujeres con antecedentes de enfermedades tromboembólicas.
d) Mujeres con síndrome varicoso.
e) Mujeres con períodos amenorreicos.

60. La causa principal de la dismenorrea primaria en la mujer es:

a) Un ciclo menstrual anovulatorio.
b) Las prostaglandinas.
c) Las sofocaciones.
d) La menopausia.
e) Los ciclos menstruales largos.

58-b

La disminución del consumo de tabaco no guarda mucha relación con la inserción del D.I.U. Se da como consejo para la salud.

59-c

En estas mujeres está contraindicado absolutamente el uso de anticonceptivos hormonales. Éstos suelen producir alteraciones importantes en los factores de la coagulación pudiendo producir cuadros de tromboembolismos.

60-b

Debido a que existe un aumento de prostaglandinas en el endometrio. Sobre todo la F_2 causando un aumento de la contractilidad del miometrio, lo que cursa con isquemia y posteriormente dolor.

10 ENFERMERIA GERIATRICA

1. Seleccione una de las afirmaciones siguientes, en relación con la situación de los ancianos en los pueblos primitivos:

a) La supervivencia constituía el objetivo prioritario.
b) No suponía un problema para estos pueblos.
c) Dependía de la clase social a la que pertenecieran.
d) Constituían un problema de salud importante.
e) Los cuidados se dispensaban desde planteamientos caritativos.

2. ¿Cuál de las siguientes afirmaciones es cierta?:

a) A principios de siglo tan solo el 20% de la población tenía más de 65 años.
b) La razón más importante del cambio de estructura de nuestra población es el aumento de la mortalidad infantil.
c) En la actualidad la población anciana es predominantemente femenina.
d) Los movimientos migratorios han contribuido directamente al rejuvenecimiento de la población española.
e) La esperanza de vida de los negros, como grupo, es significativamente más alta que la de la población blanca.

3. El envejecimiento de una población se produce fundamentalmente por:

a) El aumento de la natalidad, en zonas concretas.
b) La disminución de la morbilidad y el aumento de los valores sociales.
c) El aumento de la mortalidad infantil, en determinadas épocas de la historia.
d) La disminución de la natalidad, el descenso de la mortalidad infantil, los movimientos migratorios y los avances de la ciencia.
e) El aumento de los recursos sanitarios, especialmente en atención primaria.

4. Podemos definir la Geriatría como:

a) La ciencia que estudia los aspectos preventivos y rehabilitadores de los ancianos.
b) La parte de la Gerontología que se ocupa de determinar los cambios que experimentan los individuos que envejecen.
c) La parte de la medicina que estudia los cambios que se producen con el paso de los años en los seres vivos y en el hombre.
d) La ciencia que estudia los procesos patológicos en los ancianos.
e) La rama de la medicina que se ocupa del estudio de los aspectos clínicos, terapéuticos, preventivos y sociales del anciano, tanto en situación de salud como de enfermedad.

5. Se entiende por envejecimiento:

a) La serie de alteraciones biológicas que se manifiestan cuando el individuo presenta el aspecto de anciano.
b) La disminución de la capacidad del individuo de responder a los efectos que producen los factores ambientales: la enfermedad.
c) El conjunto de modificaciones morfológicas, psicológicas y fisiológicas que aparecen como consecuencia de la acción del tiempo sobre los seres vivos. Se trata pues, de un proceso que finaliza cuando sucede la muerte.
d) Un proceso que comienza al finalizar la capacidad reproductora, y que se caracteriza por la aparición de vulnerabilidad hacia los procesos morbosos, especialmente los relacionados con el sistema inmunológico.
e) El resultado de la pérdida de información que sufren las transmisiones neuronales con el paso del tiempo, originando como consecuencia la alteración de todos los órganos y sistemas, dando al individuo el aspecto de anciano.

1-a

En las tribus primitivas, ante las condiciones existentes tan extremadamente adversas, la supervivencia diaria constituía el objetivo prioritario. La vejez era alcanzada por pocos, ya que a los viejos, por su debilitamiento físico, les resultaba mucho más penoso hacerse con los requerimientos vitales.

2-c

En la actualidad hay 14 millones de mujeres con más de 65 años, en comparación con 9,5 millones de hombres.

3-d

Múltiples son los factores que intervienen en el proceso de envejecimiento de una población, fundamentalmente: el descenso de la tasa de mortalidad infantil, el descenso importante de la tasa de natalidad, los avances tecnológicos y la influencia de los movimientos migratorios.

4-e

La Geriatría moderna nace en Gran Bretaña en los años 1930-1935 con la gran intuición de Marjorie Warren, que trabajó como supervisora en el West Midd Leex Hospital. En las salas de crónicos de estos hospitales comprobó que muchos de los ancianos crónicos e inválidos, se recuperaban total o parcialmente con cuidados clínicos y de rehabilitación adecuados, y se les podía integrar de nuevo en la familia y en la sociedad.

5-c

El envejecimiento conlleva fundamentalmente una disminución de la capacidad de adaptación a nivel de cada uno de los órganos, aparatos y sistemas, así como de la capacidad de respuesta a las diversas noxas que inciden en el individuo.

6. Es posible considerar el envejecimiento desde varios puntos de vista. ¿Qué afirmación se ajusta a la edad cronológica?:

a) La edad que manifiesta el aspecto físico del anciano.
b) Sólo y exclusivamente la edad del calendario.
c) La edad que designan los papeles que se desean o han de desempeñarse en la sociedad, ligados a parámetros culturales.
d) Sólo y exclusivamente el momento que permite evaluar la repercusión de los acontecimientos de la vida individual respecto a la madurez.
e) La edad que marca los cambios físicos y psíquicos gradualmente antes de que se produzca la muerte.

7. El envejecimiento viene determinado por factores:

a) Ambientales y culturales.
b) Genéticos y sexuales (mayor esperanza de vida en la mujer).
c) Socioeconómicos, genéticos y culturales.
d) Genéticos, sexuales, ambientales, socioeconómicos y culturales.
e) Factores endógenos que provienen de la rama familiar a la que pertenezca cada individuo, y que será diferente de otras ramas familiares.

8. ¿Cuál de las siguientes afirmaciones es cierta en relación con la problemática que plantea el envejecimiento de las poblaciones?:

a) Existe un aumento de la demanda de profesionales que centren su asistencia en la prevención.
b) No se plantea ninguna problemática por formar parte los ancianos de la evolución y adaptación social normal.
c) Existe un aumento de la demanda de servicios sanitarios.
d) Al ser un grupo mayoritario no es necesario planificar actividades sociales específicas, éstas surgen del mismo grupo.
e) En las edades más avanzadas disminuyen las demandas de independencia, pudiendo ser cubiertas por las familias sin el esfuerzo comunitario.

9. La teoría de los radicales libres explica:

a) Que el envejecimiento tiene su origen en una alteración del genoma nuclear.
b) Que con el aumento de la edad hay una respuesta primaria de anticuerpos reducida frente a los antígenos, lo que se asocia con el proceso de envejecimiento.
c) Que la mutación del DNA altera la fidelidad de la síntesis de proteínas causando el declinar funcional y la muerte del organismo.
d) El envejecimiento y como consecuencia la muerte se produce por la disminución de la lipofuscina en las macromoléculas del organismo.
e) El envejecimiento parece ser causado, al menos en parte por los efectos tóxicos del metabolismo normal del oxígeno.

10. Elija la opción que prioritariamente condiciona la decisión de jubilarse:

a) La satisfacción en el trabajo.
b) La relación con el círculo de amistades.
c) Los ingresos.
d) El estado de salud.
e) El estatus social.

11. ¿Cuál de las siguientes afirmaciones relativas a la jubilación es cierta?:

a) El traslado de vivienda cerca de los hijos hace que se adapten mejor a la jubilación.
b) La jubilación conduce directamente al aumento de la morbilidad.
c) Los que se jubilan antes están generalmente en peor estado de salud que las personas que lo hacen en el momento normal.
d) Los trabajadores autónomos se jubilan antes.
e) Las personas que tienen ingresos más bajos deciden jubilarse antes que los que tienen ingresos superiores.

12. Los cambios biológicos inherentes al proceso de envejecimiento conllevan las modificaciones contempladas en una de las siguientes opciones:

a) Los más significativos se producen en el sistema nervioso.
b) Las modificaciones de las estructuras anatomofisiológicas y funcionales del organismo.
c) Las modificaciones físicas: canas, arrugas y encorvamiento.
d) La disminución de las capacidades en la retención de hechos pasados.
e) El aumento de la tensión arterial y de la presión venosa.

6-b

La edad cronológica es la manera más simple de delimitar la vejez, consiste en contar los años transcurridos desde el nacimiento, que de una manera arbitraria se fija en 65 años.

7-d

Se puede decir que el envejecimiento es un proceso que depende de: 1) Factores propios del individuo o endógenos (genéticos, sexuales), y 2) Factores ajenos a él o exógenos (ambientales, socioeconómicos y culturales).

8-c

El aumento de la demanda de servicios sanitarios es debido fundamentalmente al incremento de las enfermedades degenerativas y de los estados de invalidez física, psíquica o social que crean unas necesidades asistenciales y de cuidados distintas.

9-e

Harman fue uno de los responsables de esta teoría, y defiende que es de aplicación general para estudiar el envejecimiento de los mamíferos, en los que el oxígeno es la fuente principal de radicales libres, que a su vez producen las reacciones perjudiciales. Se planteó la cuestión de que si se administran antioxidantes, quizá el daño de los radicales libres podría ser reducido.

10-c

Los ingresos son el factor más importante que diferencia entre los que se jubilan pronto y los que no se jubilan, siendo aquéllos que tienen buenos ingresos los que tienden a jubilarse antes. Se ha observado también que los que se jubilan pronto tenían peor salud que los que se retiran a su tiempo, especialmente en los dos años que precedieron a la jubilación precoz.

11-c

Los hallazgos de las investigaciones que se han realizado, sugieren que la mayoría de los individuos que mueren poco después de su jubilación estaban en mala situación de salud antes de la misma. Además, la mala salud dificulta la adaptación a la jubilación.

12-b

A partir de la etapa de la madurez, existe una involución que lleva al deterioro progresivo del organismo. Las alteraciones que se producen se refieren a la modificación de órganos y tejidos, y a la disminución de la actividad funcional.

13. Las características fundamentales del envejecimiento de la piel son:

a) Un engrosamiento de las células como consecuencia del acúmulo de líquidos.
b) Una capacidad de regeneración mayor de las células de la epidermis.
c) En la mayor parte de la superficie corporal aparecen arrugas, a excepción del tórax.
d) La pérdida de elasticidad y la deshidratación.
e) Proliferación de las glándulas sebáceas.

14. En el cabello de los ancianos:

a) Aumenta la melanina en el folículo piloso, generando la aparición de las canas.
b) Aumenta la velocidad de crecimiento en los más viejos.
c) Aumenta el vello facial, especialmente en los hombres.
d) No hay modificaciones significativas.
e) Hay disminución de la velocidad de crecimiento y disminución de la melanina.

15. ¿Cuál de las siguientes afirmaciones son ciertas sobre el envejecimiento de los ojos?:

a) Rara vez se produce el astigmatismo en la ancianidad.
b) La cantidad de secreción lagrimal aumenta con la edad.
c) Se reduce la elasticidad del cristalino, produciendo capacidad reducida de enfocar los objetos cercanos.
d) Existe una mayor capacidad para distinguir los objetos claros.
e) Las pupilas se hacen más grandes y el cristalino más elástico.

16. En relación con la boca y los dientes de los viejos:

a) Las papilas del gusto se pierden con la edad.
b) Los viejos sólo tienden a perder la percepción de sabores agrios.
c) La pérdida de las piezas dentales es similar a otras edades.
d) Las papilas gustativas aumentan con el paso de los años.
e) Los viejos experimentan una secreción salivar constante.

17. En relación con el envejecimiento del oído, ¿qué opción es cierta?:

a) El aumento de cerumen es una de las causas de pérdida de audición de los ancianos.
b) Los ancianos entienden mejor los mensajes elevando el tono de voz.
c) El oído del anciano no tiene modificaciones con el paso de los años.
d) Los ancianos son propensos a los vértigos.
e) El aumento del pabellón auricular es la causa de la sordera de los ancianos.

18. Debido a los cambios inherentes al envejecimiento, el sistema óseo produce:

a) Ligera hiperextensión del cuello.
b) Flexión de las extremidades superiores.
c) Cifosis dorsal y flexión de rodillas.
d) Cifosis lumbar y lordosis dorsal.
e) Cifosis cervical y lordosis lumbar.

19. Una de las características del envejecimiento muscular es:

a) Aumento de la fuerza muscular en reposo.
b) El sistema muscular no sufre modificaciones aparentes.
c) La duración entre la contracción y los períodos de relajación es menor.
d) Disminuye el líquido intersticial y tejido adiposo.
e) Pérdida gradual de la fuerza muscular.

20. Durante el envejecimiento el sistema cardiocirculatorio:

a) Aumenta el calibre de la aorta y aparecen rigideces valvulares.
b) Aumenta la red capilar.
c) Disminuye la velocidad de la onda pulsátil.
d) Aumenta la elasticidad de los vasos sanguíneos.
e) Aumenta la tensión venosa y la velocidad de circulación.

21. En el pulmón senil:

a) Aumenta en peso y volumen debido a la aparición de la cifosis.
b) Se reduce el número de alvéolos.
c) Se contraen los bronquiolos y conductos alveolares.
d) No presenta modificaciones en su capacidad funcional.
e) Aumenta la actividad ciliar y la función respiratoria.

13-d

Las células de la epidermis se adelgazan, se modifican las haces de colágena, y esto, junto con la falta de hidratación, provoca las arrugas y la piel experimenta la sensación de colgar sobre los huesos.

14-e

Existe una disminución de la velocidad de crecimiento y la ausencia de melanina en el folículo piloso es la causa de la falta de coloración.

15-c

La reducida elasticidad del cristalino produce capacidad reducida de enfocar los objetos cercanos (presbiopía). En conjunto hay una reducción en la cantidad de la luz que llega a la retina.

16-a

Las papilas del gusto se pierden con la edad, y así disminuye la percepción de aquél. La percepción del sabor dulce especialmente, tiende a desaparecer, haciendo que el anciano consuma mayor cantidad de azúcar.

17-a

El aumento de cerumen es una de las causas que puede reducir la audición. Si el tapón ocluye totalmente el conducto, se produce: 1- Hipoacusia de transición que agrava la presbiacusia preexistente. 2- Sensación desagradable de ocupación del conducto. 3- Ocasionalmente vértigo si el tapón es muy grande y comprime el tímpano.

18-c

Aparece cifosis dorsal que altera la estática del tórax, para compensarla es frecuente la flexión de las rodillas y caderas, aparentando mayor longitud en los miembros superiores y el tronco corto.

19-e

La pérdida gradual de la fuerza muscular es la característica más destacable del envejecimiento de los músculos. Los cambios en la estructura muscular son muy complejos, hay una reducción significativa de la actividad.

20-a

La aorta aumenta su calibre y volumen, comportándose como un tubo rígido, con un flujo de sangre intermitente. Aparecen rigideces valvulares debidas al engrosamiento y pérdida de elasticidad.

21-b

Hay una reducción del número total de alvéolos, que hace que se agranden los restantes y se dilaten los bronquiolos y conductos alveolares.

22. Elija la opción falsa en relación con el envejecimiento del aparato digestivo:

a) Se reduce la secreción de saliva.
b) Se reduce el tono muscular en la pared abdominal.
c) Aparece una atrofia de la mucosa gástrica.
d) Disminuye la producción de ácido clorhídrico.
e) Aumenta la motilidad intestinal.

23. Una característica del envejecimiento del sistema urinario es:

a) Reducción del número de nefronas.
b) Las modificaciones sólo aparecen en edades muy avanzadas (a partir de 80 años).
c) Reducción y estrechamiento de los túbulos.
d) Aumento del número de nefronas, para compensar la disminución del volumen.
e) Aumento del filtrado glomerular, provocando las incontinencias.

24. La función reproductora en los ancianos:

a) Se conserva hasta edades muy avanzadas.
b) Se conserva hasta la misma edad para los dos sexos.
c) Depende de las condiciones físicas y psíquicas de los ancianos.
d) Cesa mucho más temprano en la mujer que en el hombre.
e) Cesa mucho más temprano en el hombre que en la mujer.

25. Durante el envejecimiento se producen una serie de modificaciones o cambios a nivel del sistema endocrino.

a) Aumento importante de la tolerancia a la glucosa.
b) Aumento de la secreción de estrógenos en la mujer.
c) Aumento de la progesterona, después de la etapa reproductiva.
d) Disminución de la secreción hormonal.
e) Aparición de diabetes en todos los ancianos mayores de 75 años.

26. ¿Qué característica presenta el envejecimiento en los órganos de los sentidos?:

a) No se aprecian hasta edades muy avanzadas.
b) La más significativa es la pérdida de la vista.
c) Los cambios que más se aprecian son en la vista y en el oído.
d) Disminución de la sensibilidad dolorosa.
e) Ninguna es cierta.

27. La ptosis parpebral es:

a) El acúmulo de líquidos en los párpados.
b) La dificultad para distinguir los objetos cercanos.
c) La caída de los párpados.
d) La dificultad para distinguir los distintos colores.
e) Las modificaciones que presenta la pupila.

28. El gusto y el olfato de los ancianos presenta:

a) Aumento del número de papilas gustativas, lo que condiciona su preferencia al dulce.
b) Sólo se degenera progresivamente el sentido del olfato.
c) El sentido del gusto se modifica en función del cambio de alimentación.
d) Disminución del número de papilas gustativas y atrofia de la lengua.
e) Los cambios que se puedan presentar no están relacionados con las modificaciones inherentes al envejecimiento.

29. La característica predominante del envejecimiento neurológico es:

a) Aumento del volumen cerebral.
b) Pérdida de neuronas.
c) Disminución del tamaño de los ventrículos.
d) Aumento de las neuronas con variaciones intracelulares.
e) Aparición de calcificaciones en el hemisferio predominante.

30. El envejecimiento psicológico supone:

a) Dificultad para relatar hechos presentes.
b) Alteración de la personalidad.
c) Alteración en el lenguaje.
d) Disminución de la creatividad y capacidad imaginativa.
e) Dificultad para relatar los hechos pasados.

22-e

Los cambios más aparentes en el aparato digestivo se producen a nivel funcional: disminuye la motilidad, que unido a la atrofia de la mucosa gástrica, la reducción del tono muscular, y disminución de la capacidad para producir ácido clorhídrico generan en el anciano frecuentes dificultades digestivas.

23-a

Hay una disminución del número de nefronas, que puede ser de hasta el 50%, unido a una esclerosis de los glomérulos, dilatación de los túbulos y aumento del tejido intersticial.

24-d

La función reproductora disminuye gradualmente en el hombre, mientras que en la mujer cesa después de la menopausia.

25-d

La secreción hormonal en general disminuye con la edad. Hay dos aspectos básicos que hay que considerar en esta disminución: por un lado, el descenso en el nivel de producción hormonal y, por otro, una menor respuesta orgánica frente a esta secreción.

26-e

Ninguna es cierta, ya que en general el proceso de envejecimiento produce una disminución en todos los órganos de los sentidos (vista, oído, gusto, olfato y tacto).

27-c

Anatómicamente, el ojo del anciano presenta una atrofia de la musculatura parpebral, con pérdida de elasticidad cutánea, lo que provoca la caída de los párpados o ptosis parpebral.

28-d

Por lo general suele haber una disminución de papilas gustativas y atrofia de la lengua, lo que conlleva a una pérdida progresiva del sentido del gusto, en especial del salado y del dulce. El olfato, muy ligado al sentido del gusto, está debilitado por degeneración del nervio olfatorio.

29-b

El cambio más importante es la pérdida irreversible de neuronas, dando lugar a manifestaciones características de disminución del tono muscular y un enlentecimiento generalizado del movimiento.

30-a

La evocación de los hechos pasados no es difícil. Sin embargo, sí lo es, la retención de los hechos recientes. Actualmente está en debate la influencia que puede ejercer la motivación individual en la capacidad para recordar.

31. Los cambios sociales que se producen en el envejecimiento se refieren:

a) Al cambio de rol del anciano a nivel individual.
b) Al cambio de rol del anciano en la familia.
c) Al cambio de rol del anciano en el ámbito laboral.
d) Al cambio de rol del anciano en el ámbito individual y en el contexto comunitario.
e) Al cambio de rol del anciano con el entorno inmediato.

32. El anciano sano:

a) Es aquel que es capaz de solucionar las dificultades que le presenta la vida diaria.
b) Es aquél sujeto con alteraciones funcionales, al límite entre lo normal y lo patológico, en equilibrio inestable y con adaptación de los trabajos funcionales a sus posibilidades reales de rendimiento.
c) Es aquel sujeto que no presenta ningún proceso patológico y que mantiene el equilibrio para realizar las actividades de la vida diaria de forma autónoma.
d) Es aquel sujeto que es incapaz de solucionar las dificultades que le genera la actividad cotidiana, y requiere para ser independiente, la ayuda exterior.
e) No existe un único concepto de anciano sano todos ellos dependen de las capacidades individuales y los recursos a los que tenga acceso.

33. ¿Qué afirmación de las siguientes manifiestan la independencia en la necesidad de oxigenación?:

a) El mantenimiento de un ritmo respiratorio regular y con una frecuencia entre 15-25 respiraciones/minuto.
b) Cuando las modificaciones óseas no interfieran en la inspiración.
c) El mantenimiento de la independencia en la necesidad de oxigenación estará condicionado primordialmente por el estado del sistema muscular.
d) Cuando mantenga los hábitos saludables necesarios para prevenir los procesos patológicos.
e) Será independiente en esta necesidad, dependiendo de las medidas preventivas tomadas en los años previos al envejecimiento.

34. Las acciones de enfermería encaminadas a prevenir la dependencia en la necesidad de oxigenación son:

a) Intentar concentrar las actividades en las primeras horas de la mañana para disponer del resto del día para descansar.
b) Realizar ejercicios respiratorios en decúbito prono con las extremidades inferiores flexionadas.
c) Realizar regularmente ejercicio físico, así como efectuar ejercicios respiratorios utilizando la musculatura abdominal.
d) Solo se evitará la exposición a fuertes corrientes de aire.
e) Se consumirá una dieta rica en fibra y vitaminas.

35. Los factores del estado físico capaces de intervenir en el mantenimiento de la independencia para satisfacer la necesidad de alimentación son:

a) Correcto estado de la boca y dientes, así como un buen ajuste de las prótesis dentales.
b) Mantener los mismos hábitos que años anteriores en relación con la alimentación.
c) Mantener la capacidad motriz suficiente para poder desplazarse y preparar los alimentos.
d) Conocer la composición energética de los alimentos que va a consumir.
e) Respuestas a y c son correctas.

36. En el anciano se presentan frecuentes dificultades digestivas por:

a) Realizarse el proceso de la digestión más rápido que en el adulto joven.
b) Modificaciones sustanciales en la cantidad de proteínas en la dieta.
c) La tendencia a padecer impactaciones fecales.
d) La disminución de líquidos en la dieta.
e) La disminución de la capacidad del estómago para producir ácido clorhídrico.

31-d

Los cambios sociales que se producen en el envejecimiento se refieren principalmente al cambio de rol del anciano, tanto en el ámbito individual, como en el contexto de la propia comunidad, ya que la sociedad en general valora tan sólo al hombre activo, a aquél que aporta trabajo y genera riquezas.

32-b

Los requerimientos de cada individuo para resolver las necesidades de la vida cotidiana son distintos y están sujetos a las incapacidades o limitaciones personales para funcionar de una forma independiente. Es necesario conocer los cambios que se producen durante el envejecimiento e identificar las posibles limitaciones consecuentes, responsables de la disminución de las capacidades funcionales, y diferenciarlas de situaciones de enfermedad.

33-a

Una de las manifestaciones que determinan la independencia en la necesidad de oxigenación es el mantenimiento de un ritmo respiratorio regular y con una frecuencia entre 15 y 25 respiraciones por minuto.

34-c

Una vez que se conocen los hábitos de vida con respecto a la oxigenación, instruir al anciano para que sea capaz de adaptar sus necesidades a las limitaciones producidas por los cambios y modificaciones fisiológicas y preparar un programa para la realización regular de ejercicio físico, como caminar, gimnasia, etc., así como efectuar ejercicios respiratorios para fortalecer la musculatura abdominal.

35-e

Un buen estado de la boca, así como un buen ajuste de las prótesis dentales son las primeras premisas que permitirán al anciano ingerir alimentos de forma satisfactoria. Igualmente el mantenimiento de la capacidad motriz suficiente para poder desplazarse y preparar y manipular los alimentos será una garantía para la autonomía del anciano.

36-e

Son un conjunto de factores los que contribuyen a dificultar la digestión en los ancianos, entre los más significativos se encuentran la disminución de la capacidad del estómago para producir ácido clorhídrico, dificultad en la dilución de los alimentos, y el hipoperistaltismo.

37. En relación con la alimentación se recomendará al anciano:

a) El aumento de las calorías para compensar la disminución de la temperatura.
b) La posibilidad de sustituir una comida (cena) por café con leche y alguna pieza de bollería.
c) Añadir especias y otros sabores como medida de conservación de los sabores ante la pérdida de papilas gustativas.
d) Ingerir alimentos que aporten calcio y hierro.
e) La posibilidad de sustituir parte de las calorías por bebidas alcohólicas.

38. Una recomendación que se hará al anciano para evitar el estreñimiento será:

a) No ingerir líquidos durante las comidas, hacerlo fuera de ellas.
b) Eliminar de la dieta las especias, especialmente los picantes.
c) Incluir en la dieta alimentos ricos en Fe.
d) Eliminar de la dieta los hidratos de carbono.
e) Incluir en la dieta alimentos con alto contenido en fibra.

39. El envejecimiento del sistema urinario se caracteriza por:

a) Reducción de los túbulos para intentar compensar la pérdida de peso y volumen.
b) El riñón del anciano aumenta de tamaño.
c) Reducción del número de nefronas y esclerosis de los glomérulos.
d) Aumento del tono muscular de la vejiga lo que favorece las incontinencias.
e) Aumento del filtrado glomerular lo que condiciona igualmente la incontinencia.

40. La nutrición enteral en el anciano está indicada:

a) En los ancianos que conservan el peristaltismo intestinal y no son capaces de ingerir por vía oral.
b) En los ancianos que no conservan el peristaltismo intestinal y sí pueden ingerir por vía oral.
c) En los ancianos que no conservan el peristaltismo intestinal ni pueden ingerir por vía oral.
d) En los ancianos que tienen dificultades en la digestión.
e) En los ancianos con propensión a impactación fecal.

41. Ante la impactación fecal del anciano, se procederá de la siguiente forma:

a) Administrar laxantes en todas las comidas.
b) Se incrementará el aporte de fibra en la dieta.
c) Se administrarán líquidos abundantes.
d) Se extraerá el fecaloma.
e) Sólo se administrarán laxantes cuando la impactación se prolongue cinco días.

42. Los factores del estado físico que intervienen en la independencia para satisfacer la necesidad de eliminación urinaria son:

a) La posibilidad de utilizar los dispositivos para la eliminación.
b) El mantenimiento de la habilidad de manipular dichos dispositivos.
c) Disponer del grado de intimidad para realizar la evacuación.
d) Consumir la cantidad de líquidos necesarios para conseguir un volumen de orina normal.
e) El mantenimiento de la capacidad física.

43. Los ancianos que presentan incontinencia vesical, pueden utilizar dispositivos externos. Diga qué opciones son ciertas:

a) Es un buen sistema para reeducar la vejiga.
b) Pueden ser utilizados por todos los ancianos.
c) Favorecen la infección y la irritación cutánea.
d) Es el tratamiento sustitutivo de la fisioterapia.
e) Sólo se deben usar en los viejos con edades más jóvenes (65-70 años).

44. Las características del envejecimiento del sistema genital en la mujer son:

a) Aumento del tamaño del útero.
b) Atrofia de la mucosa vaginal.
c) Alargamiento de la vagina.
d) No hay cambios con la vejez.
e) Los cambios dependen de factores hereditarios.

45. Algunas de las manifestaciones de dependencia de la mujer en la necesidad de expresión de la sexualidad son:

a) Falta de lubricación.
b) Inhibición del deseo sexual.
c) Cambios en la autoimagen.
d) Problemas ginecológicos.
e) Todas son ciertas.

37-d

Se recomendará la ingestión de alimentos que aporten calcio, debido a una menor absorción y por el posible papel que el calcio juega en la aparición de la osteoporosis. Igualmente se recomendará consumir alimentos que contengan hierro, así como vitaminas y no abusar de bebidas alcohólicas ni estimulantes.

38-e

Una de las medidas para combatir el estreñimiento, es la inclusión de altos contenidos de fibra en la dieta (verduras y frutas crudas, cereales, legumbres, etc.).

39-c

Hay una disminución del número de nefronas, que puede ser de hasta el 50%, alterando el volumen y la composición de los líquidos corporales, se esclerosan los glomérulos, dilatación de los túbulos y aumento del tejido intersticial, lo que conlleva una pérdida de la capacidad de concentración de la orina.

40-a

La nutrición enteral está indicada en aquellos ancianos que conservan el peristaltismo intestinal, y no son capaces de ingerir por vía oral los alimentos necesarios para cubrir sus demandas nutricionales.

41-d

Si se sospecha que el anciano tiene una impactación fecal, en primer lugar se explorará de forma manual y se procederá a la extracción siempre que las condiciones de éste lo permitan. Tras la extracción, practicar un enema de limpieza siempre que no esté contraindicado por las condiciones del anciano.

42-e

La capacidad física es uno de los elementos básicos para la independencia en la satisfacción de la necesidad de eliminación, ya que una buena respuesta muscular, por un lado, permitirá el vaciado de la vejiga, y, por otro, favorecerá la movilidad y el desplazamiento.

43-c

Los dispositivos externos pueden ayudar al anciano a superar el apuro generado por la incontinencia y a recuperar parte de su independencia. Pero también estos métodos presentan inconvenientes, sobre todo son favorecedores de la infección si no se mantiene una buena higiene y aumentan el riesgo de irritación cutánea.

44-b

La mucosa vaginal se seca y se atrofia, disminuyendo por tanto, su secreción facilitando las infecciones.

45-e

Múltiples son los factores que pueden crear dependencia en la necesidad de expresión de la sexualidad, algunos por los cambios inherentes al envejecimiento, otros por problemas orgánicos y otros por la no aceptación de la propia imagen corporal. El objetivo de los enfermeros será conocer los hábitos con respecto a esta necesidad, ofrecer educación sanitaria respecto al alcance de la sexualidad, y preparar programas facilitadores de la independencia del anciano.

46. Elija una de las siguientes afirmaciones en la que se manifiesten los factores que influyen en la independencia de la necesidad de comunicarse:

a) La capacidad de relacionarse en lugares de ocio.
b) El estado psíquico y del entorno del anciano.
c) El estado físico y social.
d) El estado físico, psíquico y la situación social.
e) La posibilidad de relacionarse no sólo con otros mayores sino con otros individuos de diferentes grupos de edad.

47. En relación con el sueño de los ancianos:

a) Tienen más fases de sueño profundo.
b) Tienen más fases de sueño REM.
c) Los ancianos tienden al hipersomnio.
d) Tienen menos fases de sueño profundo y menos fases de sueño REM.
e) Las deficiencias económicas son la causa de perturbación del sueño en el anciano.

48. Para mantener la independencia en la necesidad de higiene y arreglo personal se requiere:

a) Mantener la capacidad de coordinación psicomotriz.
b) Disponer de la ayuda profesional para realizar esta actividad.
c) Disponer de una vivienda con calefacción central.
d) Aumentar la temperatura corporal.
e) Disponer de superficies de materiales especiales.

49. ¿Cuál de las siguientes afirmaciones es cierta sobre las úlceras por presión en el anciano?:

a) La mayoría de las úlceras por presión ocurren sólo después de una prolongada hospitalización.
b) El primer signo es un área azul de contusión, generalmente en el sacro.
c) La hipoalbuminemia es un factor predisponente.
d) Las zonas con mayor sensibilidad son más propensas para la formación por úlceras de presión.
e) Las úlceras por presión en el anciano están más vascularizadas que en individuos de edades más jóvenes.

50. La prevención de las úlceras por presión en ancianos encamados consiste en:

a) Administrar vitamina E a todos los ancianos mayores de 65 años.
b) A los ancianos encamados movilizarlos dos veces al día.
c) Procurar no limpiar diariamente la piel para evitar la maceración.
d) Para no agravar el cuadro de infecciones utilizar antibióticos.
e) Practicar cuidados a la piel y movilizar.

51. ¿Cuál de las siguientes afirmaciones es cierta sobre la hipotermia en el anciano?:

a) Los vasodilatadores periféricos pueden ayudar a la velocidad de recuperación de las hipotermias.
b) El uso de un termómetro estándar puede conducir a que se falle el diagnóstico.
c) La hipotermia es difícil de detectar por presentar el anciano siempre la piel caliente.
d) La hipotermia suele ser debida a cuadros de deshidratación.
e) Muy excepcionalmente el anciano puede presentar un cuadro de hipotermia.

52. Elija una de las siguientes afirmaciones en la que se refleje las consecuencias de la inmovilización en el anciano:

a) Se favorece la circulación periférica.
b) Se producen rigideces y contracturas.
c) Aumenta la temperatura corporal.
d) Se favorece el arco del movimiento.
e) Aumenta la fuerza muscular al disminuir el grado de actividad.

53. Indique cuál de las siguientes respuestas es falsa con respecto a los objetivos del ejercicio físico en ancianos:

a) Fortalecer y mejorar el tono muscular.
b) Mejorar el arco del movimiento.
c) Potenciar la musculatura.
d) Aliviar el aburrimiento y reducir el aislamiento.
e) Favorecer la autoestima.

46-d

En función de las capacidades psíquicas, la situación social y de que mantenga las capacidades físicas de una forma satisfactoria o no, el anciano tendrá más o menos dificultades para ser independiente en la satisfacción de la necesidad de comunicación.

47-d

A medida que la persona envejece, se tendrán menos fases de sueño profundo, y menos fases de sueño REM, que es el tipo de sueño necesario para el reposo mental. Los ancianos suelen dormir de forma intermitente y se despierta con facilidad debido a diferentes causas.

48-a

La capacidad de coordinación psicomotriz pondrá en marcha el mecanismo autónomo que le permitirá realizar su higiene y elegir sus vestidos.

49-c

Dentro de los factores que predisponen a la formación de úlceras por presión en el anciano se encuentra la malnutrición, especialmente la hipoalbuminemia.

50-e

La primera medida sencilla consiste en movilizar regularmente al anciano (cada dos horas), y mantener un cuidado de la piel cauteloso mediante una minuciosa higiene para minimizar la infección bacteriana y la humedad de forma que no se produzca la maceración.

51-b

Para su detección se necesita un termómetro con escala de lectura baja, debe recordarse que el uso de un termómetro clínico puede dar una cifra errónea, especialmente si se aplica oralmente, dado que tales termómetros no registran por debajo de 35° C.

52-b

Una de las consecuencias más serias incluso en inmovilizaciones de corta duración es la tendencia de los ligamentos y articulaciones a hacerse rígidos y flexionar en posición de contractura.

53-c

El desarrollo de la potencia muscular no es necesario para los ancianos, pudiendo ser contraproducente e incluso causar lesiones de una forma indiscriminada y sin una progresión adecuada.

54. La revitalización consiste en:

a) Recuperar la vitalidad perdida tras una enfermedad.
b) Reanimar a un anciano tras una crisis cardiorespiratoria.
c) Aumentar el potencial físico del anciano mediante entrenamientos suaves.
d) Es lo mismo que rehabilitación.
e) Mantener la funcionalidad en individuos ancianos sanos.

55. De las afirmaciones siguientes, ¿cuáles son ciertas sobre la osteoporosis en el anciano?:

a) El hipotiroidismo es una causa posible de osteoporosis, sugerido por el calcio elevado en orina y sangre.
b) El reforzamiento regular de los huesos mediante la práctica de ejercicio reducirá la incidencia de osteoporosis.
c) Se requieren cantidades adecuadas de calcio y vitamina D para prevenir la osteoporosis.
d) La osteoporosis no tiene ninguna relación con el proceso de envejecimiento.
e) b y c son correctas.

56. Las barreras arquitectónicas interfieren en la vida de los ancianos por:

a) Limitar sus posibilidades de autonomía y de relación.
b) No tienen por qué suponer limitaciones.
c) Sólo interfieren negativamente en el área rural.
d) Suponen algo positivo al favorecer las relaciones por necesitar ayuda para desplazarse.
e) Sólo interfieren negativamente en el área urbana.

57. Las causas que fundamentalmente provocan accidentes de tráfico en las personas mayores son:

a) Descordinación psicomotriz.
b) Debilidad muscular y ósea.
c) Disminución de la agudeza visual y pérdida de audición.
d) Desorientación y pérdida de memoria.
e) El grupo de población de los mayores no sufre accidentes de tráfico de forma significativa.

58. En relación con la necesidad de elegir según las creencias y los valores, ¿cuál de los factores siguientes no influye en la satisfacción autónoma de la misma (es decir, no es imprescindible para ser independiente en esta necesidad)?:

a) La educación, los factores grupales y culturales.
b) El deseo de búsqueda de un ser superior y el concepto de espiritualidad.
c) El mantenimiento de la integridad física.
d) El estado mental y el mantenimiento de las capacidades intelectuales.
e) El aporte económico propio o del cónyuge.

59. La enfermera puede colaborar para que el anciano sea independiente en la necesidad de aprender:

a) Los ancianos a partir de los 70 años tienen disminuidas las capacidades de aprendizaje.
b) No forma parte del quehacer enfermero esta actividad.
c) Reforzando en el anciano los aspectos del aprendizaje, sus habilidades, e informando sobre los recursos y medios con que cuenta para aprender.
d) La enfermera dirigirá la demanda del anciano sobre el aprendizaje al organismo correspondiente para la implantación de un plan de ayuda.
e) Es inútil emprender ninguna acción, pues según algunas teorías psicológicas la capacidad de aprendizaje cesa a los 30 años.

60. La definición de paciente geriátrico es:

a) La persona de 65 años con signos evidentes de envejecimiento.
b) La persona de 65 años que presenta pluripatología ocasional de fácil resolución.
c) La persona de 65 años, que padece una o varias enfermedades que tienden a la incapacidad o invalidez, y cuya evolución está condicionada por factores psíquicos y/o sociales.
d) La persona de 65 años que presenta una o varias enfermedades diferentes a las que presentan los adultos más jóvenes y que son tratadas por profesionales especiales.
e) La persona de 65 años que no presenta ninguna característica diferente a otros grupos de edad, siendo el medio social y psicológico del individuo el que complica la enfermedad.

54-e

La revitalización consiste en una serie de actividades y ejercicios físicos suaves y recreativos con el fin de mantener buena salud y ocupaciones ociosas en ancianos sanos.

55-e

El reforzamiento regular de los huesos mediante la practica de ejercicio acompañado de una dieta adecuada para suplementar el calcio y las proteínas necesarios, tenderá a contrarrestar la osteoporosi en el anciano.

56-a

Uno de los objetivos primordiales de la enfermera es conseguir el grado máximo posible de independencia, para que el anciano puede llevar a cabo las actividades de la vida cotidiana, se reconocerá también la influencia positiva o negativa que puede ejercer el medio en la consecución de dicho objetivo. El bienestar estará ligado, pues, a las posibilidades y recursos con que cuente el anciano para desenvolverse.

57-c

Según los datos de la Dirección General de Tráfico más del 40% del total de peatones que perdieron la vida en 1992 tenían 65 o más años. La disminución de la agudeza visual, con una mayor dificultad para adaptarse a los cambios de luz, puede contribuir a problemas para encontrar el semáforo situado en la acera contraria antes de cruzar. En cuanto a la audición existe una mayor dificultad, para reconocer y discriminar los sonidos, a veces impidiendo localizar su procedencia y equivocando el origen de los mismos.

58-e

No es necesario un nivel económico concreto para satisfacer la necesidad de expresar sus convicciones personales frente a lo bueno y lo malo, su ideología o religión y frente a la propia vida y la muerte.

59-c

La intervención de enfermería se basará en el fomento de la motivación del anciano y en facilitar los medios para el aprendizaje mediante el conocimiento de sus inquietudes, teniendo en cuenta sus posibilidades o limitaciones y a la vez instruir de los medios y recursos a su alcance para asumir nuevos conocimientos.

60-c

La edad por sí sola no define al paciente geriátrico, además en la ancianidad, lo habitual es que se presenten varias enfermedades conjuntamente, ya que la existencia de una enfermedad predispone o facilita la presencia de otras. La presencia de cualquier factor intrínseco o extrínseco, favorecedora de enfermedad, repercute en el organismo anciano vulnerable con un sobreesfuerzo tanto físico como psíquico y merma la capacidad de adaptación y respuesta.

61. La sintomatología de la enfermedad en el anciano tiene unas connotaciones especiales:

a) Es frustrada e incompleta, banalizada y silente.
b) Es atípica, silente y frustrada.
c) Es frustrada e incompleta, atípica y rutinaria.
d) Es frustrada e incompleta, banalizada, atípica y silente.
e) Es manifiesta, banalizada, silente y frustrada e incompleta.

62. Elija una de las siguientes opciones que pueda considerarse como síntoma de anemia en el anciano:

a) La anemia disminuye la frecuencia de la eliminación fecal.
b) La anemia favorece la aparición de dermatitis.
c) La anemia favorece la presencia de disnea y palpitaciones por el esfuerzo.
d) Al ser frecuente la anemia en la vejez, no presenta síntomas.
e) El anciano anémico manifiesta mayor apetencia por las legumbres.

63. De las siguientes afirmaciones elija la que no es correcta, relativa a la depresión y la demencia:

a) La depresión es la causa tratable más común de demencia que aparece en el anciano.
b) La depresión es a menudo una característica de la demencia precoz.
c) La depresión es diagnosticada a menudo erróneamente como demencia.
d) Los medicamentos psicotrópicos tienden a ser usados en exceso en los pacientes institucionalizados con demencia.
e) Después de los 65 años, la demencia es más común que la depresión.

64. ¿Cuál de las siguientes acciones de enfermería no realizaría para intentar calmar a un anciano confuso agudo?:

a) Utilizar abrazaderas y barandillas negras o plateadas en la cama.
b) Mantener conversación tranquilizadora.
c) Eliminar la oscuridad, suministrando algún punto de luz.
d) Permitir la compañía de alguna persona allegada.
e) Impedir que deambule, colocando a un ayudante en la habitación.

65. Una de las siguientes afirmaciones es cierta sobre el suicidio en el anciano:

a) Los hombres blancos a partir de los 70 años cometen suicidio más a menudo.
b) El anciano que manifiesta pensamientos suicidas rara vez comete suicidio.
c) El anciano que vive con una familia demasiado numerosa es más propenso al suicidio.
d) La mujer mayor y casada comete suicidio más a menudo que la soltera.
e) Los ancianos que tienen una capacidad creativa mayor cometen suicidio más frecuentemente.

66. Una de las actuaciones de enfermería con los ancianos afectados con osteoartropatía será:

a) Inmovilizar la extremidad afecta.
b) Eliminar el calcio y minerales de la dieta para evitar las calcificaciones.
c) Aliviar el dolor y propiciar la movilidad.
d) Tomar todas las medidas posibles para evitar la infección de la herida.
e) Administrar antiinflamatorios locales.

67. De las siguientes afirmaciones elija la que es cierta:

a) Los accidentes cerebro vasculares son la causa fundamental de las alteraciones digestivas.
b) Algunas de las complicaciones de los accidentes cerebro vasculares son los edemas, las úlceras por presión y las luxaciones.
c) Las fracturas de cadera no se suelen fijar con agujas de Ender a causa de la osteoporosis en los accidentes cerebro vasculares.
d) Los accidentes cerebro vasculares surgen como consecuencia de las inmovilizaciones.
e) Las complicaciones más frecuentes de los accidentes cerebro vasculares son las neumonías.

61-d

La expresión de la enfermedad en el anciano, su sintomatología se presenta con unas connotaciones especiales: síntomas incompletos, algunos no presentan sintomatología, los ancianos restan importancia a sus síntomas, etc.

62-c

La anemia en el anciano puede ser de naturaleza muy diversa, igual que en la población en general. La anemia ferropénica junto con la sintomática, secundaria a otros procesos (inflamación y/o neoplasias) constituyen más del 90% de los diagnósticos. Siendo la disnea y las palpitaciones por el esfuerzo algunos de los síntomas, junto con fatiga fácil, anorexia, etc.

63-e

La depresión puede aparecer como demencia, y ser confundida con ella, la llamada pseudodemencia de la depresión. Solamente en aquéllos que tienen más de 75 años es más común la demencia que la depresión.

64-a

Las abrazaderas y las barandillas pueden fomentar la agitación, en general deben ser evitadas. Si se usan deben ser suaves y permitir suficiente movimiento para la comodidad física. Las barandillas de cama blanco mate o coloreadas producen menos agitación.

65-a

La American Psychiatric Association ha publicado los factores que aumentan el riesgo de suicidio, siendo uno de ellos: varón, especialmente si es blanco y con una edad a partir de 70 años.

66-c

Determinar los factores desencadenantes del dolor y procurar los medios para aliviarlo. Además propiciar la movilización delicada de la zona dolorosa, teniendo en cuenta que, durante las exacerbaciones de la artritis reumatoide, es esencial mantener en reposo la parte afectada; lo conveniente es la automovilización, puesto que el propio paciente es quien conoce sus limitaciones y sabe qué ha de hacer para no sentir dolor.

67-b

Los accidentes cerebro vasculares confinan al anciano generalmente ante situaciones de inmovilidad, favoreciendo la acumulación de líquidos, las úlceras por presión y las luxaciones.

68. Una de las siguientes afirmaciones es cierta referida a la medicación del anciano:

a) Las mayores modificaciones de los fármacos en el organismo anciano se producen en el proceso de absorción.
b) La farmacocinética de los medicamentos en la vejez no se ve alterada.
c) La eliminación de los fármacos que principalmente se excretan por los riñones, tienen una vida media más corta en la población anciana.
d) La absorción de las medicaciones por vía intramuscular o subcutánea está alterada en los ancianos.
e) Se deben evitar las administraciones por vía intravenosa en los ancianos, por estar dificultada la circulación.

69. Los problemas más frecuentes relacionados con el consumo de la medicación son:

a) La polimedicación.
b) La automedicación.
c) Los errores de prescripción.
d) La falta de comprensión.
e) La polimedicación y la automedicación.

70. La posibilidad de sufrir reacciones adversas en los ancianos es mayor:

a) En aquellos ancianos que toman varios medicamentos a un mismo tiempo.
b) Más en los hombres que en las mujeres.
c) Más en los ancianos obesos, debido al aumento de la grasa total.
d) En los ancianos que tengan prescrito antibióticos.
e) Más en ancianos que tienen alteraciones óseas.

71. Ante las dificultades que un anciano pueda tener con la toma de la medicación por vivir solo, la enfermera realizará las siguientes acciones:

a) Aconsejar no tomar la medicación si no está en presencia de una persona allegada.
b) Cambiar los tapones de seguridad por otros corrientes de más fácil manejo.
c) Comunicarse con el médico que le trate para que le prescriba dosis únicas.
d) Concentrar todas las medicaciones coincidiendo con una sola comida.
e) Aconsejar acudir diariamente a su Centro de Salud para que le administren la dosis prescrita.

72. Una de las afirmaciones siguientes no forma parte de los objetivos generales de la atención domiciliaria:

a) Mantener al anciano en su entorno habitual, el máximo tiempo posible y en las mejores condiciones.
b) Contribuir a elevar el nivel de salud de la población anciana, susceptible de Atención Domiciliaria.
c) Prestar atención integral al anciano y familia (en su caso), en el propio domicilio.
d) Favorecer la atención global del anciano, a través de la coordinación con otros sectores y niveles de atención.
e) Disminuir el gasto sanitario, al ser equipos reducidos los que se encargan de las situaciones de salud agudas del anciano, correspondiendo el resto de la valoraciones a la familia.

73. Para facilitar la evaluación de la atención se utilizan una serie de indicadores, uno de ellos es el Geronte, que consta de:

a) 13 items, valorando 5 grados de severidad.
b) 12 items, con 5 grados de severidad.
c) 5 items, valorando distintas severidades.
d) 28 items, con 3 grados de severidad.
e) Una escala donde se valoran las AVD y el grado de dependencia.

74. ¿Cuál de las siguientes afirmaciones es errónea en relación con los beneficios sociales de carácter nacional destinados a los ancianos?:

a) Deducciones por edad del impuesto sobre la renta de las personas físicas.
b) Deducciones en transportes: tren y transporte aéreo.
c) Abono particular de cuota reducida en el teléfono.
d) Gratuidad o descuento en actividades culturales y espectáculos.
e) Posibilidad de elegir una plaza como residente en el lugar más próximo a su residencia habitual.

68-d

En el caso de las vías intramuscular o subcutánea, la alteración de la absorción es debida a modificaciones tróficas, como el aumento del tejido conectivo y la disminución del tejido adiposo, o alteraciones vasculares de los tejidos.

69-e

Son los problemas más frecuentes derivados del consumo de medicamentos, entre la población anciana.

70-a

Al tomar más de un fármaco simultáneamente se pueden producir efectos de interacción medicamentosa, porque un fármaco puede alterar la farmacocinética del otro, disminuyendo o aumentando el resultado en los diferentes mecanismos de absorción, distribución, metabolismo o eliminación.

71-b

Debido a las posibles dificultades psicomotrices, los envases que dispongan de tapones de seguridad sustituirlos por otros de tipo corriente, evitándose cambiar el envase original, ya que esto puede dar lugar a errores.

72-e

La atención domiciliaria permite obtener una visión global de la situación del anciano, a través de valorar su estado de salud, conocer el entorno donde vive y el tipo de apoyos y recursos que posee e identificar factores de riesgo para la salud del núcleo familiar.

73-d

Es la representación gráfica mediante una silueta de forma humanoide, parcelada en 28 casillas que puede adoptar tres tonalidades distintas: blanco, gris y negro según el grado de severidad.

74-e

En la actualidad existe una gran demanda de plazas en residencias, no siendo posible acceder en el momento que el anciano lo desee ni la posibilidad de elegir su ubicación.

75. Algunos de los objetivos del Plan Gerontológico en el área referente a cultura y ocio son:

a) Facilitar el acceso a cursos de formación primaria, media y superior a las personas mayores interesadas.
b) Ampliar los niveles de educación y el caudal de cultura de los mayores, mediante el enriquecimiento de las actividades ofrecidas en los centros gerontológicos.
c) Fomentar la práctica del turismo entre los mayores y organizar turnos de vacaciones, a nivel nacional e internacional.
d) Fomentar, tanto en el profesorado como en los alumnos, el interés y el conocimiento del fenómeno del envejecimiento de la población y de las características psicofísicas de la persona mayor.
e) Todas son ciertas.

75-e

El artículo 50 de la Constitución, en relación con las personas mayores, dice: «Los poderes públicos promoverán su bienestar mediante un sistema de servicios sociales que atenderán sus problemas específicos de salud, cultura y ocio».

11 ENFERMERIA PSIQUIATRICA

1. Uno de los siguientes autores no es representante de la escuela conductista:

a) Watson.
b) Hull.
c) Tolman.
d) Melanie Klein.
e) Paulov.

2. Una de las siguientes conductas es considerada por Freud como mecanismo de defensa:

a) Metacognición.
b) Mecanismo operante.
c) Proyección.
d) Recuperación amnésica.
e) Interpretación de sueños.

3. En el modelo de enfermería de D. Orem se presentan como requisitos universales uno de los siguientes:

a) Integración de todas las fuerzas personales.
b) Mantenimiento del equilibrio entre soledad e interacción social.
c) Aceptación de las propias limitaciones.
d) Aceptación de la enfermedad como algo ineludible.
e) Percepción del otro como antagonista.

4. La teoría holística de la personalidad parte de un concepto del ser humano como un ser global:

a) Con aspectos biológicos, psicológicos, sociales y espirituales.
b) Con aspectos sanitarios, higiénico-biológicos, sociales y espirituales.
c) Con aspectos biológicos, psicológicos, sociosanitarios y religiosos.
d) Con aspectos neurológicos, psicológicos, sociales y espirituales.
e) Ninguna de las respuestas es cierta.

5. ¿Cuál de las siguientes no es una necesidad fundamental según Virginia Henderson?:

a) Participar en actividades lúdicas.
b) Profesar la religión del entorno.
c) Evitar los peligros ambientales.
d) Satisfacer la curiosidad.
e) Comunicar las emociones.

6. De las siguientes técnicas verbales, ¿cuál no fomenta la relación enfermero/usuario en Salud Mental?:

a) Reexposición.
b) Clarificación de ideas.
c) Escucha activa.
d) Respeto.
e) Introyección.

7. ¿Cuál de los siguientes aspectos no es característico de una relación terapéutica?:

a) La intervención más importante que realiza el enfermero.
b) Es una aceptación mutua.
c) Se produce en tres fases.
d) Se caracteriza por la intimidad.
e) La liberalización de emociones del enfermero.

8. Maslow se puede encuadrar dentro de la teoría:

a) Psicoanalítica.
b) Cognitiva.
c) Biologista.
d) Humanista.
e) Conductista.

9. La teoría cognitiva tiene como primer proceso de desarrollo:

a) La interacción social.
b) El desarrollo afectivo.
c) El desarrollo psicomotor.
d) La elaboración del yo.
e) La elaboración de futuro.

10. Uno de los siguientes mecanismos no interviene en la terapia de conducta:

a) Extinción.
b) Generalización.
c) Inhibición reactiva
d) Inhibición reactiva condicionada.
e) Asertividad.

1-d

Melanie Klein es una representante de la escuela psicoanalítica.

2-c

La proyección es considerada por Freud como atribución a otras personas de nuestros propios sentimientos.

3-b

D. Orem, amplia los conceptos de V. Henderson, como son los requisitos universales, que son la base de su teoría del autocuidado.

4-a

La teoría holística se basa en la interacción con el medio de los distintos aspectos biológicos, psicológicos, sociales y espirituales y en función de esta interacción estructura su idea de salud.

5-b

V. Henderson afirma que es saludable el profesar una religión, pero no necesariamente la que existe en el entorno socio-cultural.

6-e

La introyección puede ser considerada como mecanismo de defensa pero no como técnica favorecedora de comunicación.

7-e

En la relación terapéutica, ni el contenido ni la finalidad de la relación terapéutica se puede considerar como un sistema de solución de problemas del enfermero.

8-d

Maslow, puede considerarse como uno de los principales representantes de la escuela humanista.

9-c

Piaget establece que durante los dos primeros años de la vida, el niño se dedica exclusivamente a la formación de su pensamiento a través del conocimiento del mundo por el movimiento.

10-e

La asertividad es un característica de ciertas conductas pero no un mecanismo.

11. La terapia de grupo es un tratamiento basado en:

a) El aprendizaje interpersonal.
b) En la asimilación de las emociones de los demás.
c) En la identificación de problemas ajenos.
d) En la asunción de mecanismos de defensa ajenos.
e) En el diálogo interpersonal.

12. La modalidad de tratamiento en salud mental, que se basa en el aprendizaje interpersonal, se denomina:

a) Psicoterapia psicoanalítica.
b) Terapia de conducta.
c) Terapia racional emotiva.
d) Terapia de grupo.
e) Psicoterapia a corto plazo.

13. La terapia de conducta se basa en:

a) Que todo comportamiento es aprendido.
b) Descubrir los sucesos inconscientes del usuario.
c) Una necesidad de control del entorno.
d) Reforzar los comportamientos del usuario.
e) Aconsejar una relación más adecuada.

14. ¿Cuál de los siguientes síntomas no es un efecto secundario en la terapia electroconvulsiva?:

a) La pérdida de memoria.
b) El estado de confusión.
c) El daño cerebral por hemorragia.
d) Los signos recientes de infarto de miocardio.
e) Las arritmias.

15. Cuál de los siguientes aspectos, hechos posibles por el desarrollo de la psicofarmacología, ha sido el más claramente beneficioso para el tratamiento de las enfermedades mentales:

a) Descongestionar los hospitales psiquiátricos.
b) La posibilidad de instaurar un tratamiento psicoterapeútico.
c) Aumentar el número de ingresos hospitalarios.
d) Disminuir la incidencia de las enfermedades mentales.
e) Responsabilizar al enfermo y a su familia en el control de la enfermedad.

16. Se puede considerar que en el modelo de enfermería de Virginia Henderson, las aportaciones más importantes vienen dadas por:

a) La Psicología humanista y las teorías del aprendizaje.
b) La Psicología humanista y la teoría interpersonal.
c) La Psicología humanista y la teoría de sistemas.
d) La modificación de conducta y el aprendizaje social.
e) La teoría de sistemas y el aprendizaje social.

17. El DSM III R es:

a) Un sistema de registro estandarizado de los trastornos mentales.
b) El proceso de decisión diagnóstica recomendado por la OMS.
c) Un compendio de enfermedades mentales.
d) El manual diagnóstico y estadístico propuesto por la OMS.
e) El manual diagnóstico y estadístico propuesto por la APA.

18. El sistema internacional de clasificación de enfermedades (ICD) es:

a) Una clasificación estadística de enfermedades y estados patológicos propuesta por la OMS
b) El proceso de decisión diagnóstica recomendado por la OMS.
c) Un compendio de enfermedades mentales.
d) El manual diagnóstico propuesto de los trastornos mentales por la OMS.
e) El manual diagnóstico de los trastornos mentales propuesto por la APA.

19. Durante un proceso de crisis:

a) No se producen grandes modificaciones en nuestra vida.
b) Hay un compromiso personal.
c) Esta siempre contiene elementos de cambio o pérdida.
d) Hay un equilibrio entre la dificultad o la importancia del problema y de los recursos de que se dispone.
e) Ésta nunca contiene elementos de cambio o pérdida.

11-a

Únicamente el aprendizaje social se puede considerar como base en la terapia de grupo. Los demás son mecanismos que pueden estar presentes en el trabajo con grupos.

12-d

Los miembros del grupo completan la necesidad básica de relación con los otros, corrigiendo además las percepciones erróneas de la persona de sí misma y en relación con otros.

13-a

El comportamiento inadaptado o no deseado puede cambiarse mediante el aprendizaje de otro comportamiento adaptado o deseado que compita con el que se pretende eliminar.

14-d

El infarto de miocardio es una contraindicacion en la terapia elctroconvulsiva pero nunca un efecto secundario.

15-b

Eliminar los síntomas asociados a la enfermedad mental, tales como ansiedad, desánimo, alucinaciones, etc., permite y facilita el acercamiento psicoterapéutico.

16-a

Las aportaciones de Maslow (desde la psicología humanista) y Thordnike (desde las teorías del aprendizaje) son la base de este modelo de enfermería.

17-e

DSM III R son las siglas de Diagnostic and Statistical Manual of Mental Disorders (Manual diagnóstico y estadístico de los trastornos mentales) de la APA (American Pschyatric Association), tercera edición revisada (1988).

18-d

La ICD es la clasificación estadística que propone la OMS; se han producido múltiples revisiones de la ICD original, actualmente está en uso la revisión 10ª (ICD-10).

19-c

Una situación de crisis conlleva siempre cambios o pérdidas que son los que determinan, en gran medida, la adaptación a las nuevas situaciones.

20. Según la descripción de H. Peplau, la ansiedad moderada:

a) Está asociada a la tensión de los acontecimientos de la vida cotidiana.
b) Produce una atención selectiva, aunque se puede prestar atención a más cosas si le interesa a la persona.
c) Existe un incremento importante de la actividad motora.
d) Existe una distorsión de la percepción.
e) Existe una pequeña dificultad para permanecer quieto.

21. La diferencia que existe entre una respuesta ansiosa y una situación de miedo es que:

a) En la ansiedad existe objeto real amenazante y en el miedo, no.
b) En la ansiedad no existe objeto real amenazante y en el miedo, sí.
c) La ansiedad tiene que ver con la valoración objetiva de la amenaza y el miedo, no.
d) La ansiedad y el miedo tienen su origen en un objeto real amenazante.
e) Ninguna de las respuestas es cierta.

22. ¿Cuál de las siguientes respuestas no está incluida en la necesidad de seguridad en un trastorno fóbico?:

a) Sentimientos de inseguridad personal.
b) Sentimientos de frustración.
c) Deterioro en las relaciones interpersonales.
d) Incapacidad de controlar situaciones cotidianas.
e) Desarrollo de conductas contrafóbicas para protegerse.

23. ¿Cuál de las siguientes conductas es una característica importante que se presenta en los trastornos obsesivocompulsivos?:

a) Accidentes domésticos habituales.
b) Comportamiento ritualista.
c) Falta de conocimientos sobre higiene personal.
d) Hiperactividad.
e) Alteraciones de la imagen corporal.

24. El trastorno de personalidad antisocial se caracteriza por:

a) Conducta teatral, emotiva o errática.
b) Componente importante de ansiedad y temor.
c) Conducta excéntrica y extraña.
d) Conducta desconfiada y suspicaz en exceso.
e) Miedo a hacer el ridículo y exagerado sentimiento de vergüenza.

25. ¿Qué autor acuñó el concepto de «Síndrome general de adaptación», refiriéndose a las consecuencias biológicas y psicológicas del estrés?:

a) Gerald Caplan.
b) Friedman.
c) Rosenman.
d) Selye.
e) Coleman.

26. ¿Cuál de las siguientes formas de actuar no es una característica de comportamiento «tipo A»?:

a) Moverse rápidamente.
b) Intentar hacer dos cosas a la vez.
c) Sentirse siempre satisfechos con las actividades que realizan.
d) Enfadarse excesivamente con las tardanzas
e) Sentirse culpable al descansar.

27. Según las teorías sociológicas, los trastornos psicofisiológicas se definirían como:

a) Una reacción no específica del cuerpo a cualquier demanda hecha sobre él.
b) Aquellas enfermedades provocadas por determinados cambios en la vida personal de los sujetos.
c) Determinados por factores de personalidad, con los que están íntimamente asociados.
d) La obtención de beneficios indirectos derivados de la experiencia de la enfermedad.
e) Un fallo de las defensas ordinarias para mantener la homeostasis.

20-b

El déficit atencional se manifiesta en niveles elevados de ansiedad, pero cuando ésta es sólo moderada puede aumentarse la atención si la persona realiza un pequeño esfuerzo para ello.

21-b

Se considera que el miedo es una respuesta ante amenazas externas, mientras que en la ansiedad puede no poder determinarse un objeto externo relacionado con la respuesta.

22-c

El deterioro en las relaciones interpersonales es una alteración en la comunicación y no de seguridad.

23-b

Los rituales son una de las características principales en los trastornos obsesivo-compulsivos.

24-a

El histrionismo (conducta teatral), el exceso de emotividad y el comportamiento errático están presentes en el trastorno de personalidad antisocial. Los otros síntomas mencionados, aunque en ocasiones se manifiestan en este trastorno, no están presentes siempre, por lo que no se consideran característicos.

25-d

Hans Selye, es considerado el padre de la teoría del estrés. Condujo sus estudios iniciales sobre el estrés al final de los años 30, y en 1950 publicó su famoso tratado sobre la materia.

26-c

Las personas con un comportamiento «tipo A» aunque trabajan demasiado, a menudo no se sienten satisfechos con las actividades realizadas.

27-b

El cambio de vida, el estilo de vida y la cohesión social, puede dar como resultado un aumento en el riesgo de padecer cualquier tipo de enfermedad.

28. Una característica de comportamiento en personas propensas al cáncer es que:

a) Manifiestan ansiedad elevada.
b) Suelen ser rígidas e intolerantes con los demás.
c) Tiende a conformarse con los deseos y demandas de los demás.
d) Manifiestan una elevada independencia de los demás.
e) Presentan a menudo sentimiento de culpabilidad.

29. ¿Cuál de las siguientes conductas no es una característica afectiva en sujetos con trastornos respiratorios?:

a) Pobre control de los impulsos.
b) Deseo de ser protegido por la figura materna.
c) Sensibilidad ante la crítica.
d) Inmadurez.
e) Tendencia a reprimir las emociones negativas.

30. ¿Cuál de las siguientes manifestaciones no es significativa en la necesidad de comunicación de los pacientes con alteraciones psicofisiológicas?:

a) La sexualidad.
b) La capacidad de resolución de problemas.
c) La limitada expresión de los sentimientos.
d) Las estrategias de afrontamiento.
e) La dificultad de expresión verbal en pacientes asmáticos.

31. Dentro de los trastornos afectivos, la variación en el estado de ánimo en una depresión mayor produce:

a) Pérdida de interés en la vida, que se mueve de leve a moderado con el nivel grave de al menos dos semanas.
b) Pérdida de interés en la vida, que se mueve de leve a moderado.
c) Pérdida de interés en la vida, que se mueve de leve a moderado y con una fase de manía de al menos, dos semanas.
d) Pérdida de interés en la vida, que se mueve de leve a moderado con el nivel grave de al menos ocho semanas.
e) Alternancia en el tiempo con fases de estado depresivo y estado maníaco.

32. El riesgo más alto de padecer un trastorno afectivo está en:

a) En mujeres casadas, separadas y hombres casados.
b) En mujeres separadas, divorciadas y en hombres solteros.
c) En mujeres casadas, divorciadas y en hombres casados.
d) En mujeres casadas, solteras y en hombres casados.
e) En mujeres separadas, solteras y en hombres solteros.

33. La necesidad de seguridad en un trastorno del estado de ánimo (o afectivo), no está alterada por:

a) Ideas de culpa, de ruina y muerte.
b) Ideación suicida.
c) Cambios laborales. Jubilación.
d) Rechazo o abandono de tratamientos farmacológicos.
e) Conductas de riesgo.

34. En los trastornos maníacos, la alteración de la comunicación se ve afectada, ¿por cuál de las siguientes características?:

a) Respuestas monosilábicas.
b) Interés ausente por las cosas o relaciones.
c) Fuga de ideas.
d) Encontrar las palabras adecuadas para poder responder.
e) Astenia.

35. ¿Cuál de las siguientes respuestas es una característica afectiva en los trastornos depresivos?:

a) Los sentimientos de culpabilidad.
b) La autocrítica.
c) El flujo de pensamiento.
d) La interacción con otras personas.
e) El deseo de participar en actividades.

36. Según el DSM-III, uno de los criterios de diagnóstico para la dependencia del alcohol es:

a) Violencia mientras está ebrio.
b) Tolerancia o abstinencia.
c) Ausencia del trabajo.
d) Discusiones o dificultades con familiares y amigos a causa del excesivo uso del alcohol.
e) Duración del trastorno al menos durante un mes.

28-c

Las personas propensas al cáncer suelen conformarse con los deseos de los demás y es frecuente que los deseos de los demás se antepongan a los suyos.

29-e

Según Weiner (1985) la tendencia a reprimir las emociones negativas es una característica de comportamiento y no una característica afectiva.

30-a

Según V. Henderson la sexualidad es una necesidad significativa en otra esfera: la de las realizaciones personales.

31-a

En una depresión mayor, el nivel grave no supera generalmente las tres semanas.

32-b

El riesgo más alto de tener un trastorno afectivo está en las mujeres separadas, divorciadas o viudas, así como en hombres solteros. Por el contrario el riesgo más bajo, se produce en mujeres y hombres casados y en las mujeres solteras (Rothblum, 1983).

33-c

Los cambios laborales en una persona es una alteración de la necesidad de trabajar y sensación de rendir provecho, y no una alteración de la seguridad.

34-c

La fuga de ideas está presente en un trastorno maníaco. Los pensamientos vienen tan rápidamente, que no hay tiempo suficiente para expresar una idea antes de que surja otra.

35-a

Los depresivos piensan incidentes sobre los que sienten culpabilidad y es difícil cambiar su centro de atención.

36-b

La tolerancia o abstinencia, es un criterio según el DSMIII para la dependencia del alcohol.

37. ¿Cuál de las siguientes manifestaciones se observa en la fase crónica de la adicción al alcohol?:

a) Beber para aliviar la tensión.
b) Se requieren más y más cantidades de alcohol para alcanzar el estado de sedación deseado.
c) Comportamiento de grandiosidad para compensar la bebida.
d) Pérdida de tolerancia.
e) Comportamiento agresivo marcado.

38. ¿Cuál de las siguientes respuestas es una característica afectiva en los sujetos con abuso de alcohol?:

a) Negación.
b) Desafío abierto de autoridad.
c) Lapsos de memoria.
d) El uso de coartadas.
e) Amnesias.

39. La enfermedad de Korsakoff se caracteriza por:

a) Amnesia.
b) Confabulación.
c) Desorientación.
d) Neuropatía periférica.
e) Dificultad en las relaciones interpersonales.

40. La tolerancia se refiere a:

a) La confianza o la necesidad adquirida de una droga.
b) Ansia por una droga tras el uso prolongado de la misma.
c) Necesidad de aumentar las dosis para conseguir el efecto deseado.
d) Síndrome específico de una sustancia tras abandonar o reducir la ingestión de droga.
e) Cambios fisiológicos despues del uso prolongado de una droga.

41. Cuando se suspende o se reduce la ingesta de sustancias psicoactivas, tras un consumo regular, se desarrolla:

a) Síndrome de abstinencia.
b) Tolerancia.
c) Adicción.
d) Dependencia.
e) Dependencia psicológica.

42. La necesidad de seguridad en los trastornos por uso de sustancias psicoactivas se encuentra alterada por:

a) Enfermedades de transmisión sexual.
b) Conducta incontrolada.
c) Degradación en las relaciones sociales.
d) Pesadillas.
e) Debilidad muscular.

43. ¿Cuál de los siguientes síntomas no es parte del síndrome de abstinencia a opiáceos (SAO)?:

a) Sudoración.
b) Insomnio.
c) Lagrimeo.
d) Dematitis.
e) Midriasis.

44. Son drogas activadoras de SNC:

a) El alcohol, las anfetaminas y la nicotina.
b) La nicotina, la cocaína y los hipnóticos.
c) La cocaína y las anfetaminas.
d) La heroína y cocaína (cuando se administran juntas).
e) Los antidepresivos (excepto IMAOS) y los ansiolíticos de vida corta.

45. Son drogas depresoras de SNC:

a) El alcohol y el cannabis.
b) La nicotina, la cocaína y los hipnóticos.
c) La cocaína y las anfetaminas.
d) La heroína y cocaína (cuando se administran juntas)
e) Los antidepresivos (excepto IMAOS) y los ansiolíticos de vida corta.

46. En el trastorno generalizado del desarrollo (trastorno autista), ¿cuál de los siguientes síntomas no está siempre presente?:

a) Deterioro del nivel intelectual (retraso mental).
b) Deterioro cualitativo en la interacción social.
c) Deterioro cualitativo en la comunicación.
d) Deterioro cualitativo de la actividad imaginativa.
e) Restricción notable de actividades e intereses.

37-d

En la fase crónica se observa una pérdida de tolerancia, esto es, la mitad de la cantidad previa requerida de alcohol es suficiente para conducirle a un estado de sedación (Jellinek, 1962).

38-a

La negación se describe como la no disposición del alcohólico a reconocer su problema de bebida.

39-e

Las relaciones interpersonales son una característica de comportamiento, que se halla alterada en las personas con abuso de alcohol.

40-c

La tolerancia significa que se necesita un notable aumento de la sustancia para conseguir los efectos deseados.

41-a

El síndrome de abstinencia se produce cuando se abandona o reduce la ingestión de drogas.

42-b

La conducta incontrolada crea en estos sujetos falta de seguridad.

43-d

Las dermatitis son producidas por la falta de higiene y no como parte del SAO.

44-c

De las mencionadas, sólo son drogas activadoras del SNC la cocaína y las anfetaminas, puesto que otras como el alcohol, pueden producir una reacción paradójica de desinhibición conductual como resultado de su efecto depresor.

45-a

Deprimen el SNC el alcohol y el cannabis produciendo un efecto de euforia como consecuencia de la menor activación cortical.

46-a

El retraso mental no es un síntoma del autismo, siendo caracteríticos los otros cuatro mencionados.

47. En el trastorno por déficit de atención con hiperactividad frecuentemente aparecen los siguientes síntomas característicos:

a) Lesión neurológica difusa.
b) Dificultad para seguir las instrucciones de los demás.
c) Notable nivel de ansiedad que se manifiesta en movimientos continuos.
d) Estado disfórico.
e) Afición para desarmar y observar el funcionamiento de objetos varios (relojes, cajas de música).

48. Lo característico de la anorexia nerviosa es:

a) La pérdida de apetito.
b) El aumento del apetito.
c) Las alteraciones menstruales.
d) El peso por encima de la media para la edad, talla y sexo del paciente.
e) El miedo intenso a ganar peso.

49. La alteración en la percepción del peso, la talla o la silueta corporal es un síntoma característico de:

a) Anorexia nerviosa.
b) Esquizofrenia catatónica.
c) Alteración del estado de ánimo.
d) Neurosis obsesiva.
e) Personalidad paranoide.

50. La persona que se empeña regularmente en provocarse el vómito, usar laxantes, practicar dietas estrictas o hacer mucho ejercicio para prevenir el aumento de peso, puede recibir el diagnóstico de:

a) Bulimia nerviosa.
b) Anorexia nerviosa.
c) Personalidad obsesiva.
d) Personalidad «borderline».
e) No tiene ningun trastorno mental.

51. ¿Cuál de las siguientes respuestas, se considera una alteración en la comunicación en los trastornos de conducta alimentaria?:

a) Sentimientos de inseguridad y minusvalía.
b) Crisis de ansiedad.
c) Intento de suicidio.
d) Pérdida de relaciones significativas.
e) Alteraciones específicas del comportamiento.

52. El comportamiento «sintónico del ego» en la anorexia nerviosa, es una característica:

a) Intelectual.
b) Afectiva.
c) Sociocultural.
d) De comportamiento.
e) Fisiológica.

53. Según la clasificación del DSM-IIIR, ¿cuál de las siguientes respuestas no está incluida en los criterios de diagnóstico de los trastornos esquizofrénicos?:

a) Ideas delirantes extrañas.
b) Aislamiento o retraimiento social.
c) Trastorno mental orgánico.
d) Alucinaciones.
e) Incoherencia.

54. ¿Cuál de los siguientes items es un criterio para el diagnóstico de una esquizofrenia paranoide, segun el DSM IIIR?:

a) Incoherencia frecuente.
b) Ausencia de ideas delirantes.
c) Estupor catatónico.
d) Ideas delirantes.
e) Conducta desorganizada.

55. La ausencia de ideas delirantes sistematizadas está presente en la esquizofrenia:

a) Tipo desorganizado.
b) Tipo catatónico.
c) Tipo paranoide.
d) Tipo indiferenciado.
e) Tipo residual.

56. Las percepciones falsas sin estímulos externos se denominan:

a) Delirios.
b) Alucinaciones.
c) Ideas de referencia.
d) Ideas de influencia.
e) Pensamiento patológico.

57. ¿Cuál de los siguientes trastornos pueden alterar la necesidad de reposo y sueño en los trastornos esquizofrénicos?:

a) Inhibición psicomotriz.
b) Estereotipias.
c) Disquinesias.
d) Ideas delirantes de persecución.
e) Rigidez.

47-b

La dificultad para seguir las instrucciones es un síntoma característico de este trastorno y se debe a la alteración de la atención que impide muchas veces escuchar las instrucciones hasta que éstas se han terminado.

48-e

Sólo el miedo intenso a ganar peso es un síntoma característico de la anorexia.

49-a

En la anorexia nerviosa está muy comprometida la percepción sobre su cuerpo.

50-a

Lo escrito en el enunciado es un síntoma característico de la bulimia nerviosa.

51-d

En los trastornos de conducta alimentaria se produce una pérdida de relaciones debido a los incomprensibles cambios de humor y la irritabilidad que muestran estas personas.

52-a

El comportamiento «sintónico del ego» es una característica intelectual de los anoréxicos, ya que estas personas se comportan de acuerdo con otros pensamientos, deseos y valores.

53-c

El trastorno mental orgánico es un diagnóstico diferencial en los trastornos esquizofrénicos, y no un criterio de diagnóstico.

54-d

Solamente las ideas delirantes se encuentran en los criterios de diagnóstico en la esquizofrenia paranoide.

55-a

En la esquizofrenia de tipo desorganizado es característico el no presentar ideas delirantes.

56-b

Las alucinaciones se definen como la percepción sin objeto y están presentes especialmemte en los trastornos esquizofrénicos, pudiendo presentarse también en otros trastornos, como el trastorno cerebral orgánico o los trastornos afectivos.

57-d

Los delirios, vividos como amenaza, pueden producir temor en estos enfermos y mantenerlos en una actitud hipervigilantes con la consiguiente alteración en el sueño.

58. La perturbación en el curso ordenado de movimientos se denomina:

a) Ataxia.
b) Disquinesia.
c) Ecopraxia.
d) Acatisia.
e) Autismo.

59. Se denomina paratimia:

a) Divergencia entre emociones.
b) Incapacidad para permanecer tranquilo.
c) Inseguridad o paso titubeante.
d) Imitación de movimientos corporales de otras personas.
e) Incapacidad para sentir placer.

60. La pérdida insidiosa y progresiva de las capacidades mentales, lo suficientemente grave como para interferir en el funcionamiento ocupacional, se denomina:

a) Delirium.
b) Demencia.
c) Trastorno esquizofrénico.
d) Trastorno de personalidad.
e) Síndrome afectivo orgánico.

61. La enfermedad de Alzheimer se asocia con:

a) Fallo circulatorio cerebral.
b) Desequilibrios metabólicos.
c) Degeneración y deterioro cortical.
d) Alteración en el estado de ánimo.
e) Comportamiento extravagante.

62. ¿Cuál de las siguientes respuestas es un criterio de diagnóstico de delirium según el DSM-III R?:

a) Obnubilación de la conciencia.
b) No hay obnubilación de la conciencia.
c) Alucinaciones recurrentes o persistentes.
d) Ideas delirantes.
e) Alteración en el estado de ánimo.

63. La confabulación es una característica de las personas con trastorno cerebral orgánico tipo:

a) Síndrome amnésico.
b) Alzheimer.
c) Síndrome afectivo orgánico.
d) Delirium.
e) Síndrome orgánico de la personalidad.

64. En las personas con demencia, la incapacidad para orientarse en espacios abiertos, en lugares conocidos o en su propio domicilio es una alteración de:

a) Seguridad.
b) Comunicación.
c) Movilización.
d) Participar en actividades recreativas.
e) Profesional.

65. ¿Cuál de los siguientes efectos adversos de los neurolépticos no es extrapiramidal?:

a) Distonías.
b) Disquinesias.
c) Hipotensión ortostática.
d) Pseudoparkinson.
e) Acastesia.

66. No es un beneficio de la medicación antipsicótica:

a) La disminución del comportamiento psicótico.
b) La no adición.
c) El efecto de calma sin hipersedación.
d) Las propiedades analgésicas.
e) La dilatación de los vasos periféricos.

67. El carbonato de litio es una droga:

a) Antipsicótica.
b) Antidepresiva.
c) Antimaníaca.
d) Ansiolítica.
e) Inhibidores de M.A.O.

68. La imipramina es un fármaco:

a) Antidepresivo.
b) Antipsicótico.
c) Antimaníaco.
d) Ansiolítico.
e) Inhibidor de M.A.O.

69. Los antidepresivos están indicados cuando se dan los siguientes síntomas:

a) Alteración en el nivel de actividad.
b) Retraimiento.
c) Descenso del concepto de uno mismo.
d) Fuga de ideas.
e) Ideas de suicidio.

58-b

Las disquinesias (o discinesias) es una alteración que se produce en los pacientes con esquizofrenia catatónica. También se puede producir como efecto secundario en el tratamiento con neurolépticos.

59-a

En la paratimia, la afectividad del paciente no se ajusta a la vivencia actual. (Por ejemplo, se ríe cuando le anuncian la muerte de un familiar).

60-b

En la demencia están afectadas de forma general la memoria, el aprendizaje, la atención y el juicio, lo que determina una interferencia con el funcionamiento laboral, social y familiar.

61-c

La enfermedad de Alzheimer está asociada a la degeneración y deterioro cortical. Representa el 50% de los casos diagnosticados como demencia.

62-a

Solamente la obnubilación de la conciencia es un criterio para el diagnóstico de delirio. Las demás respuestas corresponden a diversos trastornos cerebrales orgánicos.

63-b

La confabulación se observa en la enfermedad de Alzheimer y es un intento de distraer a otros para que no aprecien el déficit de memoria que estos sujetos tienen.

64-a

Debido a la desorientación témporo-espacial, los pacientes pueden colocarse en situaciones de peligro real.

65-c

La hipotensión ortostática es un efecto adverso del sistema nervioso autónomo y no del SNC.

66-e

La dilatación de los vasos periféricos es un efecto adverso de los neurolépticos.

67-c

Las sales de litio se emplean en sujetos con alteraciones maníacas.

68-a

La imipramina es un agente antidepresivo tricíclico.

69-d

La fuga de ideas es una característica en sujetos con manía, por lo que no están indicados los antidepresivos.

70. Se puede pensar que la mayor desventaja de los antidepresivos es:

a) Los efectos anticolinérgicos adversos.
b) Los efectos terapeúticos aparecen a las cuatro semanas de tratamiento.
c) El descenso de la líbido.
d) Los efectos secundarios endocrinos.
e) Las taquicardias.

71. Las benzodiecepinas corresponden al grupo de:

a) Antidepresivos.
b) Antipsicóticos.
c) Antimaníacos.
d) Ansiolíticos.
e) Hipnóticos.

72. ¿Cuál de las siguientes respuestas no es un efecto adverso de los inhibidores de la M.A.O?:

a) Las crisis hipertensivas.
b) El efecto hipnótico.
c) Hipotensión ortostática.
d) Hepatotoxicidad.
e) Fatiga.

73. El uso prolongado de altas dosis de ansiolíticos producen:

a) Tolerancia solamente.
b) Tolerancia y dependencia física solamente.
c) Tolerancia y dependencia psíquica solamente.
d) Tolerancia y dependencia física y psíquica.
e) Dependencia física y psíquica solamente.

74. Según Caplan (1961), la prevención secundaria en la intervención de los problemas de salud mental tiene como objetivos:

a) Una manipulación del entorno apropiada.
b) Identificar los grupos de población con riesgo de experimentar problemas psicosociales.
c) Reducir los efectos del trastorno mental.
d) El diagnóstico precoz y la intervención en problemas de salud mental.
e) Las actividades de rehabilitación.

75. La educación para la salud en enfermería psiquiátrica, tiene como único objetivo:

a) Ofrecer información sobre los trastornos mentales a los ciudadanos.
b) La disminución de la prevalencia de los trastornos mentales.
c) La disminución de la incidencia de los trastornos mentales.
d) Facilitar la rehabilitación.
e) Todas las respuestas son verdaderas.

70-b

La mayor desventaja en el tratamiento con antidepresivos es que la efectividad no aparece hasta las tres o cuatro semanas de iniciado el tratamiento, y es durante este tiempo cuando suelen aparecer los efectos adversos, lo que es motivo de abandono por parte de los pacientes.

71-d

Las benzodiacepinas es el grupo más importante de ansiolíticos.

72-b

El efecto hipnótico no es un efecto secundario de los antidepresivos.

73-d

La tolerancia, la dependencia física y psíquica se pueden dar tras el uso prolongado y de dosis altas de ansiolíticos.

74-d

En la prevención secundaria se interviene en problemas de salud y se desarrollan estrategias que apoyen la competencia interpersonal e intrapersonal del usuario.

75-e

El objetivo de la EpS es incidir tanto en los niveles preventivos, como en la duración de los trastornos y en la eliminación de las posibles secuelas.

12 ADMINISTRACION DE SERVICIOS DE ENFERMERIA

1. Las llamadas «teorías clásicas» de la administración, tienen como punto de enfoque principal:

a) Los comportamientos sociales.
b) El funcionamiento de los sistemas.
c) La influencia del ambiente.
d) El bienestar de los trabajadores.
e) Los conceptos de estructura, burocracia y productividad.

2. ¿Cuál de las siguientes afirmaciones, respecto de la administración, es verdadera?:

a) Es una ciencia que, aplicada a las empresas, trata fundamentalmente de abaratar los costes.
b) Suele tener, como proceso, un funcionamiento autónomo dentro de cualquier institución.
c) Es una ciencia desarrollada y estable y, por tanto, poco sujeta a influencias sociales.
d) Su fin es el de propiciar que las empresas y los grupos trabajen de forma eficaz y eficiente.
e) Tiene finalidad en sí misma.

3. Al afirmar que el proceso administrativo tiene características de integridad, queremos decir:

a) Que abarca todos los recursos presentes en la empresa.
b) Que propicia el trabajo conjunto de diversos profesionales.
c) Que la acción de diversos grupos coordinados permite el intercambio de fines e intereses mutuos.
d) Que pretende salvaguardar a todos los trabajadores.
e) Que sólo la relación entre las diversas etapas que lo componen asegura la consecución de los efectos deseados.

4. Una empresa:

a) Es una institución moderna, aparecida con el proceso tecnológico de la segunda mitad del siglo XX.
b) Es cualquier grupo de individuos que trabajan conjuntamente.
c) Es un conjunto de individuos que intentan conseguir un producto, bien o servicio, que atienda a determinadas necesidades.
d) Funciona solamente en países de libre mercado.
e) Ha de tener un tamaño determinado, por ejemplo, más de 20 trabajadores.

5. Un sistema de salud:

a) Es la integración de todos los recursos y actividades sanitarios existentes, con la finalidad de producir salud.
b) Es la organización de los hospitales y centros sanitarios de un país.
c) Tiene que ver exclusivamente con los recursos públicos en materia de salud.
d) Abarca todos los aspectos relacionados directa e indirectamente con la salud (asistencia sanitaria, educación, alimentación, etc.).
e) Funciona solamente en países con una situación económica estable.

6. El sistema de salud español (señale la propuesta falsa):

a) Atiende a todos los españoles y extranjeros residentes.
b) Se financia por presupuestos del Estado y cotizaciones sociales.
c) Fomenta la participación de profesionales y ciudadanos en la gestión y evaluación de los servicios.
d) Sigue la regionalización presente en las autonomías.
e) Persigue la eficiencia en la asistencia, por encima de cualquier otro criterio.

7. La responsabilidad pública acerca de las prestaciones en salud está refrendada por:

a) La Carta Fundacional de la Organización de las Naciones Unidas.
b) La Constitución Española
c) La Ley General de Sanidad.
d) El Tratado de Roma.
e) La Declaración Universal de los Derechos Humanos.

8. ¿Cuál de éstos no es un principio del sistema de salud español?:

a) Autoridad.
b) Equidad.
c) Participación.
d) Generalización de la asistencia.
e) Integración de los recursos.

1-e

Las «teorías clásicas» (primeras décadas del siglo XX) que, en cierto modo, inician el estudio científico de la Administración, se fundan en la consideración de la empresa y sus aspectos internos, en función de la obtención de resultados, es decir, de la producción. La consideración de otros aspectos, como las conductas personales y sociales o del entorno, son más modernas.

2-d

La Administración es una ciencia aplicada, que tiende fundamentalmente a propiciar entornos y bases para el trabajo colectivo, de forma que éste se realice en las mejores condiciones y resultados. Por tanto, no tiene finalidad en sí misma ni puede funcionar de forma independiente, sino que más bien, se relaciona directamente con los grupos, su trabajo y su ambiente.

3-e

La integridad del proceso administrativo es una característica interna del mismo, relativa a su propio funcionamiento como un todo a través de la coordinación de sus diversas fases, que actúan de forma integrada.

4-c

Según la concepción actual, la empresa es, ante todo, un centro colectivo de producción de bienes o servicios, en el que los empleados no sólo trabajan conjuntamente en el tiempo y en el espacio, sino también con unas metas colectivas, que tienden a solucionar problemas presentes en la colectividad, mediante la producción de bienes o a propiciar servicios que atiendan a necesidades concretas.

5-a

En términos generales, un sistema de salud de cualquier país, pretende que la salud de los ciudadanos se incremente y mantenga en los niveles deseables y posibles, mediante la integración de los recursos y actividades, por lo que, aunque se relaciona con otros aspectos que inciden en la salud, no los incluye.

6-e

Aunque la eficiencia es una de las finalidades y orientaciones de nuestro sistema sanitario, esta característica se relaciona estrechamente con las demás, como son la equidad o la generalización de la asistencia, subordinándose a éstas en ocasiones.

7-b

En la legislación española, la más elevada referencia y refrendo legal a la responsabilidad del Estado en materia de derechos y deberes al respecto de la salud se encuentra en la Constitución (art. 43), que fija el derecho de todos a la protección y, en consonancia, la necesidad y obligatoriedad de la salvaguarda pública de este derecho fundamental.

8-a

La autoridad no figura definida en los textos legales que se refieren al sistema de salud en nuestro país, si bien se hace referencia en algunos puntos a la idea de jerarquización, más bien como ordenación de la estructura del sistema.

9. Un centro de gasto en una institución de salud:

a) Es el área más pequeña de la actividad, en la que los gastos son acumulativos.
b) Depende siempre de un responsable del más alto nivel.
c) Es un concepto variable, según el tipo de institución.
d) Por lo general, no se utiliza en los servicios de enfermería.
e) Están definidos principalmente en el sector privado.

10. Max Weber tiene importancia para la Administración porque:

a) Fue el primero en aplicar los principios de las relaciones humanas al proceso administrativo.
b) Definió el concepto de productividad en la empresa.
c) Fundamentó científicamente las operaciones administrativas, como prever, organizar y mandar.
d) Propugnó la observación de las conductas humanas como base para la eficacia y la eficiencia.
e) Elaboró el concepto de burocracia, como una forma de ejercer el poder y estructurar las relaciones.

11. Las teorías X e Y de Mc Gregor:

a) Basan el concepto de empresa en las necesidades humanas.
b) Describen fundamentalmente las diferentes tipologías de empresa, relacionándolas con la conducta de directivos y empleados.
c) Definen el funcionamiento de una empresa, de acuerdo a las influencias que ésta recibe del entorno.
d) Son un compendio de la teoría de sistemas, de las relaciones humanas y de las teorías clásicas de la Administración.
e) Explican la producción en una empresa, en función de los tipos de liderazgo.

12. El incremento de gasto sanitario se ha visto influido por todos estos factores, excepto:

a) La incorporación de las mujeres al mundo del trabajo retribuido.
b) El incremento de la tecnología.
c) El desarrollo de los sistemas de atención primaria de salud.
d) La ampliación de la cobertura.
e) Los cambios demográficos.

13. La mejora de las condiciones de la salud en el mundo, en las últimas décadas, tiene como causa fundamental:

a) El incremento del gasto sanitario.
b) La mejora de las condiciones sociales de la población.
c) El desarrollo de la tecnología sanitaria.
d) El aumento del número de médicos y enfermeras.
e) La implantación de sistemas de trabajo multidisciplinarios y la participación ciudadana.

14. Un sistema privado de salud se caracteriza por todos estos elementos, excepto:

a) Libre elección de médicos y servicios.
b) Pago directo o por seguros privados.
c) Atención personalizada.
d) Primacía de la atención basada en el desarrollo tecnológico.
e) Accesibilidad ilimitada.

15. Un sistema público de salud se caracteriza por:

a) Libre elección de médico y servicios.
b) Pago directo o por medio de seguros privados.
c) Atención personalizada.
d) Primacía de la atención basada en el desarrollo tecnológico.
e) Accesibilidad ilimitada.

16. Los actuales sistemas de salud tiene su origen en:

a) Los problemas de salud relacionados con la segunda guerra mundial.
b) Los cambios en los patrones de enfermedad aparecidos en la revolución industrial.
c) La legislación alemana de finales del siglo XIX.
d) El desarrollo de los sistemas de seguros estadounidenses en los años cincuenta.
e) La generalización de la asistencia en los países desarrollados.

17. Las fases más importante del proceso administrativo son:

a) La planificación y el control.
b) La organización.
c) La planificación y la dirección.
d) La organización y el control.
e) Todas las fases son importantes.

9-a

El concepto de «centro de gasto», que en algunos textos se puede asimilar a los de «unidades funcionales» o «grupos funcionales homogéneos», se utiliza actualmente de forma general en los servicios sanitarios, intra y extrahospitalarios, en relación con unidades que generan una actividad homogénea, claramente identificada y con gastos relacionados con ella, por ejemplo, una unidad de enfermería en un hospital.

10-e

El sociólogo y filósofo alemán Max Weber clarificó, a través de sus escritos, el término «burocracia», que se ha aplicado ampliamente al mundo de la Administración y de la empresa, incluso dotándole de un cierto matiz peyorativo (como trabajo complicado e ineficiente) que en realidad no tiene en sus orígenes.

11-b

Aunque se les denomina «teorías», los supuestos de Mc Gregor son más bien una explicación de la forma en que funcionan las empresas, de acuerdo con la consideración que en ellas se tenga de los trabajadores: la teoría X pretende que los empleados son en principio, mediocres y rechazan de forma natural el trabajo, mientras que la teoría Y asume que los seres humanos buscan la perfección, aman el trabajo y desean realizarlo de manera excelente.

12-c

Se citan como causas principales de incremento del gasto en los servicios de salud: el cambio de rol social de las mujeres, que les ha hecho abandonar en gran medida su papel de tradicionales cuidadoras; el desarrollo del arsenal tecnológico, de mucho mayor coste; la generalización de la asistencia y el elevado número de personas mayores en edad, que demandan más atención por más tiempo. Por su parte, la atención primaria de salud, si bien en sentido estricto no ha contribuido significativamente a abaratar los costes, tampoco ha producido su incremento.

13-b

Desde los trabajos de Virchow, corroborados más recientemente por McKeown, se ha constatado por los diferentes investigadores que, más que ningún otro factor, las condiciones de vida, sociales y económicas de una población tienen una influencia decisiva en la mejora de los niveles de salud. Se cita entre estos aspectos socio-económicos, además de la renta per capita, los niveles de alfabetización, especialmente de las mujeres, la vivienda y la alimentación.

14-e

Aunque se presenta habitualmente a los sistemas privados como carentes de toda limitación para los potenciales usuarios, en realidad tienen su acceso absolutamente limitado, ya que sólo pueden recibir atención en ellos los potenciales clientes que puedan pagarlos directamente o por medios de seguros privados.

15-e

Un sistema público se basa generalmente en el principio de generalización de la asistencia, propiciando que todos los ciudadanos tengan acceso a cualquier prestación de las que se oferten por el sistema.

16-c

La Alemania del Canciller Bismark fue el primer país que legisló sobre un sistema de prestaciones socio-sanitarias y económicas para los obreros, creando las llamadas Krankrenkassen (Cajas de Enfermedad), germen de los actuales sistemas sociales y de salud.

17-e

Como cualquier otro proceso, el administrativo alcanza valor cuando se considera en su conjunto, valorando la acción de todas sus fases, que actúan secuencialmente.

18. El sistema de salud español sigue un modelo:

a) Centralizado.
b) Público.
c) Autonómico.
d) Liberal.
e) Mixto.

19. Los niveles de atención que figuran en la Ley General de Sanidad de 1986 son:

a) Atención primaria, secundaria, terciaria.
b) A fijar según las características de cada autonomía.
c) Primaria y especializada.
d) Primaria y secundaria.
e) Zona básica de salud y área de salud.

20. La población a atender en un área de salud, es, según la legislación española:

a) Menos de 500.000 habitantes.
b) Entre 100.000 y 250.000 habitantes.
c) Entre 200.000 y 250.000 habitantes.
d) Entre 250.000 y 500.000 habitantes.
e) Depende de cada autonomía.

21. La función administrativa de las enfermeras significa que:

a) La enfermera está capacitada para la supervisión de los servicios.
b) La enfermera organiza los cuidados, coordinando la acción de los demás trabajadores.
c) La enfermera es la única responsable de las relaciones del usuario en el sistema.
d) Los cuidados de enfermería tienen un importante componente económico.
e) La enfermera maneja los recursos adecuados, de forma sistemática y buscando óptimos resultados.

22. La elección de un modelo teórico de cuidados tiene importancia para la administración de servicios por todas estas razones, excepto:

a) Ayuda a orientar las acciones, en función de las ideas dominantes tanto en el colectivo enfermero como en la sociedad.
b) Sirve de base para la recogida de información acerca del usuario y sus circunstancias.
c) Orienta en la confección de protocolos y procedimientos.
d) Ayuda a determinar número de personal y criterios de selección.
e) Constituye una guía para algunos procedimientos económicos especialmente la presupuestación.

23. ¿Cuál de las siguientes afirmaciones referidas a la información que utiliza la enfermera/o en su trabajo es falsa?:

a) Procede de fuentes directas e indirectas.
b) Puede ser permanente o variable.
c) Se obtiene principalmente por métodos individuales.
d) Consta de datos de origen variado: numéricos, sociales, biológicos, etc.
e) Tiene más importancia la calidad que la cantidad.

24. La multidisciplinariedad (señale la respuesta falsa):

a) Se da por supuesta cuando existen varios tipos distintos de trabajadores en un centro.
b) Tiene por finalidad la mejor utilización de los conocimientos y habilidades de los componentes de un grupo.
c) Debe estar presente en los actuales servicios de salud.
d) Es una de las ideas presentes en la legislación sanitaria española.
e) Se relaciona con la complejidad de las acciones que es necesario llevar a cabo en el sector sanitario.

25. La planificación sanitaria:

a) Se realiza exclusivamente en los niveles central y autonómico.
b) Tiene en cuenta principalmente los aspectos relativos a la disminución de costos.
c) Sigue principios diferentes a los de otras ramas de la producción, debido a la especificidad y complejidad del sector salud.
d) Se basa en el profundo conocimiento de las necesidades y problemas de la población.
e) Finaliza cuando se ha confeccionado el plan de salud correspondiente.

26. Todas las siguientes son características de la planificación, excepto:

a) Tendencia al futuro, a través de la previsión.
b) Búsqueda de resultados concretos.
c) Aplicación de los diversos niveles del sistema: central, local, institucional.
d) Búsqueda de cambios en la situación presente.
e) Precisión de información general, lo más amplia posible.

18-b

El sistema de salud español, definido por la Ley General de Sanidad (Ley 14 de 1986) es un sistema público, general y financiado por presupuestos del Estado y aportaciones de la Seguridad Social.

19-c

La Ley General de Sanidad plantea la estructuración de los servicios sanitarios en los niveles de atención primaria (Centros de Salud) y atención especializada (Hospitales y Centros de Especialidades).

20-c

Las estructuras de regionalización del Sistema Nacional de Salud español se basan, entre otros, en los criterios de población a atender. La cifra de 200.000 a 250.000 habitantes, como medida general, se complementa con aspectos administrativos (al menos una provincia) y no rige para territorios considerados especiales: las islas, Ceuta y Melilla.

21-e

La función administradora de la enfermera/o complementa a las otras (asistencial, docente, investigadora) que dan forma al concepto «cuidar» y significa la capacidad de actuar de forma eficaz y eficiente, utilizando recursos adecuados, con los mejores resultados.

22-e

El presupuesto tiene como fin la dotación económica y la distribución adecuada de los recursos materiales y se ve poco influido por la línea teórica que las enfermeras puedan haber elegido.

23-c

La información y su manejo son fundamentales en el trabajo administrativo y la enfermera/o es, posiblemente, la persona cercana al paciente que más información recibe, utilizando cualquier fuente y método, tanto individual (el propio paciente), como colectivo (muestreos, encuestas, grupos, etc.).

24-a

La multidisciplinariedad es una forma de trabajo que requiere no sólo una definición formal y reglamentaria, sino, sobre todo, el consenso del grupo en aras de conseguir los mejores resultados. Por tanto, no se debe dar por supuesta si el grupo no hace un esfuerzo por trabajar de este modo.

25-d

Una adecuada planificación de los servicios de salud debe partir en todo caso de la información acerca de la situación de la población a la que se ha de atender, esto es, de sus necesidades en materia de salud. Por otra parte, la planificación es una actividad que puede tener lugar en cualquier nivel de los servicios sanitarios.

26-e

Todas las frases propuestas en las respuestas son claras características de la planificación sanitaria, excepto la que se refiere a la información. Ésta ha de ser siempre referida a las necesidades de la población y por ello, específica y ajustada. Por otra parte, la cantidad ha de ser también la adecuada, delimitando su amplitud en virtud de cuestiones de concreción, economía y eficiencia.

27. Se define un riesgo de salud como:

a) Las mediciones de situaciones físicas, biológicas o sociales que incrementan la probabilidad de sufrir daño.
b) La presencia de un estado de salud deficiente considerado por los individuos, la comunidad o los profesionales sanitarios.
c) La desviación entre un estado de salud óptimo y el estado de salud actual o real de un individuo o una comunidad.
d) La posibilidad y probabilidad de que ocurra un daño para la salud.
e) La presencia de una tasa o indicador desviado de los patrones habituales.

28. Se define un problema de salud como:

a) Las mediciones de situaciones físicas, biológicas o sociales que incrementan la probabilidad de sufrir un daño.
b) La presencia de un estado de salud deficiente, considerado por los individuos, la comunidad o los profesionales sanitarios.
c) La desviación entre un estado de salud óptimo y el estado de salud actual o real de un individuo o una comunidad.
d) La posibilidad y probabilidad de que ocurra un daño para la salud.
e) La presencia de una tasa o indicador desviado de los patrones habituales.

29. La clasificación de las necesidades puede incluir todas estas categorías, excepto:

a) Normativa.
b) Expresada.
c) Percibida.
d) Comparativa.
e) Experimentada.

30. La finalidad principal de un presupuesto es:

a) Garantizar el uso eficaz de los recursos.
b) Distribuir el dinero existente entre los diversos servicios y actividades.
c) Programar el gasto a lo largo de un período de tiempo determinado.
d) Cumplir las normas emanadas de la Administración.
e) Generar beneficios, ya sean servicios o bienes.

31. La plantilla de personal de enfermería en una institución representa un coste de tipo:

a) Directo variable.
b) Directo fijo.
c) Estimativo.
d) Indirecto.
e) Externo.

32. Los principios del marketing sanitario son (señale la propuesta falsa):

a) Identificación de los clientes.
b) Determinación de los servicios que éstos precisan y desean.
c) Programación de los servicios que atiendan a las necesidades.
d) Generación de la demanda.
e) Diversificación de la oferta.

33. Los elementos del marketing sanitario son todos, excepto:

a) El producto.
b) El lugar.
c) El precio.
d) La promoción.
e) Los profesionales.

34. Dentro de la estructura de un programa no debe figurar:

a) La justificación.
b) La población.
c) Metas y objetivos.
d) El responsable del programa.
e) Los recursos necesarios.

35. ¿Qué se entiende por «pertinencia» de un programa?:

a) La obtención de los objetivos.
b) La justificación.
c) El ajuste de los rendimientos a las posibilidades.
d) La modificación de objetivos, según los resultados alcanzados.
e) La definición de los recursos.

27-d

Un riesgo de salud se produce justamente cuando se presenta o se incrementa una clara posibilidad y probabilidad de que un individuo o un colectivo sufra algún ataque o daño en su salud.

28-b

El concepto de problema de salud ha de ser diferenciado de otros relacionados con él, como puede ser el de necesidad. Considerado como un estado de salud deficiente, puede verse influido por los valores y creencias, tanto de los propios individuos que lo sufren, como de los profesionales expertos que lo valoran, ya que lo «deficiente» puede recibir apreciaciones distintas de unos y otros.

29-e

Considerada la necesidad en salud como resultante de un problema (estado de salud observado) se le define frecuentemente como un estado de salud deseado a alcanzar tanto en individuos como en una población. Diversos investigadores (Pineault y Daveluy, entre otros) han intentado una clasificación que clarifique los diversos tipos de necesidades que se pueden presentar en las situaciones de salud, distinguiendo la normativa (valores establecidos en una norma ideal), sentida (la percepción del propio individuo), expresada (similar a la demanda) y comparativa (tomando como referencia datos de un individuo o grupos semejantes).

30-c

El presupuesto es un instrumento de apoyo a las actividades planificadas, que en realidad es un plan en sí mismo, expresado en términos numéricos y de tiempo. Su finalidad principal es, pues, asegurar que a lo largo del período de su vigencia las actividades previstas podrán realizar los gastos necesarios.

31-a

Las plantillas de personal constituyen en una institución sanitaria un costo directo de tipo variable, ya que pueden reflejar diferencias, no sólo en cuanto al número, sino también en cuanto a horas de dedicación de los diversos trabajadores, así como otras cuestiones que repercuten en los costos, tales como la formación, la especialización, etc.

32-e

El marketing es una técnica que se aplica a la empresa sanitaria, con la intención de hacer los servicios más adecuados, no sólo a las necesidades, sino también a los deseos de los usuarios o clientes. Entre sus principios básicos no figura por tanto, la diversificación de la oferta, ya que ésta, en principio, se hace ya ajustada a las características del cliente.

33-e

Los profesionales dentro del marketing se consideran como una parte del producto, en realidad son los instrumentos que generan los productos que el servicio ofrece al cliente.

34-d

La justificación, las metas, la población y los recursos son partes imprescindibles de la estructura de un programa. Designar al responsable es un paso posterior, que no debe afectar a esa estructura.

35-c

La palabra «pertinencia» tiene en nuestro idioma un significado de adecuación u oportunidad. Por tanto, la relación entre los rendimientos y las posibilidades es un sinónimo de la pertinencia deseable en un programa.

36. La característica de un problema que indica su capacidad de resolución se denomina:

a) Sensibilidad.
b) Especificidad.
c) Vulnerabilidad.
d) Trascendencia.
e) Pertinencia.

37. Un programa básico de salud:

a) Es el diseñado para solucionar problemas sencillos
b) Es un programa fundamental, del que los demás dependen.
c) Se diseña con la integración de acciones de atención directa, administrativas y docente-asistenciales.
d) Se lleva a cabo por un equipo reducido, básicamente médico y enfermera/o.
e) Se aplica a poblaciones definidas y reducidas.

38. La jerarquización de prioridades depende de los siguientes factores, excepto:

a) Magnitud.
b) Pertinencia.
c) Opinión de la población.
d) Relación costo-efecto.
e) Vulnerabilidad.

39. La «población diana» de un plan es:

a) La población de alto riesgo.
b) La población de la zona o área de salud.
c) La población que acude a la institución sanitaria (centro de salud u hospital).
d) La población sobre la que potencialmente se debe actuar.
e) La población que presenta una situación problemática, sobre la que se actúa.

40. Un indicador sanitario:

a) Si está bien seleccionado tiene valor en sí mismo.
b) Expresa siempre datos referidos a la población humana.
c) Debe reunir condiciones de fiabilidad, estabilidad y validez.
d) Es adecuado si se puede tratar estadísticamente.
e) Se refiere siempre a situaciones de morbimortalidad.

41. ¿En cuál de las siguientes declaraciones internacionales se reconoce el derecho de los seres humanos a la salud?

a) Declaración Universal de los Derechos Humanos.
b) Pacto Social Europeo.
c) Carta de Derechos Humanos.
d) Constitución de la Organización de las Naciones Unidas.
e) Tratado de Roma.

42. En la programación por objetivos:

a) La formulación y adopción de objetivos se realiza de forma consensuada entre directivos y trabajadores.
b) Se trata de primar las expectativas de los trabajadores al elaborar los objetivos.
c) La dirección elabora los objetivos, que se trasmiten a los trabajadores para su conocimiento.
d) El supervisor es el punto más importante, ya que de él depende la elaboración de los objetivos principales.
e) Todas las decisiones se adoptan con participación.

43. Los grupos relacionados dediagnóstico (GRD):

a) Sirven para evaluar costes por estancia hospitalaria.
b) Se basan en la consideración del coste de algunos procesos típicos (hemodiálisis, apendicectomía, etc.).
c) Sirven para el cálculo de costes combinando de forma estandarizada situaciones patológicas o de diagnóstico más o menos complejo.
d) Constan de fórmulas ajustadas a tipos de intervenciones, plantilla necesaria, tipo de hospital.
e) Sirven de base para cualquier política de calidad en una institución sanitaria.

44. Los objetivos de un plan:

a) Conviene que sean tan numerosos como para que puedan incluir cualquier contingencia previsible.
b) Se elaboran preferiblemente por la dirección, para dar una mayor concreción y amplitud a su ámbito.
c) Establecen los términos concretos de la situación que se debe conseguir mediante la aplicación del plan.
d) Si están bien formulados, no es imprescindible que se formulen por escrito.
e) Pueden ser generales y específicos o directos e indirectos.

36-c

La vulnerabilidad significa la posibilidad de que un problema de salud sea solucionado por las acciones previsibles o que se puedan programar, es decir, que se puedan emprender acciones sanitarias eficaces en búsqueda de su resolución satisfactoria.

37-c

Se le da la denominación de «básico» al programa que representa la generalidad de las acciones que se llevan a cabo en materia de atención a la salud, incluyendo la atención directa (prevención, promoción y curación), las de apoyo administrativo (información, registros) y de enseñanza (profesionales y usuarios).

38-b

Cuando se plantea un programa de salud, es importante la priorización de las situaciones a abordar. Como se ha señalado anteriormente, (ver pregunta 35) la pertinencia es una característica del programa.

39-e

Como se trata de expresar con el término «diana», tal población es en sí misma un claro objetivo de la actuación de un plan, es decir, aquel grupo de usuarios sobre los que se va a actuar, conocidas sus características y necesitados de una acción específica y concreta.

40-c

Los indicadores de un plan o programa deben seleccionarse en función de la situación problemática a atender y se vincula su valor a las condiciones que deben estar presentes en él, especialmente a la fiabilidad. Puede referirse a cualquiera de los aspectos presentes en el plan, tanto biológicos como sociales o financieros.

41-d

Prácticamente todos los organismos internacionales se refieren en sus declaraciones de principios o en sus objetivos generales a la salud de los ciudadanos y a las condiciones de su obtención, mantenimiento y mejora. En todo caso, en la sociedad actual la Constitución de la ONU es el más alto referente de este reconocimiento de un derecho fundamental e inalienable, situándolo como uno de los condicionantes del desarrollo de los países y de la paz mundial.

42-a

En la programación por objetivos, o administración por objetivos, el principio fundamental que se maneja es el de la necesidad de lograr un acuerdo de todo el personal en cuanto a los objetivos a conseguir, teniendo en cuenta tanto los propósitos de la empresa como, en la medida de lo posible, los intereses de los trabajadores. Esta técnica de programación permite una mayor adhesión a los objetivos consensuados, así como que éstos respondan mejor a la situación real de la empresa.

43-c

La empresa sanitaria busca actualmente los métodos más adecuados para llegar a un cálculo ajustado de sus costes a las diferentes actividades, pacientes y profesionales que en ella trabajan. En esa búsqueda, los GRD intentan calcular el coste hospitalario, buscando como referencia situaciones patológicas, según diagnóstico médico, estandarizando lo más posible las diferentes situaciones, según una categoría de mayor o menor complejidad.

44-c

Los objetivos son una de las partes centrales de un plan o programa, que tratan de concretar lo más posible la situación que se pretende alcanzar al realizar las actividades del plan. Por ello, es preferible que no sean excesivamente numerosos, que sean elaborados con participación de todos y que se hagan por escrito, lo que facilita su consulta.

45. Un diagrama de Gantt:

a) Sirve para observar el seguimiento de la actividades planificadas.
b) Es un sinónimo de cronograma.
c) Tiene una finalidad de control exclusivamente.
d) Es un instrumento de planificación útil principalmente en actividades simples.
e) Permite la asignación de recursos humanos y materiales a un programa.

46. Se denomina cultura de una organización:

a) Al conjunto de normas y procedimientos existentes en ella.
b) Al acervo científico de que disponen sus profesionales.
c) A las leyes y reglas que siguen sus respectivos procesos terapéuticos.
d) A las fórmulas empleadas por la dirección para dirigirse a los trabajadores.
e) Al conjunto de normas, valores y prácticas específicas de los grupos de la institución.

47. El propósito fundamental de la organización con función administrativa en una institución de salud es:

a) Situar a cada trabajador en el lugar más idóneo.
b) Estructurar adecuadamente los diferentes servicios de un hospital.
c) Coordinar las personas y los medios de forma que el trabajo se realice eficaz y eficientemente.
d) Ordenar los procedimientos administrativos en una forma lógica.
e) Prever los recursos y los servicios necesarios para proporcionar los mejores cuidados.

48. El rol que desempeña una enfermera en un servicio:

a) Es el conjunto de comportamiento y actitudes que desarrolla y que se esperan de ella como profesional dentro de un grupo.
b) Depende de lo que la enfermera sabe y desea hacer.
c) Está definido por la institución de forma genérica.
d) Está en función únicamente de las expectativas de los demás miembros del grupo.
e) Permanece estable mientras la enfermera continúa en el mismo puesto de trabajo.

49. En una organización, el poder (señale la propuesta falsa):

a) Es la responsabilidad que se confiere a un puesto de trabajo por la dirección.
b) Está en relación con el grado de participación otorgado a los distintos trabajadores.
c) Es la capacidad que tienen algunas personas para influir sobre el comportamiento de los demás.
d) Utiliza a veces la recompensa como instrumento.
e) Sólo es útil cuando se emplea en función de los objetivos del grupo.

50. La eficacia en la administración significa:

a) La obtención de la mayor cantidad de resultados, bienes o servicios.
b) La relación adecuada entre recursos empleados y resultados obtenidos.
c) La adecuación de las acciones profesionales a la situación planteada.
d) La consecución de los objetivos planteados.
e) La calidad técnica profesional demostrada.

51. Los equipos de trabajo en el ámbito sanitario:

a) Son grupos de trabajadores, adecuadamente jerarquizados.
b) Desarrollan el trabajo de forma no programada.
c) Deben ser de tamaño reducido.
d) Funcionan con objetivos comunes.
e) Sólo pueden funcionar en atención primaria.

52. Todas las propuestas siguientes responden al concepto de departamentalización, excepto:

a) Permite dividir en unidades la estructura de la organización.
b) Agrupa a los empleados en función de diversos criterios, tales como las actividades a realizar, las finalidades de la atención.
c) Es un sinónimo de equipo de trabajo.
d) Es un concepto que se basa en la división del trabajo y la especialización.
e) Permite aplicar el principio de ámbito de control.

45-a

Al igual que otras técnicas de programación, que utilizan formas gráficas, el diagrama de Gantt tiene una principal finalidad: la de permitir un seguimiento del plan en sus diversas actividades, de acuerdo con varios aspectos que se pueden presentar en el diagrama: actividad a realizar, calendario, la persona responsable, las condiciones de ejecución, etc.

46-e

Cualquier organización, especialmente las complejas, como es el caso de las instituciones sanitarias, funcionan como seres vivos, con comportamientos colectivos constituidos por normas, valores y formas de actuar que les diferencian unas de otras y que, de forma genérica, reciben el nombre de cultura organizacional.

47-c

La función administrativa de organización es un proceso en el que se trata de dar forma al plan elaborado, logrando la coordinación de personas y medios para conseguir que el trabajo planificado se lleve a cabo. Ello se realiza estructurando esas personas y medios, dotándolos de formas de trabajo y apoyándolos con otros medios accesorios necesarios.

48-a

El concepto de rol se compone tanto de los comportamientos y actitudes que desempeña un trabajador, como de las expectativas de los otros trabajadores, al respecto de ese puesto de trabajo. Es un concepto que varía en el tiempo, se construye, consolida y trasforma, en función de los cambios que sufren las personas y los entornos de trabajo. Además, una misma persona puede desempeñar diversos roles, en un lugar de trabajo determinado.

49-c

El poder es una facultad de que disponen algunas personas para lograr que otros actúen según determinados patrones y constituye un importante elemento en la organización, ya que su existencia y la forma de utilizarlo determinan no sólo las relaciones que existen en los grupos de trabajo, sino también que estos grupos trabajen efectivamente.

50-a

El concepto de eficacia tiene un sentido más amplio que el mero cumplimiento de objetivos, ya que en administración se intenta que el trabajo produzca la mayor cantidad de aquéllo que se intenta alcanzar, ya sean bienes o servicios.

51-d

El concepto de trabajo en equipo está presente en la Ley General de Sanidad y no se restringe su aplicación al ámbito de la atención primaria, aunque esté más desarrollado en él. Es fundamental en este concepto que tanto los objetivos del trabajo como la decisión acerca de las acciones convenientes y los medios de control se realicen conjuntamente por todos sus miembros, en un contexto de trabajo común.

52-c

Departamentalizar es una acción de la organización, en la que se agrupa a los trabajadores de modo que obtengan una mayor eficacia en su acción. Los criterios de departamentalización pueden variar y dar origen a diferentes tipos de estructura, de mayor complejidad, en todo caso, que un simple equipo de trabajo.

53. Un organigrama:

a) Muestra la vinculación y relación de las diferentes partes de la organización.
b) Debe representar tanto la estructura formal como la informal.
c) Es un instrumento importante para el control.
d) Ayuda a elaborar las normas de trabajo.
e) Se emplea principalmente en las instituciones con una estructura jerárquica.

54. Una estructura matricial:

a) Es la representación típica de una organización informal.
b) Por su gran complejidad admite poca flexibilidad.
c) Permite una respuesta adaptada a situaciones de cambio en las instituciones.
d) No se puede representar en un organigrama.
e) Las relaciones entre los diversos departamentos no están delineados.

55. La delegación de actividades (señale la propuesta falsa):

a) Ha de tener presente tanto la autoridad como la responsabilidad de los trabajadores en quien se delega.
b) Es imprescindible que se haga con información adecuada.
c) Es una actividad que generalmente efectúa el supervisor de la unidad.
d) Se puede hacer de forma general para un grupo de actividades o para una en especial.
e) Es una actividad prevista en el plan y en las normas generales.

56. En los servicios de enfermería, una norma:

a) Es la descripción de una situación deseable, referida al paciente o las enfermeras.
b) Es la descripción de una actividad, con las condiciones de su ejecución.
c) Es la orientación particular que siguen las acciones en cada servicio o unidad.
d) Es una instrucción dada por la Dirección a la supervisora.
e) Es la forma de actuar habitual (o «normal») del grupo de enfermeras.

57. En un servicio de enfermería, un protocolo:

a) Es la descripción de una situación deseable, referida al paciente o las enfermeras.
b) Es la descripción de una actividad, con las condiciones de su ejecución.
c) Es la orientación particular que siguen las acciones en cada servicio o unidad.
d) Es una instrucción dada por la dirección a la supervisora.
e) Es la forma de actuar habitual (o normal) del grupo de enfermeras.

58. Una estructura jerárquica presenta las siguientes características:

a) Favorece la participación de todos los trabajadores de la empresa.
b) Estimula la comunicación entre los diferentes niveles de la organización.
c) Promueve la transmisión de la autoridad de forma clara.
d) Proporciona un entorno flexible.
e) Se obtiene una mayor motivación en los trabajadores.

59. La política de personal de la dirección de enfermería

a) Define el tipo de personal, su número y las condiciones de trabajo.
b) Se fija en la fase de planificación.
c) Sirve para el control de calidad.
d) Viene determinada siempre por las autoridades centrales (por ejemplo, el Insalud) sin posibilidades de modificación.
e) Tiene diferentes aplicaciones, según los servicios, sus supervisores y los otros profesionales que trabajan en cada uno de ellos.

60. Los siguientes, son tipos de clasificación de pacientes empleados en los servicios de enfermería, excepto:

a) Por GRDs.
b) Por factores.
c) Por tiempos.
d) Por niveles de dependencia/independencia.
e) Por actividades.

53-a

Como representación gráfica y esquemática de la estructura de una organización, un organigrama es un instrumento aplicable a cualquier tipo de estructura y no refleja más que la parte formal de ella, en los aspectos de situación, relación, comunicación, de cada una de las unidades operativas.

54-c

La estructura matricial tiene como principal ventaja la de su flexibilidad, lo que la hace especialmente indicada para instituciones complejas y en situación potencialde cambios organizativos que requieran adaptación de la estructura a nuevas situaciones.

55-e

La delegación es una actividad que afecta a todo el grupo de trabajo, en los diversos niveles de responsabilidad en la ejecución de las acciones. Se realiza para una categoría general de éstas o bien para una en concreto y es una cuestión que tiene que ver fundamentalmente con la organización y posteriormente con la forma de establecer la supervisión o coordinación de los trabajos.

56-a

Ver respuesta pregunta 57

57-b

Norma y protocolo son dos conceptos organizativos ligados entre sí de forma que constituyen una guía para la acción (protocolo), basándose en situaciones genéricas deseables (norma). De hecho, los protocolos significan la concreción de las normas en actividades concretas.

58-c

La base principal de una estructura organizativa de tipo jerárquico es justamente la situación centralizada de la autoridad, que se encuentra claramente definida y permite la trasmisión a los diferentes niveles, en sentido descendente.

59-a

Una política es una línea general de actuación que mantiene una institución en aspectos determinados de la organización: compras, admisión de pacientes, personal, etc. En este último terreno, cada división de Enfermaría fija sus ideas en cuanto a tipo de titulación: enfermera, auxiliares, otros; número, de acuerdo a las actividades (tipo y complejidad de éstas) y condiciones de trabajo (turnos, supervisión, formación continuada, etc.).

60-a

Los GRD (grupos relacionados de diagnósticos) son un método de cálculo de costes, principalmente. No se utilizan, por tanto, para asignar pacientes o distribuir el trabajo en una Unidad, para lo que hay que emplear otros criterios, como la dedicación en tiempo, la complejidad de las acciones, etc.

61. El método de distribución del trabajo de enfermería según asignación primaria, significa que:

a) La enfermera trabaja en coordinación con el centro de salud.
b) Los pacientes son asignados a un equipo de enfermeras y auxiliares.
c) Se establece una jerarquización de actividades en primarias y secundarias.
d) Se asigna cada paciente a una enfermera, que es responsable totalmente de su cuidado durante la permanencia del enfermo en el hospital.
e) Las decisiones del cuidado se adoptan de forma conjunta.

62. La descripción de puestos de trabajo sirve para todo lo siguiente, excepto para:

a) Delimitar las responsabilidades de cada trabajador.
b) Orientar a los nuevos trabajadores en su incorporación a la empresa.
c) Asignar actividades a cada grupo de trabajadores.
d) Definir plantillas, en tipo y número de empleados necesarios.
e) Facilitar el cumplimiento de las normas existentes en la institución.

63. En un hospital, la plantilla de personal de enfermería:

a) Viene siempre determinada, en la empresa pública, por la autoridad central (Insalud, SAS, ICS, etc.).
b) Depende fundamentalmente del cálculo de tiempo que se requiera para cada actividad enfermera.
c) Se calcula teniendo en cuenta, no sólo la actividad enfermera, sino otros factores del hospital y del resto de personal.
d) Se refiere al número de enfermeras profesionales necesarias.
e) Para una mayor simplicidad, se tiene en cuenta un tiempo estándar de contratación.

64. Se define como liderazgo a:

a) La capacidad de influir en los demás componentes del grupo, de manera que todos trabajen lo mejor posible.
b) La autoridad para ejercer dominio sobre los trabajadores.
c) Las cualidades personales que algunas personas poseen y que les hacen destacar de los demás.
d) Las habilidades para valorar adecuadamente a las personas.
e) Las posibilidades de incentivación de que los directores disponen para estimular al trabajo colectivo.

65. La función de dirección tiene que ver fundamentalmente con:

a) Los recursos materiales.
b) Las normas y procedimientos.
c) Las personas.
d) Los presupuestos y su organización.
e) La jerarquía de la organización.

66. En la motivación del personal de enfermería: (señale la respuesta falsa):

a) Es muy importante el papel del supervisor.
b) Existen factores intrínsecos (reconocimiento, formación continuada) y extrínsecos (vacaciones, horarios).
c) Influye la complejidad y responsabilidad conferida al puesto.
d) La retribución económica juega el papel más importante.
e) Los elementos motivadores están directamente relacionados con la ejecución del trabajo.

67. Un líder democrático:

a) Es el que persigue fundamentalmente la eficacia.
b) Es aquél que intenta convencer al grupo.
c) Es el que permite la libre acción de cada componente del grupo.
d) Utiliza principalmente su influencia personal para liderar el grupo.
e) Anima al grupo a expresar opiniones y decidir conjuntamente.

61-d

Este método de trabajo se fundamenta en la relación directa de cada usuario con una enfermera «primaria», responsable de su cuidado integral todo el tiempo que permanezca ingresado, valorando las necesidades, planificando las acciones, ejecutándolas y evaluándolas. Cuando la enfermera «primaria» no está en la unidad, mantiene la responsabilidad y el control sobre el paciente y su entorno, pero las acciones que se deban realizar las ejecuta una enfermera «asociada» o colaboradora.

62-e

La descripción de puestos de trabajo en un centro sanitario es un elemento organizativo importante, toda vez que establece las responsabilidades, las relaciones organizativas y las condiciones de trabajo de los diferentes lugares laborales que ocupan los empleados del centro. Está en relación con las normas pero, en sentido estricto, no tiene mayor influencia en que éstas se cumplan o no.

63-c

El cálculo de plantilla de personal de enfermería en un hospital es una actividad compleja, que se realiza por la Dirección, tendiendo en cuenta las normas genéricas emitidas por la autoridad central, si la hubiera, los factores del hospital, las características de los usuarios, el personal de otras divisiones o departamentos que emplea el hospital, así como las actividades programadas a realizar por el personal de enfermería, que por lo general agrupa a enfermeras profesionales, auxiliares y, en algunos hospitales a fisioterapeutas y técnicos.

64-a

En un grupo, un líder es aquél que tiene la capacidad y la habilidad para influir sobre las personas, a fin de que éstas trabajen de acuerdo a los objetivos. Generalmente, el concepto de liderazgo se vincula al de autoridad y poder, así como a las características personales que adornan al líder.

65-c

En la etapa de dirección se inician e impulsan las acciones que se han programado y organizado y esto se lleva a cabo por las personas, que son las que actúan. Por ello, el componente principal de esta fase son las propias personas, los trabajadores y ello se traduce en los elementos de la dirección, tales como el liderazgo, la motivación, la comunicación y la supervisión.

66-d

Por lo general, se considera que el sueldo no es un elemento fundamental de motivación para las enfermeras/os, no sólo por razones históricas y sociales, sino principalmente porque hasta ahora el sueldo se percibe independientemente de que el trabajo haya sido bien o mal realizado. Sólo vinculando la retribución económica al desempeño del trabajo, es decir, si se pudiera realmente pagar más sueldo a la enfermera/o que más y mejor trabaje, podría considerarse el dinero como elemento motivador en los servicios de enfermería.

67-e

Este tipo de líder fomenta el trabajo del grupo estimulando la expresión de todas las opiniones y adoptando la alternativa más acorde con estas opiniones, facilitando además la ejecución mediante el apoyo y la orientación.

68. La motivación:

a) Según la teoría de Maslow, tiene más efectividad cuanto más atienda las necesidades básicas.
b) Tiene patrones generales de actuación, independientemente de las personas.
c) Es una técnica de la administración, que obliga a las personas a trabajar de acuerdo con la norma.
d) Es un elemento directivo, que utiliza principalmente el premio o el castigo para conductas profesionales adecuadas o no.
e) Es la presentación de estímulos adecuados de manera que los trabajadores se esfuercen por realizar el trabajo correctamente.

69. La comunicación, en un servicio de enfermería:

a) Para ser verdaderamente eficaz, ha de hacerse en grupos pequeños.
b) Tiene unos canales distintos a los de cualquier otra empresa, dada su especificidad.
c) Casi siempre es escrita.
d) Se basa en los mismos principios que en otros grupos profesionales y servicios.
e) Se centra principalmente en los puestos de dirección.

70. En una unidad de enfermería, la supervisora tiene como principal misión:

a) Los aspectos burocráticos de las tareas: peticiones de material, horarios y turnos, etc.
b) La observación y seguimiento de las actividades del personal a su cargo y la enseñanza referida a éstas.
c) La vigilancia acerca del cumplimiento de las normas por parte del personal.
d) La confección de protocolos adecuados a las actividades.
e) El cumplimiento de las órdenes emanadas de la dirección de Enfermería.

71. La finalidad principal del control es:

a) Constatar el cumplimiento de los objetivos.
b) Mejorar el proceso, a través de la adopción de medidas correctoras.
c) Comprobar cómo se realizan las actividades.
d) Promover la satisfacción en el trabajo, por medio del reconocimiento a la labor bien realizada.
e) La evaluación de las técnicas y su adecuación.

72. Uno de éstos no es un requisito del control:

a) Deben existir planes con objetivos claramente especificados.
b) Debe ser económico.
c) Debe ser adoptado democráticamente por todos los trabajadores.
d) Ha de ser relativamente flexible.
e) Debe indicar con claridad las desviaciones y las acciones correctoras.

73. Las acciones de evaluación que se llevan a cabo a lo largo de todas las etapas del proceso administrativo, se denominan:

a) Evaluación formativa.
b) Evaluaciones específicas.
c) Controles esporádicos.
d) Evaluación sumativa.
e) Evaluación final.

74. La auditoría es una forma de control que (señale la respuesta falsa):

a) Se basa generalmente en la revisión de registros escritos.
b) Es una forma de control indirecto.
c) Se utiliza principalmente en la gestión de personal.
d) Evalúa tanto la calidad del trabajo realizado como su pertinencia.
e) Frecuentemente se lleva a cabo de forma retrospectiva.

75. Uno de éstos no es un componente de la calidad asistencial:

a) Eficacia.
b) Eficiencia.
c) Nivel científico-técnico.
d) Adecuación.
e) Integridad.

68-e

La motivación es un elemento de la dirección, que fundamentalmente trata de buscar y aplicar las razones o motivos (elementos motivadores) que estimulan más el trabajo y la calidad de éste. Al tener por objeto a las personas, actúa mejor si se tienen en cuenta las necesidades y aspiraciones humanas de mayor nivel.

69-d

La comunicación es un elemento muy importante de cualquier trabajo que requiera el esfuerzo colectivo, más aún en los servicios de enfermería, en los que la información ha de ser manejada por muchas personas y se refiere a cuestiones que pueden ser vitales para los usuarios de los cuidados. En general, sigue los mismos principios y métodos que en otros grupos o empresas y admite variadas formas.

70-b

El papel actual de una supervisora de servicios de Enfermería es, ante todo, la orientación del personal a su cargo, observando y evaluando, tanto la ejecución de las actividades como las relaciones y la calidad personal y profesional de los trabajadores. Le compete, además, una importante responsabilidad en la enseñanza, bien directamente, bien detectando las necesidades y trasladándolas donde puedan ser atendidas (Servicio de Formación Continuada, por ejemplo).

71-b

Aunque todas las propuestas que se hacen son, de alguna manera, exponentes de partes del control como proceso administrativo, el fin principal de éste es mantener informado al total del proceso de las mejoras que se pueden emprender y, de esta manera, al iniciarse nuevamente el ciclo administrativo, adoptar las medidas que lo corrijan, tanto si no se han alcanzado los objetivos como si, aún habiéndose obtenido adecuados resultados, éstos puedan ser mejorados e incrementados.

72-c

El control es un elemento de la dirección que precisa, para ser efectivo, una serie de requisitos, tales como la existencia de planes y estructuras conocidas sobre las que aplicarse, la economía de su aplicación, la flexibilidad, que permita las adaptaciones precisas caso de producirse cambios inesperados, la indicación rápida de las desviaciones, etc. Sin embargo, entre estos requisitos no se cuenta el de la necesidad de la participación democrática de todos los trabajadores en el diseño de los sistemas de control, aunque esta participación sea precisa en otras etapas del proceso.

73-a

Se denomina evaluación formativa a este tipo de medidas de control a lo largo de las diferentes etapas del proceso, ya que mantienen una información constante y permiten la retroacción y modificación cuando sea preciso, en contraposición a la evaluación sumativa, que sería un acúmulo de toda la evaluación y sinónimo de control final.

74-c

La auditoría es un medio de control muy utilizado actualmente, que se basa principalmente en la revisión de las actividades registradas, tanto las puramente asistenciales (historias clínicas, registros de enfermería, informes), como administrativas y financieras (presupuesto, pedidos). Es, por tanto, un medio indirecto de control, que generalmente se realiza sobre la actividad que ya se llevó a cabo, esto es, de forma retrospectiva.

75-e

La calidad asistencial se basa principalmente en los componentes de eficacia (cantidad de acciones), eficiencia (relación costo-resultado), nivel científico-técnico (recursos y tecnología disponible), y adecuación a las necesidades y situaciones de salud que debemos atender.

BIBLIOGRAFIA

CAPITULO 1: ENFERMERIA FUNDAMENTAL

ADAM, E.: *Hacia dónde va la Enfermería.* Interamericana. Madrid, 1982.

ALBERDI, R. M. Et al.: *Conceptos de Enfermería.* U.N.E.D. Madrid. 1983.

ALFARO, R.: *Aplicación del Proceso de Enfermería-Guía Práctica.* «2ª Edición». Doyma. Barcelona, 1992.

ANTON ALMENARA, P.: *Enfermería-Etica y Legislación.* Masson-Salvat. Barcelona, 1994.

ARROYO , M. P.; SERRANO, A.: *Etica y Legislación en Enfermería.* Interamericana-Mc Graw-Hill. Madrid, 1988.

CARPENITO, L. J.: *Manual de Diagnóstico de Enfermería.* Interamericana-Mc Graw-Hill. Madrid. 1995.

CARPENITO, L. J.: *Diagnóstico de Enfermería.* Interamericana-Mc Graw-Hill. Madrid, 1987.

COLLIERE, M. F.: *Promover la vida. De la práctica de las mujeres cuidadores a los cuidados de enfermería.* Interamericana-Mc Graw-Hill. Madrid, 1993.

CONSEJO INTERNACIONAL DE ENFERMERAS: *Dilemas de las enfermeras. Consideraciones éticas del ejercicio de la enfermería.* I.C.N. Ginebra, 1977.

DOMINGUEZ-ALCON, C.: *Los cuidados y la profesión enfermera en España.* Pirámide. Madrid, 1986.

DONAHUE, M. P.: *Historia de la Enfermería.* Doyma. Barcelona, 1985.

GAFO, J.: *La Eutanasia. Derecho a la muerte digna.* Temas de hoy. Madrid, 1990.

GARCIA GARRIDO, M.; FERNANDEZ-GALIANO, A.: *Iniciación al Derecho.* Universitas. Madrid, 1994.

HENDERSON, V.: *Principios básicos de los cuidados de Enfermería.* I.C.N. Ginebra, 1971.

HENDERSON, V.: *La naturaleza de la enfermería. Reflexiones 25 años después.* Interamericana-Mc Graw-Hill. Madrid, 1994

IYER, P. W. et al.: *Proceso de enfermería y diagnóstico de enfermería.* Interamericana-Mc Graw-Hill. Madrid, 1988.JIMENEZ ORANTES, M.: *Legislación/Derecho sanitario. Introducción al Derecho.* Jims. Barcelona, 1993.

KERSHAW, B.; SALVAGE, J.: *Modelos de enfermería.* Doyma. Barcelona, 1988.

KING, I.: *Enfermería como profesión. Filosofía, principios y objetivos.* Limusa. México, 1984.

KOZIER, B. et al.: *Fundamentos de Enfermería.* Interamericana-Mc Graw-Hill. México, 1994.

KOZIER, B.; et al.: *Enfermería fundamental. conceptos, procesos y práctica.* Interamericana-Mc Graw-Hill. Madrid, 1993.

MARRINER, A.: *Modelos y Teorías de Enfermería.* Rol. Barcelona, 1989.

MARTIN MATEO, R.: *Bioética y Derecho.* Ariel. Barcelona, 1987.

MARTIN SERRANO, A.: *El Derecho de los profesionales sanitarios.* Díaz de Santos. Madrid, 1991.

NIGHTINGALE, F.: *Notas sobre enfermería. Qué es y qué no es.* Salvat. Barcelona, 1990.

OREM, D.: *Normas prácticas en Enfermería.* Pirámide. Madrid, 1983.

BIBLIOGRAFIA

POLETTI, R.: *Cuidados de Enfermería. Tendencias y modelos actuales.* Rol. Barcelona, 1980.

POLIT, D.; HUNGLER, B.: *Investigación científica en ciencias de la salud.* «2ª edición». Interamericana. México, 1978.

RIEHL-SISCA, J.: *Modelos conceptuales de enfermería.* Doyma. Barcelona, 1992.

ROPER et al.: *Modelos de enfermería.* «2ª edición». Interamericana-Mc Graw-Hill. Madrid, 1982.

SIMPSON, H.: *Modelo de Peplau. Aplicación práctica.* Masson-Salvat. Barcelona, 1992.

WIECK, L. et al.: *Técnicas de enfermería. Manual ilustrado.* Interamericana-Mc Graw-Hill. México, 1988.

WRIGHT, S. G.: *Mi paciente-Mi enfermera. La práctica de la enfermería primaria.* Doyma. Barcelona, 1993.

CAPITULO 2: ANATOMOFISIOLOGIA

BRAILLON, M.G.: *El Sistema Nervioso Central.* Alhambra. México, 1988.

GUYTON, A.C.: *Tratado de Fisiología Médica.* Interamericana. Madrid, 1991.

KRAUSE, W. J., HARRY COTTS, J.: *Histología.* Panamericana. Madrid, 1983.

LANGMAN, J.: *Embriología Médica.* Panamericana. Madrid, 1991.

MARTIN VILLAMOR, P. G., SOTO ESTEBAN, J. M.: *Enfermería Anatomofisiología. Tomo I y II.* Salvat. Barcelona, 1993.

MOORE, K. L.: Elementos de Embriología Humana. Interamericana. México, 1988.

POIRIER, J.: *Histología Humana.* Masson. Madrid, 1978.

REITH,E. J., BREIDENBACH, B., LORENC, M.: *Texto básico de Anatomía y Fisiología para Enfermería.* Barcelona, 1990.

SEGUY, B.: *Temas de Enfermería Práctico-Quirúrgica. Tomo I, II, III, IV, V y VI.* Norma. Madrid, 1983.

CAPITULO 3: BIOQUIMICA

ARMSTRONG, F. B., BENNETT, T. P.: *Bioquímica.* Reverté.

BOREL y OTROS: *Bioquímica Dinámica.* Panamericana.

JUNGERMAN, MÖLER: *Bioquímica.* Omega.

LEHNINGER: *Bioquímica.* Omega.

METZLER, D. E: *Bioquímica.* Omega.

NEWSHOLME, F. A, LEECH, A. R.: *Bioquímica Médica.* Interamericana.

STRYER, L: *Bioquímica.* Reverté.

CAPITULO 4: ENFERMERIA PSICOSOCIAL

GARCIA SEVILLA, J. *Fundamentos de Psicología.* DM. PPU. Barcelona, 1991. *Manual de Psicología General. Procesos.* DM. PPU. Barcelona, 1992.

LABRADOR, F.J. *El Estrés: Nuevas Técnicas para su Control.* Col. Fin de Siglo. Temas de Hoy. Madrid, 1992.

MAYOR, J. y PINILLOS, J.L.: *Tratado de Psicología General.* Alhambra Universidad. Madrid, 1989.

MONEDERO, C.: *Psicología del Ciclo Vital.* Biblioteca Nueva. Barcelona, 1989.

NOVEL. G. y otros: *Enfermería Psicosocial II.* Salvat. Barcelona, 1991.

PEREZ PAREJA, F.J.: *Ciencias de la Conducta. Curso de Nivelación A.T.S.* UNED. Madrid, 1982

ROCHER, G.: *Introducción a la Sociología General.* Herder. Barcelona, 1978.

CAPITULO 5: FARMACOLOGIA CLINICA

Atención integral de Enfermería.: *«Administración de fármacos cardiovasculares».* Doyma S.A. Barcelona, 1988.

BUENO, J.A., SABANÉS, F., SALVADOR, L Y GASCÓN, J.: *Psicofarmacología clínica.* Salvat. Barcelona, 1988.

Editorial: *«Medicamentos de elección para la quimioterapia anticancerosa».* Medical letter (ed. esp.), 14, 71-79, 1993.

Editorial: *«Fármacos para el SIDA y las infecciones asociadas».* Medical letter (ed. esp.), 21, 109-116, 1993.

FLÓREZ, J., ARMIJO, J.A., Y MEDIAVILLA, A.: *Farmacología humana.* Eunsa. Pamplona,1989.

FLÓREZ, J. Y REIG E.: *Terapéutica farmacológica del dolor.* Eunsa. Pamplona,1993.

GOTH, A.: *Farmacología clínica.* Médica Panamericana S.A. México, 1990.

KATZUNG, B.G.: *Farmacología básica y clínica.* Manual Moderno S.A. México, 1991.

LÜLLMAN, H. Y MOHR, K.: *Atlas de farmacología.* Salvat. Barcelona, 1992.

MOTA, C. Y PUCHE, E.: *Enfermería, farmacología clínica.* Científicas y técnicas. Barcelona, 1992.

VELASCO, A., LORENZO, P., SERRANO, J.S. Y ANDRÉS-TRELLES, F.: *Velázquez farmacología.* Interamericana Mc Graw-Hill. Madrid, 1993.

CAPITULO 6: NUTRICION Y DIETETICA

ALPERS, D.H. y colabs.: *Manual de Terapéutica Nutricional.* Edit. Salvat, S.A. «2ª edición». Barcelona, 1990.

CAO, M.J.: *Nutrición y Dietética.* «Serie Manuales de Enfermería». Edit. Salvat S.A. Barcelona, 1992.

CERVERA, P.; CLAPES, F.; RIGOLFAS, R.: *Alimentación y Dietoterapia.* Edit. Interamericana McGraw-Hill, «2ª edición». Madrid, 1993.

HERCBERG, S: y colabs.: *Nutrición y Salud Pública.* «Colección Aula Médica». Ediciones CEA. S.A. 1988.

« Manual de Dietética de la Clínica Mayo. Ediciones Médici, S.A. 1984.

CAPITULO 7: ENFERMERIA MEDICO-QUIRURGICA

ATENCION INTEGRAL DE ENFERMERIA: *Balance Hidroelectrolítico.* Edit. Doyma S.A.; Barcelona, 1991.

ATENCION INTEGRAL DE ENFERMERIA: *Situaciones de Urgencia Inmediata.* Edit. Doyma, S.A.; Barcelona, 1989.

ATENCION INTEGRAL DE ENFERMERIA: *Trastornos Neurológicos.* Edit. Doyma, S.A. Barcelona, 1988.

ATENCION INTEGRAL DE ENFERMERIA: *Diabetes. Cuidados y control.* Edit. Doyma S.A.;Barcelona, 1987.

BIBLIOGRAFIA

ATKINSON, L.J. y KOHN, M.L.: *Técnicas de Quirófano.* Edit.Interamericana McGraw-Hill, «6ªedición». México D.F., 1988.

BILLIE C. MEADOR: *Enfermería en Cuidados Intensivos.* Manual Moderno, S.A.; México, 1986.

BRUNNER,L.S y SUDDARTH,D.S.: *Enfermería Médico-Quirúrgica.* «Vol.1 y 2». Edit.Interamericana Mc Graw-Hill, «7ªedición». México, D.F., 1994.

COLECCIÓN DE ENFERMERÍA. NURSE REVIEW. *Problemas Respiratorios.* Edit. Masson, S.A. Barcelona, 1991.

COLECCIÓN DE ENFERMERÍA. NURSE REVIEW. *Problemas Cardíacos.* Edit. Masson, S.A. Barcelona, 1992.

COLECCIÓN DE ENFERMERÍA. NURSE REVIEW. *Problemas Gastrointestinales.* Edit. Masson,S.A. Barcelona, 1992.

COLECCIÓN DE ENFERMERÍA. NURSE REVIEW. *Problemas Neurológicos.* Edit. Masson, S.A. Barcelona, 1992.

COLECCIÓN DE ENFERMERÍA. NURSE REVIEW. *Problemas Vasculares.* Edit. Masson, S.A. Barcelona, 1992.

CARPENITO, L.: *Diagnósticos de Enfermería.* Edit. Interamericana Mc Graw-Hill, «3ª edición». Madrid, 1991.

ENFERMERÍA MÉDICO-QUIRÚRGICA II,III Y IV. *Necesidad de Oxigenación. Necesidad de Movimiento. Necesidad de Nutrición y Eliminación.* Edit. Salvat S.A. Barcelona, 1993.

ESTAPE,J. y DOMENECH,N.: *Enfermería y Cáncer.* Edit. Doyma,S.A. Barcelona, 1992.

GARCIA, V.: *Quemaduras. Tratamiento de Urgencia.* Edit. Duphar. Farmaceutica S.A. Madrid, 1989.

GORZEMAN,J. y BOWDOIN,C.: *Toma de decisiones en Enfermería Médico-Quirúrgica».* Edit. Interamericana McGraw-Hill. Madrid, 1993.

HUDDLESTON, S.S. y FERGUSON, S.: *Enfermería de Cuidados Críticos y Urgencias».* Edit. Doyma S.A.; Barcelona, 1990.

IGNATAVIRUS, BATTERDEN, HAUSMAN : *Manual de Enfermería Médico-Quirúrgica».* Edit. Interamericana McGraw-Hill, México, 1992.

KOFKE,W.A. y LEVY, J.H.: *Procedimientos de Cuidados Intensivos Postoperatorios del Massachusetts General Hospital.* Edit. Salvat S.A. Barcelona, 1990.

KIRKWOOD,E. y LEWIS,C.: *Inmunología Médica Básica.* Edit.Interamericana McGraw-Hill, Madrid, 1990.

LONG, B.C. y PHIPPS, W.J.: *La Enfermería Médico-Quirúrgica.* «Vol. 1 y 2». Edit. Interamericana Mc Graw - Hill, «2ªedición». Madrid, 1992.

LOPEZ J.C. et al.: *Tratado de Enfermería Médico-Quirúrgica,* Tomos I y II. Edit. Luzán 5. Madrid, 1992.

LOPEZ J.C. et. al.: *Actuación de Enfermería ante las Ulceras y Heridas.* Laborat. Knoll. Madrid, 1992.

McCAFFERY,M. y BEEBE,A.: *Dolor. Manual Clínico para la práctica de Enfermería».* Edit. Salvat,S.A. Barcelona, 1992.

NURSING PHOTOBOOK : *Cuidados Intensivos en Enfermería».* Edit. Doyma S.A.. Barcelona, 1986.

POZUELO,S.: *Enfermería de Quirófano. Conceptos fundamentales.* Edic. Toray,S.A. Barcelona, 1987.

Sistema Inmunitario. Revista Investigación y Ciencia. Edición Española de Scientific American. Noviembre, 1993.

TOMAS, A.M.; ALORDA, C. y SANCHEZ, M.I.: *Atención en el Postoperatorio I y II.* Rev. ROL de Enfermería ; 1994 (191,192,193), 69-75 y 57-60.

CAPITULO 8: ENFERMERIA INFANTIL

STEWART M. BROOKO: *Guía para el examen profesional de Enfermería.* Interamericana. México, D.F. 1981.

MARTÍNEZ GONZÁLEZ, C. Y ACITORES SUZ, E.: *Autoevaluación en Pediatría.* Díaz de Santos, S.A. Madrid, 1993.

HERNÁNDEZ RODRÍGUEZ, M *Alimentación Infantil.* Díaz Santos. «2.ª Edición». 1993.

WHALEY, L.F. WONG D.L.: *Tratado de Enfermería Pediátrica.* Interamericana. «2.ª Edición». 1988.

WHALEY, L.F. WONG D.L.: *Manual Clínico de Enfermería Pediátrica.* Masson-Salvat. Enfermería. 1993.

TEUNG, A. G.: *Cuidados de Enfermería Infantil.* Pirámide. Madrid, 1985.

CAPITULO 9: ENFERMERIA MATERNAL

Enfermería Maternal. Serie Manuales de Enfermería. Masson Satvat Enfermería. Barcelona, 1993.

DE BLEIER. BURROUGHS: *Enfermería Materno-Infantil.* Interamericana. «6ª Edición».

SPERT.P: *Momentos Históricos.* En Tratado de Obstetricia y Ginecología. Interamericana. México, 1986.

STEWART M. BROOKS: *Guía para el examen Profesional de Enfermería.* Interamericana. México. 1981.

PROF. DR. MED. DR. PHIL: *Obstetricia Práctica. W Pschyrembel.* Labor S.A. «3ª Edición». Barcelona, 1978.

DR. BOTELLA LLUSIA. DR. CLAVERO NUÑEZ, J. A.: *Patología Ostétrica.* Científico médica. «2ª edición». Barcelona, 1981.

GONZALEZ MERLO, J., SOL, J. R.: *Obstetricia.* Salvat-Masson, «4ª Edición». Barcelona, 1992.

CAPITULO 10: ENFERMERIA GERIATRICA

BEAUVOIR, S.: *La Vejez.* Edhas.Barcelona, 1983.

CARNEVALI, D.L. Y OTROS.: *Tratado de Geriatría y Gerontología.* Interamericana. México, 1988.

CHAPUY, P. *Alimentación de la persona de edad avanzada.* Masson. Barcelona, 1994.

GARCIA HERNANDEZ, M. Y OTROS.: *Enfermería Geriátrica.* Masson-Salvat. Barcelona, 1992.

GIL, B.: *Enfermería Geriátrica Clínica y Práctica.* Paradigma. Madrid, 1994.

GUIA DE ATENCION A LA SALUD DEL ANCIANO. Servicio Andaluz de Salud Junta de Andalucía, 1992.

GUIA PARA LA ELABORACION DEL PROGRAMA DEL ANCIANO EN ATENCION PRIMARIA DE SALUD. Ministerio de Asuntos Sociales. Madrid, 1987.

GUILLÉN LLERA, F. Y OTROS.: *Síndromes y Cuidados en el Paciente Geriátrico.* Masson. Barcelona, 1994.

JIMÉNEZ HERRERO, F.: *Gerontología 1993.* Masson Salvat. Barcelona, 1993.

JUNQUE, C. Y OTROS.: *Envejecimiento y Demencias.* Martínez Roca. Barcelona, 1994.

MISHARA, B.L.: *El Proceso de Envejecimiento.* Ediciones Morata, S.A. Madrid, 1986.

MORAGAS, R.: *Gerontología Social. Envejecimiento y calidad de vida.* Hender. Barcelona 1991.

NICOLA, P.: *Geriatría.* Manual Moderno. México. 1981.

NURSING PHOTOBOOK.: *Cuidados Geriátricos en Enfermería.* Doyma. Barcelona, 1985.

PARREÑO, J.M.: *3ª Edad sana. Ejercicios preventivos y terapéuticos.* Ministerio de Asuntos Sociales. Madrid, 1990.

PLAN GERONTOLOGICO. Ministerios de Asuntos Sociales.

REVISTA «TRAFICO». Febrero, 1993.

RIBERA, J.M. Y OTROS.: *Enfermería Geriátrica.* Idepsa. Madrid, 1991.

RICHARD, J. Y OTROS.: *Geriatría en Atención Primaria.* Ministerio de Sanidad y Consumo. Madrid, 1990.

SALGADO, A. Y OTROS: *Manual de Geriatría.* Salvat. Barcelona, 1990.

THEVENON, A.Y OTROS.: *Rehabilitación en Geriatría.* Masson. Barcelona, 1994.

CAPITULO 11: ENFERMERIA PSIQUIATRICA

RIGOL, A.: *Enfermería de Salud Mental y Psiquiatría.* Salvat. Barcelona, 1991

COOK, J. S. Y FONTAINE, K. L.: *Enfermería psiquiátrica.* Interamericana. Madrid, 1990

STUART, G. W.: *Guía profesional de enfermería. Enfermería Psiquiátrica.* Interamericana. Madrid, 1992

A.P.A.: DSM III R. *Manual Diagnóstico y estadístico de los trastornos mentales.* Masson, S.A. 1988.

KAPLAN, H. I. Y SADOCK, B. J.: *Compendio de psiquiatría.* Salvat. Madrid, 1987

CAPITULO 12: ADMINISTRACION DE SERVICIOS DE ENFERMERIA

MOMPART GARCIA, M.P.: *Administración de servicios de enfermería.* Masson-Salvat, Barcelona, 1994

MARRINER, A.: *Manual para la administración de enfermería.* 3ª ed., Interamericana, México, 1993.

GILLIES, D.A.: *Gestión de enfermería.* Masson-Salvat, Barcelona, 1994.

SIMMS,L.M., PRICE, S.A., ERWIN, N.E.: *Administración de servicios de enfermería.* Interamericana. México, 1986.

PINEAULT, R., DAVELUY, C.: *La planificación sanitaria. Conceptos, métodos, estrategias.* Masson,S.A., Barcelona, 1992.

SPIRITUALS

for piano · für Klavier · pour piano

Composed by

Komponiert von

Composé par

Péter Wolf

Könemann Music Budapest

K 166